Tenth Edition

최신

Judith Z. Kallenbach

혈액투석간호

REVIEW OF HEMODIALYSIS FOR NURSES AND
DIALYSIS PERSONNEL

 병원투석간호사회 **옮김**
KOREAN NEPHROLOGY NURSES' ASSOCIATION

ELSEVIER

메디컬사이언스
MEDICAL SCIENCE

ELSEVIER

Printed in Korea by Medical Science Publishing, Co.

최신 혈액투석간호

REVIEW OF HEMODIALYSIS FOR NURSES AND DIALYSIS PERSONNEL

Judith Z. Kallenbach

편집위원(가나다 순)

김문실 이화여자대학교 간호대학 명예교수

이창숙 단국대학교병원 중환자실

전열어 백석문화대학교 간호학과

정은주 강남세브란스병원 인공신장실

허 정 김천대학교 간호학과

공역자(가나다 순)

김미순 서울아산병원 인공신장실

김영일 분당차병원 본원 2층 인공신장실

박봉희 봉생병원 간호부

송영혜 건국대학교병원 간호부

양이진 엠에스메디칼

조현민 경동대학교 간호학과

최신
혈액투석간호 TENTH EDITION

2016년 4월 15일 9판 1쇄 발행
2018년 6월 11일 9판 2쇄 발행
2022년 3월 21일 10판 1쇄 발행

저 자	Judith Z. Kallenbach
역 자	병원투석간호사회
발 행 처	메디컬사이언스
발 행 인	하재용
등 록	제 2016-000295 호
주 소	서울시 마포구 동교로 23길 21(동교동 205-8) 윤호빌딩 402호
이 메 일	mspub@mspub.kr
홈페이지	medicalscience.imweb.me
전 화	Tel. 02-6091-7584 Fax. 070-7664-5776

I S B N   979-11-90217-70-5
정   가   45,000원

인사말

고령화와 당뇨병 환자 증가로 말기신부전 환자는 지속적으로 증가하고 있으며, 국내 투석 환자 수는 지난 10년간 2배로 늘어나 10만 명을 넘었습니다. 또한 투석 환자의 중증도 증가 및 혈액투석 관련 기술의 발달로 임상현장에서는 더욱 전문화된 지식과 훈련이 요구됩니다.

투석 환자의 안전과 삶의 질 향상을 위해 투석간호사는 끊임없이 최신의 전문지식을 습득하고 이를 바탕으로 투석간호를 적용하고 환자교육을 수행해야 합니다.

2016년 출간된 "Review of Hemodialysis for Nurses & Dialysis Personal 9ed."을 번역한 최신 혈액투석간호 9판은 인공신장실 간호사에게 혈액투석 이론과 실무를 공부할 수 있는 지침서로 활용되었습니다.

그러나 새로운 가이드라인과 경향을 반영한 최신 번역서의 필요성이 대두하여 기존 번역서를 출간하신 김문실 교수님과 번역위원, 편집위원들이 힘을 합쳐 최신 혈액투석간호 10판 출간을 위한 작업을 진행하였습니다.

투석간호사회를 아끼고 사랑하는 마음에 이 모든 과정을 주관하고, 꼼꼼하게 피드백해 주신 김문실 교수님께 깊은 감사와 존경의 마음을 전합니다. 교수님의 열정과 경륜이 이 모든 작업을 순탄하게 이끌어 주신 것 같습니다. 바쁜 학사일정 중에도 번역내용을 다시 한 번 점검하고, 확인해 주신 전열어 교수님, 허정 교수님, 함께 번역작업에 참여해 주신 선생님들께도 깊은 감사를 드립니다. 코로나 19로 인해 비대면 화상으로 편집회의를 하면서도 모두가 합심하여 노력하였기에 출간의 기쁨을 누릴 수 있게 된 것 같습니다.

새로 출간되는 최신 혈액투석간호 10판이 인공신장실 간호사 및 투석간호에 관심 있는 많은 선생님께 좋은 지침서가 되기를 소망합니다.

2022년 3월
병원투석간호사회 17대 회장 정은주

서문

한국에서 신대체요법에 관심을 갖기 시작한 것은 1980년도부터라 할 수 있다. 투석이 불가피한 환자가 점차 증가하기 시작하였으나 투석치료가 일반화되어 있지 않아 관련 교육지침이나 표준도 없었을 뿐만 아니라 의료인을 위한 체계적인 교육조차도 전무한 실무현장에서의 어려움이란 표현하기 어려울 정도였다.

1986년 이화여대 간호대학에서 미국 신장전문간호사 Ms. Ludlow를 초청하여 이화여대 동대문병원과 공동 주관한 총 176시간의 혈액투석 전문 간호사 교육 과정을 하면서 투석 간호사들의 정보교류의 필요성이 강조되기 시작하였다고 본다.

1988년 신장간호분야회 창립에 이어 투석환경 개선을 위한 신장간호학술지를 발간하여 관련 지식을 공유함으로써 전문단체로서 구성력도 갖게 되었다.

한국인의 평균수명이 100세를 바라보면서 복합적인 만성콩팥병 환자와 특히 고령 투석 환자의 증가로 중증도가 높은 환자를 돌봐야 하는 임상간호환경은 더욱 고도의 지식과 새로운 기술을 요구하고 있다. 더욱이 다른 전문분야와는 달리 투석실을 운영하는 1차 의료기관에서 간호인력을 위한 간호의 질 유지와 투석 환자의 간호요구를 충족시키기 위해서는 투석의 최근 트랜드를 반영한 투석 간호서적이 필요하였다.

투석현장에서는 그동안 2007년도 번역판 J. Kallenbach의 "Review of Hemodialysis for Nurses and Dialysis Personnel"을 많이 활용하여 집필진의 한 사람으로써 고마움을 표한다. 그러나 여러 가지 사정으로 새로운 내용을 추가하지 못하므로 임상적용이 용이한 최신 내용이 필요하다는 독자들의 의견을 반영하여 제10판을 번역하게 되었다. 또한 본 저자와 상의하여 한국의 투석환경을 반영한 내용을 추가하게 되었다.

특히 이번 번역에 즈음하여 의미가 큰 것은 34년의 역사를 가진 병원투석간호사회와 전 임원 또는 회원이었던 교수들이 "병원투석간호사회 옮김"으로 출판하게 되어 함께해주신 임상간호사와 간호대학 교수님들께 고마운 마음을 전한다.

출판될 본 번역서는 질의응답식으로 서술되어 질문에 대한 명확한 답을 제시하였으므로 임상간호사와 간호학생들은 물론 교수님들에게도 그 활용성이 높을 것으로 기대된다.

집필 목록은 본 저서에서의 28개 장 외에 한국투석환경에서 필요한 내용, 즉 한국투석간호와 교육에서 필요한 혈액투석 환자의 간호과정과 시뮬레이션을 이용한 혈액투석 간호사교육을 추가하여 재편집하므로 총 29장과 부록으로 구성하였으며 그 구체적인 내용은 다음과 같다.

1, 2장에서는 투석팀에서 간호관리자의 역량과 한국의 투석간호 역사를 포함하였다.

3, 4, 5장에서는 콩팥의 기본 생리와 말기신장질환 시 나타나는 증상들을 최근 연구결과를 인용하여 설명하였다.

6, 7, 8, 9장에서는 혈액투석의 원리와 투석기, 투석액, 물관리 등을 다루었다.

10, 11, 12장에서는 투석 시 필요한 여러 요법과 관리에 대해 설명하였다.

13, 14, 15, 16, 17, 18장에서는 투석 시 환자와 기기 모니터링과 사정 내용, 검사결과분석 및 해석, 약물 및 영양관리를 다루었다.

19, 20, 21, 23장에서는 소아 또는 노인투석 환자나 급성신장 환자를 위한 간호와 혈액투석 외에 복막투석, 가정투석에 대해 설명하였다.

24, 25, 26, 27장에서는 환자의 사회심리적 측면을 포함한 교육과 투석 간호의 질관리 및 프리셉터의 역할에 대해 기술하였다.

28장에서는 한국 혈액투석 환자간호를 위한 간호과정의 사례를 서술하였으며, 그리고 마지막으로 29장에서는 시뮬레이션을 이용한 혈액투석 간호사교육을 삽입하였다.

임상에서 많이 사용하는 찾아보기, 용어사전, 간호를 위한 환산법과 기본 계산법 그리고 원저자의 수험생을 위한 가이드는 부록으로 하였다.

또한 이 번역서에서 사용한 용어는 이해와 활용도를 높이기 위하여 병원투석 간호사회에서 번역한 한글판을 사용하였음을 알려드리고 부족한 부분은 앞으로 계속 보완 수정할 것임을 약속드린다.

이 책의 번역을 위하여 바쁘신 가운데도 열정적으로 번역에 임하신 2021년도 투석간호사회 정은주 회장님과 임원 여러분에게 감사를 드리며 또한 이 책이 출판될 수 있도록 도와주신 메디컬 사이언스 하재용 대표님과 편집직원분들께 감사의 말씀을 전한다.

2022년 3월
대표역자 김문실

차례

The Hemodialysis Team

혈액투석 팀

투석은 혈액 내에 쌓인 노폐물을 제거하는 과정으로서, 다양한 기술을 가진 숙련된 요원들로 구성된 팀이 필요한 복잡한 치료이다. 이러한 만성 치료가 성공하기 위해서는 임상적 요구와 심리사회적 요구에 대하여 환자나 그 가족을 지지해 줄 수 있는 다학제간 협력이 필요하다. 팀은 의사와 간호사, 테크니션, 영양사, 사회복지사, 행정가로 구성되지만 이에 국한되지는 않는다. 또 다른 팀원으로 생의학자, 심리학자, 치과의사, 아동발달전문가, 약사, 전담간호사(Physician Assistant, PA), 직업재활 상담가, 신장사례관리자(Renal Case Manager), 성직자, 실무간호사(Nurse Practitioner, NP), 임상전문간호사(Clinical Nurse Specialist, CNS) 또는 환자의 목표달성에 도움을 줄 수 있는 전문기술을 가진 요원이 포함될 수도 있다. 또한 환자와 가족도 혈액투석 팀에 반드시 필요한 구성원이며, 이들이 없다면 팀원의 모든 노력은 결실을 맺을 수 없을 것이다.

투석시설의 구조 Structure of the Dialysis Facility

미국의 경우 모든 투석센터는 해당 시설에서 제공하는 의료서비스를 궁극적으로 책임지는 의료책임자가 있다. 의료책임자는 신장학회에서 인정하는 훈련 프로그램을 모두 이수해야 하므로 적어도 12개월의 신장학 훈련 프로그램을 이수하고 내과, 소아과, 신장학 또는 소아신장학 등 기관에서 요구하는 훈련 프로그램들을 이수해야 한다. 의료책임자는 시설에서 사용하는 투석용수 관리시스템에 대하여 전적인 책임을 지며, 이에 관하여 기본적인 지식 등을 갖추고 있어야 한다. 책임자는 반드시 투석용수 관리시스템이 AAMI(Association for the Advancement of Medical Instrumentation)에서 요구하는 기준에 충족해야 한다는 것을 알고 있어야 한다. 또한 의료책임자는 투석용수 관리시스템뿐만 아니라 질 개선과 성과 향상(Quality Assurance and Performance Improvement, QAPI) 프로그램 수행에 대한 책임을 져야 한다. 각 투석시설에는 임상실무와 환자 치료를 맡는 직원들이 지켜야 할 정책과 절차가 있다. 이 정책과 절차는 환자 투석치료에 대한 기준, 투석치료에 대한 질 보장, 투석장비의 유지보수 기준, 투석기 재사용에 대한 기준 그리고 적절한 투약과 치료지침을 다룬다. 정책 및 절차는 시설의 이사회로부터 인증을 받아야 하며, 인증을 받기 위해서는 메디케어 & 메디케이드 서비스센터(Centers for Medicare & Medical Services, CMS)에서 제시하는 법적 기준에 부합하는 의료책임자, 간호 총책임자, 그리고 시설관리자가 있어야 한다.

신장내과 의사의 역할 Role of the Nephrologist

신장내과 의사는 환자를 검진하고 만성콩팥병(Chronic Kidney Disease, CKD) 환자의 투석 시작 시점을 결정해야 한다. 신장내과 의사는 신장 분야의 전문교육을 추가로 2~3년간 더 공부한 내과의사이다. 따라서 만성콩팥병 발병 초기와 말기신장질환(End Stage Renal Disease, ESRD) 이전단계의 환자는 신장내과 의사의 소견에 따르는 것이 중요하다. 신질환에 대한 조기중재와 적절한 치료의 시작은 잔여 신기능을 유지 또는 향상시키고 투석 시작시기를 늦출 수 있다.

투석이 결정되면 신장내과 의사의 투석처방에 의해서 시행된다. 투석처방에는 혈액투석기(dialyzer), 혈류속도와 투석액의 속도, 항응고제의 용량, 투석시간, 투석횟수, 혈관통로 사용에 대한 내용이 포함되어야 한다.

간호사의 역할 Role of the Nurse

| 투석 간호사의 기능

투석 간호사는 급성 또는 만성 콩팥병 환자에게 복합적인 간호를 제공할 수 있도록 추가적인 훈련을 받아야 한다. 간호사는 투석 환자에게 간호를 직접 제공하고 종종 상급간호사의 감독 아래 포괄적인 간호수행을 하고 있다. 간호사는 센터에 있는 투석 환자들을 치료하기 위해서 CMS 협회에서 요구하는 조건에 충족해야 한다. 간호사들이 투석시설에서 간호수행을 하기 위해서는 CMS 협회에 등록되어 있어야 하고, 그 협회에서 요구하는 자격요건에 충족할 수 있어야 하며 어떠한 상태에서도 간호를 수행할 수 있도록 실무 훈련이 충분히 이루어져 있어야 한다. 환자와 가족에게 투석교육과 교육받은 내용을 확실히 인지하게 하는 것, 그리고 자가간호 수행은 간호사가 제공하는 추가적인 중요한 서비스이다. 또한, 간호사는 환자에 대해서 지속적인 간호수행과 평가를 해야 할 책임이 있으며 환자의 신체적·정서적·사회적 요구가 있을 때에는 다학제적 접근을 통해 사례관리를 해야 한다.

간호행정 또는 간호서비스 조직은 투석시설마다 다르다. 일차 간호모델(Primary Nursing Model)을 적용하는 투석실의 환자 간호는 전적으로 일차 간호사(Primary Nurse)가 책임진다. 그러나 사례관리도 투석 환자 간호를 위한 적절한 모델이다. 이 모델은 병원 소속의 투석시설뿐 아니라 외래 시설 및 가정간호까지 간호사의 책임이 확장된다. 사례관리는 간호의 질은 물론 경제적 측면도 고려해야 한다. 어느 모델을 적용하든 간호의 궁극적인 목표는 환자를 지지·옹호하여 환자 본인이 아무 도움 없이 온전한 상태를 유지할 수 있도록 하는 것이다.

일부 센터에서 간호사는 간호사 역할뿐만 아니라 비즈니스매니저 또는 재정관리자의 역할에도 참여하여 재무성과와 예산을 포함한 전반적인 시설운영에 관여한다.

| 혈액투석 시 전문실무간호사의 역할

환자 수가 증가함에 따라 급·만성 투석 시 숙련된 전문실무간호사(Advanced Practice Nurse, APN)를 활용하는 것이 일반화되어 가고 있다. 전문실무간호사와 임상전문간호사는 모든 신장 분야 및 건강관리 분야에서 널리 활동하고 있다. 전문실무간호사는 만성콩팥병 환자의 각 단계별 간호를 할 수 있다. 일부 고급실무간호사는 임상가, 교육자, 상담자, 행정가, 연구자의 역할을 하기도 한다. 최근 신질환 환자 수가 증가하고 있으나 그들을 돌볼 수 있는 신장전문의 수는 감소 추세이다. 실무간호사는 이 격차를 해소하는 데 활용할 수 있다. 전문실무간호사는 모든 신질환 환자가 질 높은 간호서비스를 받아 좋은 결과를 얻을 수 있도록 건강관련 팀과 협력해야 한다.

투석 간호사를 위한 실무표준

미국의 경우에는 CMS에서 제시한 말기신장질환 프로그램의 행정관리 규정은 전문요원, 수용 가능한 정책과 절차, 시설 행정에 관련된 기준과 평가사항을 기술하였으나, 혈액투석실 간호사를 위한 실무표준을 언급하지는 않았다.

혈액투석실 간호사를 위한 실무표준은 전문간호사 단체에서 제시하였다. 1987년, NNCC (Nephrology Nursing Certification Commission)는 미국의 신장 분야 간호사들을 위한 자격과정을 개발·수행하고 조정하기 위하여 설립되었고 1988년에 ANNA (American Nephrology Nurses' Association)에서는 최초로 투석간호 표준을 제시하였다. 그 자격요건에 부합하고 NNCC의 시험을 통과한 간호사들은 신장간호사(Certified Nephrology Nurse, CNN)라는 자격증을 받았다. 자격증을 받은 투석간호사는 NNCC로부터 국제학력평가시험에 대한 학사가 없어도 일을 할 수 있다. 다른 자격증으로는 혈액투석간호사(Certified Hemodialysis Nurse, CHN)와 복막투석간호사(Certified Peritoneal Dialysis Nurse, CPDN) 자격증이 있으며, 면허간호사와 실무간호사 자격이 신장 분야의 간호와 기술 분야에 사용될 수 있다. CNN-NP(Certified Nephrology Nurse-Nurse Practitioner)라는 이 시험은 전문신장간호사 시험으로, 이미 간호사 자격증이 있는 사람이거나 석사학위를 가지고 있는 사람이라야 응시가 가능하다. 2017년에 ANNA에서는 "Nephrology Nursing Scope and Standards of Practice"을 발표하였는데 이 표준에는 고급실무간호사의 신장간호행위와 역할수행이 제시되어 있다.

자격증 시험은 몇 가지 조건을 갖추어야 하지만, 신장학을 다루고 있는 의료인에게 강력히 권장되고 있다. 신장학 등 전문분야의 자격은 전문성이 높다는 것을 의미하며, 이는 궁극적으로 환자의 안전과 진료의 질을 향상시킨다.

1977년, 미국신장재단(National Kidney Foundation, NKF)에 의해 설립된 KDOQI(Kidney Disease Outcomes Quality Initiative)는 만성콩팥병 환자를 관리하도록 임상실무 가이드라인을 발표하였는데 이 가이드라인은 빈혈관리, 혈액투석의 적절도, 복막투석의 적절도, 투석을 위한 혈관통로 관리에 대한 내용을 다루고 있다. 이후 KDOQI는 만성콩팥병과 관련된 8개의 추가적인 가이드라인을 발표하였다. 당뇨병, 빈혈증, 뼈대사, 성인 및 소아의 영양, 고혈압, 이상지질혈증 그리고 만성콩팥병을 단계별로 분류하였다. 이 가이드라인의 목표는 간호의 질을 높이고 좋은 결과를 얻고 콩팥병으로 생길 수 있는 위험성을 줄이는 데 있다. 그러나 이것들은 어디까지나 진료 관련 가이드라인이며, 간호실무를 위해 만들어진 지침서는 아니다. 이 가이드라인은 만성콩팥병 환자를 위한 전반적인 진료지침이며 콩팥병의 진행 단계에 따른 치료 방향을 제시한 것이다.

국내의 혈액투석 간호업무표준

국내에서는 2015년에 병원투석간호사회에서 연구한 내원 유형별 혈액투석 간호업무표준을 활용하고 있다. 이 표준에 따르면 내원 유형별 혈액투석 환자의 중증도에 따라 필수로 수행되는 간호행위의 수와 구성에 차이가 있으며, 동일한 간호행위라 하더라도 혈액투석 환자 내원 유형에 따라 그 수행시간에 차이가 있어 외래투석보다 입원환자 투석이나 중환자 투석에서 소요되는 수행시간이 더 길다. 그러므로 내원유형에 따라서 간호인력 배치 및 환자 분배가 이루어져야 한다.

표 1-1 외래환자 혈액투석 필수 간호업무표준

번호	업무구분	표준	영역	간호행위
1	간호업무표준	사정	과거력 및 현 병력	투석 환자의 병력, 이전 투석상태를 확인한다.
2	간호업무표준	사정	과거력 및 현 병력	투석 환자의 감염 유무를 사정한다.
3	간호업무표준	사정	신체사정	투석시작 전 환자의 의식상태, 출혈경향, 부종, 소화기계, 순환기계 등을 사정한다.
4	간호업무표준	사정	신체사정	투석 전 환자의 혈압, 맥박, 호흡, 체온을 측정하고 기록한다.
5	간호업무표준	사정	신체사정	청진 및 촉진을 통해 환자의 동정맥루의 개방성을 확인하고 혈관상태를 확인한다.
6	간호업무표준	사정	신체사정	투석 환자의 통증을 사정한다.
7	간호업무표준	사정	신체사정	투석 환자의 현재 상태를 신체검진한다.
8	간호업무표준	사정	신체사정	투석 환자의 낙상위험을 사정한다.
9	간호업무표준	사정	신체사정	투석 환자의 중증도, 위급 정도를 사정한다.
10	간호업무표준	계획		환자의 상태에 따라 지속적으로 조정한다.
11	간호업무표준	수행	혈액투석 환자의 일반적 간호	손을 씻는다(알코올젤을 이용한 손씻기도 포함).
12	간호업무표준	수행	혈액투석 환자의 일반적 간호	Priming을 정확히 수행한다.
13	간호업무표준	수행	혈액투석 환자의 일반적 간호	Dialyzer와 blood line의 누출 여부를 확인한다.
14	간호업무표준	수행	혈액투석 환자의 일반적 간호	투석 환자의 일반적 간호투석 후 환자상태를 확인한다(의식상태, 활력징후, Standing BP, 통증 등).
15	간호업무표준	수행	혈액투석 환자의 일반적 간호	모든 시술(투석, 투약) 전 환자를 확인한다.
16	간호업무표준	수행	혈액투석 환자의 일반적 간호	혈액투석 기계를 켜고 set up을 시행한다.
17	간호업무표준	수행	혈액투석 환자의 일반적 간호	환자의 초여과량을 설정한다.
18	간호업무표준	수행	혈액투석 환자의 일반적 간호	혈관통로를 투석회로에 연결한다.
19	간호업무표준	수행	혈액투석 환자의 일반적 간호	항응고제 초기용량과 유지용량을 준비하여 주입한다.
20	간호업무표준	수행	혈액투석 환자의 일반적 간호	기계의 작동상태(혈류속도, 투석시간, 투석액 온도, 나트륨 등)를 조절한다.
21	간호업무표준	수행	혈액투석 환자의 일반적 간호	간호투석 후 의료폐기물 관리지침에 따라 투석체외회로를 포함한 적출물(폐합성 수지물과 탈지면류, 배설물 등) 및 격리 적출물을 분리수거한다.
22	간호업무표준	수행	혈액투석 환자의 일반적 간호	투석 후 혈액투석기계의 적절한 린스나 소독을 시행한다.
23	간호업무표준	수행	혈액투석 환자의 일반적 간호	기계의 작동상태(혈류속도, 동정맥압, 막통과압, 투석액 온도, 나트륨, 단위시간당 초여과량, 항응고제량)를 모니터링한다.
24	간호업무표준	수행	혈액투석 환자의 일반적 간호	투석처치가 정확히 기계에 설정되어 있는지 확인한다.

(계속)

번호	업무구분	표준	영역	간호행위
25	간호업무표준	수행	혈액투석 환자의 일반적 간호	혈액투석 임상관찰지(간호기록)를 기록한다.
26	간호업무표준	수행	혈액투석 환자의 일반적 간호	투석 후 체중을 측정하여 건체중과 비교분석한다.
27	간호업무표준	수행	혈액투석 환자의 일반적 간호	투석종료 시 체외순환회로 내의 혈액을 체내혈관으로 주입한다.
28	간호업무표준	수행	혈액투석 환자의 일반적 간호	동정맥루 부위를 피부소독한 후 주사침으로 천자하고 고정한다.
29	간호업무표준	수행	혈액투석 환자의 일반적 간호	천자부위의 상태 및 바늘의 고정상태를 모니터링한다.
30	간호업무표준	수행	혈액투석 환자의 일반적 간호	투석 후 천자부위를 지혈한다.
31	간호업무표준	수행	감염의 위험성	동정맥루의 감염증상을 확인한다.
32	간호업무표준	수행	감염의 위험성	감염의 증상과 증후, 발생요인을 확인한다.
33	간호업무표준	수행	혈관통로 기능장애 위험성	혈관통로(동정맥루, 투석용도관) 기능장애 발생요인 및 증상을 확인한다.
34	간호업무표준	수행	혈관통로 기능장애 위험성	매 투석 후 혈관통로 개방성, 지혈 여부, 혈종생성 여부 등을 확인한다.
35	간호업무표준	수행	외상의 위험성	낙상 예방활동을 한다.
36	간호업무표준	수행	외상의 위험성	투석 환자의 안전한 이동을 돕는다.
37	간호업무표준	수행	빈혈로 인한 합병증 발생의 위험성	증상(호흡곤란, 저혈압, 어지럼증, 출혈 유무 등)과 합병증(협심증, 뇌혈관 질환, 울혈성 심장질환 등)을 사정한다.
38	간호업무표준	수행	빈혈로 인한 합병증 발생의 위험성	환자의 약물(조혈제, 철분제) 투여 여부 및 투여용량을 확인한다.
39	간호업무표준	수행	신대체 요법으로 인한 출혈의 위험성	혈액투석 시 적절한 항응고요법을 적용하고 치료반응을 관찰한다.
40	간호업무표준	수행	심혈관질환이 발생할 가능성	활력징후를 측정한다.
41	전문가적 업무수행표준	환경적 의료		일반 세탁물과 오염 세탁물을 분리수거한다.
42	전문가적 업무수행표준	의사 소통		Message Note(일반적 문제, 협의 내용, 공지사항)를 확인한다.
43	전문가적 업무수행표준	의사 소통		환자에게 발생하는 간호문제에 대해 의사, 간호사, 간호직원과 협의한다.

표 1-2 입원환자 혈액투석 필수 간호업무표준

번호	업무구분	표준	영역	간호행위
1	간호업무표준	사정	과거력 및 현 병력	투석 환자의 병력, 이전 투석상태를 확인한다.
2	간호업무표준	사정	과거력 및 현 병력	투석 환자의 감염 유무를 사정한다.
3	간호업무표준	사정	과거력 및 현 병력	투석 환자의 증상에 따라 검사결과(혈액검사와 영상의학검사 등)를 확인한다.
4	간호업무표준	사정	신체사정	투석시작 전 환자의 의식상태, 출혈경향, 부종, 소화기계, 순환기계 등을 사정한다.
5	간호업무표준	사정	신체사정	투석 환자의 현재 상태를 신체검진한다.
6	간호업무표준	사정	신체사정	투석 환자의 낙상위험을 사정한다.
7	간호업무표준	사정	신체사정	투석 환자의 통증을 사정한다.
8	간호업무표준	사정	신체사정	투석 환자의 중증도, 위급 정도를 사정한다.
9	간호업무표준	사정	신체사정	투석 전 환자의 혈압, 맥박, 호흡, 체온을 측정하고 기록한다.
10	간호업무표준	사정	신체사정	청진 및 촉진을 통해 환자의 동정맥루의 개방성을 확인하고 혈관상태를 확인한다.
11	간호업무표준	계획		환자의 상태에 따라 지속적으로 조정한다.
12	간호업무표준	계획		치료 및 간호중재의 우선순위를 정한다.
13	간호업무표준	수행	혈액투석 환자의 일반적 간호	손을 씻는다(알코올젤을 이용한 손씻기도 포함).
14	간호업무표준	수행	혈액투석 환자의 일반적 간호	Priming을 정확히 수행한다.
15	간호업무표준	수행	혈액투석 환자의 일반적 간호	Dialyzer와 Blood line의 누출 여부를 확인한다.
16	간호업무표준	수행	혈액투석 환자의 일반적 간호	모든 시술(투석, 투약) 전 환자를 확인한다.
17	간호업무표준	수행	혈액투석 환자의 일반적 간호	혈관통로를 투석회로에 연결한다.
18	간호업무표준	수행	혈액투석 환자의 일반적 간호	환자의 초여과량을 설정한다.
19	간호업무표준	수행	혈액투석 환자의 일반적 간호	투석기계의 작동상태(혈류속도, 투석시간, 투석액 온도, 나트륨 등)를 조절한다.
20	간호업무표준	수행	혈액투석 환자의 일반적 간호	투석처치가 정확히 기계에 설정되어 있는지 확인한다.
21	간호업무표준	수행	혈액투석 환자의 일반적 간호	투석종료 시 체외순환회로 내의 혈액을 체내혈관으로 주입한다.
22	간호업무표준	수행	혈액투석 환자의 일반적 간호	투석 후 환자상태를 확인한다(의식상태, 활력징후, Standing BP, 통증 등)
23	간호업무표준	수행	혈액투석 환자의 일반적 간호	혈액투석 임상관찰지(간호기록)를 기록한다.
24	간호업무표준	수행	혈액투석 환자의 일반적 간호	혈액투석기계를 켜고 set up을 시행한다.
25	간호업무표준	수행	혈액투석 환자의 일반적 간호	투석 후 의료폐기물 관리지침에 따라 투석체외회로를 포함한 적출물(폐합성 수지물과 탈지면류, 배설물 등) 및 격리 적출물을 분리수거한다.
26	간호업무표준	수행	혈액투석 환자의 일반적 간호	투석 후 혈액투석 기계의 적절한 린스나 소독을 시행한다.

(계속)

번호	업무구분	표준	영역	간호행위
27	간호업무표준	수행	혈액투석 환자의 일반적 간호	기계의 작동상태(혈류속도, 동정맥압, 막통과압, 투석액 온도, 나트륨, 단위시간당 초여과량, 항응고제량)를 모니터링한다.
28	간호업무표준	수행	혈액투석 환자의 일반적 간호	투석 후 체중을 측정하여 건체중과 비교분석한다.
29	간호업무표준	수행	혈액투석 환자의 일반적 간호	항응고제 초기용량과 유지용량을 준비하여 주입한다.
30	간호업무표준	수행	혈액투석 환자의 일반적 간호	천자부위의 상태 및 바늘의 고정상태를 모니터링한다.
31	간호업무표준	수행	혈액투석 환자의 일반적 간호	환자에게 교육/설명한다(수분조절, 투약변경, 식이교육, 혈관통로관리, 검사결과 등).
32	간호업무표준	수행	혈액투석 환자의 일반적 간호	동정맥루 부위를 피부소독한 후 주사침으로 천자하고 고정한다.
33	간호업무표준	수행	혈액투석 환자의 일반적 간호	투석 후 천자부위를 지혈한다.
34	간호업무표준	수행	외상의 위험성	투석 환자의 안전한 이동을 돕는다.
35	간호업무표준	수행	외상의 위험성	낙상 예방활동을 한다.
36	간호업무표준	수행	외상의 위힘성	감염의 증상과 증후, 발생요인을 확인한다.
37	간호업무표준	수행	혈관통로기능장애위험성	혈관통로(동정맥루, 투석용도관) 기능장애 발생 요인 및 증상을 확인한다.
38	간호업무표준	수행	혈관통로기능장애위험성	매 투석 후 혈관통로 개방성, 지혈 여부, 혈종생성 여부 등을 확인한다.
39	간호업무표준	수행	빈혈로 인한 합병증 발생의 위험성	증상(호흡곤란, 저혈압, 어지럼증, 출혈 유무 등)과 합병증(협심증, 뇌혈관질환, 울혈성 심장질환 등)을 사정한다.
40	간호업무표준	수행	빈혈로 인한 합병증 발생의 위험성	환자의 약물(조혈제, 철분제) 투여 여부 및 투여용량을 확인한다.
41	간호업무표준	수행	신대체 요법으로 인한 출혈의 위험성	혈액투석 시 적절한 항응고요법을 적용하고 치료반응을 관찰한다.
42	간호업무표준	수행	체액 불균형의 가능성	수분조절, 울혈성 심부전 및 고혈압 여부를 관찰한다.
43	간호업무표준	수행	심혈관 질환이 발생할 가능성	활력징후를 측정한다.
44	간호업무표준	수행	심혈관 질환이 발생할 가능성	혈류속도 및 초여과량을 조절한다.
45	전문가적 업무수행 표준	환경적 의료		일반 세탁물과 오염 세탁물을 분리수거한다.
46	전문가적 업무수행 표준	환경적 의료		처방약을 확인 후 준비하여 투여한다.
47	전문가적 업무수행 표준	환경적 의료		적정한 온도와 습도, 공간 배정을 점검하고 확인한다.
48	전문가적 업무수행 표준	의사 소통		환자에게 발생하는 간호문제에 대해 의사, 간호사, 간호직원과 협의한다.

(계속)

번호	업무구분	표준	영역	간호행위
49	전문가적 업무수행 표준	의사소통		Message Note(일반적 문제, 협의 내용, 공지사항)를 확인한다.
50	전문가적 업무수행 표준	협력		간호업무를 인수인계한다.

표 1-3 중환자 혈액투석 필수 간호업무표준

번호	업무구분	표준	영역	간호행위
1	간호업무표준	사정	과거력 및 현 병력	투석 환자의 병력, 이전 투석상태를 확인한다.
2	간호업무표준	사정	과거력 및 현 병력	투석 환자의 감염 유무를 사정한다.
3	간호업무표준	사정	과거력 및 현 병력	투석 환자의 증상에 따라 검사결과(혈액검사와 영상의학검사 등)를 확인한다.
4	간호업무표준	사정	신체사정	투석 전 환자의 혈압, 맥박, 호흡, 체온을 측정하고 기록한다.
5	간호업무표준	사정	신체사정	투석 시작 전 환자의 의식상태, 출혈경향, 부종, 소화기계, 순환기계 등을 사정한다.
6	간호업무표준	사정	신체사정	투석 환자의 현재 상태를 신체검진한다.
7	간호업무표준	사정	신체사정	투석 환자의 낙상위험을 사정한다.
8	간호업무표준	사정	신체사정	청진 및 촉진을 통해 환자의 동정맥루의 개방성을 확인하고 혈관상태를 확인한다.
9	간호업무표준	사정	신체사정	혈액투석 환자의 일반적 간호투석 환자의 통증을 사정한다.
10	간호업무표준	수행	혈액투석 환자의 일반적 간호	천자부위의 상태 및 바늘의 고정상태를 모니터링한다.
11	간호업무표준	수행	혈액투석 환자의 일반적 간호	혈액투석기계를 켜고 set up을 시행한다.
12	간호업무표준	수행	혈액투석 환자의 일반적 간호	손을 씻는다(알코올젤을 이용한 손씻기도 포함).
13	간호업무표준	수행	혈액투석 환자의 일반적 간호	Priming을 정확히 수행한다.
14	간호업무표준	수행	혈액투석 환자의 일반적 간호	Dialyzer와 blood line의 누출 여부를 확인한다.
15	간호업무표준	수행	혈액투석 환자의 일반적 간호	모든 시술(투석, 투약) 전 환자를 확인한다.
16	간호업무표준	수행	혈액투석 환자의 일반적 간호	일시적 혈관통로의 경우 연결부위를 소독하고 개방 여부를 확인한다.
17	간호업무표준	수행	혈액투석 환자의 일반적 간호	혈관통로를 투석회로에 연결한다.
18	간호업무표준	수행	혈액투석 환자의 일반적 간호	항응고제 초기용량과 유지용량을 준비하여 주입한다.
19	간호업무표준	수행	혈액투석 환자의 일반적 간호	환자의 초여과량을 설정한다.
20	간호업무표준	수행	혈액투석 환자의 일반적 간호	투석기계의 작동상태(혈류속도, 투석시간, 투석액 온도, 나트륨 등)를 조절한다.
21	간호업무표준	수행	혈액투석 환자의 일반적 간호	투석처치가 기계에 정확히 설정되어 있는지 확인한다.

(계속)

번호	업무구분	표준	영역	간호행위
22	간호업무표준	수행	혈액투석 환자의 일반적 간호	기계의 작동상태(혈류속도, 동정맥압, 막통과압, 투석액 온도, 나트륨, 단위시간당 초여과량, 항응고제량)를 모니터링한다.
23	간호업무표준	수행	혈액투석 환자의 일반적 간호	투석종료 시 체외순환회로 내의 혈액을 체내혈관으로 주입한다.
24	간호업무표준	수행	혈액투석 환자의 일반적 간호	투석 후 환자상태를 확인한다(의식상태, 활력징후, Standing BP, 통증 등).
25	간호업무표준	수행	혈액투석 환자의 일반적 간호	혈액투석 임상관찰지(간호기록)를 기록한다.
26	간호업무표준	수행	혈액투석 환자의 일반적 간호	투석 후 의료폐기물 관리지침에 따라 투석체외회로를 포함한 적출물(폐합성 수지물과 탈지면류, 배설물 등) 및 격리 적출물을 분리수거한다.
27	간호업무표준	수행	혈액투석 환자의 일반적 간호	투석 후 혈액투석 기계의 적절한 린스나 소독을 시행한다.
28	간호업무표준	수행	혈액투석 환자의 일반적 간호	동정맥루 부위를 피부소독한 후 주사침으로 천자하고 고정한다.
29	간호업무표준	수행	감염의 위험성	동정맥루의 감염증상을 확인한다.
30	간호업무표준	수행	감염의 위험성	투석 환자의 안전한 이동을 돕는다.
31	간호업무표준	수행	감염의 위험성	낙상 예방활동을 한다.
32	간호업무표준	수행	신대체요법에 대한 지식부족	처방된 치료계획의 이행 정도를 확인한다.
33	간호업무표준	수행	신대체요법으로 인한 출혈의 위험성	혈액투석 시 적절한 항응고요법을 적용하고 반응을 관찰한다.
34	간호업무표준	수행	고혈압의 위험성	약물교육(항고혈압제) 여부를 확인하고 지속적으로 투석일과 비투석일의 혈압상태를 평가한다.
35	간호업무표준	수행	혈당조절에 대한 지식부족	임상병리검사(평균 혈당, HbA1C 등) 결과를 확인한다.
36	간호업무표준	수행	체액 불균형의 가능성	수분조절, 울혈성 심부전 및 고혈압 여부를 관찰한다.
37	간호업무표준	수행	심혈관질환이 발생할 가능성	활력징후를 측정한다.
38	간호업무표준	수행	심혈관질환이 발생할 가능성	혈류속도 및 초여과량을 조절한다.
39	전문가적 업무수행표준	환경적 의료		처방약을 확인 후 준비하여 투여한다.
40	전문가적 업무수행표준	환경적 의료		일반 세탁물과 오염 세탁물을 분리수거한다.
41	전문가적 업무수행표준	환경적 의료		조절 가능한 소음(알람, 휴대폰 사용, 방문객 제한 등)을 방지한다.
42	전문가적 업무수행표준	환경적 의료		투석실 환경관리를 위해 정리정돈, 청소, 침상정리, overbed table, nursing cart, 작업대 등을 적절한 소독제로 닦는다(기송관 물건 확인 및 정리 포함).
43	전문가적 업무수행표준	의사소통		환자에게 발생하는 간호문제에 대해 의사, 간호사, 간호직원과 협의한다.

표 1-4 내원유형별 혈액투석 필수 간호업무 표준 수행에 따른 소요시간

내원유형	간호업무 표준 항목(개)	총 소요시간 (min)/(hour)	간호사 1인 일평균 투석가능 건수
외래	43	106.4분/1.77시간	4.5건
입원	50	155.3분/2.59시간	3.1건
중환자	43	137.2분/2.29시간	3.5건

출처 : 임상간호연구 제 21권 3호

투석간호관리자의 역할 Role of the Dialysis Nurse Manager

환자간호 조정에 책임을 지는 간호 리더 또는 간호관리자는 시설의 체계에 따라 여러 가지 직함[간호 행정가, 간호부장(Director Of Nurses), 투석실 관리자(Clinical Manager), 책임간호사(Charge Nurse), 코디네이터 (Nursing Coordinator)]을 가질 수 있다. 이들은 직함은 다를 수 있으나 직접적인 환자간호에 일차적인 책임이 있다. 최고 수준의 간호모델을 지원함으로써 환자는 최적의 간호를 받게 된다. 투석간호관리자는 일반적으로 고용, 관리, 인력배치, 징계 관련 문제 등 여러 분야에 있어서 책임을 지고 관리하는 역할을 한다. 간호관리자가 되기 위해서는 근무경력이 기준에 충족되어야 하고 실무수행능력을 갖춰야 하며, 최소한 12개월의 임상간호 경험과 6개월 이상의 투석간호 경험이 있어야 한다.

지식모델, 기술적인 간호는 간호관리자 역할의 핵심요소이며 환자에게 간호를 제공하는 간호사와 테크니션을 채용하고 적정 인력을 확보·유지해야 한다. 간호관리자는 교육기회를 통해 직원들이 지식을 습득하고 질 높은 간호를 제공할 수 있도록 시간과 자원을 지원해야 한다. 또한 적정 비용 내에서 최고의 질적 간호를 제공하도록 관리해야 하며 환자와 직원의 안전에 신경 써야 한다.

투석실 행정가의 역할 Role of the Dialysis Unit Administrator

투석실 행정가는 투석실의 재정에 관한 책임과 관리를 맡는다. 행정가는 결정사항이 임상 적용 범위 내에서 이루어지도록 해야 한다. 행정가는 보통 임상적 또는 재정적인 면을 다룬다. 때때로 임상지식을 가진 행정가에게 전문적인 학력으로 석사(MBA)를 요구하거나 비즈니스 관련 교육을 받도록 요구할 수도 있다. 환자 상태에 따라 최고의 결과를 낼 수 있는 임상전문기술과 투석실의 최선의 이익이 무엇인가에 대해 결정을 내릴 수 있는 비즈니스 전문지식을 갖추어야 한다.

투석 테크니션의 역할 Role of the Dialysis Technician

투석 테크니션의 역할은 상황에 따라 여러 가지로 구분되며, 각 기관마다 규정이 다르고, 그로 인해 역할 수행에도 차이가 있다. 미국의 경우 지역에 따라 투석 테크니션에게 추가적인 업무가 주어진다. 정맥 내로 헤파린 투여, 동정맥루 천자, 그리고 중심정맥 내로 주사를 투여하는 행위 등이다. 투석 테크니션의 역할은 지역마다 다소 차이가 있으므로 테크니션이 간호수행을 해도 되는지를 각 지역의 법적 근거로 확인해야 한다. 투석 테크니션들은 투석 프로그램을 진행할 때 투석 팀원의 필수 구성원이며 두 가지 주요 역할이 있다. 첫째는

투석장비의 유지와 보수이며 둘째는 환자간호이다. 즉, 투석 테크니션이라는 직업은 기기만 다루는 것이 아니라 환자와 장비, 이 두 가지에 대한 책임을 지는 것이다. 투석장비를 신속하고 정확하게 조립하는 것은 투석 프로그램을 진행하는 데 있어서 뿐만 아니라 값비싼 투석장비 관리 차원에서도 매우 중요하다. 투석 테크니션은 투석 관련 모든 구성원과 협력해야 한다. 이들은 대부분 간호사와 매우 밀접하게 관련되어 있지만 환자간호 활동에 대해서는 투석전문간호사의 지휘감독을 받는다.

| 투석 테크니션이 갖추어야 할 능력

기계에 대한 지식과 기술은 장비를 설치하고 유지하는 테크니션에게 반드시 필요하다. 물리학적 원리에 대한 이해도가 높아야 하고 컴퓨터 기술 역시 필수적이다. 또한 환자와 가족과의 관계형성을 위해 대인관계술이 필요하다. 테크니션은 해부학, 생리학, 만성콩팥병과 관련된 병태생리를 이해해야 하며, 투석의 이론과 원리, 투석의 합병증, 혈관통로 관리에 대해서 알고 있어야 한다. 수학적인 능력으로는 체중의 증감량에 대한 계산과 약물투여에 대한 계산법을 알고 있어야 한다. 환자의 안전을 위해 테크니션은 환자를 모니터링하는 기술과 임상적 판단력을 갖추어야 한다. 한국의 경우에는 테크니션 제도가 없으며 장비를 유지보수하는 업무는 각 의공팀에서 하거나 투석기계 제조사로부터 지원을 받는다.

| 투석 테크니션에 대해 확립된 표준

투석 테크니션은 그들이 일하고 있는 주에서 발행한 진료기준을 지켜야 한다. CMS에는 투석테크니션에 대한 요구사항도 있으며 이러한 요구사항은 직접적인 환자 간호에 대한 책임이 있는 투석 테크니션에게 적용된다. 직접 환자 간호는 데이터 수집(예: 활력징후, 체중, 마지막 치료 이후의 증상), 투석기 설치, 치료 시작 및 종료, 투석통로 관리, 혈액투석 또는 복막투석 과정의 모든 측면 전달경로, 기계 경보에 반응, 허용된 약물 투여(ESRD적 조건: 환자 치료 기술자에 대한 자주 묻는 질문, 2010. 4)이다.

  2008년 CMS 적용조건(CMS Conditions for Coverage)에서 승인한 ESRD 규칙 및 규정은 환자 치료를 제공하는 투석 테크니션에게 교육 요건을 부과했다. 최종 규칙에 따르면 투석 테크니션는 고용 후 18개월 이내에 공인된 주 또는 국가인증 프로그램에 따라 인증을 받아야 하며, 모든 주 요구사항을 충족해야 한다. 투석 테크니션은 또한 고등학교 졸업장 또는 이와 동등한 자격을 소지하고 훈련 프로그램을 이수해야 하며, 의료 책임자 및 투석시설 관리기관에서 승인한 임상기술에 대한 검증된 역량 체크리스트가 있어야 한다. 주 차원에서 다양한 수준의 규제가 계속 존재한다; 여기에는 면허, 등록 및 인증이 포함된다. CMS는 BONENT, NNCC 및 NNCO(National Nephrology Certification Organization)의 세 가지 국가적 · 상업적으로 이용 가능한 투석테크니션 인증시험을 승인했다. CMS는 이 세 가지 국가 프로그램을 모두 PCT(환자 치료 기술자) 인증에 대한 CMS 요구사항을 충족하는 것으로 승인했다(표 1.1). 일부 주에서는 특정 시험이 필요하다. 따라서 특정 주에서 요구하는 인증 요구사항을 숙지하는 것이 가장 좋으며, NNCC는 임상 투석테크니션에게 고급 인증을 제공한다. CCHT-A(Certified Clinical Hemodialysis Technician – Advanced) 시험은 CCHT, CHT 또는 CCNT와 같은 국가인증을 보유하고 임상 혈액 투석 테크니션으로서 5년의 지속적인 고용과 최소 5,000시간을 보유한 PCT를 위한 것이다.

| 투석테크니션에게 제공되는 교육적 기회

투석 프로그램은 새로 고용되거나 경험이 없는 투석 테크니션를 위한 현장교육을 제공한다. 일부 주에서는 투석 테크니션 업무를 수행하기 위해 임상실습과 이론수업을 모두 완료해야 하는 최소 시간을 요구한다.

투석 테크니션을 위한 인증 프로그램은 일부 커뮤니티 대학을 통해 제공되며 지속적인 교육 프로그램은 의료기관, 전문조직 및 기술 대학에서 제공된다. NANT(National Association of Nephrology Technicians/Technologists) 및 BONENT는 지역 및 전국적으로 많은 교육 프로그램을 제공한다. 또한 대규모 신장학회는 전문적 책임과 역할을 수행하는 투석테크니션에게 전문학습기회를 제공할 수 있다. 여기에는 연례 투석회의, NKF 임상회의, American Society of Nephrology 회의, ANNA 심포지엄 및 AAMI가 후원하는 회의가 포함되지만 이에 국한되지 않는다.

신장 영양사의 역할 Role of the Renal Dietitian

신장 영양사는 투석팀의 일원으로서 환자와 그 가족의 자문 역할을 담당한다. 신장 영양사로 활동하기 위해서는 해당 지역에 정식으로 등록되어 있어야 하며 1년 동안 전문적인 영양사로서의 실무 경험이 있어야 한다. 투석 환자는 투석장소(센터, 가정)나 투석방법(혈액투석, 복막투석)을 막론하고 영양사의 지원이 필수적이다. 영양관리를 통해 투석 시작시기를 늦출 수 있다. 투석을 하게 되더라도 환자의 영양상태를 지속적으로 평가하여 영양관리를 시행하고 환자 및 가족에게 적절한 식이교육을 제공한다(만성콩팥병 환자 간호 시 신장 영양사의 역할에 대해 제14장을 참조할 것).

사회복지사의 역할 Role of the Social Worker

| 신장 사회복지사의 주요 목표

만성콩팥병 환자는 다양한 상실감을 느끼게 되고 질병이 진행되는 동안 여러 단계에서 상당한 심리적 중재가 필요하다. 신장 사회복지사 협회에서 제시한 두 가지 주요한 활동은 다음과 같다.
• 만성콩팥병 환자나 가족의 심리사회적 측면을 다룰 수 있도록 돕는다.
• 투석 환자의 욕구와 문제점을 다루는 방법을 개발하고 수행한다.

| 신장 사회복지사의 목표 달성방법

사회복지사는 투석 전후에 환자와 가족이 환자가 앓고 있는 질병이 현실이라는 것을 인지하게 하여 질병에 적응하도록 돕는다. 이를 위해서는 정신적·정서적 지지와 투석에 대한 교육 강화가 필요하므로 가능한 모든 자원에 대한 실무지식이 필수적이다. 사회복지사는 투석치료 의료진과 함께 환자와 가족을 참여시켜 투석의 장단기 치료계획을 세운다. 환자의 사회적 배경에 대한 평가는 치료계획을 성공적으로 수립하는 데 매우 중요하다. 사회복지사는 환자나 가족의 행동, 과거력에 대한 특이사항을 다른 팀원으로부터 받고 개별적인 환자간호와 치료 과정에 영향을 미치는 요인들을 의료진에게 제공한다.

| 신장 사회복지사에게 필요한 자격요건

사회복지사는 말기신장질환 규정에서 정한 면허소지자로서 다음 조항 중 최소한 한 가지 조항에 해당해야 한다.
1. 임상실무 전문분야 과정을 이수하고, 사회복지사 협회에서 공인한 사회복지 대학원에서 석사학위를 취득한 경우

2. 2년 이상의 사회복지사 경력자로, 이중 1년은 혈액투석실 근무경력이 있거나 또는 1976년 9월 1일 이전에 장기이식 프로그램을 이수하였거나 위의 1항에 적합한 사회복지사로서 상담 관련 자격증이 있는 경우 계속적인 교육과정은 신장 사회복지사 협회를 통해 받을 수 있다.

| 환자의 심리사회적 중재가 필요한 문제

투석 환자가 직면하는 주요 두 가지 문제는 죽음에 대한 것과 기계에 의존하는 삶을 인지하는 것이다. 사회복지사는 가족의 사회적 역할 변화와 질병으로 인한 환자의 생활 변화에 적응하도록 도움을 준다. 사회복지사와 투석 의료진에게는 건강행동상담(behavioral health consultation) 협의가 중요하다.

첫째로, 대부분의 투석 환자는 투석 상황에 대해 스트레스를 받는다. 그럼에도 불구하고 환자는 심리적 중재가 불필요하다고 여기며 수용하지 않는다. 사회복지사는 환자가 문제를 해결하고 위기에 대처하도록 도와주지만 필요할 때 상담이나 도움이 가능한 심리적 자원을 제공하여야 한다.

둘째로, 일부 환자는 질병기간 동안 의존이나 불이행 정도가 심해진다. 이때 사회복지사는 환자와 가족, 다른 팀 구성원과 함께 그 행동을 이해하며 도움을 주어야 한다. 결국 사회복지사는 환자가 자가관리에 자신이 책임을 져야 한다는 것을 강조해야 한다.

마지막으로, 투석 환자가 경험하는 성기능 장애는 실제적인 문제가 될 수 있으므로 사회복지사는 환자나 가족과 함께 상담기회를 가져야 한다.

윤리, 권리와 책임 Ethics, Rights, and Responsibilities

만성콩팥병을 앓고 있는 환자, 그리고 투석실 환자의 가족은 활동과 생활방식의 변화를 겪는다. 이러한 예기치 못한 변화는 환자에게 힘든 일이다. 투석을 제공하는 의료인들은 투석을 받으면서 불만스러워하는 환자를 종종 보게 된다. 이러한 불만족스러운 삶의 패턴은 환자에게 좌절, 갈등을 안겨 주며 갈수록 심해지기 때문에 반드시 해결해 주어야 한다.

| 투석 전 서면동의서의 필요성

침습적인 모든 의료적 행위에는 사전동의서가 필수이며 투석 역시 예외는 아니다. 만약 환자의 상태가 심각하여 사전동의서를 작성할 수 없다면 친척이나 법정 대리인과 동등한 위치의 제3자가 치료에 대한 사전동의서를 작성할 수 있다.

투석을 제공하는 의료인, 환자 그리고 환자의 가족은 사전동의서에 대한 중요성을 잘 알고 있어야 한다. 종종 환자나 가족은 투석이라는 의료행위에 대해서 잘못 이해하거나 비현실적 생각을 가질 수 있기 때문이다. 투석 동의서는 투석실이나 기관의 법적 자문을 거쳐 만들어져야 하고 반드시 문서화되어야 하며, 투석의 장점과 합병증, 위험성, 다른 대안들에 대해서 환자가 이해할 수 있도록 설명되어 있어야 한다. 치료방법이 변경될 때는 별도의 동의서를 받아야 한다. 투석기 재사용과 같이 환자에게 영향을 미치는 과정상의 중요한 변화가 있다면 투석동의서가 갱신되어야 한다.

| 환자의 권리

- 자신의 질병에 대한 정보를 제공받을 권리
- 자신의 치료방향과 그 위험성에 대하여 정보를 제공받을 권리
- 치료 시 기존의 치료방법 외 대체 가능한 다른 치료법에 대하여 정보를 제공받을 권리
- 투석치료를 기대하는 개인의 건강 요구에 맞게 조정받을 권리
- 사생활 존중과 비밀을 보장받을 권리
- 치료과정에 참여할 권리

| 환자의 자발적인 투석 중단 결정

많은 의료 전문가는 환자 자신에게 분명한 이유가 있고, 이성적 판단을 할 수 있는 성인이며 투석 중지에 대한 결과를 모두 이해한다면 투석 중단에 대한 환자의 선택을 존중해야 한다는 생각을 가지고 있다. 만일 투석치료가 환자의 인생에 크게 기여하지 못하고 삶의 질을 개선시키지 못한다고 느낀다면, 환자는 건강관리팀과 상담하도록 하고 있으며 의사나 가족구성원과도 상의하도록 권장하고 있다. 투석의 중단을 결정하는 것은 환자의 기본적인 권리이다. 투석을 중단하게 되면 환자는 호스피스 간호를 받게 된다. 이러한 사례들을 윤리적 · 법률적인 관점에서 매우 복잡하게 다루어지며, 법정은 환자에게 투석치료를 받을 것을 권장하고 있으나 투석 종사자 중에는 이를 권장하지 않는 사람도 있다.

| 환자를 위한 투석간호사의 책임

- 환자의 의학적 상태에 관하여 가능한 한 모든 정보를 환자에게 제공해야 한다.
- 모든 투석치료는 안전조치가 충족된 상태의 높은 수준에서 제공해야 한다.
- 환자와 가족에게 질병에 대해 이해시키고 납득시켜 생활 변화에 적응할 수 있도록 도와야 한다. 즉, 질병과 치료에 대하여 충분히 설명하여 환자와 가족들이 치료를 결정하고 치료목표를 설정할 수 있도록 해야 한다.

| 환자의 책임

- 환자는 투석치료를 이해하고, 의사, 간호사, 다른 투석 담당자의 지시에 따라 치료를 받아야 한다. 때로는 환자가 치료와 건강관리에 관한 결정을 하기 위해 변호사의 도움을 받을 수 있다.
- 스스로 독립할 수 있도록 노력해야 하며 가능한 한 자기관리에 대한 책임을 져야 한다.
- 다른 환자의 권리와 사생활을 존중해야 한다.

| 국내 환자의 권리와 책임(의무)

환자의 권리와 책임(의무)에 대한 국내 규정은 다음과 같다.
- 환자의 권리
  1. 인격적인 대우와 최선의 진료를 받을 권리가 있다.
  2. 개인의 가치관이나 종교적 요구를 존중받을 권리가 있다.
  3. 의료진으로부터 자신의 질병상태 및 치료계획에 대해 설명을 듣고, 치료행위를 선택할 권리가 있다.
  4. 법의 허용 한도 내에서 연명치료와 심폐소생술을 거부할 권리가 있다.
  5. 적절한 통증관리를 받을 권리가 있다.

6. 진료과정에서 불만과 이견을 표시할 수 있고 분쟁 발생 시 상담 및 조정을 신청할 권리가 있다.

7. 학대와 폭력의 위험으로부터 보호되며 안전한 환경에서 진료받을 권리가 있다.

8. 진료과정 동안 진료정보를 포함한 개인정보를 보호받을 권리가 있다.

9. 진료비 내역에 대해 알 권리가 있다.

• 환자의 책임(의무)

1. 의료진의 치료계획을 존중하고, 진료과정에 협조해야 한다.

2. 치료계획을 따르지 않아 발생한 결과에 대해 책임을 져야 한다.

3. 병원의 규정을 준수하고 병원직원 및 다른 환자를 존중해야 한다.

4. 부정한 방법으로 진료를 받아서는 안 되며, 병원과 체결된 재정적 의무를 성실히 이행해야 한다.

| 투석치료에 관여하는 외부기관

질병이나 치료방법의 매 단계에서 CKD 환자의 안전한 치료를 위한 권고사항, 진료지침 및 자원을 제공하는 기관으로 CMS, AAMI 및 CDC(Center for Disease Control and Prevention)가 있으며 이 기관에서는 감염병 검사 및 모니터링, 예방접종, 투석치료의 안전성, 투석용수관리, 질관리, 인력요건, 감염관리, 투석용수의 표준지침, 임상에서의 다학제간 협력 등에 대한 지침과 추가적인 가이드라인을 제공한다. 국내에서는 건강보험심사평가원(Health Insurance Review & Assessment Service, HIRA)에서 혈액투석 적정성 평가를 통하여 정기적으로 투석에 대한 질 관리를 시행하고 있다.

투석의 역사

1960년대까지, 혈액투석은 만성콩팥병(Chronic Kidney Disease, CKD) 환자가 선택할 수 있는 치료가 아니었으며, 치료가 이루어진다 해도 요독증(uremic syndrome)의 증상 완화에 국한되었다. 만성콩팥병에 대한 적절하고 신뢰할 수 있는 치료법의 개발은 수십 년에 걸쳐 이루어졌다. 주요 장벽으로는 투석막의 적합성, 항응고제의 적합성, 적절한 혈류확보 방법과 치료를 위한 경제자원을 들 수 있다. 투석치료 방법은 인내와 위험을 감수하며 개척자적 역할을 감당한 과학자들의 노력으로 혈액에서 독소와 잉여 수분을 안전하게 제거함으로써 생명유지가 가능해졌다. 이러한 다양한 노력의 결과, 전 세계적으로 투석전달시스템, 투석기 기술, 혈관통로, 약물요법 및 치료 시 신택사항 등 많은 발전이 이루어졌다.

혈액투석치료의 초기 개척자는 스코트랜드의 화학 교수인 토마스 그래햄(Thomas Graham)이었다. 그는 그래햄의 법칙으로 알려진 가스 확산 법칙을 공식화했고, 선택적 확산의 개념을 설명하였다. 반투막을 통한 선택적 확산, 또는 물질의 분리, 투석이라는 용어 사용은 1854년 그래햄(Cameron, 2002)에 의해 시작되었다. 임상에서의 투석 연구는 그래햄 사망 후 적어도 50년 동안 정체기였다.

이 장에서는 투석의 역사와 발전에 있어 몇몇 의미 있는 사건들을 살펴보고자 한다.

| 최초의 인공 신장기

인공 신장의 개발에 몇몇 잘 알려진 단체나 개인이 기여했다. 인공장치를 이용하여 물질을 필터링하는 과정이 투석에 대한 최초의 기록이며 이는 1913년에 발표되었다. 존 아벨(John Abel)과 그의 동료인 레오날드 르윈트리(Leonard Rowntree)와 버나드 터너(Bernard Turner)는 혈액에서 독성을 제거하는 비비디퓨전(vividiffusion) 기구로 알려진 장치를 만들었다. 이 장치는 유리 실린더 내에 빈 콜로디온 관을 만들어 투석액이 순환되도록 한다. 그 콜로디온 관은 미세한 기공을 함유하고 있어 물질들을 서서히 스며나오게 해 준다. 거머리로부터 추출된 물질인 히루딘(hirudin)이 혈액응고방지제로 사용되었으며, 이 장치가 최초의 인공 신장으로, 1913년에 런던의 의학 컨퍼런스에서 발표되었다. 아벨(Abel)과 그의 동료들은 동물의 혈액에서 살리실산을 제거하는 절차를 수행하는 동안 이 장치를 보여 주었다. 이 시스템은 혈액을 심장에서 펌프로 순환시키는 것이 아니라 체외순환기구를 이용하여 혈액을 펌핑하도록 하는 것이었다(Carmeron 2002). 투석기를 세팅하는 과정은 매우 어려운 일이며, 콜로디온 관 또한 매우 취약하였다. 이것이 미래의 투석기 개발을 위한 모델로 제시되지만, 인체에는 사용되지 않았다.

| 사람에게 최초로 투석을 시행한 시기

1924년 독일의사, 조지 하스(George Haas)는 요독증상이 있는 사람에게 최초로 투석을 시행하였다. 이 치료의 목적은 혈액에서 질소 독성물질을 제거하는 것이었다. 아벨(Abel)과 그의 동료가 사용한 것과 비슷한 방식인 콜로디온막을 치료에 사용하였다. 하스(Haas)는 정맥에서 혈액을 확보하여 콜로디온막을 통과시키고 투석액에 노출시킨 후 그 혈액을 다시 정맥을 통해 재주입하였다(정정맥 혈관통로). 이 치료는 15분 동안밖에 지속할 수 없어 큰 성과를 거두지 못하였다. 히루딘은 혈액이 응고되는 것을 예방하기 위해 사용할 수 있는 유일한 물질이었다. 하세는 다음 해에 네 명의 환자에게 투석을 더 시행하지만, 히루딘에 의한 유독성 반응 때문에 그 치료는 오래 가지 못했고 1928년에 헤파린(heparin)이 발견된 후에야 환자에게 투석을 시행하였다.

| 헤파린(Heparin)의 발견

혈액투석의 발전과 연구과정에 있어 가장 큰 장애물은 적절한 혈액응고방지제의 부재였다. 히루딘은 중요한 혈액응고방지제로 사용되었다. 그러나 이것은 충분히 정제되지 않았기 때문에 많은 부작용과 알레르기 반응이 유발되었다. 불충분하게 정화된 헤파린은 1928년에 존스 홉킨스 병원의 윌리엄 헨리 하월(William Henry Howell)에 의해 도입되었으나, 사실상 이것은 젊은 의대생인 제이 맥클린(Jay Maclean)이 발견하였다. 헤파린의 발견은 투석의 역사에 매우 획기적인 사건이다. 왜냐하면 히루딘과 달리 심각한 알레르기 반응이 많지 않아서 전신 헤파린 요법이 가능하기 때문이다.

| 최조의 인공 신장 치료

윌리엄 코프(William J. Kolff) 박사는 종종 투석의 아버지로 불린다. 코프는 1943년에 인간이 사용하기에 적합한 회전 드럼통이라는 최초의 투석기를 만든 네덜란드 의사이다. 코프는 투석기 내에 할로(hallow) 관을 제작하기 위해 이전의 과학자들이 사용하지 않은 재료인 셀로판지를 사용했다. 그가 만든 기구는, 환자의 혈액이 드럼통을 감싼 나선형의 셀로판지 관 안으로 순환한다. 드럼통은 도자기 탱크 안에 있는 투석용액을 통해 회전한다(Friedman, 2009). 코프는 이 장치를 이용하여 급성신부전 환자만을 대상으로 거의 6시간 동안 투석치료를 지속하였다. 초창기에 이 인공신장기는 매우 불편하고 안전성도 보장되지 않았으나 기술이 발전함에 따라 환자 치료를 성공하게 하는 계기가 되었다. 1948년에 코프는 칼 워터스(Carl Walters) 박사, 존메릴(John Merrill) 박사와 함께 보스턴에 있는 피터 벤트 브리검 병원에서 장치를 재설계했다. 코프 브리검(Kolff-Brigham) 인공 신장은 스테인리스 스틸과 플렉시글래스 후드로 구성되었다. 투석기의 청소율은 셀룰로스 혈액라인의 랩 수의 조절에 따라 변경할 수 있었다. 이 투석기들은 한국전쟁 중 부상당한 군인들의 급성신부전을 치료하는 데 사용되었으며, 코프는 이후에 쌍자코일이라 불리는 일회용 코일 투석기를 개발하였다.

| 지속적 신대체요법의 시작

지속적 신대체요법(Continuous Renal Replacement Therapy, CRRT)은 일반적으로 중증의 급성신장손상(Acute Kidney Injury, AKI) 환자를 치료하기 위해 사용되는 치료방법이다. 신대체요법은 간헐적 혈액투석과는 반대로 긴 시간에 걸쳐 서서히 노폐물과 잉여수분을 제거하는 것이다. 피터 크레이머(Peter Kramer) 박사는 1977년에 처음으로 지속적 신대체요법의 개념을 설명했다. 초기 지속적 신대체요법의 형태는 지속적 동정맥 혈액여과(Continuous Arterio-Venous Hemodiafiltration, CAVH)였다. 환자의 혈액은 헤모필터

(hemofilter)라는 장치를 통해 동맥에서 정맥으로 이동한다. 이 치료는 중환자, 단시간 내 수분 제거를 견디기 힘들어하는 환자, 전해질 변화가 심하거나 혈역학적으로 불안정 상태의 환자에게 도움이 된다. 급성신장손상 및 관련 치료에 대한 자세한 내용은 제18장을 참조한다.

| 동정맥 션트(shunt)

투석을 시행한 초기에는 환자의 치료에 필요한 혈관통로를 확보하는 것이 아주 큰 딜레마였다. 1960년, 조지 퀸턴(George Quinton) 박사와 벨딩 스크리브너(Belding Scribner) 박사는 만성 투석을 할 수 있는 외부 동정맥(External Arteriovenous, AV) 션트를 소개하였다. 이전에는 환자의 혈관은 오직 절개수술로만 접근할 수 있었다. 반복되는 정맥 절개(cutdown)는 만성콩팥병 환자, 즉 유지투석이 필요한 환자의 혈관을 빠르게 고갈시켜 투석치료를 지속할 수 없게 하였다. 동정맥 션트는 몸의 외부에 배치된 작은 판(plate)으로 이루어져 있으며 주로 전완(forearm)에 만든다. 테프론(Teflon) 관은 환자의 동맥과 정맥 양쪽에 삽입되고, 그 관은 투석을 하는 동안 혈액라인에 연결된다. 투석 후 사용하지 않을 경우에는, 개방성을 유지하기 위하여 U자 형태의 외부기기와 루프를 연결한다. 이 시기 전에는 혈액투석 치료가 급성신부전 환자에게만 한정적으로 시행되었으나 획기적인 혈관통로의 개발로 정기적인 투석이 필요한 환자에게 장기간의 치료가 가능해졌다.

| 만성콩팥병 환자에게 가정 혈액투석의 적용

미국에서의 가정 혈액투석은 1964년 시애틀의 벨딩 스크리브너(Belding Scribner) 박사와 보스턴의 존 메릴(John Merrill) 박사에 의해 시작되었다. 치료를 받는 환자의 수가 증가하면서 가정에서 혈액투석을 유지하는 것은 치료비용의 부담을 줄일 수 있는 합리적인 방법으로 대두하였다. 환자는 이 시기에 쌍 코일(twin coil)형 투석기와 평판형 투석기를 사용하여 투석을 하였다. 투석액 비율조정시스템이 갖춰진 개인용 투석기계의 개발은 가정 혈액투석을 가능하게 하였다. 이러한 기계들은 크고 다루기 힘들었지만 오늘날 사용하고 있는 원형 기계의 시초가 되었다. 치료는 처음에는 일주일에 두 번씩 시행되었으나 경우에 따라서는 요독증상이 있을 때마다 시행되기도 하였다.

| 내부 동정맥루(AVF)의 개발

1966년, 마이클 브레시아(Michael Brescia) 박사와 제임스 키미노(James Cimino) 박사가 동정맥루를 만들었으며, 이것이 최초의 영구적인 내부 혈관통로이다. 동정맥루는 요골동맥과 요골측피부정맥을 문합하여 만든다. 동정맥 션트가 말기신장질환의 치료를 위한 문을 열어 준 반면, 동정맥루는 최고의 혈관통로가 되었으며, 오늘날 혈액투석 환자가 혈관통로로 선택할 수 있도록 그 명맥을 유지해 왔다. 브레시아-키미노-피스툴라는 동정맥 션트의 합병증(관이 빠져 출혈이 멈추지 않는 등의)이 훨씬 적었다.

| 만성콩팥병이 있는 모든 환자의 치료비용에 대한 메디케어의 지불 시작

리처드 닉슨(Richard Nixon) 대통령은 1972년 신대체요법이 필요한 사람에게 메디케어 보상범위를 확장하는 사회보장 개정을 체결했다. 이 획기적인 법이 도입되기 전에, 만성 투석치료를 위한 자금은 제한되었으며 치료는 오직 어떤 기준을 충족하거나 자신의 치료비를 지불할 수 있는 사람에게만 한정적으로 적용되었다. 치료가 필요한 환자의 수는 가용자원의 허용 한도를 초과하였다. 병원들은 투석기계는 부족하여 투석 대상자의 범위를 결정하기 위해 치료대상 선정위원회를 자주 개최하였다. 그 위원회는 나이, 재활 가능성, 지역사회에서의 위치, 감정상태 그리고 동반질환 등 자격이나 조건을 토대로 투석치료를 받을 수 있는 환자를 지명했다.

그 개정안은 65세 미만의 사람을 대상으로 한 것이지만, 나중에는 65세 이상도 포함하도록 수정되었다. 연방자금지원은 투석을 연령이나 동반질환에 상관없이 모든 환자에게 시행할 수 있도록 허용하였으며, 대부분의 환자는 연방자금지원을 받으며 치료를 하기 때문에 치료대상 선정위원회는 더 이상 필요 없어졌고, 이 개정법의 결과로 외래 환자 투석센터가 전국적으로 확산되었다.

| 최초의 신이식 성공

신이식의 초기 시도는 이종이식(한 종을 다른 종으로 이식시키는 것)을 이용하여 인간에게 시행되었다. 이종이식의 초기 시도는 양, 염소 및 돼지의 장기를 이용하여 시행하였다. 이러한 이식은 생존율이 길지 않아 수혜자도 이식 후 바로 사망하였다. 면역억제치료의 부재와 조직 적합성 검사의 이해 부족은 이식 성공에 장벽이 되었다. 최초의 이식 성공은 1954년 조지프 머리(Joseph Murray) 박사가 보스턴 피터 벤트 브리검 병원에서 일란성 쌍둥이에게 이식수술을 시행한 것이다. 머리(Murray)는 군대에서 화상 환자의 주치의사로 일하였고 그때 장기이식에 대한 관심을 갖게 되었다. 그는 일란성 쌍둥이로부터 외부 피부이식의 거부반응뿐만 아니라 교차 피부이식도 성공하였다. 이 흥미로운 관찰은 머리(Murray)가 장기이식 연구를 하는 데 촉매가 되었다. 많은 연구가 진행되었고 쌍둥이가 아닌 사람에서 장기이식의 장기간 생존을 확보하기 위해서는 장기의 거부 반응에 대한 이해가 필요했다. 사체이식의 성공은 1960년대에 시작되었다. 이식의 장기간 생존은 면역억제제인 사이클로스포린(Sandimmune)과 타크로리무스(Prograf)가 도입된 1970년대와 1980년대에 와서야 비로소 이루어졌다.

| 재조합 에리스로포이에틴의 도입

미국식품의약국(Food and Drug Administration, FDA)은 1989년 에포에틴알파(에스포젠)의 사용을 입증했다. 빈혈의 일반적인 치료는 수혈이다. 단백동화스테로이드(Anabolic steroid)와 같은 난드롤론 데카노에이트(Dea-Durabolin)도 만성콩팥병 환자의 빈혈을 개선하기 위해 사용되었다. 이러한 스테로이드는 주 간격으로 근육주사로 투여하였다. 재조합 에리스로포이에틴의 도입은 수혈과 단백동화스테로이드의 사용을 감소시켰다.

| 미국신장재단의 KDOQI 가이드라인

미국신장재단(National Kidney Foundation, NKF)은 1997년에 처음으로 KDOQI(Kidney Disease Outcomes Quality Initiative) 가이드라인을 발표했다. 이 가이드라인은 오늘날 우리가 사용하는 임상실무지침이 되었고, 2002년에 수정되어 신질환을 토리여과율(사구체여과율)에 따라 다섯 단계로 분류하였다. 새로운 분류체계는 말기신장질환(End-Stage Renal Disease, ESRD), 만성신부전(Chronic Renal Failure insufficiency)이라는 용어를 없앴다. 새로운 분류체계는 신질환을 단백뇨, 토리여과율(Glomeoular Filtration Rate, GFR), 기능이나 구조상의 변화가 발생한 기간 등에 기초하여 표기하였다(Eckardt, Berns, Rocco, & Kasiske, 2009). 전반적으로 이 책에서는 만성콩팥병의 5단계와 말기신장질환이 혼용되어 사용될 것이다.

미국신장재단은 1997년 처음 발표된 이후 18개의 KDOQI 가이드라인을 발표하였는데 이 가이드라인은 CKD의 조기진단, CKD 단계, CKD의 예방 및 관리, 최적의 신대체요법을 위한 권고사항을 다루고 있다. KDOQI는 새로운 과학적 근거를 기반으로 지속적으로 지침을 갱신하고 있다. CKD의 혈관접근 및 영양에 대한 새로운 지침이 2018년에 발표되었으며(NKF, 2017). 혈관통로에 관한 내용은 2006년 업데이트 이후 새로운 증거들을 기반으로 2019년에 전면 수정되었다. 2019년에 발표된 혈관통로 가이드라인에는 26개의 진료지침과 이와 관련된 권고내용이 수록되어 있으며, 개정된 혈관통로 진료지침에 도입된 중요한 새로운 개념은 말기콩팥병생애계획[(End-Stage Kidney Disease(ESRD) Life-Plan)이다. 이 지침에는 환자의 일생동안 투석방법 및 혈관통로에 대한 개별화되고 포괄적인 안내가 문서화되어 있다.

| KDIGO

KDIGO(Kidney Disease Improving Global Outcome)는 원래 2003년에 미국신장재단이 설립하였으나 2013년에 비영리재단으로 독립하였다. KDIGO의 목표는 KDOQI의 목표와 매우 유사하지만 신장질환에 대한 인식을 높이고 임상실무지침을 보급하는 데 초점을 두고 있다. KDIGO는 현재 전 세계 자원봉사자를 통해 신장질환 예방 및 관리와 관련된 지침과 권고사항을 홍보하고 채택하는 데 기여하고 있으며 AKI, CKD 환자의 빈혈관리, 혈압관리, 미네랄 및 골장애, CKD와 당뇨병, 토리콩팥염(사구체신염), CKD 환자의 간염, 지질 및 이식 분야에 대한 가이드라인을 제시하였다.

| 말기신장질환의 범위에 대한 메디케어 & 메디케이드 서비스의 조건

이전에 미국 보건부 산하의 의료융자국(Health Care Financing Administration, HCFA)으로 알려진 메디케어 & 메디케이드 서비스센터(Centers for Medicare & Medicaid Services, CMS)는, 메디케어 & 메디케이드 및 아동 건강 보험 프로그램을 관리하는 연방정부기관이었다. CMS의 역할은 이러한 프로그램의 수혜자가 그들이 받을 수 있는 혜택에 대하여 알고 있는지를 확인하는 것이다. 또한 프로그램과 서비스가 필요한 사람이 사용할 수 있도록 서비스를 효율적으로 제공하는 것이다. CMS는 메디케어와 메디케이드 프로그램에 참여하기 위해서 충족해야 할 최소한의 요구사항과 표준개요, 즉 적용범위(Conditions for Coverage, CfCs)를 개발했다. 적용범위는 1976년에 처음으로 공개되었고, 기술의 발전 및 관리기준의 변경사항을 반영하기 위해 최근 업데이트되었다. 2008년 4월 15일에 공개된 새로운 조건은 환자 중심이라는 것과 질 관리가 더욱 강조되었다는 것이다. 메디케어 조사(설문조사)는 시설이 연방정부의 기준을 준수하는지 확인하기 위하여 36개월마다 실시하고 있으며, 주정부기관은 환자 또는 직원이 불만을 제기하는 경우에 시설을 조사할 수도 있다.

2019년 1월에, CMS는 메디케어 인증을 위한 투석시설 조사를 수행하도록 National Dialysis Accreditation Comission(NDAC) LLC를 최초의 독립기관(독립회사)으로 승인했다. NDAC가 수행한 조사 프로세스는 ESRD에 대한 CMS 보장조건을 자세히 반영한다. NDAC를 통한 인증의 잠재적인 장점은 신규 투석센터의 빠른 승인, 예측 가능한 설문조사 진행, 투석방법을 추가하거나 스테이션을 증설하는 등 서비스를 확대할 때 적시에 시행할 수 있다는 것이다.

| 포괄수가제

메디케어 적용범위는 1972년 만성콩팥병 환자로 확대되었고, 투석서비스도 적용되었으며, 행위별 수가제(fee-for-service) 기준에 따라 지불했다. 1983년에 투석치료의 비용을 지불하기 위해 "포괄"수가제가 최초로 도입되었다. 이 포괄수가제(bundled payment system)는 인건비와 소모품을 포함하여 투석과정에 대해 정액요금을 제공하였으며 혈액투석과 복막투석치료는 동일한 비율로 지불하였다. 매월 규칙적으로 시행하는 혈액검사도 포괄수가에 포함되어 있다. 포괄수가로부터 제외된 항목은 에리트로포에틴 자극제(ESAs), 비경구 철분제와 비타민 D, 항생제, 카르니틴과 기타 검사 등이다. 이러한 제외항목은 별도 청구가 가능하다. 투석이 필요한 환자의 수와 비용이 증가함에 따라 메디케어는 지불제도를 재설계하였다. 당뇨병, 고혈압, 비만율의 증가는 투석이 필요한 만성콩팥병 환자가 증가하고 있다는 분명한 증거가 되므로, 이러한 만성질환의 증가 추세는 질 높은 서비스를 제공하면서 의료비용을 감소시키는 지불제도 설계에 대한 필요성에 촉매가 되었다.

2011년의 새로운 메디케어 포괄 투석 수가에는 모든 혈액검사와 주사제, 모든 경구 철분제와 비타민 D 보충제가 포함된다. 2016년부터 인산결합제와 부갑상샘기능억제제(calcimimetics)를 포함한 ESRD 관련 모든 경구 약제를 포괄수가에 포함시켰으며 이러한 항목들은 더 이상 별도로 청구할 수 없다.

또한 새로운 포괄수가제는 빈혈 관리, 에리트로포이에틴자극제(Erythropoietin-Stimulating Agents, ESA) 활용 및 요소청소율이나 요소 제거율(Urea Reduction Ratio, URR)의 성과가 저조할 때 벌금이 부과될 수 있는 성과별 지급 프로그램을 이용한다. 이 규정에 의하면 특정 질적 기준에 따라 2% 범위 내에서 감산 또는 가산이 가능하다.

| 한국 투석간호의 역사적 배경

국내에 혈액투석이 도입된 것은 1965년이며 수도육군 병원에서 코프 쌍 코일(Koff twin coil)형 혈액투석기를 설치하여 투석치료를 시행한 것이 그 시작이다.

1981년, 투석실 수간호사 5인의 첫 모임이 계기가 되어 각 병원 투석실의 현황과 역사를 조사하였고, 1984년에 일본(오사카)의 신장센터를 방문하여 투석간호 현장을 견학하고 투석간호의 시야를 넓혔다. 1986년에 가칭 KNNA(한국신장간호위원회)를 발족하였으며, 이화여자대학교 부속병원에서는 미국신장전문간호사 Ms. Lindlow를 초대하여 "혈액투석전문 간호원 교육과정"을 개설하여 임상간호사와 간호학 교수 40명이 교육을 수료하였다. 1987년에 인공신장실 지침서를 통일하였으며, 1988년 의료법이 개정되면서 간호원에서 간호사로 명칭이 변경되었다. 또한 대한신장간호사회가 창립되어(1988) 학술대회를 개최하는 등 신장전문간호사로서의 학문적 성취를 높였고, 1990년에는 신장간호학술지 〈신장간호〉를 발간하였다. 1992년에 "제1차 보수교육 프로그램"을 개발하여 회원교육에 만전을 기했으며 1994년에 〈투석 환자 관리지침〉을 발행하여 회원에게 제공하였다. 신장간호의 성장과 발전을 위해 1996년 제1회 투석실 관리자 워크숍을 개최하여 신장간호사의 역할을 정립하였으며, 2001년에는 〈신장간호 업무표준〉을 출간하여 전국 투석실의 업무를 표준화하였다.

투석간호분야회로 회칙이 변경된 2004년 이후 각종 연구사업을 실시하여 중증도 분류체계를 개발하고 혈액투석 간호업무를 분석하는 학술활동이 이루어졌다. 2006년에 "병원투석간호사회"로 명칭이 변경되면서 분회활동의 활성화가 시작되었다. 2007년 이화여대 대학원 간호학 신장전문간호 전공생 중심으로 I. Kallenbach의 "Review of Hemodialysis for nurse and Dialysis personnel"을 번역하여 임상실무에 도움이 되었다.

병원투석간호사회는 2010년 투석간호사를 위한 사이버 교육 개발을 기점으로 다양한 사업과 행사를 진행하면서 그 공헌을 인정받아 2012년에 병원간호사회로부터 우수 간호사회로 선정되었다. 2015년에는 내원유형별 혈액투석 간호업무표준을 개발하여 혈액투석 간호사의 업무를 표준화시켰으며(임상간호연구 제21권 3호), 건강보험심사평가원의 혈액투석 적정성 평가기준 중 간호인력 산정의 상대적 평가기준을 절대평가기준(일 평균 투석건수 5회)으로 변경시키는 데 큰 영향을 미쳤다. 2016년 병원투석간호사회는 2007년 번역판 "Review of Hemodialysis for nurse and Dialysis personnel, 9ed."을 간호학 교수와 공동번역하여 출판하여 전국 투석세터에 배부하였다. 2018년에는 대한신장학회와 공동으로 "인공신장실 감염관리지침"을 발간하여 각 센터의 감염관리체계를 일원화하였고, 2019년에는 "혈액투석 실무지침서"를 발간하여 혈액투석간호사의 현장 간호업무를 지원하였으며, 2020년에 우수 간호사회 표창의 대상이 되었다.

병원투석간호사회는 5,000여 명의 회원(2021년 기준)을 가진 저력 있는 간호사회이며, 12개의 분야별 간호사회 중 으뜸가는 전문 간호분야회이다.

CHAPTER

3

Basic Chemistry of Body Fluids and Electrolytes

체액과 전해질의 기초화학

정상 콩팥은 생명유지에 필요한 범위 내에서 체액과 전해질의 균형을 유지해 주는 역할을 하며 단백질 대사산물을 배출한다. 정상적인 콩팥기능이 불가능한 경우 위의 두 가지 기능을 부분적으로 대신하는 것이 투석이다. 자연적이든 인공적이든 콩팥에 의해 이루어지는 과정을 이해하기 위해서는 화학 관련 기초지식과 측정법(계산법)을 알아야 한다.

미터법 Metric System

기초적인 물질측정 방법은 인체생리와 관련된 화학적·물리적 측정에 사용되기 때문에 필요하다. 길이는 기본 단위인 미터(meter)로 표현된다. 질량의 기본 단위는 그램(gram)이고, 리터(liter)는 부피의 기본 단위이다. 표 3-1은 일반적인 미터법 용어와 그 상호관계를 나타낸다.

미터법은 십진법을 사용한다. 접두사를 사용하여 작은 또는 큰 단위를 나타낸다(표 3-2). 미터법을 쉽게 사용하기 위하여 다음의 내용을 참고할 수 있다.

• 한 남성의 키 6피트(feet) 4인치(inch)는 1.95미터(m)이다.
• 10센트 동전은 두께가 1mm이다.
• 154파운드(pound)는 70kg이다.

다음은 파운드, 인치, 쿼트(quart)의 영국식 단위를 미터 단위로 환산한 것이다.

• 1미터(m) = 39.37인치(in)
• 1인치(in) = 2.54센티미터(cm)
• 1리터(L) = 1.057쿼트(U.S.)(qt)
• 1갤런(gal) = 3.785리터(L)
• 1킬로그램(kg) = 2.2파운드(lb)
• 1온스(oz) = 28.35그램(g)
• 1액량 온스(fl oz) = 29.57밀리리터(mL)

표 3-1 일반적으로 사용되는 측정단위

구분	단위	약어	단위와의 관계
길이	Millimeter Centimeter Meter Kilometer	mm cm m km	1mm = 0.001m 1cm = 0.01m 1m 1km = 1000m
면적	Square centimeter Square meter Square kilometer	cm^2 m^2 km^2	$1cm^2 = 0.0001m^2$ $1m^2$ $1km^2 = 1,000,000m^2$
부피	Milliliter Deciliter Liter Cubic meter	mL dL L m^3	1mL = 0.001L 1dL = 0.01L 1L $1m^3 = 1000L$
질량	Milligram Gram Kilogram	mg g kg	1mg = 0.001g 1g 1kg = 1000g

표 3-2 미터법의 십진법 접두사

곱승법	접두사	약어
1 $0.1 = 10^{-1}$ $0.01 = 10^{-2}$ $0.001 = 10^{-3}$ $0.000001 = 10^{-6}$ $0.000000001 = 10^{-9}$ $0.000000000001 = 10^{-12}$	 deci- centi- milli- micro- nano- pico-	 d c m μ n p

온도는 섭씨로 표현한다. 섭씨 0도는 물의 빙점이고 섭씨 100도는 끓는점이다. 다음은 섭씨온도와 화씨온도 단위와의 비교이다.

	°F	℃
끓는점	212	100
체온	98.6	37
빙점	32.0	0

화씨온도와 섭씨온도의 계산공식은 다음과 같다.
- 화씨온도 = 9/5(섭씨온도) + 32
- 섭씨온도 = 5/9(화씨온도) − 32

화씨를 섭씨로 변환하는 방법과 섭씨를 화씨로 변환하는 방법이다.
- 화씨를 섭씨로 변환할 때는 32를 빼고 1.8로 나눈다.
- 섭씨를 화씨로 변환할 때는 1.8을 곱하고 32를 더한다.

모든 물체는 하나 또는 그 이상의 한정된 수의 물질로 구성되어 있다. 모든 물질은 중량을 가지며 공간을 차지한다. 이러한 물질의 기본 단위를 원소(element)라 한다. 원소는 화학적 성질을 바꾸지 않고는 더 이상 나눌 수 없는 단위를 말한다. 현재까지 알려진 원소는 108개이다. 원소는 홀로 존재할 수도 있고, 섞이거나 또는 화합물로 존재한다. 어떤 원소는 자연상태에서 단일의 고체, 액체 또는 기체로 존재한다. 금(gold)은 순수한 결정체의 금(Au)을 말한다. 수은(Hg)은 일반적인 조건에서는 액체이다. 헬륨(He)은 1개의 원자로 이루어진 기체이다. 물리적 상태는 녹는점이나 끓는점에 따라 달라진다. 많은 원소는 결합한 상태로 존재하며 대체로 화합물로 존재한다. 예를 들면, 대기 중에 존재하는 산소는 원자 1개의 산소(O)가 아니라 산소 원자 2개의 화합물, 즉 O_2이다. 수소 원자(H)도 대부분 화합물로 존재한다. 예를 들면 물은 H_2O이다.

용액

용액(solution)이란 녹는 입자(용질, solute)와 액체(용매, solvent)가 균등하게 섞여 있는 것을 말한다. 생리식염수의 경우, 용매는 대부분 물이다. 생리식염수는 100mL의 물에 0.9g의 NaCl을 함유한다.

용액의 농도측정

이온화되지 않은 입자는 용매의 부피당 용질의 질량으로 측정된다. 혈당 및 혈중 요소는 mg/100 mL(dL)로 표시한다. 이온화된 입자들은 존재하는 입자의 상대적 수를 알아야 하고 그 전하를 고려하는 것이 중요하기 때문에 동일한 방법으로 측정하지 않는다. 이러한 입자들은 몰 농도(molarity)와 normal 농도(normality)를 이용하여 측정하고, mEq/L로 표시한다.

SI 단위

SI 단위는 "Le System International"의 약어이다. 이것은 미터법의 연장으로서 측정단위가 균일성 있고 환산이 쉽다. 미국에서는 1987년부터 SI가 대부분의 임상 실험실 데이터 보고자료에 사용되었다. 이 시스템은 물질의 양을 g/L 또는 mg/dL와 같은 질량으로 기록되기보다는 부피당 몰(mole)로 기록된다.

전해질

전해질(electrolyte)이란 물에 녹으며 이온화된 입자를 형성하는 물질이다.

이온

이온(ion)이란 전하를 띤 입자이다. 나트륨 이온처럼 전하를 띤 원자일 수도 있고, 젖산 이온처럼 전하를 띤 화합물일 수도 있다. 양전하를 띤 이온은 양이온이고 음전하를 띤 화합물은 음이온이다.

전도성

전도성(conductivity)이란 전해질 용액의 전류를 흐르게 하는 성질이다. 이는 전기분해 전지를 예로 들면 가장 잘 설명된다. 그림 3-1은 전기분해 전지가 용액의 2개의 전극을 나타내고 있다. 두 전극은 전선으로 연결되고 중간에 배터리와 전류계가 있다. 전류계는 회로를 흐르는 전류를 측정한다. 전극 사이에 순수한 물만 위치한다면 전류는 흐르지 않을 것이다. 물을 통해서 전자가 통과할 수 없기 때문이다.

만약 염화나트륨 같은 전해질이 용액에 첨가되면 전류가 흐르게 된다. 나트륨 이온은 음극으로 모이고 각

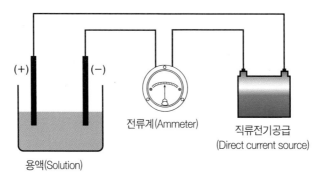

그림 3-1 전기분해 전지(an electrolytic cell)

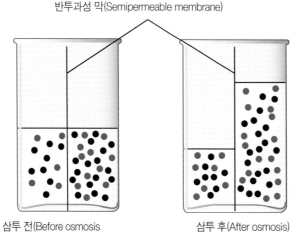

그림 3-2 삼투는 저용질 농도의 구역에서 고용질 농도의 구역으로 반투과성 막을 통한 수분의 이동과정이다. *(출처: Lewis SM, Heitkemper MM, Dirksen SR: Medical-surgical nursing, ed. 9, St. Louis, 2013, Mosby.)*

이온은 전자를 받아들인다. 동시에 염소 이온은 양극으로 끌리며 전자를 방출한다.

전해질의 종류와 그 농도에 의해 전자이동의 용이성이 결정된다. 전도성 모니터는 정확한 용질을 함유한 용액을 만들어 내야 하는 투석액 전달체계에서 중요한 요소이다.

| 투석 시 전도성의 중요성

투석액은 깨끗한 물과 전해질의 농축액으로 만들어진다. 물과 전해질의 정확한 농도비율은 용액의 전기적 전도성으로 측정된다. 투석 시 물속에 녹아 있는 전해질 비율은 안전한 제한범위 내에 있어야 한다. 깨끗한 물의 전도성은 0이지만 투석액 전도성은 용액 속의 나트륨 양으로 결정된다. 투석액의 나트륨 함량이 적은 경우 환자의 혈액 세포 속으로 물이 이동하고, 이로 인해 저혈압, 경련, 용혈이 나타난다. 혈중 나트륨 수치가 상승하면 수분이 세포외로 이동하여 혈액 세포가 위축된다. 위축된 적혈구는 무딘 톱날 모양을 형성하게 되고, 두통과 심한 갈증, 고혈압 등의 증상이 나타난다.

| 삼투

삼투(osmosis)는 농도가 낮은 곳에서 높은 곳으로 수분이 이동하는 것이다(그림 3-2). 진한 전해질 용액은 물

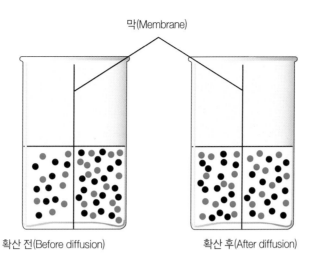

막(Membrane)

확산 전(Before diffusion)　확산 후(After diffusion)

그림 3-3 확산은 고농도 구역으로부터 저농도 구역으로의 분자의 이동이다. 정상 pH는 탄산과 중탄산의 1:20의 비율에 의해 유지된다. (출처: *Lewis SM, Heitkemper MM, Dirksen SR: Medical-surgical nursing, ed. 9, St. Louis, 2013, Mosby.*)

의 일부가 용질로 대체되었기에 물의 농도가 낮다. 만일 서로 다른 농도의 두 용액이 물만 통과할 수 있는 막으로 분리되어 있다면 이 경우 물은 농도가 높은 곳에서 낮은 곳으로 이동할 것이다. 이것은 물이 용질의 농도가 낮은 쪽에서 용질의 농도가 높은 쪽으로 흐르는 원리와 같다. 물만 이동하며 용질은 이동하지 않는 것이다.

| 확산

확산(diffusion)이란 용질의 농도가 높은 곳에서 낮은 곳으로 용질이 이동하는 것이다. 따라서 두 용액 사이의 농도가 평형을 이룬다(그림 3-3). 이때는 용질이 이동하는 것이며 물은 이동하지 않는다.

| pH

물질의 산성이나 알칼리성에 대한 측정을 pH로 표현한다(그림 3-4). pH는 수소의 전위 또는 힘을 의미하며 용액의 수소 이온 농도를 나타내는 수치이다. 수소 이온 농도가 높은 용액은 pH가 낮고, 수소 이온 농도가 낮은 용액은 pH가 높다. 인간의 세포외액의 정상 수소 이온 농도는 7.35에서 7.45 사이이다. 만약 pH가 7 이하의 물질이라면 산성이고, 7 이상의 물질이라면 알칼리성이다. pH가 7인 물질은 중성이다. pH는 오직 용액의 자유로운 수소 이온(free H^+)에 의해 측정된다. 만약 수소 이온이 이온화되지 않고 결합된다면 그것은 pH의 효과를 나타낼 수 없다. pH는 완충작용에 의해 유지된다.

| 완충제

완충제(buffer)란 용액에 산이나 염기가 추가됨에도 불구하고 수소 이온 농도를 일정하게 유지시키는 물질이다. 완충제는 용액에 산이나 염기가 추가되는 경우 pH의 변화를 최소화한다. 중탄산, 인, 아미노산, 그리고 단백질과 같은 물질이 완충제로 활용된다. 중탄산은 혈장 내의 중요한 완충제이다.

| 수소 이온 농도가 중요한 이유

신체의 모든 대사과정은 수소 이온 농도의 정밀한 범위가 필요하다. 수소 이온 농도가 순수한 물보다 많으

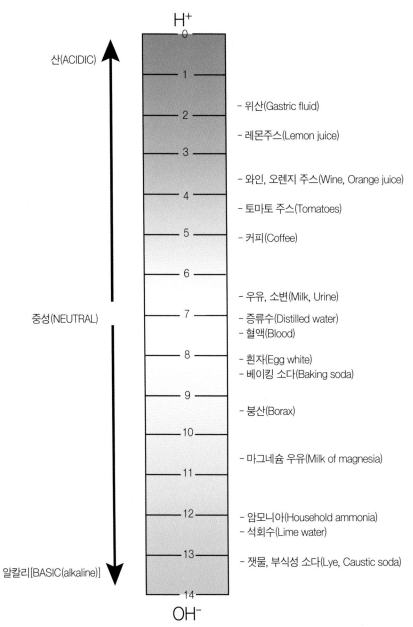

H+

산(ACIDIC)

중성(NEUTRAL)

알칼리[BASIC(alkaline)]

OH⁻

- 위산(Gastric fluid)
- 레몬주스(Lemon juice)
- 와인, 오렌지 주스(Wine, Orange juice)
- 토마토 주스(Tomatoes)
- 커피(Coffee)
- 우유, 소변(Milk, Urine)
- 증류수(Distilled water)
- 혈액(Blood)
- 흰자(Egg white)
- 베이킹 소다(Baking soda)
- 붕산(Borax)
- 마그네슘 우유(Milk of magnesia)
- 암모니아(Household ammonia)
- 석회수(Lime water)
- 잿물, 부식성 소다(Lye, Caustic soda)

그림 3-4 pH범위를 1~14로 대수척도로 나타내었다. 실제적인 수소 이온 농도의 변화는 각각의 pH단위척도로 10개의 부분으로 나타낸다. *(출처: Thibodeau GA, Patton KT: Structure and function of the body, ed. 13, St. Louis, 2008, Mosby. Thibodeau GA, Patton KT: Structure and function of the body, ed. 13, St. Louis, 2008, Mosby.)*

면 산성이 되고 수소 이온 농도가 줄어들면 염기성 또는 알칼리성이 된다. 만약 농도가 너무 높거나 너무 낮아지게 되면 신진대사에 큰 혼란이 발생한다. 생명유지에 있어 수소 이온의 수용범위는 20~160nmol (pH 7.8~6.8)이다(그림 3-5). 폐와 콩팥 두 개의 기관이 수소 이온 조절에 관여한다. 폐에서는 이산화탄소(주요한 최종 대사산물)가 생성되며, 즉시 배출하여 혈중 이산화탄소 분압을 조절하게 된다. 신장은 산과 염기의 배출과 재흡수를 통해 혈중 pH를 조절하게 된다. 신부전인 경우 수소 이온이 정체되는데, 이것을 대사성 산증이라고 한다.

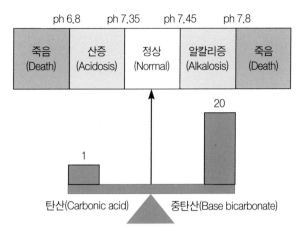

그림 3-5 혈장 pH의 정상 범위는 7.35~7.45이다. 정상 pH는 탄산과 중탄산의 1:20의 비율에 의해 유지된다. *(출처: Lewis SM, Heitkemper MM, Dirksen SR: Medical-surgical nursing, ed. 9, St. Louis, 2013, Mosby.)*

| 산과 염기

산이란 수소 이온을 생성하는 물질이고 염기란 수소 이온을 받아들이는 물질이다. 산은 양자 공여체라 할 수 있고 염기는 양자 수용체라 할 수 있다. 수소 원자는 양전하를 띤 핵, 또는 양성자와 단일 음전하를 띠고 궤도를 도는 전자 1개로 구성되어 있다는 것을 기억해야 한다. 수소 이온은 전자가 없는 양성자이다.

체액 Body Water

| 신체의 수분량

물은 신체의 주요 구성성분이며, 그 용적은 연령, 성별, 체지방에 따라 달라진다. 성인 체중의 45~75%가 수분으로 구성되어 있다. 이는 신체의 지방량과 반비례한다. 체중이 70kg (154lb) 인 성인 남자는 총 체액이 약 42L(체중의 60%)이다. 여자는 이보다 더 적다. 유아나 어린이는 체액 분포비율이 높다(그림 3-6).

| 체내 수분 보유의 목적

생체조직은 살아 있는 세포로 구성된다. 세포 내의 복잡한 화학적 과정은 열, 운동, 재생 형태의 에너지를 생성한다. 산소와 영양분은 대사되며 이산화탄소와 노폐물이 생성된다. 세포 내 수분은 이러한 화학작용의 매개물이 된다. 또한 수분은 모든 세포 주위에 존재하며 외부의 위험요소로부터 세포를 보호한다. 수분은 외부 환경으로부터 영양분을 가져오고 노폐물을 내보내는 운반 수단이 된다.
인체가 수분 균형을 조절하는 메커니즘은 여러 가지 문제로 인해 중단될 수 있는데, 체액 장애는 치료가 필요한 환자에서 보이는 가장 일반적인 문제이다.

| 체내 수분의 분포

총 체액량은 신체 내의 모든 수분의 합을 의미한다. 체액은 주로 두 부분[세포내액(Intra Cellular Fluid, ICF)과 세포외액(Extra Cellular Fluid, ECF)]에 분포되어 있다. 대략 총 체액량의 2/3(또는 체중의 40%)는 세포

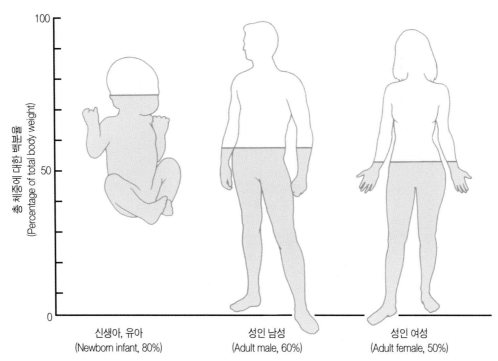

100

50

0

총 체중에 대한 백분율
(Percentage of total body weight)

신생아, 유아
(Newborn infant, 80%)

성인 남성
(Adult male, 60%)

성인 여성
(Adult female, 50%)

그림 3-6 **총 체중에 대한 체액구성 백분율.** *(출처: Thibodeau GA, Patton KT: Structure and function of the body, ed. 13, St. Louis, 2008, Mosby [Rolin Graphics].)*

내에 존재한다. 그리고 총 체액량의 1/3(또는 체중의 20%)은 세포 외에 존재한다. 세포외액은 간질액(세포 사이의 공간과 혈관 외부공간), 혈관 내(혈장액), 체강(정상구역의 외부에 존재하는 체액)으로 세분화되어 분포하며, 활액, 심내막, 안구, 복막 등 쉽게 교환되지 않는 체액도 포함된다(그림 3-7).

| 세포내액의 구성

세포내액(Intra Cellular Fluid, ICF)은 세포 기능에 필요한 수분을 공급한다. 세포내액의 구성은 조직 특성에 따라 다르게 분포한다. 근육조직은 일반적으로 이 계산식을 이용한다. 칼륨은 세포 내의 주요 양이온으로 155mEq/L, 마그네슘은 40mEq/L, 나트륨은 10mEq/L가량 존재한다. 유기 인산염과 단백질은 주요 음이온이며 염소와 중탄산의 합은 10mEq/L 가량 존재한다.

| 세포외액의 구성

혈장액과 간질액의 구성성분은 거의 유사하다. 나트륨은 주요 양이온(135~145mEq/L)이다. 염소와 중탄산은 주요 음이온이다. 혈장의 7%가량은 단백질과 지질로 모세혈관벽을 통과하지 않는다. 단백질 분자들은 음이온이기 때문에 전기적인 중립성을 유지하기 위해 혈장의 나트륨과 염소 이온은 간질액보다 소량 존재한다. 임상에서는 전해질 측정 시 이러한 작은 차이는 무시되며 총 세포외액(Extra Cellular Fluid, ECF)을 대표하는 혈장 전해질을 확인한다.

| 혈장과 간질 사이의 수분 분포

혈장과 간질 사이의 수분 분포는 교질(단백질과 지질) 삼투압, 모세혈관 내압, 조직 팽창압 사이의 균형에 의

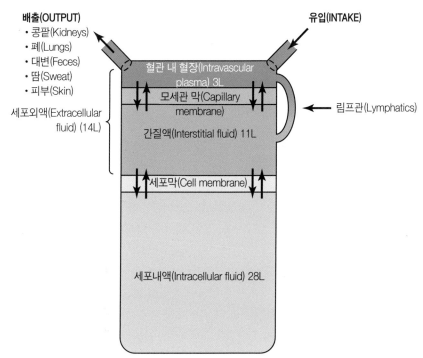

그림 3-7 **체액 분포.** *(출처: Hall JE: Guyton and Hall"s textbook of medical physiology, ed. 12, Philadelphia, 2011, Saunders.)*

해 결정된다. 이것을 스탈링 효과(Starling effect)라고 한다.

| 세포 내부와 외부 사이 전해질 농도 차이의 유지

단백질과 유기 인산 복합체는 세포막을 통과할 수 없어 세포 내부에 유지된다. 세포벽의 대사활동 "펌프"에 의해 칼륨 이온이 외부에서 내부로 이동하는 동안 나트륨 이온이 세포 내부에서 외부로 이동한다.

| 수분의 세포막 이동

수분은 양쪽 막 사이 총 삼투압의 평형을 유지하기 위해 어떠한 방향으로든 빠르게 이동한다.

| 체액 내 비전해질 물질

비전해질 물질에는 포도당, 아미노산, 기타 영양소 및 요소와 같은 대사산물이 포함된다. 비전해질의 농도는 전해질 농도에 비해 상대적으로 낮다.

| 요소와 크레아티닌의 전해질 여부

요소와 크레아티닌은 모두 수용성이지만 전극을 띠지 않는다.

상자 3-1 성인의 정상 수액 균형

섭취		배설	
수액	1200mL	불감성 소실(피부와 폐)	900mL
고형 음식	1000mL	대변	100mL
산화로부터 얻어지는 수분	300mL	소변	1500mL
	2500mL		2500mL

| 체액 균형

음식에 포함되어 있는 일반적인 수분량은 500~1,000mL가량이다. 하루 대략 300~500mL의 수분은 음식의 대사와 조직 파괴로 만들어지며 커피, 차, 주스 또는 음료를 통해 하루 평균 섭취하는 수분량은 약 1,500~2,000mL 정도이다.

매일 700~1,000mL의 수분이 폐를 통해 증발되거나 불감성 발한으로 소실된다(상자 3-1). 활발한 신체활동 또는 체온의 상승(외부 온도 상승이 심한 경우에는 리터로 측정될 만큼)은 더 많은 양의 수분을 소실시킨다. 대사산물 축적을 막기 위해 최소한 하루에 400mL의 소변이 배설되어야 한다.

전해질 구성성분, pH, 삼투압 등의 내적 체액 환경은 정확하고 미세하게 유지된다. 이러한 균형은 콩팥을 통해 유지되며 이것을 항상성이라고 한다. 콩팥은 수분을 보유하기도 하고 초과량을 배설시키기도 한다. 신부전이 발생하면 수분의 섭취와 배설에 균형을 유지하기 위해 세심한 주의를 기울여야 한다.

Renal Physiology and the Pathology of Renal Failure

콩팥의 생리와 신부전의 병리

신부전의 병리를 논의하기 전에, 정상 콩팥(그림 4-1)의 기능을 재검토하는 것이 중요하다:

• 대사성 노폐물과 다른 독소(독성물질) 제거
• 수분량 조절
• 전해질 평형 유지
• 혈액 pH 조절

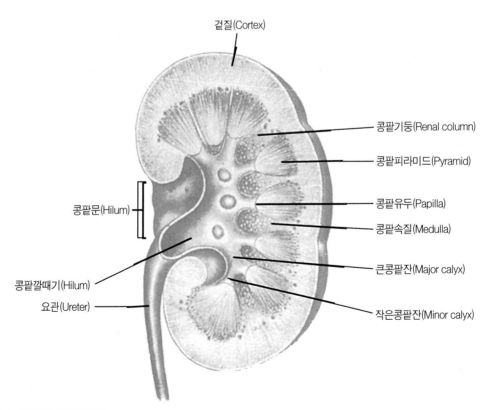

겉질(Cortex)

콩팥기둥(Renal column)

콩팥피라미드(Pyramid)

콩팥유두(Papilla)

콩팥속질(Medulla)

큰콩팥잔(Major calyx)

작은콩팥잔(Minor calyx)

콩팥문(Hilum)

콩팥깔때기(Hilum)

요관(Ureter)

그림 4-1 **정상 콩팥의 종단면**

추가로 신장은 다음과 같은 내분비(호르몬) 기능을 갖고 있다.
- 나트륨, 체액량 그리고 혈압에 영향을 미치는 레닌(renin) 생산
- 뼈속질에서 적혈구 생성을 조절하는 에리트로포이에틴(Erythropoietin, EPO) 형성

정상 콩팥은 또한 호르몬의 수용체 역할을 한다.
- 뇌하수체 후엽에서 생성된 항이뇨호르몬(Antidiuretic Hormone, ADH)은 수분 배출을 감소시킨다.
- 부신겉질에서 생성된 알도스테론은 나트륨 보유를 촉진하고 칼륨과 수소 이온의 분비를 높인다.
- 부갑상샘호르몬은 인과 중탄산염 배출을 증가시키고 비타민 D의 1,25 – 디히드록시콜레 칼시페롤을 비타민 D_3 형태로의 변환을 촉진한다.

인체의 다른 배설기관을 주의해서 학습하는 것은 중요하다. 그러나 콩팥만이 수분과 항상성을 유지하는 전해질의 배출 또는 재흡수를 정밀하게 조절할 수 있다(표 4-1).

표 4-1 배출기관

기관	배설물
콩팥	물, 전해질, 질소 노폐물(요소, 요산, 크레아틴)
피부	물, 전해질, 질소 물질
폐	이산화탄소, 물
내장	소화 노폐물, 담즙색소

신장 생리학 Renal Physiology

| 콩팥으로의 혈액공급

콩팥은 휴식 시 심박출량의 20~25%를 받는 매우 중요한 혈관 기관인데, 그 양은 분당 1,000mL를 초과한다(Myers & Myers, 2019). 심박출량은 심장의 각 심실에 의해 분당 방출되는 혈액의 양을 말한다. 각각의 콩팥은 복부대동맥에서 온 콩팥동맥으로부터 혈액을 공급받으며, 혈액은 콩팥정맥을 통해 배출된다. 콩팥동맥은 퍼져 나가 들세동맥을 형성하고, 이들은 개별 토리(사구체)의 토리 모세혈관을 형성한다. 그 이후에 토리 모세혈관은 날세동맥을 형성하는데, 날세동맥은 차례로 요세관 모세혈관과 곧은혈관으로 퍼진다(그림 4-2).

콩팥으로의 혈액공급은 수분공급과 심박출량에 달려 있다. 예를 들면 탈수, 혈액 손실, 울혈성 심부전, 심근경색증은 콩팥으로 가는 혈액 흐름을 위태롭게 할 수 있는 상황이다.

| 세관주위모세혈관과 곧은혈관의 차이

세관주위모세혈관(peritubular capillaries)은 토리쪽 및 먼쪽 세관을 둘러싸고 있어 요세관 분비와 재흡수가 일어날 수 있도록 한다. 곧은혈관(vasa recta) 모세관과 가지들은 속질 옆 네프론의 헨레고리를 둘러싸고 콩팥속질 안에 위치한다. 이것들은 세관을 따라 이동하면서 소변의 농도를 조절하는 데 주요한 역할을 한다.

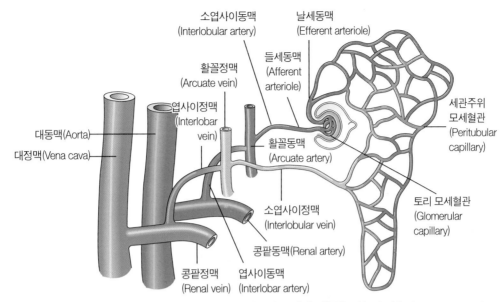

그림 4-2 콩팥의 정맥혈관계는 동맥혈관계와 나란히 진행하며 유사한 이름을 갖는다. *(출처: Copstead LC, Banasik JL: Pathophysiology, ed. 4, St. Louis, 2010, Saunders.)*

| 네프론

네프론(nephron)은 콩팥의 주요 기능 단위이다. 각각의 콩팥에 백만 개 이상의 네프론이 있다. 각 네프론은 복잡한 구조이고 두 개의 주요 구성요소(혈관과 세뇨관)로 이루어져 있다. 혈관 구성요소는 들세동맥, 토리, 날세동맥, 세관주위모세혈관으로 이루어져 있다. 세뇨관 구성요소는 보우만 주머니, 토리쪽세관, 헨레고리, 먼쪽세관이다. 네프론은 재생되지 않기 때문에 손상되면 보충되지 않는다. 토리와 보우만 주머니는 합쳐서 콩팥소체라 한다.

   토리는 들세동맥에서 공급된 얇은 벽의 모세혈관들의 망상조직으로 구성되며 보우만 주머니라고 불리는 배모양의 상피막에 의해 밀접하게 싸여 있다. 보우만 주머니는 토리쪽세뇨관 속으로 열리는데, 그것은 콩팥의 겉질 안에서 일련의 얽힘을 형성한다. 토리쪽세뇨관은 콩팥속질 안에서 곧게 뻗어 U자 형태의 헨레고리를 이룬다. 헨레고리는 토리에 인접하여 상승하면서 먼쪽곱슬세관(distal convoluted tubule)을 형성한다. 끝으로 먼쪽곱슬세관은 다른 먼쪽세관과 만나 새로 형성된 소변을 콩팥깔때기(renal pelvis)로 운반하는 집합관을 형성한다(그림 4-3). 각 콩팥깔때기는 소변을 방광과 연결된 요관 속으로 보낸다. 요도는 방광으로부터 소변을 운반하고 소변이 몸 밖으로 배출되도록 해 준다.

| 소변의 생성

소변 생성과정을 이해하기 전에, 소변 생성에 관여된 구체적인 세 가지 단계를 아는 것이 중요하다. 첫 번째 단계는 "토리여과"로 알려져 있다. 이 단계는 수분과 다른 용해된 물질들이 토리에서 보우만 주머니 또는 요세관 속으로 이동하도록 한다. 두 번째 단계는 "요세관 재흡수"와 관련되어 있다. 이 단계에서, 물과 다른 용해된 물질은 요세관에서 세관주위모세혈관 안의 혈액으로 이동한다. 마지막 과정은 "요세관 분비"인데, 세관주위모세혈관 안의 혈액에서 선택된 물질들이 요세관으로 다시 이동하는 것을 포함한다. 표 4-2는 네프론의 기능과 특정한 재흡수와 특별한 물질의 분비가 일어나는 장소이다.

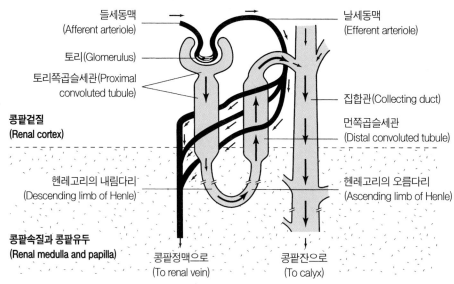

그림 4-3 **들세동맥, 토리, 날세동맥, 집합관과 네프론의 도해도**

표 4-2　**소변 생성에서 네프론의 각 부분의 기능**

네프론의 부위	소변 생성 시의 기능	물질 이동
토리	여과	물과 용질(ex. 나트륨, 다른 이온들, 사구체에서 보우만 주머니로 여과된 포도당과 영양소)
토리쪽세관	재흡수	물, 용액
헨레고리	재흡수	나트륨, 클로라이드 이온
먼쪽세관 및 집합관	재흡수	물, 나트륨, 클로라이드 이온
	분비	암모니아, 칼륨 이온, 수소 이온, 약간의 약물

출처: Thibodeau GA,Patton KT: The human body in health and disease, ed. 5, St Lous, 2010, Mosby.

| 소변 생성의 첫 번째 단계

혈액은 들세동맥을 통해 토리로 들어온다. 모세혈관 안의 혈압과 모세혈관의 얇은 막들로 인해 혈액의 여과가 일어난다. 토리 안의 압력은 보우만 주머니 안의 압력보다 크다. 이 압력의 차이가 수분과 용질을 토리에서 보우만 주머니 속으로 이동하게 한다. 수분과 분자량이 68,000Da(예: 알부민) 이하인 용해된 물질들은 보우만 주머니 안으로 자유롭게 통과한다. 본질적으로 단백질이 없는 용액이 토리여과액이며, 그 용액의 생산비율은 토리여과율(사구체여과율, GFR)로 알려져 있다. 토리여과율은 1분당 콩팥에서 생산되는 여과액의 양이다. 평균 남성의 경우 대략 하루에 180L의 여과액 또는 분당 125mL의 여과액을 만들어 낸다. 이 여과액의 99%는 세뇨관을 통과하면서 재흡수된다. 표 4-3은 몇몇 선택된 물질이 혈류로 재흡수되는 과정을 보여 준다.

　토리여과는 토리로의 충분한 혈액순환과 정상 여과 압력의 유지에 달려 있다. 분자의 여과는 분자의 모양, 크기, 이온화 정도에 따라 달라진다. 분자량과 분자 크기가 커짐에 따라 여과의 정도는 감소한다. 토리 기저막은 음전하를 나타낸다. 음전하를 운반하는 물질들은 기저막에 의해 밀려나고 그 물질들의 여과는 차단될 것이다.

표 4-3 선택된 물질들의 요세관 재흡수와 분비의 최종 결과

물질	흡수율
물	99.2
나트륨	99.4
칼륨	86.1
중탄산염	100
포도당	100
질소	50
인슐린	0
칼슘	98.2
크레아틴	0

| 요세관 이동 시 여과액의 변화

요세관의 주요 기능은 재흡수와 재분비이다. 요세관 재흡수는 여과액을 요세관 주위 모세혈관 또는 곧은혈관의 혈액으로 되돌림을 촉진하는 과정이다(그림 4-4). 이 과정은 그 당시 신체의 요구에 따라 선택적으로 이루어진다. 혈류로 재흡수되는 물질들은 나트륨, 칼륨, 염화물, 중탄산염, 그리고 칼슘과 같은 이온이 있다.

매일 생성된 토리여과액 180L 중에서 대략 2L가 최종 소변으로 배설된다. 그 나머지 물은 포도당, 아미노산, 작은 단백질, 그리고 대부분의 전해질과 함께 재흡수된다. 남은 여과액은 농축되고 요세관으로 내려가면서 최종 소변과 유사해진다. 수분이 용질로 이동하는 마지막 조절은 항이뇨호르몬(ADH)의 영향에 따라 먼쪽세관에서 일어난다. 요세관은 물과 전해질을 혈액으로 돌려 주어 보존시킨다. 수소 이온과 대사성 노폐물은 전체 신체 요구에 적합한 물의 양을 유지하면서 배출된다. 대부분의 재흡수는 토리쪽세관에서 일어난다;

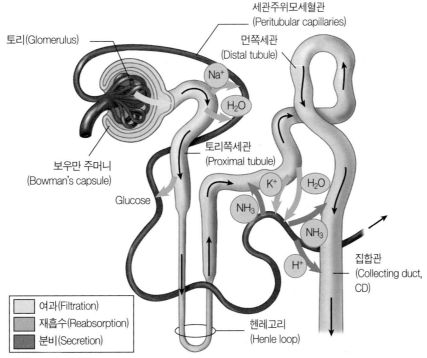

그림 4-4 네프론 각 부분을 통과하는 동안 여과경로. (출처: Thibodeau GA, Patton KT: Anatomy & physiology, ed. 7, St. Louis, 2010, Mosby.)

그러나 일부 재흡수는 먼쪽세관 전체에 걸쳐서 일어난다.

세뇨관 분비는 혈액에서 여과액으로 물질을 추가시키는 것이다. 이 과정은 혈액에서 독성물질을 제거하도록 하며 과도한 수소 이온을 배출하여 혈액의 pH를 회복하도록 돕는다. 요세관으로 분비된 물질들은 칼륨, 수소, 암모니아, 크레아티닌, 일부 약물들이다. 이 과정은 여과액에 포함된 물질들의 총량 중 아주 작은 양을 차지한다.

신부전 Renal Failure

| 신부전 발생 시 현상

정상적인 비뇨기계는 신체의 체액량과 많은 화학물질을 적정 수준으로 유지한다. 비뇨기계가 비정상적일 때, 혈액 구성의 불균형이 초래되고 환자는 관련된 증상을 느낀다. 신부전은 급성이거나 만성일 수 있다. 급·만성 신부전에서는 네프론의 기능상실로 인해 신체 내부항상성이 깨지게 되어 단백질 대사 노폐물이 축적되며 신대체요법이 필요해진다.

단백질 대사 노폐물의 축적은 질소혈증(azotemia)이라고 불리며, 질소산물의 보유를 의미한다. 질소혈증은 요독증의 주요 구성 요소이다.

| 요소

요소(urea)는 단백질 대사의 산물이며 60Da의 분자량을 갖고 있다. 요소는 가장 풍부한 유기 노폐물이며 토리에서 충분히 여과된다. 대부분의 요소는 아미노산이 분해되는 동안 생성된다. 혈액의 정상 요소 함유범위는 8~25mg/dL이다. 혈중 요소 수치는 여러 요인에 의해 영향을 받으므로, 콩팥의 기능 또는 기능장애를 나타내는 최고의 지표가 되지는 않는다. 단백질 섭취의 증가, 위장관 출혈, 스테로이드 사용, 탈수, 그리고 감염, 열, 화상, 외상, 또는 패혈증과 같은 초이화 상태로 요소 수치가 증가할 수도 있다. 낮은 요소 수치는 단백질 섭취 부족, 간질환, 수분 과잉에 의해 나타날 수 있다.

| 크레아티닌

크레아티닌(creatinine)은 근육에 의해 생성되고, 혈액으로 방출되는 단백질이다. 근육량은 비교적 일정하게 유지되므로 크레아티닌의 생성 또한 매일 변하지는 않는다. 혈중 크레아티닌의 수준은 소변에서 크레아티닌이 제거되는 비율에 의해 결정된다. 콩팥기능이 감소하면 크레아티닌은 혈액에 축적된다. 그렇기 때문에 혈중 크레아티닌 수치는 콩팥기능을 평가하는 좋은 지표이다.

| 요독증

요독증(uremia) 또는 요독증후군은 신부전 시 일어나는 비정상적인 생화학과정으로부터 발생하는 증상과 결과의 복합체이다. 일반적으로 소변으로 분비되는 화합물 또는 독성물질로 인해 나타나는 임상증상을 요독증후군이라고 한다.

| 요소 정체(urea retention)

요독 증상의 심각성은 혈중 요소의 증가에 비례한다. 요소는 불안감, 무기력, 식욕부진, 불면증과 같은 몇몇 증상에 명확하게 영향을 주지만, 요독증과 연관된 일차적 독소는 아니다. 콩팥이 정상적으로 기능하지 못하면 수많은 다른 물질이 신체에 남는다. 200개 이상의 잠재적 요독증 독소가 확인되었다.

| 만성콩팥병

만성콩팥병(Chronic Kidney Disease, CKD)은 콩팥손상의 증거로 토리여과율이 $60mL/min/1.73m^2$ 이하로 3개월 이상 지속되는 것, 지속적인 알부민뇨, 소변 크레아티닌 1g 당 30mg 이상의 소변 알부민이 3개월 이상 지속되는 것으로 정의된다(National Institute of Diabetes and Digestive and Kidney Diseases, 2014).

만성콩팥병의 5단계(stage 5 CKD)는 토리여과율이 $15mL/min/1.73m^2$ 이하로, 콩팥이 노폐물을 제거하고 체내에서 체액과 화학적 균형을 유지하는 능력을 대부분 잃었을 때를 말한다. 이 과정은 빠르게(2~3개월 이내에) 진행되거나 느리게(30~40년 넘게) 진행될 수도 있다. 미국 성인 3,000만 명 이상 또는 미국인 7명 중 한 명이 만성콩팥병을 가지고 있는 것으로 추정되며, 대부분은 진단되지 않은 상태이다(CDC, 2017). 토리여과율이 감소되었거나 알부민뇨가 있는 모든 대상자가 말기신장질환(ESRD)으로 진행되는 것은 아니며, 조기 발견과 중재는 이병의 진행을 지연시키는 데 도움이 될 수 있다.

| 만성콩팥병의 진행과정

콩팥기능의 점진적이고 돌이킬 수 없는 손상은 수개월 또는 수년에 걸쳐 발생한다. 정상 기능을 하는 네프론의 수가 감소함에 따라 남은 네프론에 용질 부하가 걸린다. 결과적으로 깨끗해질 수 있는 용질의 양이 한계에 도달하고, 체액 내 용액의 농도가 높아져서 질소혈증과 요독증상이 발생한다. 다행히 콩팥기능 저하가 느리게 일어나는 경우 신체는 어느 정도 적응하므로 요독 증상은 화학적 이상 소견에 비해 상대적으로 가벼울 수 있다.

| 만성콩팥병의 진행단계

만성콩팥병은 환자의 콩팥기능 수준이나 토리여과율에 따라 단계를 나눈다. 토리여과율은 나이, 성별, 신체 크기에 따라 다르다. 나이에 따라 감소하는 경향이 있고, 신부전이 시작되기 전에 감소한다. 만성콩팥병의 단계를 분류하는 것은 각 단계별 질병 관리를 위한 임상실무지침을 제공하고, 임상성과 측정 및 질 향상을 촉진하여 가능한 한 오랫동안 잔여콩팥기능을 보존하도록 한다.

개인에서 만성콩팥병의 유무와 단계를 확인하는 것이 신장질환의 원인, 신장손상 정도, 신장 기능 수준, 혼수상태, 콩팥기능 저하의 합병증, 신부전 또는 심혈관질환의 위험을 정확한 평가를 대신할 수는 없다.

| 만성콩팥병 단계

만성콩팥병은 1에서 5까지의 단계로 설명할 수 있다. 2015년 5단계의 만성콩팥병으로 치료를 받고 있는 미국 거주자수는 거의 50만 명이었고, 20만 명이 훨씬 넘는 사람들이 콩팥이식 수술을 받고 살고 있었다. 같은 해 신규환자수는 12만 4,111건으로 고령화와 미국 인구증가로 인해 7.5% 증가했다(USRDS, 2015). CDC는 3,000만 명 이상의 사람이 만성콩팥병을 가지고 있다고 추정한다. 초기단계(1,2단계)의 96%는 만성콩팥병을 가지고 있다는 것을 모르고 있으며, 후반단계(4단계)의 48%는 그 질병에 대해 인식하지 못하고 있다(NKF, 2017)

미국신장재단(National Kidney Foundation, NKF)은 만성콩팥병의 잠재적 병인을 다음과 같이 제시한다: 당뇨병(제1형, 제2형), 전신성 홍반성 낭창(SLE), 인간면역결핍바이러스(HIV) 콩팥기능장애, B형 또는 C

형 간염, 고혈압, 감염, 결석, 다발성 골수종, 항체, 낭성 질환들이다.

미국신장재단은 모든 개인을 평가하여 만성콩팥병의 위험 증가 여부를 확인할 것을 권고한다. 그 평가는 혈청 크레아티닌 수치, 단백뇨, 그리고 소변 스틱을 이용한 소변 침전물 또는 백혈구 혹은 적혈구를 검사하는 것을 포함한다. 그러나 가장 좋은 콩팥기능 지표는 토리여과율이다. 어떤 요인은 만성콩팥병이 신부전으로 진행되는 것을 촉진하는 것으로 확인되었다; 이 요인은 당뇨병과 고혈압의 부적절한 관리, 특히 나이가 들어 반복적인 급성신장손상(Acute Kidney Injury, AKI)의 경험을 포함한다. 미국신장재단의 권고안은 병인 또는 병리가 아닌 단계에 초점을 맞추고 있다. 궁극적인 목표는 예방기회를 극대화하여 결과를 개선하는 것이다 (상자 4-1).

상자 4-1 만성콩팥병의 단계

이 프레임워크하에서 KDOQI는 만성콩팥병을 다음과 같이 5단계로 분류한다.

- 1단계: 콩팥손상이 있으면서 토리여과율이 90mL/min/1.73m^2 이상
- 2단계: 콩팥손상이 있으면서 토리여과율이 60~89mL/min/1.73m^2
- 3a단계: 토리여과율이 45~59mL/min/1.73m^2
- 3b단계: 토리여과율이 30~44mL/min/1.73m^2
- 4단계: 토리여과율이 15~29mL/min/1.73m^2
- 5단계: 토리여과율이 15mL/min/1.73m^2 이하이거나 신부전으로 신대체요법(투석 또는 신장이식)이 필요한 상태

KDOQI, Kidney Disease Outcomes Quality Initiative.

만성콩팥병 발병의 위험요소

미국신장재단은 만성콩팥병 발병위험을 높이는 요인으로서 고령화, 가족력, 인종(아프리카계 미국인, 인도계 미국인, 라틴계, 아시아계, 또는 태평양 섬지역 출신) 등을 확인했다(그림 4-5). 단백뇨 증가, 고혈압, 당뇨 환자의 부적절한 혈당 조절, 흡연 등은 콩팥병의 진행을 촉진할 수 있는 요인이다. 미국에서 가장 일반적인 신부전의 원인은 그림 4-6에서 보여 주고 있다. 초기 단계의 만성콩팥병은 대부분의 환자에서 무증상이므로 진단을 위한 혈액과 소변 검사가 필요하다.

콩팥병의 민감한 지표인 단백뇨의 조기발견은 그 질환의 진행을 늦출 수 있고, 시기적절한 치료법을 알려 준다. 신장내과 의사에게 조기의뢰, 적극적인 혈압 관리, 집중적인 혈당 관리 등은 만성콩팥병의 진행을 지연시킬 수 있다. 그림 4-7은 토리여과율, 알부민-크레아틴 비율, 단백뇨 수준에 기초한 진행위험을 보여 준다.

만성콩팥병의 치료목표

모든 환자가 질병의 진행단계별 기간이 동일한 것은 아니지만, 병의 진행을 늦추는 것이 목표이다. 조정 가능한 위험요소로는 협압과 당뇨병 조절, 체중 조절, 고콜레스테롤혈증, 비스테로이드성 항염증 약물 사용, 흡연 등이 있다. 고려해야 할 주요 조치는 병인을 정확히 인식하는 것, 만성콩팥병 단계에 따른 적절한 치료, 환자의 증상 모니터링, 합병증에 대한 선별검사와 환자 교육이다. 토리여과율이 감소함에 따라 환자는 심혈관질환, 칼슘, 인, 비타민 D의 불균형, 고칼륨혈증, 대사성 산증, 저알부민증, 고혈압과 같은 합병증을 겪을 수 있다. 토리여과율의 현저한 감소가 나타날 때까지 증상이 나타나지 않을 수도 있다.

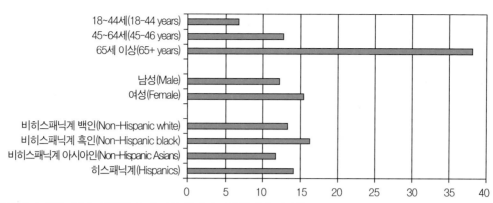

그림 4-5 **나이, 성별, 인종, 민족별 18세 이상 성인의 만성콩팥병 발병률**

- 65세 이상의 발병률은 38%로 40~64세 13%, 18~44세 7% 보다 발병률이 높다.
- 여성발병률은 15%로 남성 12%보다 더 높다.
- 비히스패닉계 흑인(16%)은 비히스패닉계 백인(13%), 비히스패닉계 아시아인(12%) 보다 발병률이 높다.
- 히스패닉계의 약 14%는 만성콩팥병을 가지고 있다.

(출처: Centers for Disease Control and Prevention: Chronic kidney disease in the United States, 2019. [n.d.]. Retrieved from https://www.cdc.gov/kidneydisease/publications-resources/2019-national-facts.html.)

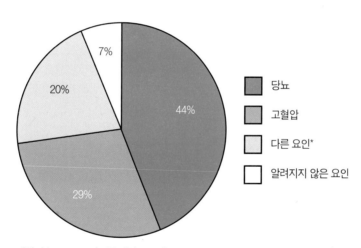

대상자수=118,014(모든 연령, 2014)
*다른 요인은 토리콩팥염, 낭성콩팥병 포함

그림 4-6 **신부전의 주요 원인.** (출처: Centers for Disease Control and Prevention. National Chronic Kidney Disease Fact Sheet, 2017. Atlanta, GA: US Department of Health and Human Services, Centers for Disease Control and Prevention;2017)

| 만성콩팥병 환자에서 모니터링되어야 하는 위험요소

1단계나 2단계의 만성콩팥병 환자는 최소한의 증상 또는 증상이 없을 수 있다. 이 단계에서의 목표는 앞에서 언급한 조절 가능한 위험요소를 제어하는 것이다. 의료제공자는 토리여과율과 알부민뇨의 정도를 모니터링할 수 있다(표 4-4). 3단계와 4단계 만성콩팥병환자는 토리여과율이 감소하는 잠재적 합병증에 대해 좀 더 면밀하게 모니터링해야 한다. 이 시기에 질병의 진행을 지연시키는 조치에 대한 조언과 그들에게 나타날 요독증의 다른 합병증을 모니터하기 위해 환자를 신장내과 의사에게 의뢰할 수 있다. 신장내과 의사는 콩팥으로

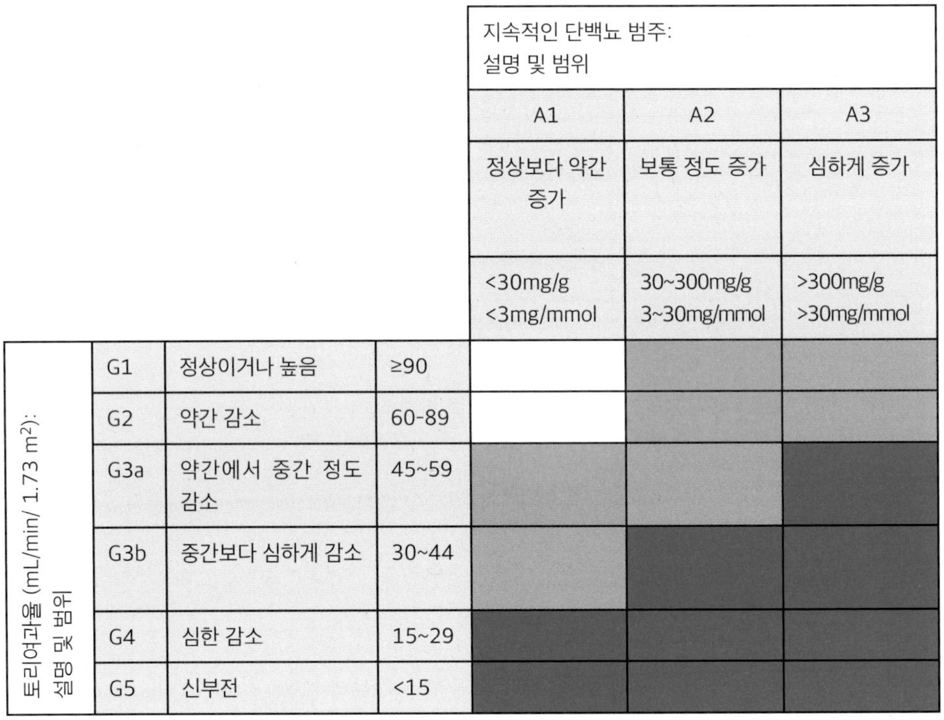

지속적인 단백뇨 범주: 설명 및 범위			
	A1	A2	A3
	정상보다 약간 증가	보통 정도 증가	심하게 증가
	<30mg/g <3mg/mmol	30~300mg/g 3~30mg/mmol	>300mg/g >30mg/mmol

				A1	A2	A3
토리여과율 (mL/min/ 1.73 m²): 설명 및 범위	G1	정상이거나 높음	≥90			
	G2	약간 감소	60-89			
	G3a	약간에서 중간 정도 감소	45~59			
	G3b	중간보다 심하게 감소	30~44			
	G4	심한 감소	15~29			
	G5	신부전	<15			

그림 4-7 토리여과율 또는 알부민 크레아티닌 비율에 기초한 진행의 위험(흰색은 낮은 위험, 회색은 위험이 중간 정도 증가했음을 나타내고, 연한 파란색은 높은 위험, 짙은 파란색은 매우 높은 위험을 나타냄)
(출처: Kidney Disease: Improving Global Outcomes CKD Work Group: KDIGO 2012 clinical practice guideline for the evaluation and management of chronic kidney disease, Kidney International Supplements 3(1):1-150, 2013.)

표 4-4 만성콩팥병의 합병증 예방, 모니터링, 치료

검사	목표범위	관련성 및 평가
소변 알부민과 크레아티닌 비율	정상 0~29 알부민뇨 ≥30	• 콩팥손상의 선별검사, 사정, 모니터링 및 콩팥병의 조기발견을 위해 선호되는 척도 • 이 평가는 만성콩팥병 진행위험을 반영 • 격렬한 운동, 발열, 감염, 탈수, 고혈당 또는 울혈성 심부전 시 증가될 수 있다.
혈압	< 140/90mmHg	• 혈압을 조절하면 만성콩팥병과 중심정맥질환의 진행을 지연시킬 수 있다. 대부분의 환자에게서 RAAS 길항제(ACE 억제제 또는 ARB)가 처방되며 둘 다 콩팥과 심장을 보호한다. 알부민뇨를 감소시키는 것은 도움이 될 수 있다. 고칼륨증을 모니터링하고 저염식이를 하면 효과가 높아진다. • 만성콩팥병 3단계의 환자는 토리여과율이 감소함에 따라 고혈압이 발생할 가능성이 높다.
당뇨관리	HbA1C의 목표치: 7% 이하지만 이것은 환자 의 필요에 기초하여 조 정된다.	HbA1C는 환자의 필요에 따라 조정된다. NKF KDOQI 지침의 권고사항은 (1) 만성콩팥병 환자에서 당뇨성 말초혈관 합병증을 예방하고 지연시키기 위한 HbA1C 목표치는 7%이다. (2) 저혈당 위험이 있는 환자에서는 HbA1C 목표치를 7% 이하로 치료하지 않는다. 혼수상태이거나 기대수명이 제한된 환자의 경우 7% 이상을 제안한다 (NKF, 2012) • 의도하지 않은 HbA1C의 개선은 만성콩팥병의 진행을 나타내는 지표일 수 있다.

(계속)

검사	목표범위	관련성 및 평가
식사관리	• 염분 • 단백질 • 인 • 칼륨	• 식이요법은 검사결과와 의사의 권고에 기초한다. 필요시 영양 상담을 추천한다. • 나트륨 섭취를 줄인다. • 신장에 가해지는 스트레스를 최소화하기 위해 지나친 단백질 섭취를 줄인다. • 검사수치가 높으면 인과 칼륨의 섭취를 줄인다.
중심정맥질환	LDL<100mg/dL	• 중심정맥질환이 있는 환자는 만성콩팥병의 위험이 있고, 만성콩팥병 환자는 중심정맥질환의 위험이 있다. • 중심정맥질환은 만성콩팥병 환자의 주요 사망원인이다. • 저지방 식단을 따르고, 신체활동을 증가시켜야 한다.
빈혈	정상 Hb: 11~12g/dL	• 헤모글로빈 수치를 모니터링하고, 빈혈의 원인을 규명한다. • 철분 결핍 시에는 경구 철분제가 처방될 수 있다. • 만성콩팥병 3단계 환자는 토리여과율이 감소함에 따라 헤모글로빈의 감소가 나타날 수 있다.
무기질과 뼈질환	칼슘 인 PTH 비타민 D	• 비타민 D가 감소할 수 있다. • 비타민 D 감소로 인해 혈청 칼슘이 감소될 수 있다. • PTH가 상승할 수 있다. • 혈청 인은 증가하거나 정상일 수 있다. 만성콩팥병 3단계부터 뼈질환이 나타날 수 있다.

안지오텐신 전환효소 ACE, Angiotensin-converting enzyme; 안지오텐신수용체차단제, ARB, angiotensin receptor blocker; 만성콩팥병 CKD, chronic kidney disease; 심장혈관질환 CVD, cardiovascular disease; 사구체과율 GFR, glomerular filtration rate; 당화혈색소 HbA1C, hemoglobin A1c; KDOQI, Kidney Disease Outcomes Quality Initiative; 저밀도지단백 LDL, low-density lipoprotein; 미국신장재단, NKF, National Kidney Foundation; 부갑상샘호르몬 PTH, parathyroid hormone; 레닌-안지오텐신-알도스테론시스템 RAAS, renin-angiotensin-aldosterone system. (출처: National Institutes of Health: Making sense of CKD: a concise guide for managing chronic kidney disease in the primary care setting. Washington, DC, 2014, National Institutes of Health and National Kidney Foundation: KDOQI Clinical Practice Guideline for Diabetes and CKD: 2012 update. American Journal of Kidney Diseases 60(5):850-886, 2012.)

배설되는 약물의 경우 토리여과율의 감소에 따른 약물 복용량 조정을 평가할 수 있다. 신장내과 의사는 환자에게 적절하다고 판단되는 식이요법(나트륨, 인, 단백질 제한)을 권고할 수 있다. 무기질성 뼈질환은 환자의 혈청 칼슘, 인, PTH 수치를 기준으로 모니터링하고 치료한다. 섬유아세포 성장인자(FGF-23)는 고인산혈증에 반응하여 생성되는 뼈유도 호르몬이다. FGF-23은 세뇨관에서 인산염 재흡수를 억제하고, 장에서 인의 흡수를 감소시킴으로써 인의 수치를 감소시키는 작용을 한다. FGF-23은 만성콩팥병의 빠른 진행, 심혈관 질환 및 만성콩팥병환자의 조기 사망과 관련이 있다. 만성 콩팥병 환자를 위한 DOQI 가이드라인은 혈청인 수치를 2.7~4.6mg/dL로 유지할 것을 강조한다(Wolf, 2012). 환자는 토리여과율이 감소함에 따라 치료방법 선택과 투석 접근로에 대해 의사와 논의해야 한다. 그림 4-8은 CKD 모니터링 알고리즘을 보여 준다.

| 말기신장질환

말기신장질환(End-Stage Renal Disease, ESRD)은 만성콩팥병 5단계 혹은 환자가 생명유지를 위해 지속적인 투석이 요구될 때 사용하는 명칭이다. 만성콩팥병 진행과정에서 식이조절, 나트륨 제한, 인산염 조절, 혈압과 혈당 관리, 약물치료 등으로 신부전은 상당한 시간 동안 관리될 수도 있다. 콩팥기능이 정상의 10~15%로 떨어지면 환자는 생존을 위해 투석 또는 이식이 필요하다.

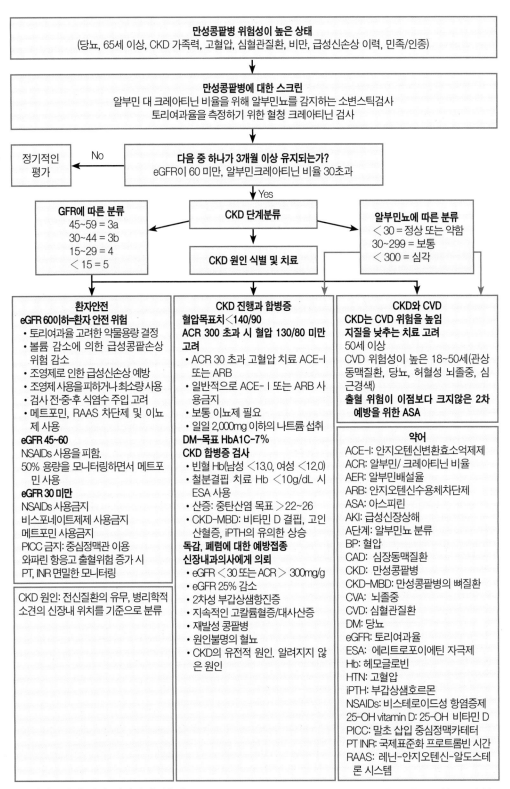

그림 4-8 **만성콩팥병 환자 관리방법.** (출처: National Kidney Foundation. Retrieved from https://www.kidney.org/sites/default/files/02-10-6800_ABG_PCPI_Algorithm2.pdf.)

만성신부전과 원인

만성콩팥병의 위험요소로는 당뇨병, 고혈압, 비만, 가족력 등이 있다. 다음과 같이 특정 모집단은 질병 발생의 더 큰 위험에 처해 있다.

- 여성은 만성콩팥병이 더 많이 발생하지만 말기신부전증으로 진행되는 경우는 남성이 더 많다.
- 라틴 아메리카 인구의 15%가 만성콩팥병을 가지고 있으며 말기신부전증으로 발전할 가능성이 35% 더 높다.
- 미국 원주민, 아시아인 및 태평양 섬 주민은 만성콩팥병이 생길 가능성이 높다.
- 아프리카계 미국인은 백인보다 만성콩팥병 발생 가능성이 3배 높다.
- 히스패닉계는 비히스패닉계보다 말기신부전증 발생 가능성이 1.5배 높다.

만성콩팥병을 일으키는 토리 요인

토리질환은 토리를 손상시키고 단백질과 적혈구를 소변 속으로 유출시킨다. 토리질환은 토리콩팥염(사구체신염)과 토리굳음증(사구체경화증)으로 나뉜다.

토리콩팥염은 콩팥의 토리에 영향을 주는 염증성 질환이다. 토리콩팥염은 콩팥의 일차성 질환이거나 전신성 홍반성 낭창, 당뇨성 콩팥염, 또는 항기저막 증후군과 같은 다른 질환의 2차 합병증으로 발생할 수 있다. 토리가 감염되거나 상해를 받으면 적혈구와 많은 양의 단백질이 소변으로 빠져나가게 한다. 토리콩팥염은 사슬알균 감염에 의해 발생할 수 있다. 사슬알균 감염에 의한 토리 손상은 세균의 직접적인 영향에 의해 발생하지는 않지만 토리에 침전되는 다량의 항체 생성물에 의해 손상된다. 면역체계가 감염에 반응하면서 항원항체 복합체가 형성된다. 이 항원항체 복합체의 수가 증가하면서 축적되어 토리가 막히게 되어 토리의 여과기능이 저하되고, 그 질환에 걸린 사람에게는 혈청 알부민 감소, 혈뇨, 부종, 고혈압, 소변량 감소와 같은 증상이 나타나기 시작한다.

토리굳음증이란 콩팥에 있는 혈관의 흉터 또는 경화를 말한다. 낭창과 진성 당뇨병과 같은 전신성 질환은 토리세포로 하여금 흉터조직을 만들게 한다. 토리세포가 성장요인(Growth factor)을 생성하여 이 흉터조직 형성을 자극하고, 토리로 들어오는 혈액을 통해 토리로 옮겨질 수도 있다.

당뇨성 콩팥증은 제1형 당뇨와 제2형 당뇨 모두에 의해 발생할 수 있다. 이 콩팥증과 더불어 토리 기저막이 두꺼워진다. 고혈당은 콩팥으로 혈액을 빠르게 흐르게 하여 토리에 부담을 주고 토리 내 혈압을 상승시킨다. 토리가 손상되면서 여과성능이 나빠진다. 당뇨성 콩팥증은 10년 이하의 제1형 당뇨병 환자에게서는 거의 발병하지 않고 10~20년 동안 병을 앓고 있는 환자에게서 더 일어나기 쉽다. 당뇨성 콩팥증을 가진 환자에 대한 치료, 합병증, 특별 관리사항은 제16장에서 설명된다.

만성콩팥병을 일으킬 수 있는 유전적 질환

다낭신장병(Polycystic Kidney Disease, PKD)은 미국에서 모든 생명을 위협하는 유전질환 중 일반적으로 신부전을 가장 많이 일으킬 수 있는 질환이다. 다낭신장병은 염색체 유전에서 우성을 나타낸다. 이 말은 남성과 여성 모두 영향을 받을 수 있다는 것이다. 그 유전자가 우성이기 때문에 단지 질환을 가진 유전자의 한쪽만 있어도 발병한다. 결론적으로 아들 또는 딸에게 그 질환 유전자를 전달할 가능성은 50%이다. 다낭신장병은 네프론을 따라 어디에든 다수의 낭종을 유발하는 진행성 질환이다. 액체가 찬 낭종이 정상 콩팥조직을 대체하고 커져서 네프론 주변과 콩팥혈관들을 압박하기 시작한다. 압박을 받은 콩팥조직은 섬유화되고 콩팥기능을 악화시킨다. 낭종의 크기나 숫자가 많아지면서 콩팥이 무척 커질 수 있고, 환자는 복부둘레가 현저하게 증가하는 것을 경험하게 된다.

다낭신장병의 발병과 증상은 개인차가 있다. 다낭신장병을 앓은 18세 이하의 환자 50%에서 낭종이 발생한다. 허리 통증 또는 옆구리 통증은 다낭신장병의 가장 일반적인 증상 중 하나로 요로감염, 혈뇨, 심각한 고혈압, 콩팥기능 저하 등이 보인다. 박테리아가 낭종 주변에 파묻혀 항생제가 콩팥 또는 낭종 속으로 들어가기 어려워지므로 환자가 감염에 민감해진다. 콩팥 통증이 심해지거나 콩팥이 만성적으로 감염되면 콩팥 절제가 필요할 수 있다. 다낭신장병 환자는 난소, 고환, 이자, 간, 혹은 지라와 같은 다른 장기에서 낭종이 발생할 수 있다. 다낭성 신질환은 성인과 아동 모두에게서 발생할 수 있지만 그 질환에 걸린 모든 사람이 만성콩팥병으로 발전하지는 않는다. 그 질환을 가진 사람 중 대략 50%가 60대의 나이에 지속적 투석 또는 이식이 필요할 것이다.

| 아밀로이드증

아밀로이드증(amyloidosis)은 항체 생성으로 인해 비정상적인 단백질 섬유를 만들게 하는 질환이다. 이 단백질 섬유들이 모여 신체의 다양한 장기에 쌓인다. 증가된 단백질 섬유들은 조직과 장기들에 축적되는데, 만일 콩팥에 축적되면 신부전을 초래할 수 있다. 아밀로이드증의 증상은 침범된 장기나 신체계통에 따라 다르다. 콩팥 아밀로이드증의 일반적 증상들은 단백뇨와 고혈압이다. 물론 아밀로이드증은 만성콩팥병으로 인해 발생할 수 있으며 투석 관련 아밀로이드증(Dialysis-Related Amyloidosis, DRA)으로 알려져 있다. 투석 관련 아밀로이드증은 손목굴증후군, 뼈낭종, 또는 병리적 골절들과 같이 나타날 수 있다.

| 콩팥굳음증

콩팥굳음증(nephrosclerosis)은 "콩팥의 경화"를 번역한 용어로, 오래되고 심각한 고혈압으로 콩팥 손상이다. 치료되지 않은 고혈압은 콩팥 세동맥들의 경화를 일으키며, 이로 인해 네프론에 혈액 공급이 감소한다. 질환이 진행하면서 일부 토리가 경화되어 콩팥기능의 손실을 만회하려고 과다 여과를 하게 된다. 결과적으로 토리의 점진적인 경화가 일어난다. 시간이 지나면서 콩팥 혈관들이 두꺼워지고 비대해지며 콩팥은 혈압을 높이는 기능인 레닌을 만드는 능력을 잃는다. 단백뇨, 혈뇨, 좌심실 비대가 콩팥굳음증 환자에게 발견될 수 있다. 콩팥기능 저하를 늦추기 위해 혈압을 조절하려는 적극적인 시도가 필요하다. 고혈압은 만성콩팥병의 원인이며 동시에 만성콩팥병의 합병증이므로 고혈압이 원인인지 합병증인지 결정하기 어렵다.

| 신부전을 유발하는 감염성 요인

깔때기콩팥염(신우신염)은 콩팥과 콩팥깔때기의 감염이다. 세균은 일반적으로 하부 요로로부터 올라와 퍼진다. 폐색과 같은 기저의 요로 문제가 없다면 깔때기콩팥염은 일반적으로 만성콩팥병으로 진행하지 않는다. 그람 음성 막대균과 장알균과 같이 장에서 대량 서식하는 미생물과 일반적으로 연관되는데, 그것들이 소변에서 증식한 후 콩팥으로 올라가기 때문이다. 감염에 의한 염증, 섬유증, 흉터의 결과로 콩팥손상이 발생한다.
　콩팥 결핵은 결핵균에 의한 감염이다. 요로는 폐 다음으로 쉽게 감염되는 장소이다. 염증과 건락화(caseation)를 유발하는 병변에 의해 콩팥은 손상된다. 감염은 콩팥 곳곳으로 퍼져 콩팥 조직을 파괴한다. 콩팥은 위축되고 흉터를 남기고 석화화된다. 콩팥의 결핵은 일반적으로 폐결핵에 의해 이차적으로 발생한다. 콩팥 결핵은 폐감염이 발생한 후 여러 해 동안 잠복해 있을 수 있으며, 배뇨 증가, 치골상부 통증, 혈뇨, 발열 등과 같은 증상이 나타난다.

| 콩팥증후군

콩팥증후군(nephrotic syndrome)은 특정한 콩팥질환이 아니라 토리가 손상되어 단백질이 소변으로 배출될 때 나타나는 이상 증상이다. 콩팥증후군을 초래하는 질환은 토리콩팥염, 당뇨, 낭창(lupus) 등이다. 콩팥증후군을 일으킬 수 있는 다른 2차적 상황은 사슬알균 감염, 단핵증, 간염과 같은 바이러스와 세균 감염 등이 있다. 콩팥증후군은 혈액 내의 단백질을 고갈시키므로 체액을 조직으로 이동시켜 부종을 일으킨다. 소변으로 많은 양의 단백질이 유실되면서 소변에 거품이 매우 많아진다. 콩팥증후군의 치료법으로는 부종을 감소시키기 위한 저염식이, 이뇨제, 고지혈증 치료제, 혈액 희석제, 면역억제제 등이 있다. 고혈압의 관리가 대단히 중요하다.

| 콩팥 암

신세포암 또는 신세포 선암이 콩팥 암(cancer of the kidney)의 약 90%를 차지한다. 신세포암은 남성에게서 자주 발견되며 전이 후 발견되면 사망률이 높다. 양측 콩팥 모두 동일한 발병률이 보이나 일반적으로 한쪽 콩팥에만 걸린다. 위험요인으로는 흡연, 진통제 남용, 석면과 카드뮴 같은 물질에의 노출 등이 있다. 그 종양은 콩팥의 어느 부분에서나 발생하여 콩팥조직을 압박할 수 있는데, 종양은 결국 조직괴사와 혈액 흐름 감소를 초래한다. 전이는 폐, 림프절, 간, 뼈 등에서 보일 수 있다. 환자는 옆구리 통증, 체중 감소, 고혈압 등이 뒤따르는데, 가장 일반적으로 혈뇨를 보인다. 가끔 옆구리 또는 복부에 덩어리가 촉진되기도 한다.

| 콩팥동맥협착

콩팥동맥협착(renal artery stenosis)은 콩팥에 혈액을 공급하는 동맥의 내강이 좁아진 것이다. 콩팥 실질에 손상이 일어나면서 콩팥으로의 혈액 흐름에 커다란 감소가 일어난다. 감소된 콩팥 관류는 레닌 분비의 증가를 유발하여 콩팥을 더욱 손상시킨다.

급성신장손상과 원인 Acute Kidney Injury and Causes

| 급성신장손상의 정의

급성신장손상(Acute Kidney Injury, AKI)은 갑작스럽고 심각한 콩팥기능의 손상이다. 발병은 몇 시간 혹은 며칠 동안에 일어날 정도로 빠르다. 관행적으로 요량 감소(핍뇨, oliguria-24시간 동안 400mL 이하의 소변)가 나타난다. 그러나 환자의 반 정도는 소변 배출이 정상 또는 거의 정상으로 나타나는 비핍뇨성을 보인다. 비핍뇨성 신부전은 핍뇨성보다 덜 급성이며 관리가 핍뇨성보다는 덜 어렵다. 이 경우 투석이 필요하지 않을 수도 있다. 2004년에 ADQI (Acute Dialysis Quality Initiative)를 만들기 위해 신장내과와 중환자내과 의사들이 다학제 그룹을 형성하였다. 그들의 목표는 급성신부전의 정의에 대한 합의를 이루고 진단과 급성신부전의 단계 나누기(staging AKI)에 대한 일정한 표준을 제안하는 것이다. 그 분류체계는 급성신부전의 중증도에 따라 세 등급 위험(risk), 손상(injury), 부전(failure)과 손실(loss)과 말기신장질환으로 정의한다(약어로 RIFLE). 이 체계는 수많은 임상 상황에서 급성신부전의 분류에 대하여 제안을 해 왔고 환자에 따라 혈청크레아틴 수치에서의 변화 정도, 토리여과율, 또는 소변 배출량에서의 변화에 기반한다(표 4-5).

| 급성신장손상의 원인

급성신장손상(또는 급성신부전)의 원인은 다음의 세 가지 범주가 있다. (1) 신전성(prerenal), (2) 신성(intrarenal), (3) 신후성(postrenal)(18장, 상자 18-1). 이 범주들은 손상의 위치에 기초해 구분되었다(그림 4-9).

표 4-5 급성신부전의 분류를 위한 RIFLE Criteria

	GFR criteria	소변 배출량(UO) criteria
Risk	혈청크레아티닌이 기준의 1.5배 초과	UO<0.5mL/kg/hr× 6hr
Injury	혈청크레아티닌이 기준의 2배 초과	UO < 0.5mL/kg/hr for > 12hr
Failure	혈청크레아티닌이 기준의 3배 초과 또는 > 0.5mg/dL to a value of > 4mg/dL	UO < 0.3mL/kg/hr for > 12hr 또는 무뇨증이 12시간 이상
Loss	급성신부전에 의한 투석이 4주 이상 지속	
End stage renal disease	급성신부전에 의한 투석이 3개월 이상 지속	

급성신장손상 AKI, Acute kidney injury; 크레아티닌 CR, creatinine; 소변배출량 UO, urine output.
(출처: RIFLE criteria for the diagnosis and classification of acute kidney injury(AKI). Palevsky PM, Liu KD, Brophy PD, et al: KDOQI US Commentary on the 2012 KDIGO clinical practice guidelines for acute kidney injury. American Journal of Kidney Diseases 61(5):649-672, 2013.)

신전성 원인은 콩팥기능을 손상시키기에 충분할 만큼 콩팥으로 가는 혈액 흐름이 감소되는 것이다. 세포외 액량 감소(심각한 탈수증으로서), 심부전, 콩팥동맥 폐색 등이 가장 일반적인 원인이다.

신후성 원인에는 콩팥에서 나온 소변의 흐름이 막히는 것이 있다. 폐색은 요관, 방광, 또는 요도에서 발생할 수 있다.

신전성과 신후성 원인들을 구분하는 것이 중요한 이유는 콩팥에 잔류 손상을 유발하지 않고 신속하게 교정될 수 있기 때문이다.

신성 급성신손상은 직접적인 콩팥조직의 손상으로 유발된다. 이것은 급성 염증(급성 진행성 깔때기콩팥염)을 앓는 동안 발생할 수 있다. 신성 급성신장손상은 심각하게 손상된 혈액 흐름(출혈성 쇼크)이나 콩팥실질 세포에 직접적인 독성으로 인해 더 자주 발생한다; 이것은 몇몇 항생제, 마이오글로빈, 또는 에틸렌 글리콜

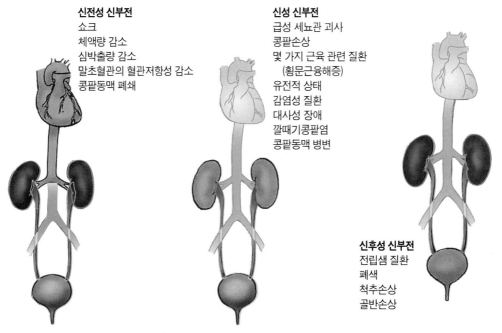

신전성 신부전
쇼크
체액량 감소
심박출량 감소
말초혈관의 혈관저항성 감소
콩팥동맥 폐쇄

신성 신부전
급성 세뇨관 괴사
콩팥손상
몇 가지 근육 관련 질환
 (횡문근융해증)
유전적 상태
감염성 질환
대사성 장애
깔때기콩팥염
콩팥동맥 병변

신후성 신부전
전립샘 질환
폐색
척추손상
골반손상

그림 4-9 **신전성, 신성, 신후성 신부전.** (출처: Black JM, Hawks, JH: Medical-surgical nursing clinical management for positive outcomes, ed. 8, St. Louis, 2009, Saunders.)

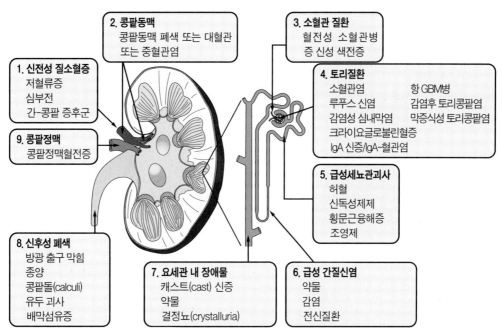

1. **신전성 질소혈증**
저혈류증
심부전
간-콩팥 증후군

2. **콩팥동맥**
콩팥동맥 폐색 또는 대혈관
또는 중혈관염

3. **소혈관 질환**
혈전성 소혈관병
증 신성 색전증

4. **토리질환**
소혈관염 항 GBM병
루푸스 신염 감염후 토리콩팥염
감염성 심내막염 막증식성 토리콩팥염
크라이오글로불린혈증
IgA 신증/IgA-혈관염

5. **급성세뇨관괴사**
허혈
신독성제제
횡문근융해증
조영제

6. **급성 간질신염**
약물
감염
전신질환

7. **요세관 내 장애물**
캐스트(cast) 신증
약물
결정뇨(crystalluria)

8. **신후성 폐색**
방광 출구 막힘
종양
콩팥돌(calculi)
유두 괴사
배막섬유증

9. **콩팥정맥**
콩팥정맥혈전증

그림 4-10 **급성신장손상의 원인.** 급성신장손상은 신전성, 신성, 신후성으로 분류된다. 급성신장손상의 원인은 다양한 해부학적 구성요소(혈관, 토리, 요세관, 간질성 질환)가 고려되어야 한다. GBM, Glomerular basement membrane. (출처: Feehally J, Floege J, Tonelli M, Johnson RJ: Comprehensive clinical nephrology, Edinburgh, 2019, Elsevier.)

에 의해 유발될 수 있다. 그 결과는 신성 급성신장손상의 가장 일반적인 유형인 급성 세뇨관 괴사로 나타난다 (Rahman, Fariha, & Smith, 2012). 급성 세뇨관 괴사는 관세포에 생긴 손상으로 발생한다. 세포 손상은 화학물질 또는 약물에서 온 독성에 기인하거나 심각하게 감소된 혈액 흐름에 기인한 허혈에 의해 발생한다. 세포들의 실제 괴사가 항상 일어나는 것은 아니지만 기능적 손상은 심각하다. 급성신장손상으로 진행할 수 있는 가장 큰 위험집단은 기저에 만성콩팥병을 가진 환자이다. 노인과 당뇨 환자도 진단되지 않은 콩팥기능 저하로 인해 급성신장손상에 걸릴 위험이 더 크다.

급성요세관괴사의 유발요인

급성요세관괴사(Acute Tubular Necrosis, ATN)의 가장 빈번한 원인은 수술, 외상, 패혈증, 심혈관 허혈, 신독성 손상 등이 있다. 패혈증이 있는 다발성 부전은 급성요세관괴사의 빈번한 원인이며 높은 사망률을 나타낸다.

신독소에는 적혈구의 용혈에 의한 헤모글로빈과 근육 파괴나 횡문근융해증에 의한 미오글로빈이 있다. 이것들은 압착손상이나 열사병, 간질발작에 의해 유발될 수 있다. 많은 진단 및 치료제, 항생제(특히 아미노글리코사이드 계열), 마취제, 조영제, 항암제, 일반의약품이 콩팥에 독성을 가한다.

급성신부전의 진행과정

신전성 또는 신후성 원인들로 생긴 급성신부전은 유발요인이 교정되면 빠르게 회복된다. 대부분의 신성 신부전 또는 급성요세관괴사는 회복될 수 있다. 그러나 부상 또는 내·외과적인 문제로 촉발된 신부전은 지속적일 수 있다. 감염, 패혈증, 그리고 출혈 등의 합병증이 동반되는 내인성 신부전과 급성 세뇨관 괴사는 높은 사망률을 보인다.

Clinical Manifestations of Chronic Kidney Disease

만성콩팥병의 임상증상

점진적으로 발병한 요독 증후군은 피로, 인지장애, 가려움증과 같은 특징들이 초기에 발생한다. 증상과 소견은 모든 장기와 연관되어 있기에 광범위하고 복잡하게 나타난다.

심혈관계 Cardiovascular System

| 요독증과 함께 발생하는 심혈관 이상

만성콩팥병 환자는 심혈관질환의 가장 고위험집단이며, 심혈관 사건은 투석 환자의 주요한 사망원인이다. 심혈관질환에 의한 사망위험은 일반인보다 투석 환자가 10~30배 더 높다. 심혈관 사망위험은 당뇨를 가진 환자에게서 2~4배 증가한다(Ameriacn Heart Association, 2018)

고혈압은 만성콩팥병 환자에게서 나타나는 가장 일반적인 심혈관 합병증이며, 대부분의 환자에게 영향을 끼친다. 토리여과율(사구체여과율) 60mL/min/1.73m^2 이하 환자의 80% 이상이 고혈압이 있고, 잘 조절되지 않은 고혈압은 말기신부전증을 초래한다(Anderson & Agarwal, 2019). 고혈압은 만성콩팥병을 유발하고, 만성콩팥병은 고혈압을 유발하며, 이것은 심장마비와 뇌졸중과 같은 다른 심혈관계 사건을 일으킬 수 있다. 만성콩팥병 환자에서 목표 혈압을 얼마로 할 것인가에 대해서는 몇 가지 논쟁이 있으나 만성콩팥병의 단계와 알부민뇨 수준에 기반하여 추천하고 있다.

고혈압은 좌심실비대증(LVH)의 진행과 관련이 있어 심혈관질환의 위험을 높인다. 나트륨 축적으로 인한 수분 과부하로 세포외액량의 증가가 가장 널리 알려진 원인이다. 만성콩팥병을 가진 많은 환자는 혈장 내 레닌의 활동이 증가한다. 콩팥절제술은 저항성 고혈압을 조절하는 하나의 선택사항이지만, 오늘날에는 최신 치료약물의 사용으로 거의 시행하지 않는다.

식사를 통한 수분과 나트륨의 조절, 항고혈압제, 초여과는 고혈압의 관리에 도움이 된다. 환자는 의사의 권유에 따라 운동과 금연 프로그램에 대한 안내를 따라야 한다.

동맥경화는 이환율과 사망률의 주요 요인이다. 간에서 생성되는 지단백 분해효소의 결핍이 혈청 중성지방을 증가시키는 원인이다. 또한 심장동맥질환, 뇌졸중, 말초동맥질환의 위험성이 증가한다.

고혈압, 빈혈, 동맥경화로 생긴 좌심실 비대증과 같은 심근 기능장애가 보이기 시작한다. 좌심실 비대가 생기면 좌심실이 비정상적으로 두꺼워지고 심장의 정상적인 펌프작용을 방해한다. 좌심실 비대증의 징후와 증상은 원인에 따라 다르지만, 호흡곤란, 흉통, 부정맥, 현기증, 울혈성 심부전 등이 나타날 수 있다. 좌심실 비대증의 증상은 수분량 조절과 함께 고혈압과 빈혈의 교정을 통해 조절되거나 개선될 수 있다. 몇몇 환자는 증상을 전혀 경험하지 않고 심부전으로 진행될 수 있다.

심장동맥 석회화는 칼슘–인 대사 불균형의 결과로 발생할 수 있다. 혈액을 심장근육으로 운반하는 심장동맥을 포함한 혈관의 석회화는 환자의 심장발작과 뇌졸중의 위험을 높인다.

울혈성 심부전은 급성일 수 있지만 일반적으로 나트륨과 수분의 축적과 관련된 만성적인 증상이다. 울혈성 심부전의 증상은 하지부종, 호흡곤란, 잦은 피로, 허약감, 신체활동의 수행장애 등을 포함한다. 초과 수분으로 인한 체중 증가는 또 하나의 일반적 증상이다.

심낭염은 급성 또는 만성의 심낭 염증이며 만성콩팥병 환자에게서 나타나는 심혈관 합병증이다. 심낭염은 심근경색의 결과로서 일어날 수 있거나 콩팥손상에 의해 이차적으로 일어날 수 있다(요독심낭염). 심장은 두 층의 섬유조직으로 구성된 이중막낭으로 싸여 있다. 그 두 층 사이에는 작은 공간이 있는데, 대략 15~20 mL의 액체가 들어 있다(Patton and Thibodeau, 2013). 이 심낭액은 심장이 수축하는 동안 심낭의 층들이 서로 마찰 없이 매끄럽게 미끄러지도록 윤활 역할을 한다(그림 5-1). 요독소, 수분 과다, 또는 세균성/바이러스성 감염은 모두 심낭막에 염증을 일으킬 수 있고 이는 흉통과 심낭 삼출을 일으킬 수 있다.

환자는 전형적으로 흉통, 미열과 심낭 마찰음의 세 가지 증상을 자주 보인다. 흉통은 깊은 숨 들이쉬기, 삼키기, 기침할 때 심해지고, 앉거나 앞으로 기대는 자세를 취하면 완화된다. 심낭 마찰음은 거칠고 가죽 비비는 소리로서, 심장수축이 일어나는 동안에 왼쪽 복장뼈 경계 아래에서 가장 잘 들린다. 이는 염증이 있는 심낭막이 서로 비벼지며 나는 소리이다. 마찰음(friction rub)은 환자가 몸을 앞으로 기울일 때 가장 잘 들린다. 통증은 어깨, 목, 등, 팔로 퍼져 나갈 수 있다. 다른 증상으로는 허약함, 피로, 백혈구수 증가, 불안 수준의 증가 등이 있다. 요독소와 초과 수분을 감소시키기 위한 초여과를 동반한 적극적인 투석(매일 투석)이 필요하다. 투석치료를 하는 동안 심낭의 공간으로의 출혈을 최소화하기 위하여 헤파린 치료는 감량 또는 보류된다.

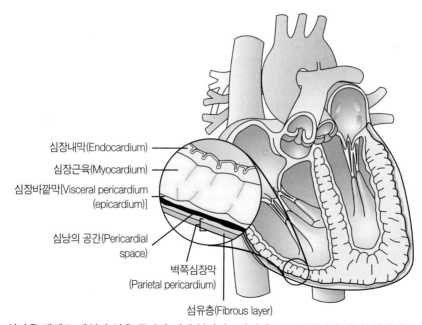

심장내막(Endocardium)
심장근육(Myocardium)
심장바깥막[Visceral pericardium (epicardium)]
심낭의 공간(Pericardial space)
벽쪽심장막 (Parietal pericardium)
섬유층(Fibrous layer)

그림 5-1 심낭은 액체로 채워진 얇은 공간에 의해 분리된 2개의 층으로 구성되어 있다. 심장바깥막은 심장과 바로 붙어 있고, 벽쪽심장막은 주머니의 외측에 있다. (출처: Banasik J, Copstead-Kirkhorn LE: Pathophysiology, ed. 5, Philadelphia, 2014, Saunders.)

염증을 감소시키고 통증을 완화하기 위해 스테로이드계와 비스테로이드계 소염제가 모두 처방될 수 있다.

심낭 삼출은 증가된 심낭액(수분), 고름, 또는 혈액이 심낭의 공간으로 침투하여 심장의 펌프 작용을 방해할 때 발생할 수 있다. 흉통과 체온 상승이 계속될 수 있으나 청진 시 심낭 마찰음은 없을 수 있다. 고혈압과 호흡곤란은 나타날 수 있다. 심낭 삼출액은 일반적으로 혈액이 포함되어 있다. 그 양이 크면 심장눌림증(tamponade)이 나타날 수 있다.

심장눌림증은 심낭의 공간을 많은 양의 액체가 채울 때 심장근육과 심실을 눌러 발생한다. 심장눌림증은 서서히 또는 갑작스럽게 일어날 수 있으며 사망률이 높다. 이는 응급상황이므로 서둘러 치료해야 한다. 치료는 심낭 공간의 액체를 제거하는 심낭천자를 시행한다. 심낭의 일부를 제거하는 심낭개창술(pericardial window)이 필요할 수도 있다.

피부계 Integumentary System

만성콩팥병으로 인한 피부변화

피부계는 만성콩팥병과 연관된 노폐물의 축적으로 인해 영향을 받는다. 땀과 피지선의 크기와 활동이 감소하기 때문에 피부가 매우 건조하고 환자는 가려움을 호소한다. 머리카락, 손톱, 피부가 부서지기 쉽다. 칼슘이 피부에 축적되어 난치성 소양증을 유발하고 극심한 가려움증으로 인해 피부가 벗겨지기도 한다. 피부색은 유로크롬(urochrome)이라 불리는 소변 색소의 정체와 더불어 빈혈로 창백해져 황갈색이거나 옅은 회색일 수 있다. 혈소판 기능장애로 인해 반상출혈이 일반적으로 나타난다. 요독 서리는 피부에 "서리"가 낀 모양으로 요소 결정과 소금의 하얀 침전물이 쌓이는 것을 말한다.

요독 서리는 만성콩팥병의 매우 늦은 시기의 징후이며 대부분의 환자가 적시에 치료를 시작하기 때문에 최근에는 잘 나타나지 않는다. 일반적으로 그 증상은 치료를 받지 못해서 요독증이 심해진 환자에게서만 나타난다.

면역계 Immune System

감염

투석 환자는 의료관련감염(Healthcare-Associated Infection, HAI)이 발생할 위험성이 높다. 혈류 감염과 다른 유형의 감염들이 혈액투석 환자 사망의 중요한 한 요인이다. 미국신장데이터시스템(United States Renal Data System, USRDS)의 자료에 의하면 감염이 전체 사망자의 약 11%를 차지하며, 대다수가 패혈증으로 인한 것이다(USRDS Annual Data Report, 2015).

백혈구 이상은 일부 환자에게서 백혈구수의 감소로 나타난다. 과립성 백혈구는 감염에 대해 반응이 감소하고 살균작용도 낮아진다. 감염은 투석 환자가 사망하는 두 번째로 흔한 원인이다. 영양 결핍, 노화, 당뇨병, 면역계 결함, 그리고 잦은 천자와 침습적 시술로 감염 위험성은 커진다. 중심정맥카테터의 사용이 투석 환자의 주 감염원으로 가능한 한 카테터를 제거하고 동정맥루 같은 내부 혈관통로로 대체하려는 노력이 있어야 한다. 2014년 자료에 따르면 혈액투석 환자에서 카테터는 혈류감염의 63%와 혈관접근로 관련 혈류감염의 69.8%를 차지한다.

투석 환자는 저체온이 일반적이고 발열을 동반하지 않는 감염이 있을 수 있기에 체온을 측정할 때 주의를 기울여야 한다. 요독 수준이 높아지면 식균작용이 손상되며 염증 반응과 과민 반응이 억제된다. 요소는 열을 낮추는 효과가 있어 환자에게 저체온을 유발한다. 불량한 영양상태는 백혈구 생성을 감소시킨다.

좋은 영양상태, 손씻기, 위생관리는 감염과정을 최소화하는 데 도움이 되므로 장려되어야 한다. 모든 투석 환자는 폐렴알균, 인플루엔자, B형 간염 백신 접종을 권장한다. CDC에서는 투석간호사를 채용할 때와 최소한 매년, 감염 관리 활동항목에 대한 적합성을 평가할 것을 권고한다(장갑 착용과 손위생, 카테터 드레싱 교환기술, 혈관 접근기술, 안전한 주사/안전한 투약 실행 등). 또한 적어도 환자에게 적절한 손위생, 투석접근로 관리와 평가에 대한 교육을 매년 하도록 권고한다.

소화기계 Gastrointestinal System

| 요독증으로 인한 소화기계 증상

요독증이 있는 환자는 식욕이 없고 오심증상이 있을 수 있다. 오심은 투석으로 요독소가 감소하면 호전된다. 미각 변화와 구강건조는 일반적이다. 환자는 입안에 금속 맛을 호소하기도 하는데 이 때문에 식욕이 감소한다. 요독소가 순환하면서 오심과 구토를 유발하는데, 투석 중 저혈압으로 인해 더 악화될 수 있다. 종종 발생하는 위장 출혈은 약물(아스피린, 헤파린)과 혈소판 부족에 의해 악화된다. 요소를 분해하면서 호흡을 통해 나오는 소변 또는 암모니아의 냄새인 요독증 악취는 콩팥병 환자의 특징이다. 요독 환경으로 생긴 위장점막의 자극과 위장관에 있는 요소가 자극적인 암모니아를 방출하는데, 이로 인해 모세혈관이 손상되기 쉬워 위장 출혈이 나타난다. 장의 자극과 고칼륨혈증으로 설사가 발생할 수 있다.

기능성 변비는 약물, 수분 제한, 저칼륨 및 저섬유소 식이와 활동 수준 저하 등의 원인으로 투석 환자에게 자주 일어난다. 변비에 사용되는 많은 제품이 사용량에 제한이 있는 마그네슘, 인, 또는 칼륨을 함유하고 있어 대변완하제는 선택에 신중을 기해야 한다.

| 변비 예방

과일과 채소의 제한식이, 제한된 수분 섭취, 인결합제(칼슘 기반)의 정기적인 섭취 때문에 만성 콩팥병 환자는 변비에 걸리거나 분변매복이 발생하는 경향이 있다. 나이가 든 투석 환자에게는 기능성 변비가 더 일반적이다. 그런 환자는 큰창자 게실의 발생률이 높다. 게다가 게실염 또는 천공이 드물지 않게 나타난다. 무분별한 관장은 대장 혈종과 천공을 유발하므로 하제와 완화제는 피해야 한다. 분변연화제가 일반적 용량보다 더 많이 필요하기도 하지만, 더 효과적으로 작용한다. 환자에게 칼륨과 인이 낮은 고섬유질 식이 섭취를 권장하고, 정기적인 운동 프로그램을 충실히 이행하고, 변비 문제를 감소시키기 위한 큰창자 운동을 정기적으로 행하도록 독려해야 한다. 투석 환자는 하루 총 칼륨 배출량의 최대 40%까지를 대변으로 배출하므로 심각한 변비는 고칼륨혈증을 일으킬 수 있다.

| 구강 혹은 치아상태의 관련성

만성콩팥병 환자와 지속적인 투석을 받는 환자는 일반인보다 치주질환과 다른 구강 문제에 더 많이 노출된다. 그 원인으로는 침 분비를 감소시키고 입안을 건조하게 하는 제한된 수분 섭취, 손상된 면역체계, 당뇨병, 영양부족, 나빠진 구강위생 등이 있다. 모든 구강 징후는 환자가 구강 감염, 치은염, 치주질환에 걸리기 쉽게 만든다. 치주염에 의한 염증은 C-반응성 단백질(C-Reactive Protein, CRP) 수치를 높일 수 있는데,

그로 인해 동맥경화 발생 위험이 증가한다.

치주검사를 의학적 평가에 포함시키고, 치과진료를 받을 수 있는지 확인하는 것이 중요하다. 치아건강은 이식 전후의 만성콩팥병 환자 모두에게 중요하다. 이식을 받은 환자는 면역체계가 억제되어 있기 때문에 세균, 바이러스, 곰팡이균 감염의 위험이 증가한다. 환자는 투석에 치중하여 치과나 구강건강을 간과하는 경우도 있다. 다학제팀은 환자의 자가관리를 촉진하고, 치실, 칫솔질, 정기적인 치과검진, 구강 문제에 대한 평가와 치료 등의 형태로 구강 건강을 증진시켜야 한다.

| 투석 환자의 소화성 궤양

몇몇 보고서는 투석 환자에게서 소화성 궤양(peptic ulcer disease)이 증가하고 있다고 하고 다른 보고서에서는 아니라고 한다. 부갑상샘의 과도한 활동으로 혈중 가스트린 농도가 상승하고, 이는 위의 산도를 높이는 것으로 추측하는 보고서들이 있다. 또 다른 연구에서는 위액에 요소와 암모니아가 증가하여 위의 산도가 낮아지며, 투석 환자의 궤양성 질환 발병률은 비요독증의 일반인 발병률과 거의 같다고 보고하고 있다.

| 만성콩팥병 환자에게 발생하는 복수

복강에 많은 체액이 고이는 복수(ascites)는 드물게 발생하나 일단 체액에 고이면 치료가 매우 힘들다. 대부분의 경우는 반복적인 체액 과부하, 불량한 영양상태, 심근병증과 관련이 있다. 일부 환자에서 호전되지만, 복수의 발생은 건강상태의 악화와 사망의 원인이 된다.

혈액계 Hematological System

| 혈액학적 이상

출혈 경향은 혈소판의 질적·양적인 생산의 감소로 인해 나타난다.

가장 흔하고 심각한 혈액학적 결함은 빈혈이다. 남성의 정상 헤마토크릿은 46~52%이고 여성은 40~45%이다. 요독증이 있거나 정규 투석을 받는 환자는 빈혈이 있고, 헤마토크릿의 저하가 심하게 나타난다. 에리트로포이에틴(Erythropoietin, EPO) 분비가 감소하여 빈혈이 일어나고 그 결과로 피로, 창백, 호흡곤란, 흉통이 나타난다. 심한 요독증은 적혈구의 생존기간을 120일에서 70일로 감소시킨다.

| 빈혈의 원인

빈혈의 원인은 다음과 같다.
  (1) 뼈속질에서 적혈구 생성을 자극하는 콩팥호르몬인 에리트로포이에틴이 생성되지 않거나 억제되었을 때
  (2) 적혈구 생존기간의 단축
  (3) 철분 섭취 장애
  (4) 혈소판 이상에 의한 코, 잇몸, 위장관, 자궁 또는 피부에서의 출혈로 인한 혈액 손실
  (5) 투석 자체로 인한 혈액 손실
  (6) 뼈속질의 조혈작용을 억제하는 부갑상샘호르몬(PTH)의 상승
  (7) 불량한 영양과 식이 섭취

| 투석이 빈혈에 미치는 영향

투석, 투석기 누출, 잦은 혈액검사 후 불완전한 혈액 회복이 빈혈은 유발한다. 적절한 투석을 받고 있고, 좋은 영양상태를 유지하며, 적정량의 철분 보유와 섭취가 이루어지는 환자는 헤마토크릿이 20~30% 사이로 안정적이다. 정상적인 사람보다 에리트로포이에틴이 더 많이 생성되는 다낭성신장병을 가진 환자를 제외하고 헤마토크릿이 높아지는 경우는 일반적이지 않다.

헤모글로빈 측정은 만성콩팥병 환자의 빈혈을 감지, 평가 및 치료하는 데 가장 자주 사용된다. KDOQI(Kidney Disease Outcomes Quality Initiative)는 투석 환자나 조혈제 치료를 받는 환자에서 헤모글로빈은 11.0~12.0g/dL을 목표로 하도록 권고한다(NKF, 2007).

투석으로 인한 혈액 손실을 최소화하려면 다음과 같은 특별한 조치가 필요하다.

(1) 혈액 누출을 방지하기 위해 투석기를 사전 점검한다.

(2) 응고를 방지하기 위한 헤파린요법을 모니터링한다.

(3) 투석기와 혈액라인 속의 혈액을 가능한 한 완전히 환자에게 재주입한다.

(4) 혈액펌프의 오작동이나 기계의 기능장애로 인한 혈액세포의 손상을 방지한다.

(5) 혈액 샘플 채취량과 채혈횟수를 최소화한다.

| 빈혈이 있는 만성콩팥병 환자의 증상

만성콩팥병 환자에게서 빈혈은 일반적으로 여러 주 또는 여러 달 동안 나타나므로 환자는 빈혈에 적응하게 된다. 환자는 투석을 받는 동안 헤마토크릿이 개선되면서 기분이 좋아지는 것을 느끼게 된다. 이 환자는 여전히 적혈구 수치가 정상보다 많이 낮아 호흡곤란이 오거나 쉽게 피곤해진다. 빈혈과 관련된 또 다른 증상으로는 운동 지구력 저하, 허약감, 성기능장애, 식욕부진, 호흡곤란, 현기증, 창백한 피부, 사고력 저하 등이 있다.

뼈대근육계 Musculoskeletal System

| 콩팥과 뼈대의 건강

콩팥은 혈액 속의 칼슘과 인의 균형을 유지하여 뼈대의 건강을 유지한다. 건강한 콩팥은 몸이 섭취한 음식에서 칼슘을 혈류로 흡수할 수 있도록 해주는 칼시트리올이라는 호르몬을 생성한다. 비타민 D 대사는 만성콩팥병의 모든 단계에서 크게 영향을 받는다. 만성콩팥병 3단계 또는 그보다 더 빨리 시작된다.

신부전이 진행하는 동안 인산염을 배출하는 능력이 약화되어 인산염 이온이 체액에 축적되고 상대적으로 혈청 칼슘을 감소시킨다. 부갑상샘은 체액 칼슘의 정상 농도를 유지하려고 하며 부갑상샘호르몬의 생성을 증가시켜 대응한다. 이것은 뼈에서 칼슘이 재흡수되도록 하여 뼈밀도와 강도의 손실을 초래한다. 게다가 정상적인 뼈 대사에 필요한 비타민 D 활성형이 콩팥에서 생성되나 이 기능이 만성콩팥병 환자에게는 불충분하다. 투석치료만으로 이상이 생긴 칼슘-인 대사를 완전하게 바로잡을 수는 없으며 콩팥뼈형성장애는 많은 환자에게서 심각한 문제이다(그림 5-2). 투석 환자는 고관절 골절과 뼈 손실 발생 가능성이 더 높다. 콩팥뼈형성장애, 혈관 석회화, 골절, 칼시필락시스, 조기사망까지도 일으키는 칼슘과 인의 이상이 사망률과 이환율에 영향을 끼친다. 투석 제공자는 뼈와 미네랄 대사활동을 관리하기 위해 환자의 칼슘, 인, 부갑상샘호르몬 검사 수치의 엄격한 모니터링을 시행한다. 투석 환자의 뼈질환을 예방하고 약물 순응도를 높이기 위해서는 다학제적 접근이 필요하다. 투석 환자의 콩팥성 뼈질환을 관리하기 위해서는 엄격한 식이조절, 적절한 투석, 약물

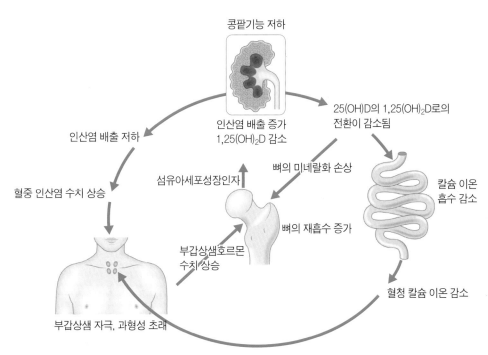

그림 5-2 **콩팥뼈형성장애의 병리기전**. (출처: Ralston SH, Penman ID, Strachan MW, Hobson RP: Davidson's principles and practice of medicine, ed. 23, Edinburgh, 2018, Elsevier.)

요법에 충실해야 한다. 특히 매 식사와 간식 섭취 시 인결합제를 복용해야 한다.

| 뼈 이상에 관여된 다른 요인

만성콩팥병 환자는 장관 내의 음식물로부터 칼슘 흡수가 감소된다. PTH의 활동에 대한 저항으로 인해 뼈로부터의 칼슘 재흡수는 강화된다. 만성 산증(acidosis)은 뼈의 칼슘유리를 촉진시키고 더 나아가 뼈밀도를 저하시킨다. 또한 알루미늄을 함유한 인결합제는 신장성 뼈질환의 원인이 된다. 이런 제제에 포함된 알루미늄은 흡수되어 뼈에 침착되는데 그 결과로 뼈연화증이 발생한다. 대부분의 경우 이러한 알루미늄계 인결합제의 사용을 피하고 있다.

| 뼈형성장애에서 나타나는 뼈의 변화

뼈형성장애(osteodystrophy)에서는 뼈무기력증, 뼈연화증, 섬유뼈염, 뼈엉성증, 뼈경화증, 그리고 어린이의 경우 성장지연과 같은 뼈의 변화가 나타난다. 또한 전이성 석회화도 발생한다. 뼈무기력증(Adynamic bone)은 뼈의 대사작용이 거의 또는 전혀 없는 상태이다. 뼈연화증(osteomalacia)은 뼈의 불완전한 경화상태이다. 섬유뼈염(osteitis fibrosa)은 뼈파괴세포에 의해 뼈의 과도한 파손이 일어나면서 섬유조직으로 대체되는 것이다. 뼈엉성증(osteoporosis)은 뼈 기질과 경화 양쪽 모두 불완전한 상태인 반면, 뼈경화증(osteosclerosis)은 뼈의 밀도가 비정상적으로 증가한 상태이다. 콩팥뼈형성장애(renal osteodystrophy)라는 용어는 요독증이 있는 환자에게 나타나는 이런 다양한 뼈질환 전체를 포함한다.

　전이성 석회화는 혈청 칼슘 농도와 인 농도의 곱이 75 또는 그 이상일 때 나타난다. KDOQI(2003)의 지침은 칼슘×인의 값을 55보다 작게 유지할 것을 권고하고 있다.

| 뼈형성장애의 증상

많은 환자가 욕창, 발 또는 허리의 통증을 호소한다. 골절이 일단 발생하면 고통스럽고 잘 낫지 않는다. 전이성 석회화는 관절 주변의 연조직에서 침전물이 형성되도록 한다. 심장근육과 폐에 형성된 칼슘 침전물은 지각할 수 없어서 더 위험하다. 가려움증은 칼슘×인 비율이 높을 때 심해진다. 피부궤양과 발가락과 손가락 끝의 괴저가 일어날 수 있다. 고혈압의 악화가 흔히 나타난다. 덜 명확하지만 더 위험한 것은 심장근육과 폐에 칼슘 침전물이 형성되는 것으로, 심혈관질환을 초래할 수 있다. 심혈관질환의 발병률과 사망률은 석회화의 존재와 심각성에 의해 예측할 수 있다. 만성콩팥병 미네랄 뼈질환은 장애, 삶의 질 저하, 입원 증가 및 사망을 유발한다(NKF, 2007)

| 뼈형성장애의 치료

요독성 뼈형성장애 관리에는 우선순위가 필요하다. 첫 번째 목표는 전이성 석회화와 부갑상샘기능항진을 예방하기 위하여 혈청 인 농도를 낮게 유지하는 것이다. 혈청 인 농도는 식이 섭취, 투석에 의한 제거, 위장기관 안에서 인산염의 결합에 의해 좌우된다. 단백질 섭취를 제한하면 인산염의 섭취도 제한된다. 위장관으로부터 인의 흡수를 막기 위한 다양한 인결합제가 사용되고 있다. 알루미늄이 함유된 약물은 피해야 하며, 대신 칼슘이 함유된 약물을 사용한다. 이러한 약의 작용은 결합 가능한 표면적에 따라 달라진다. 문제는 하루 종일 충분한 면적을 제공할 인결합제의 복용량을 결정하고, 환자가 복용하기 용이한 맛이 나도록 하는 것이다. 주기적으로 약물을 변경해 주면 환자의 복약 이행을 높일 수 있다. 인결합제 효과의 실패는 환자의 인결합제 복용 실패를 의미한다.

혈청 인 농도가 약 4mg/dL 이하이고 혈청 칼슘 농도가 10mg/dL 이상이면 섬유뼈염을 일으키는 뼈파괴세포를 분비하게 하는 부갑상샘의 자극이 감소한다. 그러나 한 가지 주의할 점은 부갑상샘 농도를 너무 감소시키면 안 된다는 것이다. 뼈무기력증은 부갑상샘호르몬 농도가 정상으로 감소할 때 나타난다.

목표는 부갑상샘호르몬 농도가 정상 수치 상위 한계의 1.5~3배 사이에 있게 하는 것이다. 혈청 칼슘의 증가는 몇 가지의 방법으로 달성할 수 있다. 일반적으로 투석액에는 확산 가능한 칼슘이 혈청보다 높은 농도로 포함되어 있고, 매 투석 시 농도 차이에 의해 칼슘이 공급된다. 칼슘 1~2g의 경구 투여는 좋은 비타민 D 약제의 정량공급 없이도 혈청 칼슘 수치를 자주 상승시킨다. 만약 이러한 노력에도 혈청 칼슘이 목표치에 도달하지 않는다면, 1,25-dihydroxycholecalciferol을 경구투여 또는 정맥주사로 투여할 수 있다. 비타민 D 또한 위장의 칼슘 흡수를 돕는 역할과 별개로 뼈 형성을 유지하는 데 도움이 될 수 있다. 마지막으로 요독증의 만성 산혈증을 경감시키는 것이 치료의 또 다른 목표라는 것을 잊으면 안 된다. 일부 환자에게는 이 약물 복용으로 고칼슘혈증이 나타나며, 이 경우 저칼슘 투석액을 사용해야 한다. 혈액투석을 하는 신부전 5단계의 환자에게 있어 2차성 부갑상샘기능항진증을 예방하기 위해서는 PTH 농도를 150~300pg/mL를 유지하도록 KDOQI는 권고한다. 최신 KDIGO(Kidney Disease Improving Global Outcome) 지침은 PTH 수준을 정상 상한치의 2~9배인 130~160pg/mL으로 유지할 것을 권고하고 있다(Cozolino, 2017). 혈청 칼슘을 상승시키는 요인은 몇 가지가 있다. 투석액의 칼슘 농도는 보통 혈청 농도를 훨씬 상회하므로, 투석액은 칼슘 농도를 급격히 상승시킨다. 비타민 D는 칼슘의 소화기계 흡수에서의 역할 외에도 뼈 형성을 유지하는 데 도움이 될 수 있다. 마지막으로 만성 산증을 완화시키는 것이 또 다른 목표라는 것을 잊지 말아야 한다. 일부 환자는 이 요법에서 고칼슘혈증이 발생하며, 투석액의 칼슘 수치를 낮춰야 한다.

비록 치료가 혈청 인 농도를 낮추고 혈청 칼슘 농도를 높이는 데 성공하더라도 몇몇 환자는 지속적인 콩팥 뼈형성장애를 경험할 수 있다. 뼈의 통증을 느끼는 환자는 뼈무기력증 또는 뼈연화증의 요소를 가지고 있을 수 있다. 골절이나 알카리 포스포타아제(alkaline phosphatase, ALP)가 높은 환자는 섬유골염으로 크게 고통받을 수 있다. X-ray상 나타나는 지속적인 콩팥뼈형성장애는 부갑상샘기능항진, 부갑상샘호르몬의 증가, 알카리 포스포타아제의 상승을 초래하고 결국 4개의 분비샘을 제거하거나 부갑상샘 전적출술을 해야 한다. 뼈생검은 임상증상과 생화학적 이상 원인에 대한 추가평가가 필요한 환자에게 고려될 수 있다.

| 칼시필락시스

칼시필락시스(calciphylaxis)는 드물지만 정규 투석을 받고 있는 만성콩팥병 환자에게 일어날 수 있는 생명을 위협하는 합병증이다. 칼시필락시스의 원인은 잘 밝혀지지 않았지만 일반적으로 몇몇 동반 요인을 유추해 볼 수 있으며 요인으로는 고칼슘혈증, 고인혈증, 부갑상샘기능항진증을 들 수 있다.

혈청 인 농도와 혈청 칼슘 농도가 동시에 상승할 때 불용성 인산칼슘 결정이 만들어진다. 이 상황은 칼슘×인이 70mg/100dL을 초과할 때 발생한다(비록 이 수준이 환자에게 저항성 칼슘형성증이 일어나는 데 필수적이지는 않을 수 있다). 칼시필락시스가 있는 많은 환자는 정상 혹은 낮은 칼슘×인 값을 가지고 있다(Bhambri and Del Rosso, 2008). 이 인산칼슘 결정들은 폐, 관절, 심장판막, 각막, 피부 등의 연조직에 침착된다. 연조직 석회화는 일반적으로 몸통과 다리에 영향을 미치지만 유방, 어깨, 혹은 엉덩이에서 발생할 수도 있다. 저항성 칼슘형성증은 일반적으로 통증이 있는 자주빛의 피부병변으로 시작해서 나중에는 결절을 형성한다. 이런 결절들은 궤양을 일으키고 결국 하부조직 괴사와 함께 가피를 형성한다. 이러한 조직은 혈액의 흐름이 감소되고 결국 궤사가 시작된다. 이 경우 치료가 어렵고 감염 발생률이 높다. 칼시필락시스는 높은 사망률로 이어지는데, 감염된 상처나 피부 부위를 통해 패혈증이 발생하여 환자가 사망한다. 신속한 판단과 적절한 치료를 통해 이 질환에 관련된 발병률과 사망률을 감소시킬 수 있다.

| 만성콩팥병의 결과로 발생하는 관절 장애

만성콩팥병 환자에게서 요산의 상승은 자주 관찰된다. 고요산혈증은 하나 혹은 그 이상의 관절에 통풍과 같은 증상이 나타난다. 경우에 따라 실제 통풍인 경우도 있으나 대부분의 경우는 가성통풍이다. 장기 투석 환자의 경우는 투석 아밀로이드증이 나타나기도 한다.

| 가성통풍

가성통풍(pseudogout)은 일반적으로 관절 한 부위 혹은 관절 주위에 발생하는 급성 염증이다. 일반적으로 손등 또는 손목의 뒷면, 손가락 관절, 어깨에 흔히 발생한다. 통증은 갑자기 나타나며 압통, 부종, 움직임 제한 등이 뒤따른다. 이 증상은 치료하지 않으면 3~5일 또는 그 이상 계속된다.

| 가성통풍의 치료

흔히 콜히친(colchicine) 또는 비스테로이드 소염제를 투여하면 24~36시간 후부터 증상이 완화된다.

| 가성통풍의 잔여 증상

연조직 부종이 몇 주 동안 계속될 수 있다. 가성통풍의 위치에서 전이성 석회화가 나타난 부분은 X-ray 검사로 확인할 수 있다.

| 가성통풍의 예방적 치료법

투석을 자주 시행하는 것은 일반적으로 요산을 위험한 수치 아래로 유지시킨다. 만약 요산 농도가 높게 지속되면 알로퓨리놀의 사용을 고려해야 한다.

| 투석 아밀로이드증

아밀로이드란 여러 신체 조직에 침전하는 단백질의 특수한 형태이다. 아주 다양한 종류의 아밀로이드가 있는데, 투석 환자에게는 베타-2 마이크로글로불린으로 구성된 아밀로이드가 독특하게 나타난다. 이 단백질은 보통 콩팥으로 배설되지만 투석으로 잘 걸러지지 않아 만성콩팥병 환자의 몸에 쌓인다. 그리하여 이 단백질은 관절과 어깨, 손, 손목, 목 및 다른 부위의 관절 주위 조직에 쌓이고 통증과 동작의 제한을 유발한다. 만약 계속 진행된다면 환자는 극도로 쇠약해진다. 이를 투석 아밀로이드증이라고 한다(dialysis amyloidosis).

| 투석 아밀로이드증에 걸리기 쉬운 환자

3년 이상의 긴 기간 동안 투석을 받는 환자가 투석 아밀로이드증에 걸리기 쉽다. 10년 이상 투석을 받는 환자의 대부분은 투석 아밀로이드증을 앓고 있다. 고유량 합성막으로 투석을 받는 환자는 이 합병증이 거의 나타나지 않는다.

| 손목굴증후군

투석 환자에게 나타나는 손목굴증후군(Carpal Tunnel Syndrome, CTS)은 아밀로이드가 쌓여 두꺼워진 수근관 신경초가 손목의 정중신경을 압박하여 나타나는 증상이다. 손목굴증후군은 엄지와 손가락의 첫째, 둘째 마디의 통증, 마비, 따끔따끔한 느낌을 유발한다. 진통제, 비스테로이드성 소염제, 심부 초음파로 관절 증상을 완화시킬 수 있다. 콩팥이식을 하면 이러한 증상은 빠르게 사라진다.

신경계 Neurological System

| 요독증과 함께 나타나는 신경계 변화

피로, 사고과정의 지연, 불안, 우울, 흥분 등이 요독증과 함께 나타난다. 질소혈증이 빠르게 증가하면 발작(seizures)이 일어난다. 불면증과 같은 수면장애, 하지불안, 수면무호흡 등이 주요 관심사이다. 하지불안증후군은 환자로 하여금 불쾌한 느낌에 반응하여 사지를 움직이려는 통제 불가한 충동을 일으킨다. 주로 하지에 발생하고 환자가 잠을 잘 때(움직이지 않고 있을 때) 불안이 일반적으로 나타난다. 움직이는 것이 그 증상을 완화하는 데 도움이 된다. 이러한 증상은 주로 저녁 무렵에 발생하며 새벽에 사라지기 시작한다. 하지불안증후군의 원인은 정확히 밝혀지지 않았으나 빈혈과 연관이 있을 것으로 추측된다. 뇌파검사에서 느린 파동과 활동이 증가 되는 변화가 나타나고 PTH 수치 상승과도 관련이 있다. 뇌조직의 칼슘 성분과 알루미늄 성분이 증가한다.

| 투석 환자의 불면증 유발요인

투석 환자에서 일반적인 문제는 잠을 자지 못하거나 자주 깨는 것이다. 환자는 종종 투석 내내 잠을 자는데,

이것은 밤에 수면장애를 유발하는 원인이 될 수 있다. 일부 환자는 충분하게 잠을 잘 수 없는 병리적인 문제를 가지고 있는 것으로 보인다. 높은 스트레스, 불안, 우울증뿐만 아니라 수분과 전해질, 산−염기 변화도 모두 불면증과 관련된 위험 요인이다(Park & Ramar, 2017).

　일반적으로 수면제나 안정제에 대한 효과는 낮으며 의존 위험성이 높다. 수면 부족으로 인해 해로운 영향은 나타나지 않는데 충분한 수면을 할 수 없거나 수면 중 방해받는 것이 대부분의 문제이며 이러한 것을 "전혀 잠을 못 잤다"라고 환자가 표현하는 것을 볼 수 있다. 수면무호흡증은 일반인보다 투석 환자에게서 흔하게 나타난다. 그 이유는 불명확하지만, 환자의 수면양상을 관찰하는 것이 도움이 될 수 있다.

| 투석 치매

투석 치매(dialysis dementia)는 드문 현상으로 1972년에 처음으로 발표되었다. 투석 치매는 겉으로 보기에는 적절하게 투석을 받고 잘 지내고 있는 환자에게서 몇 달 혹은 몇 년이 지난 후에 나타났다. 특유의 뇌파검사 변화와 함께 횡설수설하거나, 비대칭적인 근육경련, 지능 저하, 그리고 발작 등의 특징적이고 복합적인 증상이 나타난다. 많은 연구에서 수산화알루미늄 복용에 의한 알루미늄 축적을 원인으로 보고했다. 수산화알루미늄을 대신하여 칼슘을 함유한 인결합제의 사용으로 이러한 증상은 많이 사라졌다. 만성콩팥병 환자에게서 나타나는 인지적 변화는 여러 가지 요인에 의해 일어날 수 있다(그림 5-3). 특히 노년층에서 인지장애에 대한 선별은 기준을 정하고, 시간에 따른 변화를 모니터링하는 것이 도움이 될 수 있다. 환자 안전에 대한 평가, 일상생활수행능력, 치료 순응도 등을 평가하려면 증상이 지속되는지에 대한 후속조치와 평가가 필요하다.

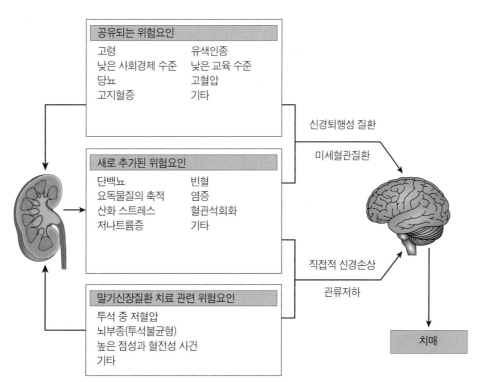

그림 5-3 **만성콩팥병에 있어 인지기능 저하의 메커니즘.** (출처: Kurella Tamura M, Yaffe K: Dementia and cognitive impairment in ESRD: diagnostic and therapeutic strategies, Kidney International 79(1):14-22, 2011.)

| 요독성 신경병증

신경병증은 신경기능의 저하를 나타낸다. 요독성 신경병증(uremic neuropathy)은 신부전이 진행되면서 점진적으로 나타날 수 있거나 감염 혹은 수분 과부하 후에 갑자기 나타날 수 있다. 말초 신경병증은 화끈거리는 발, 움찔함, 하지불안, 진동감각 감소, 반사신경 감소 등으로 나타난다. 둔화된 신경전도속도는 팔과 다리의 근위 근육의 약화로 나타나는 신경병증 또는 근육병증이다. 변화는 일반적으로 발가락에서 시작해서 위로 진행한다. 팔도 영향을 받지만 다리보다 드물다.

| 신경병증의 발병빈도

신경병증(neuropathy)은 만성콩팥병 환자의 80% 정도에서 보고되었다. 일반적으로 투석을 시작할 때 자주 발견되는데, 그 이유는 환자 상태에 대한 주의 깊은 조사가 이 시기에 주로 이루어지기 때문이다. 임상적으로 중요한 신경병증은 투석기관에 와서야 비로소 확인된다.

| 증상이 나타나기 전 신경병증의 발견 가능성

신경전도속도 측정은 신경병증의 진행 또는 개선을 감지하고 정량화하는 데 사용된다. 중간 정도로 진전된 요독증을 가진 대부분의 환자는 증상이 나타나기 훨씬 전에 신경전도가 다소 지연된다. 이 검사는 방법이 어렵지는 않지만, 재현성에 문제가 있으며, 평가하기 어려운 작은 변화에 의해 초래되는 다양한 변수가 있다. 또 하나 고려해야 할 것은 이 진단평가가 보험적용이 되지 않는다는 것이다.

| 투석을 통한 신경병증의 완화

신경전도 지연이 발견되면 투석을 조기에 시작하고 자주 시행하여 신경병증의 악화를 막을 수 있다. 투석을 시작하면 신경의 손상은 매우 느리게 진행된다. 만일 잦은 투석으로도 효과가 없으면 이미 신경병증이 생겼거나 악화된 것을 의미한다.

| 투석 처방과 신경병증

적절한 투석[Kt/Vurea 1.2 이상, 단백질 이화율(Protein Catabolic Rate, PCR) 1g/kg/day]이 처방되고 시행되면 신경병증은 거의 발생하지 않는다. 신경병증이 나타나는 것은 투석이 부족하거나 요소역동학 모델의 재평가가 이루어져야 함을 의미한다. 비록 요소역동학 모델의 수치가 허용범위 내에 있을지라도 신경병증이 악화된 경우라면 집중적인 투석이 필요하다(표면적이 큰 투석기, 투석시간 증가, 혈액과 투석액 속도 증가).

| 신경병증의 원인

신경병증의 원인은 알려지지 않았다. 신경의 병적 변화는 당뇨병의 일부 경우, 특별한 비타민 부족 상태, 그리고 만성 알코올 의존증에서 나타나는 변화와 유사하다. 수많은 전문가는 신경병증이 신체의 대사과정에서 생성된 중분자 물질이나 고분자 독성물질의 축적에 의해 발생한다고 믿고 있다. 그러나 특별한 독성물질이 규명되지는 않았다.

| 말초신경 이외에 다른 신경관련 문제

소수의 환자에게서 청각장애가 나타났는데 원인을 규명할 수 없었다. 다른 투석 환자에게서는 당뇨가 있는 일부 환자에게서 나타나는 자율신경장애와 유사한 위무력증 혹은 장기능장애가 나타났다. 발기부전 또한 요독물질 축적과 관련이 있을 수 있다.

호흡기계 Respiratory System

만성콩팥병 환자에게 나타나는 호흡기계 문제

과도한 수분 축적에 의한 폐부종과 좌심부전이 일어날 수 있으며 급성신부전이 있는 환자에게서 빈번히 발생한다. 투석 환자 및 신장이식 환자는 사회경제적, 인구통계학적, 동종 요인 등과 함께 면역억제 작용과 관련하여 결핵에 걸릴 위험이 더 높은 것으로 보인다(Romanowski et al., 2016). 쿠스마울 호흡(Kussmaul respiration)은 대사성 산증이 있는 환자에게서 나타날 수 있다. 이는 과도한 이산화탄소를 배출하려는 노력으로 호흡의 횟수와 깊이를 증가시켜 산증을 교정하기 위함이다.

대사성 산증

대사성 산증(metabolic acidosis)은 혈액 중에 수소 이온이 과도하게 축적될 때 발생하는 증상이다. 초기에는 혈액 속의 완충제가 여분의 수소 이온과 결합하여 아무런 증상이 없다. 수소 이온의 수가 증가함에 따라 결합할 수 있는 완충제의 수가 줄어든다. 그러면 혈액의 pH는 감소하고 신체는 과도해진 수소 이온을 제거하려고 반응한다. 정상 상태에서 콩팥은 이를 교정하기 위하여 소변으로 수소 이온을 더 배출하려 할 것이다.

생식기계 Reproductive System

장기 투석의 월경장애 유발

여성은 공통적으로 정규 투석이 필요해질 때까지 요독 증상의 하나로 월경중단을 경험한다. 말기신부전증 여성이 임신을 하는 것은 드문 일이지만 가능한 일이다. 출산율은 토리여과율이 감소함에 따라 감소하지만 많은 여성이 임신에 대해 상담을 받는다. 비록 만성콩팥병이 있는 여성의 출산에 있어 여러 문제가 있지만, 투석 환자의 산전관리가 진전됨에 따라 출산율이 증가하고, 위험부담이 줄어들었다(Tangren, Nadel, & Hladunewish, 2018). 대부분의 환자는 무월경이거나 무배란성 희발월경상태이다. 일부 여성에게서 처음 투석 이후 과다 혈액 손실에 대한 치료가 필요한 월경과다가 나타날 수 있다. 불필요한 혈액 손실을 예방하기 위해, 환자에게 비정상적이거나 과도한 월경에 대해서 보고하도록 교육해야 한다. 그 문제를 조기발견하면 수술적 치료가 필요 없다.

정규 투석을 받는 여성의 상당수가 유즙 누출증으로 고통을 받고 있다. 내분비 연구들에서 호르몬 피드백 메커니즘이 정상적으로 작동하지 않는 것과 같은 시상하부-뇌하수체 기능장애가 보고되고 있다.

불임

불임(infertility)은 정규 투석을 받는 남녀 환자에게 매우 흔하다. 여러 연구에서 대부분의 남성 환자에서 정자생산 저하를 보고하고 있다. 정확한 메커니즘은 밝히기 힘들지만, 이전에 지적했듯이 내분비적 장애를 원인으로 추정하고 있다.

| 장기 투석과 연관된 다른 성적 문제

성기능장애는 대부분의 정규 투석 환자의 매우 실제적인 문제이다. 요독증이 발병하면서 남성 환자에게서 성욕 감소와 발기부전이 흔하게 나타난다. 방대한 설문조사 응답에 의거한 다양한 사회심리학적 연구에서 "정규 투석을 받는 남성의 60%에서 전체 또는 부분 발기부전이 문제이다"라고 보고되었다. 그러나 또 다른 연구에서는 비록 그 이유가 신경병증인지, 내분비적인지, 혹은 혈관 문제인지 정확히 밝혀지지 않았으나 남성 투석 환자의 50~70%가 발기부전과 유기적인 근거가 있다고 보고되고 있다. 더불어, 약물(특정 항고혈압약제)은 발기부전의 잠재적 원인으로 항상 고려될 필요가 있다. 위에서 제시된 생식기계 문제들은 조혈제의 사용으로 빈혈이 교정되면 감소하기도 한다.

대사장애 Metabolic Disturbances

요독증은 포도당, 지질, 단백질의 비정상적인 대사와 관련이 있다.

| 만성콩팥병이 포도당 대사에 미치는 영향

비당뇨성 만성콩팥병 환자에서도 비정상적인 포도당 대사가 나타난다. 인슐린에 대한 세포 민감성이 감소한다. 포도당이 들어온 후, 최고 혈당치는 거의 정상이나 혈당 감소율이 저하된다.

제1형 당뇨로 만성콩팥병 5단계가 되었을 때, 인슐린에 대한 말초세포의 저항은 특히 심각하다. 저혈당과 고혈당 사이의 심한 전환이 자주 나타난다. 환자가 투석을 시작하면 전체 인슐린 요구량이 어느 정도까지 감소하지만, 콩팥의 인슐린 대사능력 감소와 그 결과로 인한 인슐린 반감기 증가 때문에 혈당의 변화양상이 심해져 인슐린 용량이 문제가 된다.

미국의 경우 대부분의 당뇨에 기인한 만성콩팥병은 제2형의 당뇨에 의한 것이다. 이러한 환자는 대개 비만이며 인슐린 저항성을 가지고 있다. 대부분은 체중감량과 운동으로 상태가 개선된다. 많은 환자에게 경구 혈당강하제가 효과가 있다.

| 만성콩팥병이 지질 대사에 미치는 영향

제4형 고지질단백혈증이 일반적이다. 정상적인 저밀도 지단백질과 다소 차이가 있는 상승된 저밀도 지단백질은, 아마도 인슐린 저항과 관련이 있는 간 지단백 리파제 작용의 감소에 의한 것일 수 있다. 카르니틴 부족 또한 연관이 있다고 보고되었다.

| 만성콩팥병에 영향을 미치는 단백질 대사에 미치는 영향

단백질 영양 결핍은 흔하다. 비지방조직의 손실은 체수분 증가로 인해 잘 나타나지 않는다. 손상된 간합성이 한 역할을 할 수도 있지만, 단백질 섭취의 부족 때문에 혈청 알부민 농도가 낮아지는 경향이 있다. 몇몇 비필수 아미노산은 상승하게 되는 반면, 필수적인 폴리펩티드는 감소한다.

| 요독증이 유발하는 내분비계 이상

추가적인 내분비 이상(endocrine abnormalities)으로는 인슐린 생성과 작용의 변화, 부갑상샘호르몬 혼란이 있다. 대부분의 다른 내분비 활동은 요독증에 의해 영향을 받는다. 그 내용은 다음과 같다.

- 혈장 노르에피네프린 농도가 증가한다; 에피네프린 농도는 불안정하다.
- 코르티졸 농도는 거의 정상이며 부신겉질자극호르몬에 정상적으로 반응한다. 알도스테론 농도가 증가된다.
- 글루카곤과 가스트린 수치 모두 상승한다. 이것은 신대사 청소율의 감소에 따른 것이다.
- 갑상샘기능저하가 일반인보다 만성콩팥병 환자에게서 더 자주 나타난다. 투석을 받는 갑상샘 기능이 정상인 사람은 T4와 T3가 낮고 free T3가 낮은 반면, free T4는 정상이다. 말초조직에서 T4가 T3로의 전환이 감소된다. 갑상결합 글로불린은 낮다. 갑상샘자극호르몬은 지극히 정상이지만, 갑상샘분비호르몬에 대한 반응은 감소한다.
- 부신겉질자극호르몬과 갑상샘자극호르몬 외에 뇌하수체 앞엽이 생성하는 네 가지 호르몬도 요독증에 영향을 받는다. 성장호르몬과 프로락틴 농도가 증가한다. 이는 생산은 증가하고 분비는 감소하여 발생한다. 이 두 호르몬의 상승으로 나타나는 영향은 없는 것으로 알려져 있다.

여포자극호르몬과 황체형성호르몬은 남성과 여성 모두의 뇌하수체 성호르몬 분비축에서 결정적인 역할을 한다. 요독증에 걸린 생식선에 의한 에스트로겐과 프로게스테론, 혹은 테스토스테론의 비정상적인 생성은 반대로 뇌하수체로 향하는 피드백 작용원리에 영향을 미친다. 황체형성호르몬 농도가 남성과 여성 모두에게서 상승한다. 여포자극호르몬은 남성과 여성 모두에게서 정상이거나 소량 증가한다. 결국 남성에서 고환 위축, 정자 수 감소, 발기부전이 나타나며, 여성에서 월경통과 무월경이 나타난다. 불임은 남성과 여성 모두에게서 나타난다. 이러한 성적인 문제는 조혈제를 사용하는 환자에게서 덜 나타나는 경향이 있다. 대부분의 자료는 주관적인 것이다. 몇몇 객관적인 연구에서 에리트로포이에틴의 사용 후 프로락틴과 성장호르몬이 감소한다는 것을 뒷받침해 주지만, 작용원리는 명확하지 않다. 또한 보고되고 있는 효과가 빈혈 교정의 결과인지 아니면 에리트로포이에틴의 어떤 특별한 효과인지 불명확하다.

CHAPTER
6

Dialyzers, Dialysate and Delivery Systems
투석기, 투석액, 전달시스템

투석기는 혈액에서 독소나 원하지 않는 용질을 선택적으로 제거하는 여과장치이다. 여과과정은 혈액이 흐르는 한쪽 면과 투석액이 흐르는 다른 면 사이의 반투막을 이용한다. 전달시스템이란 정확한 화학적 성분의 투석액 비와 적정 온도, 다른 요소들을 투석기로 전달하는 것을 말한다.

모든 투석기는 혈액과 막 사이의 넓은 표면적을 제공하도록 설계된 평행적인 통로의 집합으로 구성되어 있다. 투석기는 흐름통로의 기하학적 배열에 따라 다음과 같은 두 가지 종류가 있다: (1) 직사각형 단면의 평판형 투석기, (2) 원형 단면의 섬관형 투석기. 실제적으로 오늘날 임상에서 사용되는 모든 혈액투석기는 섬관형이다. 그러나 역사적 이해를 돕기 위해 평판형과 코일형(coil) 투석기를 설명하고자 한다.

코일형 투석기 Coil Dialyzers

코일형 투석기의 특징

코일형 투석기는 단단한 플라스틱 덮개에 들어 있는 플라스틱 혹은 금속 코일 주위를 단단히 감싸고 있는 아세트산 섬유소 막으로 구성되어 있다. 코일형 투석기는 상업적으로 판매되고 대량 생산된 최초의 투석기 유형이며 1950년대의 투석기로 알려져 있다. 코일형 투석기의 프라이밍(priming) 양은 매우 많았으며, 초여과는 예상할 수 없고, 혈액 유출(leak)은 매우 빈번했다.

평판형 투석기 Parallel-Plate Dialyzers

평판형 투석기의 특징

평판형 투석기는 샌드위치처럼 층 구조로 구성되어 있다. 받침판, 홈, 혹은 망상무늬(crosshatch)를 갖고 있고 투석 막을 따라서 투석액이 흘러가도록 해 주는 받침판 사이에 여러 장의 막이 놓인다. 혈액은 그 여러 장의 막을 통해 흐른다. 혈액의 보유량은 적고, 헤파린 요구량 또한 일반적으로 적다. 평판형 투석기의 단점은 막통과압(Transmembrane Pressure, TMP)이 증가할수록 평판형 투석기가 담고 있는 혈액량이 증가한다는 것

67

이다. 또 다른 단점은 평판형 투석기가 재사용에 그다지 적합하지 않다는 것이다.

섬관형 투석기 | Hollow-Fiber Dialyzer

섬관형 투석기는 크기와 막의 다양한 변화를 줄 수 있어서 현재까지 가장 널리 사용되고 있는 투석기이다.

| 섬관형 투석기에서 반투과막의 역할

직경이 약 150~250μm인 아주 작은 섬유(hollow fibers)가 사용된다. 혈액이 수만 개의 섬유(hollow fibers)를 통하여 흐른다. 섬유는 셀룰로오스와 합성의 다양한 재료로 만들어진다. 벽 두께는 7μm 정도로 얇으나, 일부 합성막은 벽 두께가 50μm 혹은 그 이상도 있다(그림 6-1).

| 섬관형 투석기의 장점

투석기의 구조상 보유 혈액량이 투석기의 표면적에 비해 매우 작다. 혈액 저항성도 적은데, 혈액이 통과할 수 있는 섬유의 수가 많기 때문이다. 섬관형 투석기는 신축성(compliance)이 없으므로 TMP가 증가하더라도 모양이나 보유 혈액량이 증가하지 않아 초여과량을 정확히 조절할 수 있다. 재사용에 적합하나 오늘날 투석기의 재사용은 거의 드물다.

| 섬관형 투석기의 단점

투석 준비과정에서 섬유다발 속의 공기나 가스 제거가 필요하다. 이 과정이 잘 이루어지지 않는다면 공기가 섬유 속에 갇히게 되어 혈액의 통과를 방해하거나 치료 개시 후 투석기의 응고를 유발한다. 혈액이 유입되는 투석기 머리 부분(compound area)의 혈류가 고르지 않아 일부 섬유다발 중심부의 관류가 감소할 수 있다.

　섬관형 투석기는 일반적으로 에틸렌 옥사이드(ethylene oxide, ETO)로 소독된다. 독성물질인 ETO가 투석기 내부 공간에 남으면 환자에게 유해한 반응을 일으킨다. 중공 섬유들이 응고하는 것을 예방하기 위하여 더 많은 헤파린 투여량이 필요할 수 있다.

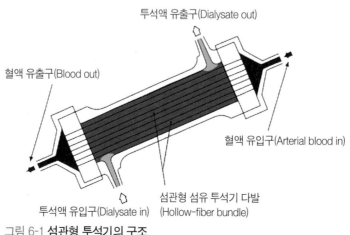

그림 6-1 **섬관형 투석기의 구조**

섬관형 투석기를 소독하는 다른 방법

일부 생산자는 감마선을 사용(gamma irradiation)하고, 다른 제조사는 스팀소독을 시행한다. 두 방법 모두 효과적이다. 전자 빔(electron-beam) 또는 이 빔(e-beam)은 섬관형 투석기의 더욱 새로운 소독방법이다. 전자 빔 소독은 투석기를 소독 처리하는 데 고에너지 전자들을 사용하며 미생물의 DNA 사슬이 파괴되고 비활성화되어 소독이 이루어진다. 전자 빔은 소독 과정 동안 화학물질이나 방사능물질을 사용하지 않으므로 ETO(산화에틸렌)에 민감한 환자에게 좋은 대안이 될 수 있다.

혈액투석막

혈액투석막(membrane for hemodialysis)에는 두 가지 기본 유형이 있다; (1) 유기 셀룰로오스 유도체막, (2) 합성막. 윌리엄 콜프(Williem Kolff)는 최초로 임상 투석에 셀룰로오스막을 사용하는 데 성공했다. 셀룰로오스로 된 막들이 많은 투석기에서 계속 사용되었다. 합성막은 투과성이 증가하고 면역반응이 감소된 막을 찾기 위해 개발되었다. 혈액투석을 위한 용량조절 초여과장치의 개발로 이런 높은 유압의 투과성 막의 사용이 가능해졌다. 합성막으로 인해 신장치료에 있어 고유량(high-flux)혈액투석, 혈액여과, 지속적 신대체요법(Continuous Renal Replacement Therapy, CRRT)과 같은 치료방법이 순차적으로 가능해졌다.

셀룰로오스막의 특징

셀룰로오스($C_6H_{10}O_5$)는 식물의 구조적 물질을 형성하는 복합탄수화물 중합체이다. 상품화된 셀룰로오스는 나무 제품과 면(cotton)에서 얻는다. 열과 화학물질 처리로 얇은 액상 물질이 만들어지며, 그것이 응고되어 시트(sheet)로 형성되거나 금형을 통해 중공 섬유로 만들어진다. 처리과정에 따라 다양한 두께, 수분흡수력, 투과력이 결정된다.

셀룰로오스막의 투과성

전자현미경을 통해서 보면 셀룰로오스막의 섬유는 젖으면 구불구불한 미로를 만들면서 부풀어오른다. "세공"은 실제로 꼬여 있어서 수분 혹은 용질 분자가 통과할 때 막 두께보다 몇 배의 거리를 이동해야 하는 불규칙한 터널 형태로 되어 있다.

현재 혈액투석에 사용되는 셀룰로오스막

큐프로판(cuprophan)은 폭넓게 사용되어 왔다. 셀룰로오스는 제조공정에서 암모니아와 산화구리로 처리된다; 구리암모늄 인견과 헤모판은 변형된 제품들이다. 사포니화 셀룰로오스 에스테르, 셀룰로오스 아세테이트, 트리아세테이트 등은 널리 사용되는 셀룰로오스 물질이다.

셀룰로오스막의 장단점

한 가지 명백한 장점은 수년간 사용되었기 때문에 물질운반능력 등의 특성이 잘 알려져 있다는 것이다. 또한 셀룰로오스 막은 상대적으로 값이 저렴하다. 그러나 모든 셀룰로오스막은 혈액과 생체 비적합성을 어느 정도라도 갖고 있어서 많은 문제를 유발한다. 이 문제들은 후반부에 설명될 것이다.

| 합성 막합성막의 특징

합성막은 열가소성 물질이다. 그것들은 스펀지 같은 벽 구조에 의해 지지되는 얇고 매끄러운 발광 표면을 가지고 있다. 다른 물질들 중에서 혈액투석에 사용되는 것들로는 폴리아크릴로니트릴(PAN), 폴리설폰(PS), 폴리아마이드, 폴리메타크릴산메틸(PMMA) 등이 있다. 요독물질의 대류이동(convective transfer)은 중분자 이상 물질의 대량이동을 가능하게 하여 중분자 이상의 분자가 더 많이 제거된다. 이러한 합성막은 초여과 상수가 20~70mL/hr/mmHg 혹은 이상이다. 또한 재사용에 매우 적합하다. 합성막은 셀룰로오스막에 비해 생체 비적합성 문제가 매우 적다.

| 합성막의 단점

합성막은 다음과 같은 몇 가지의 단점이 있다.
- 셀룰로오스막과 비교해서 가격이 비싸다.
- 아주 높은 수분투과성 때문에 자동화된 초여과 조절장치가 필요하다.
- 막 표면에 단백질 흡착이 문제가 될 수 있다.
- 높은 투과성으로 인해 투석액에서 혈액으로 역여과(backfiltration)의 위험이 있다.

막의 생체 적합성 Membrane Biocompatibility

혈액은 이물질의 표면과 접촉할 때마다 염증 반응이 나타난다. 이 반응은 혈액투석막의 생체 적합성을 측정하는 데 사용된다. 강력한 반응과 높은 수준의 염증이 있을 경우, 그 막은 생체 비적합적이라고 불린다. 반응과 염증이 약할 때 막은 생체 적합하다고 분류된다. 막의 생체 적합성 수준은 단기와 장기 결과와 연관될 수 있다.

| 보체 활성화

보체시스템은 다양한 생물학적 사건을 일으키는 것에 순차적으로 대응하는 일련의 혈장 단백질이다. 이 시스템은 면역체계와 함께 신체가 "내 것이 아닌" 것으로 인식한 물질로부터 신체를 보호한다. 혈액이 혈액투석막과 마주쳤을 때 나타나는 반응은 신체의 면역계통이 박테리아에 도전받았을 때 일어나는 반응과 유사하다.

| 투석 중 보체 활성화의 증상

보체 활성화(complement activation)와 관련된 첫 번째 임상증상은 백혈구 감소증이다. 셀룰로오스막을 사용하는 혈액투석을 시작하자마자 "백혈구" 수는 급격하게 떨어진다. 이 증상은 약 15분이 지나면 교정되기 시작한다. 4시간의 투석이 끝나면, 뼈속질의 보상작용에 의해 백혈구수는 초기 수준으로 돌아가거나 아마 약간 높아진다. 백혈구 감소증은 일시적이지만 심폐기능이 손상된 환자에게는 중요할 수 있다. 보체 연쇄증폭 반응의 마지막 생성물인 C5a가 백혈구를 활성화시킨다. 백혈구가 활성화되면 "끈적끈적한" 상태가 된다. 이 백혈구들은 하나로 모이거나 엉겨 붙어 처음 마주치는-일반적으로 폐-모세혈관 그물에 붙는다. 백혈구가 응집한 덩어리는 폐 모세혈관 관류를 감소시키고 혈액과 폐포 사이에 산소와 이산화탄소의 효율적 교환능력을 감소시킨다. 그 결과 투석 중 저산소증이 나타날 수 있다. 투석 중 보체 활성화와 연관 가능성이 있는 다른 문제로는 흉통, 허리 통증, 혈액응고 이상, 낮은 수준의 전신 염증, 심각한 경우에는 아나필락시스가 발생하기

표 6-1 투석막의 유형

막 유형	예시	고유량 또는 저유량	생체 적합성
셀룰로오스	큐프로판	저	낮음
반항성 셀룰로오스			
재생 셀룰로오스	셀룰로오스 아세테이트	고/저	중간
수정 셀룰로오스	셀룰로오스 디아세테이트	고	좋음
디에틸-아미노에틸 치환 셀룰로오스	헤모판	고	중간
합성 폴리머			
폴리메틸메타크릴레이트	PMMA	고	좋음
폴리아크릴로니트릴 메타크릴레이트 코폴리머	PAN	고	좋음
폴리아크릴로니트릴 메탈릴 설포네이트 코폴리머	PAN/AN-69	고	좋음
폴리 아미드	Polyflux	고/저	좋음
폴리카보네이트-폴리에터	Gambrane	고	좋음
에틸렌 비닐 알콜 코폴리머	EVAL	고	좋음
폴리설폰	Polysulfone	고/저	좋음

(출처: Feehally J: Types of dialyzers. In Comprehensive clinical nephrology, ed 6, St. Louis, 2018, Elsevier.)

도 한다. 보체의 활성화는 15분에 최고에 이르고 90분 정도까지 지속될 수 있다. 발생한 보체의 양은 사용된 막의 유형, 표면적과 관련이 있다.

가장 높은 수준의 보체 활성화를 유발하는 막

셀룰로오스와 셀룰로오스 기반의 막들이 합성막보다 보체 활성화를 더 유발한다(표 6-1). 셀룰로오스 표면의 화학적 구조(다당류 사슬)는 박테리아의 세포벽과 유사하다. 혈액과 셀룰로오스의 접촉에 대한 신체의 반응은 박테리아 침입에 대한 반응과 매우 유사한 방식이다. 막 표면에 있는 프리히드록실 그룹이 강렬한 보체 활성화의 일차적 원인이다. 보체 활성화를 완충하기 위해 셀룰로오스 아세테이트와 헤모판과 같은 "변형된 셀룰로오스막"이 만들어졌다. 셀룰로오스 아세테이트막은 일부 표면 수산기가 아세틸 그룹과 연결되고 헤모판막은 반응지점에 붙은 아미노 그룹에 의해 완화된다. 이 두 가지 막은 모두 발생된 보체의 양을 감소시켰으나 여전히 합성막에 비하면 보체 생성을 최소화하는 데 덜 효과적이다.

합성막이 셀룰로오스막보다 보체 활성화를 적게 유발하는 이유

이러한 막은 합성이기 때문에 셀룰로오스막에서 발견되는 반응지점들이 없기에 혈액투석을 하는 동안 발생하는 보체 활성화의 양이 셀룰로오스막보다 적다.

혈액투석에 사용할 막을 선택할 때 장기적인 고려사항

생체 비적합적인 막의 장기 사용은 감염과 악성종양 발생 가능성이 증가하고 영양불량을 유발할 수 있다. 셀룰로오스막으로 투석을 받은 환자는 합성막을 사용하여 투석을 받은 환자들보다 β_2-아밀로이드증의 발병률이 더 높다. 고유량(high flux) 투석기의 사용빈도가 증가함에 따라 투석관련 아밀로이드증의 발생은 감소하였다(Nissenson & Fine, 2017). 감염과 악성종양 발생의 위험성이 증가하는 것은 환자의 면역시스템에 대한 반복적인 공격 때문으로 생각된다. 환자의 혈액이 반복적으로 생체 비적합 표면에 노출되면 신체는 공격을 받는 것처럼 반응한다. 면역시스템이 작동하고, 보체가 생성되고, 염증 반응이 유발된다. 조직손상이 있을 수 있으며, 향후 자극은 제한된 반응만 유도할 수 있으며, 이로 인해 환자는 감염과 잠재적인 악성종양 발생의 위험에 처하게 된다.

영양결핍은 혈액투석 환자의 이환율과 사망률의 주요 원인이다. 적절한 단백질 섭취에도 불구하고 영양결핍이 문제가 되는데, 이는 가속화된 이화과정과 관계가 있는 것으로 밝혀지고 있으며 투석을 받는 날에 가장 명백하게 나타난다. 생체 비적합 막과 연관된 이화작용 효과가 보고되었으며, 전신 염증을 유발하여 단백질 에너지 낭비를 초래할 수 있다(Ikizler & Deger, 2017). 장기 이환률에 있어 β_2-아밀로이드증은 중요하다. 임상증상으로는 관절질환, 뼈의 병변과 병리적 골절, 연조직의 부종, 손목굴증후군 등이 있다.

| 막의 생체 적합성이 급성 신부전이 있는 환자에게 미치는 영향

이에 관해서는 명확하지 않다. 그러나 적합성이 더 좋은 막일수록 회복이 더 빠르고 생존에 기여한다는 의견이 있다. 생체 적합성이 더 좋은 막이 보체 활성화, 백혈구 활성화, 염증이 더 적게 발생할 수 있다고 믿고 있다.

투석기 재사용 Dialyzer ReuseDialyzer Reuse

투석기 재사용은 이전에 사용된 투석기를 같은 환자에게 재사용하기 위하여 세척·소독하는 과정이다. "재사용"이란 재생된 투석기의 임상적 사용을 말한다. 투석기 재사용은 임상에서 수년 동안 안전하고 효과적으로 시행되었지만, 현재 미국에서는 거의 사용되지 않는다. 투석기를 재사용하는 투석센터가 매우 드물기 때문에 미국신장데이터시스템은 재사용을 하는 투석센터의 수에 대한 정보를 더 이상 보고하지 않는다. 그러나 투석기 재사용은 전 세계의 다른 지역, 특히 자원이 제한된 지역에서 행해지고 있다(accessed 2018). 투석기의 재생과 재사용은 엄격한 기준에 따라야 한다. 이 기준들은 AAMI(Association for the Advancement ofMedical Instrumentation) 기준에 의해 정해진다.

| 재사용의 장점

근본적으로, 재사용으로 투석당 평균비용이 상당히 감소한다. 새로운 셀룰로오스 투석기를 사용하여 투석을 시작한 후 첫 30분 안에 발생하는 흉통 혹은 허리통증, 메스꺼움 그리고 불쾌감과 같은 비정기적인 현상인 "첫 회 사용 증후군(first-use syndrome)"이 투석기 재사용에서는 발생하지 않거나 드물게 일어난다. 의료폐기물 발생이 감소하는 것 또한 투석기 재사용의 이점이다.

| 재사용의 단점

재사용된 장치를 처리·검사·확인·저장하기 위해서는 공간과 직원의 추가 작업시간이 필요하며, 잘 정제된 물의 사용이 증가한다. 소독제, 특히 포름알데히드는 직원과 환자에게 해롭다. 수동식 처리과정은 질 관리를 보장하기 어렵다. 자동화 시스템으로 이 문제를 최소화할 수 있지만, 초기비용이 높아진다. 환자에게 세균 오염 위험성과 감염원의 전이 가능성은 투석기 재사용의 또 다른 단점이다.

| 재사용 과정에 대한 지침

재사용 과정에 대한 지침은 AAMI에 의해 정의된 지침이 있고, 미국식품의약국(Food and Drug Administration, FDA)에 의한 법적 규제조항 등이 있다. 메디케어 & 메디케이드 서비스센터(the Centers for Medicare & Medicaid Services, CMS)의 말기신장질환에 대한 보험적용 조건에서도 투석기 재생에 있어서 AAMI의 지침을 충족하는 설비를 요구한다(투석기의 재사용에 대한 자세한 사항은 제9장 참조).

운반시스템 Delivery System

운반시스템은 투석액을 준비하고 투석기로 전달하는 것이다. 대부분의 시스템은 단 한 사람의 환자에게 투석액을 제공하도록 설비되어 있으나, 여러 대의 투석기로 투석액을 동시에 공급할 수 있는 시스템도 있다.

| 용액전달시스템

용액전달시스템(Solution Delivery System, SDS)은 투석액을 만들기 위하여 사용되는 용액을 기계로 공급하는 방법이다. 혼합탱크로부터 중탄산염을, 저장 크로부터 산(acid)을 헤드(head)탱크라고 불리는 위쪽에 있는 보유탱크로 이동시킨다. 그런 다음 투석액은 용액 분배 시스템을 통하여 환자 치료구역으로 전달되고, 일련의 파이프를 통해서 각 투석기계로 공급된다.

| 투석액의 기능

투석액은 투석을 통해 혈액에서 제거된 노폐물과 수분을 운반하는 역할을 하며, 필수 전해질의 제거를 예방하고, 전해질 수치를 정상화하는 데 도움을 주며, 투석과정 중에 과도한 수분 제거를 예방한다. 또한 투석액은 환자의 산염기 평형을 교정하는 기능을 한다. 이러한 기능은 투석액의 화학적 구성이 일반 혈장의 화학적 구성과 거의 일치하도록 조성함으로써 달성된다.

| 사용되는 화학물질

일반적으로 다섯 가지 화합물이 투석액에 사용된다. 염화나트륨, 중탄산염 또는 초산염, 염화칼슘, 염화칼륨, 염화마그네슘 등이 있다. 일부 제품에는 포도당이 포함되기도 한다.

| 투석액의 화학물질 구성

제조사들은 다양한 크기의 용기에 투석 농축액을 공급한다. 염화나트륨 함량은 거의 포화상태이며, 나머지 구성물질은 투석액의 최종 농도에 비례한다. 일부 장비는 파우더 형태의 구성물질을 장착할 수 있는 장치가 있어 운송비용을 절감할 수 있다.

| 중탄산염 기반 투석액(bicarbonatebased dialysate)의 준비과정

중탄산염 투석액은 AAMI 표준에 의해 처리된 물과 산 농축액 및 중탄산 농축액을 혼합하여 제조한다. 칼슘과 마그네슘은 수소 이온 함량이 낮기 때문에 중탄산염 용액에 남아 있지 않고 탄산 칼슘은 산성농축액과 섞으면 침전되는 경향이 있다. 이 문제를 해결하기 위하여 두 가지 개별 농축액이 사용된다. 비율조정전달시스템(proportioning delivery system)은 2개가 아닌 3개의 액체(정수된 물, 산농축액, 염기농축액)를 혼합하고 모니터링해야 하기 때문에 과정이 더 복잡하다.

혈액투석을 위한 농축액을 준비하기 위해 다양한 혼합 및 전달 시스템을 사용할 수 있다. 수동혼합은 소규모 치료센터나 급성기 치료센터에서 시행된다. 중탄산염 분말은 개별 환자 자리에서 사용하기 위해 투석용수를 채운 용기(jug)에 장착한다. 대규모 투석센터에서는 대형 투석액 탱크가 자동 혼합장치로 준비된다. 마지막으로 리필 카트리지 또는 중탄산염 분말이 든 백을 투석기에 직접 장착해서 사용할 수 있다(Desai, 2015). 이러한 분말 중탄산염 중 하나는 "비백(Bibag)"이라고 알려져 있는데, 이것은 중탄산 가루가 들어 있는 일회용 봉투로 구성된 용기이다. 비백은 투석기에 장착되어 포화용액에 혼합된 후 환자의 처방에 따라 적절한 농도로 환자에게 제공된다. 이러한 중탄산염 온라인 배송(투석기계에 중탄산염 분말제제를 장착하여 바로 희석하여 전달하는 시스템)은 위생적이며 가정 혈액투석 환자의 경우 투석액 저장공간을 덜 차지한다(Fresenius Medical Care, 2014).

| 중탄산염 농축액에 함유된 화학물질

"A" 농축액은 대부분의 나트륨, 칼슘, 마그네슘 및 칼륨이 포함되어 있다. 염화물 그리고 칼슘과 마그네슘이 투석액에 섞였을 때 pH를 충분히 낮게 유지하기 위한 소량의 아세테이트가 포함되어 있다.

"B" 농축액은 중탄산나트륨이 포함되어 있다. 일부 시스템은 B 농축액뿐 아니라 약간의 염화나트륨이 포함되어 있다. 이로 인해 총 전도성이 상승하기 때문에 투석액을 모니터링하는 것이 더 용이하다. 표 6-2는 체적-부피 희석유형에 사용되는 표 공식이다.

일반적으로 비율조정시스템(proportioning system)에서 B 농축액은 물과 부분적으로 희석되고 A 농축액은 투석기로 가기 직전에 그 혼합액에 비율에 맞게 섞인다. 이 폐쇄시스템에서는 이산화탄소가 기체방울로 형성되는 것을 막고 중탄산나트륨과 아세트산의 반응이 이루어지지 못하게 하며, 함유된 수소이온은 칼슘을 용해 상태로 유지한다.

| 중탄산염 투석액의 잠재적 문제

B 농축액은 안정적이지 않다. 일부 제조사는 안정성을 높이기 위하여 특수한 중합체를 첨가한다. 다른 제조사들은 투석센터에서 혼합하도록 탄산수소나트륨을 분말로 제공한다. 혼합 공정에서 형성된 이산화탄소의 상당 부분이 용액에서 소실되지 않도록 주의해야 한다. 농축액은 혼합 후 24시간 이내 또는 기관의 지침에 따라 사용해야 한다.

중탄산염 농축액은 세균의 오염과 증식에 취약하다. 안정된 용액일지라도 제조사가 정한 기한 이내에 사용해야 한다. B 농축액을 혼합하고, 보유하고, 혹은 분배하는 데 사용한 모든 용기는 정기적으로 면밀하게 살균하여 위생적인 상태로 만들어야 하며 오염을 피해야 한다. 한 제조사는 특수 홀더에 분말 중탄산염 밀폐용

표 6-2 희석 부피-부피유형에 대한 표 공식

구성성분	mEq/L(최종 희석액에서)						
	Na^+	K^+	Ca^{++}	Mg^{++}	Cl^-	HCO_3^-	CH_3COO^-
농축액 B	59				20	39	
농축액 A	81	2	3.5	0.7	87.2		4
최종	140	2	3.5	0.7	107.2	35	

기를 장착하는 시스템을 사용한다. 따뜻한 물은 기둥 모양의 관을 통과하면서 물과 비례한 중탄산염 포화용액을 만든 다음 전도도 조절 피드백시스템에 의해 A 농축액과 비율이 맞게 혼합한다.

최종 투석액의 나트륨, 칼륨, 칼슘, 마그네슘의 농도를 투석 처방에 맞추는 A 농축액의 제조방식은 다양하다. 각 브랜드의 전달시스템은 비율을 맞추고 혼합하는 고유한 방식이 있다. 선택된 농축액들이 사용되는 전달시스템의 적합성이 보장되는지 각별히 주의해야 한다.

| 중탄산염 농축액 과혼합 시 발생하는 현상

진한 혼합은 용액의 이산화탄소 손실을 초래하기 때문에 중탄산염 농축액이 과혼합되지 않도록 주의를 기울여야 한다. 이로 인해 용액의 pH가 상승하고 유체 통로에 탄산칼슘과 탄산마그네슘의 침전이 촉진될 수 있다. 이로 인해 환자는 투석액의 칼슘 농도가 낮아짐에 따라서 혈청 칼슘 저하를 경험할 수 있다. 투석 농축액의 과혼합을 방지하기 위하여 타이머를 사용해야 한다.

| 투석액을 준비하는 데 사용되는 물

투석액을 제조하는 데 사용되는 물은 화학성분, 세균 및 발열 물질에 대한 AAMI 기준을 충족시켜야 한다. 그로 인해 대부분의 경우에 급수 처리에 복잡하고 많은 경비가 지출된다. 8장에서 "투석에 맞는 양질의 물"을 얻기 위한 다양한 과정을 설명하고 있다.

투석액을 준비하는 데 사용되는 용수에 대한 AAMI의 현재 기준은 박테리아 수가 100CFU/mL를 초과하지 않아야 하고, 내독소 수치는 0.25EU/mL 이하여야 한다. 각각의 물질에 대한 작용수준(action levels)은 50 CFU/mL와 0.125EU/mL이다(AAM/AAMI, 2008).

| LAL 검사

LAL 검사는 세균 내독소(Bacterial endotoxin)를 발견하고 양을 측정하기 위해 사용되는 검사로, LAL은 Limulus Amebocyte Lysate의 약어이다. 투구게(Limulus) 혹은 말굽게(horseshoe crab)에서 추출한 단백질을 사용한다. 결과는 밀리리터당 나노그램 혹은 EU (1ng/mL = 5EU/mL)로 보고된다.

| 투석액의 확인(verification)과 관찰(monitoring)의 중요성

환자들의 심각한 반응과 사망은 투석액 준비 과실 혹은 장비 오작동으로 인해 발생해 왔다. 투석액은 매 투석 시 확인해야 한다. 또한 각 전달시스템은 매일 기능점검을 받아야 한다.

| 투석액 성분을 확인하는 데 사용되는 방법

투석액의 가장 일반적인 검사는 총 전도율이다. 이것은 특정 이온을 측정하는 것이 아니라 모든 이온의 전체 전도성을 측정하는 것이다(따라서 2차 테스트이다). 전도도 미터는 사용되는 각 농축액 유형에 대해 "정상" 또는 "안전" 범위로 세심하게 보정해야 한다. 두 가지 이상의 투석액 종류를 사용하는 경우 각각 이온 농도가 다르기 때문에 각각의 안전한 범위를 명확하게 식별해야 한다. 대부분의 제조업체는 농축용기의 라벨에 투석액이 적절하게 혼합되었을 때 투석액의 전도도를 표시한다.

| 비율조정시스템의 정확한 투석액 혼합

투석액을 정확하게 혼합하기 위해서는 액체상태의 농축액이 필요하다. 정확한 비율의 농축액과 물을 혼합하기 위해 여러 시스템이 사용되었지만, 가장 널리 사용되는 마이크로 프로세스 회로는 연속 전도성을 위해 비례펌프의 속도를 제어하고 혼합영역의 다운스트림에서 다른 매개변수를 모니터링하는 데 사용되는 비율조정시스템(proportioning system)이다(그림 6-2). 펌프의 속도와 첨가된 농도의 부피는 투석액이 적절히 혼합되도록 전자 피드백 회로에 의해 정밀하게 제어된다.

| 비율조정시스템의 단점

이 시스템은 매우 복잡하고 대단히 정교하며, 마이크로프로세서로 조절되는 전자장치와 유압장치를 가지고 있어 매우 고가이다. 많은 기능이 사전에 프로그램되어 있으며 쉽게 바꿀 수 없다. 센서와 모니터링 장비는 이중 안전장치가 되어 있어 안전하나 여유분을 가지고 있어야 한다. 고장나면 수리가 매우 어렵고, 제조사에서 지원하는 서비스 요원이 방문해야 수리를 할 수 있다.

| 투석액의 온도 조절

가열기 또는 열 교환기는 하나 또는 그 이상의 센서들과 미세조절 전기회로에 의해 조절된다. 액체의 온도는 정해진 온도에서 0.5℃ 이내로 유지되어야 한다. 제한범위를 벗어난 상황에 대비하여 시각적·청각적 경보장치가 있어야 하고 유선 관리를 위한 개별적인 센서가 열조절장치와 별개로 있어야 한다. 공인된 유리 온도계로 정확도를 정기적으로 확인해야 한다. 많은 만성콩팥병 환자는 심부체온이 36~36.5℃이다. 과도한 열이 제공되면 혈관확장 반응이 유발되고 이는 초여과로 인해 혈장이 감소되었을 때 저혈압을 최소화하기 위한 정상적인 혈관수축 반응을 방해하여 환자에게 위해가 된다. 41℃보다 높은 투석액 온도는 적혈구의 용혈을 일으키는데, 이는 몇 시간 동안 지속될 수 있다. 용혈에 대한 추가정보는 13장에서 설명한다.

| 공기제거장치의 필요성

물에는 상당량의 용해된 공기와 미세기포가 포함되어 있다. 물이 데워지면 녹아 있던 공기가 미세거품으로

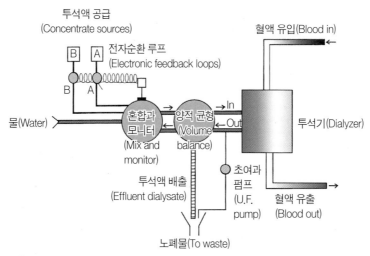

그림 6-2 중탄산 투석액, 정량적 초여과 조절을 위한 비율조정시스템의 기본형

팽창하면서 용액 밖으로 나온다. 이것은 온도와 전도도 센서 및 유량계에 부정적인 영향을 미친다. 기포는 섬관형 투석기에서 투석액과 막의 접촉을 감소시킬 수 있다.

대부분의 공기제거장치(deaeration devices)는 용존 가스를 제거하기 위하여 음압과 함께 가온기를 사용한다. 그런 다음 공기제거기 또는 흡착필터가 기체를 밖으로 내보낸다.

| 투석액 유량계(flowmeter)와 관련된 문제

용해성 필름이 시간이 지남에 따라 축적되어 정밀도를 떨어뜨린다. 유량계 혹은 흐름 조절기의 눈금을 조정하는 것은 기계의 정기적인 서비스 점검에 포함되어야 한다. 침상 옆 배출호스에서 나온 배출량을 일정 시간 측정하여 실제 배출량을 신속하게 확인할 수 있다. 측정하는 동안에 초여과 조절은 일시적으로 0으로 설정해야 한다.

| 투석액 압력 감시장치의 중요성

초여과는 거의 전적으로 부피 측정 또는 유량 측정 조절에 의해 통제된다. 투석액 압력감시장치는 초여과 조절과 TMP를 확인하는 역할을 한다. 이 감시장치를 조정하거나 눈금을 조절할 때는 제조업체의 지침에 유의해야 한다.

| 투석액 농도의 조절과 관찰

투석액 농도(dialysate concentration)를 조절하고 관찰하는 데 가장 적합한 장비는 전도도 모니터인데(그림 6-3), 반드시 온도 보정을 해야 한다. 보통 정확도는 ±1~3%의 범위이다. 전도도 센서는 제3장에 설명한 바와 같이 기본적으로 하나의 전해질 셀(electrolytic cell)이다. 지속적으로 작동하는 모니터의 전극은 전기분해 작용으로 부식되어 시간이 지나면서 민감도가 떨어진다. 대부분의 전달시스템은 읽는 값이 일치하는 최소한 두 개의 전도 센서를 사용하며, 이 센서의 측정값은 일치해야 한다. 휴대용 전도도 측정기를 이용한 확인 테스트는 매 환자의 치료를 시작하기 전에 일상적으로 수행해야 한다. 투석치료 중 전해질 농도가 안전범위를 벗어나면 알람이 발생하고 투석액 흐름이 중단된다. 전도도 감시장치를 조정하기 전에, 그 시점의 투석액의 실제 구성을 확인하기 위하여 나트륨 혹은 염화물 측정과 같은 기본 검사를 행해야 한다.

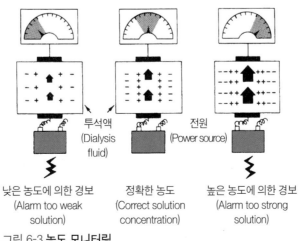

낮은 농도에 의한 경보
(Alarm too weak solution)

투석액
(Dialysis fluid)

정확한 농도
(Correct solution concentration)

전원
(Power source)

높은 농도에 의한 경보
(Alarm too strong solution)

그림 6-3 농도 모니터링

| 투석액 pH의 모니터링

각 환자의 치료를 시작하기에 앞서 독자적인 방법으로 몇 종류의 pH를 확인하여야 한다. 승인된 AAMI pH 범위는 6.9~7.6이다. 한계범위를 넘는 상황에 대한 청각적·시각적인 경보장치가 있어야 한다. pH 센서는 시간의 경과에 따라 변동되므로 제조사 엔지니어에 의해 재조정되어야 한다.

| 혈류속도의 측정

혈액은 반원 모양의 덮개(하우징)에 연결된 혈액라인의 특정 부분에 서서히 압력을 가함으로써 작동하는 연동 롤러에 의해 투석기를 따라 이동된다. 대부분의 펌프는 회전속도에 따른 흐름을 표시하도록 속도 표시기를 가지고 있다. 사용 중인 혈액라인의 펌프 부분의 내부 직경은 펌프 표시기에 맞추어진 것과 일치해야 한다. 혈액라인의 변형, 혈액 순환회로의 압력상태, 속도 표시기 설정에 비해 작은 내부 단면은 표시된 혈류속도와 실제 혈류속도 사이에 ±10~15%의 차이를 유발한다.

각 펌프의 설정은 정기적으로 점검되어야 하며, 표준 상태에서 동일 회사의 라인 또는 같은 것을 사용해야 한다. 투석 중 동맥측 바늘에서 펌프로 유입되는 부분까지 인위적으로 막아 음압을 발생시켜 연결된 37℃ 식염수가 혈액라인으로 흘러들어 가도록 한다. 이러한 흐름을 3~5분 정도 지속시켜 흘러들어 간 식염수량을 측정하여 시간으로 나누면 실제 혈류속도를 계산할 수 있다. 이러한 측정값은 기계와 중앙 파일에 기록되어야 한다.

| 혈액누출감지기의 작동원리

혈액은 항상 환자의 혈액라인에 있어야 하며 투석액으로 흘러들어 가서는 안 된다. 혈액누출감지기(blood leak detectors)는 혈액이 투석기에서 누출된 것을 알려 주는 안전장치로, 투석액 유출 라인에 위치한다(그림 6-4). 빛의 광선이 투석액 기둥을 따라 광전지로 보내지면 투석액의 반투명도와 빛의 분산의 변화는 광전지가 받는 빛을 감소시켜 혈액 펌프를 멈추게 하고 시각적·청각적인 경보장치를 작동시킨다. AAMI는 막을 통해서 혈액이 0.35mL/min 혹은 그 이상의 속도로 유출되면 투석장치의 혈액누출감지기가 경보장치를 작동시켜야 한다고 권고하고 있다(AAMI, 2008). 미립자 물질과 기포는 허위경보의 빈번한 원인이다. 만약 혈액 누출이 쉽게 시각적으로 확인되지 않는다면 승인된 혈액누출 검사스트립을 이용하여 투석액을 확인해야 한다. 표준 유지관리 절차로 문제가 해결되지 않는 경우 제조업체 담당자가 장치를 수리하거나 교체해야 한다.

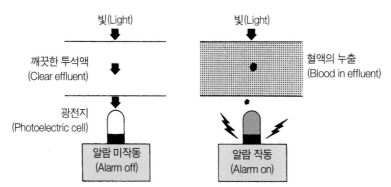

그림 6-4 **혈액누출감지기.** (출처: Nose Y: Manual on artificial organs, vol. 1, The artificial kidney, St. Louis, 1969, Mosby.)

| 혈액 내 기포감지기는 어떻게 작동하는가?

펌프가 혈액을 체외순환회로를 통해 밀어낼 때마다 약간의 음압이 혈액 진입부에 걸린다. 충분히 조여지지 않은 연결부(바늘 허브와 같은)에서, 바늘 구멍이나 혈액라인의 파손 부위를 통해서 혹은 라인과 연결되어 있는 수액의 용기가 비었을 때 회로 안으로 공기가 유입된다. 높은 혈류속도를 위해 펌프 동작속도가 증가하기 때문에 이러한 공기 유입의 원인이 되는 곳의 관찰은 매우 중요하다. 혈액 내 공기는 섬관형 투석기의 섬유를 막을 수 있고, 만약 공기의 양이 과다하면 정맥 버블 트랩을 통과하여 환자에게 유입되어 공기색전증을 일으킬 수도 있다.

일반적으로 사용되는 감지기는 초음파 빔을 사용하여 혈액 속의 공기, 기포, 미세기포를 확인한다(그림 6-5). 공기감지기는 혈액라인의 정맥부와 투석기(dialyzer) 사이에 장착되어 있어 환자에게 반환되는 혈액에 포함된 공기를 감지한다. 소리는 공기에서보다 액체에서 더 빨리 이동한다. 그래서 아주 작은 기포라도 음파 빔의 이동을 늦추어 경보를 울리게 한다. 음파감지기는 주변의 빛 혹은 빛의 변화에 반응하지 않기 때문에 혈액라인에 식염수가 포함된 상태(priming 이후)에만 작동될 수 있다.

대부분의 공기/기포 감지기는 외부 감도조정장치가 없다. 해제된 상태를 표시하기 위해 저수준 경보가 원거리에서 분명하게 식별되어야 한다. 어떤 환자도 공기/기포 감지기가 해제된 상태에서 투석이 진행되어서는 안 된다.

| 초여과 조절장치

초여과 조절장치(ultrafiltration controls)는 유출투석액량을 유입투석액량에 원하는 초여과액량을 더한 것과 정확하게 일치시킨다. 용량 측정에 의한 유형과 유속 측정에 의한 유형의 초여과 조절장치가 있다(그림 6-6, 6-7).

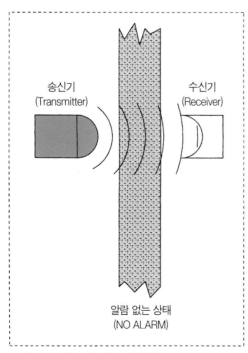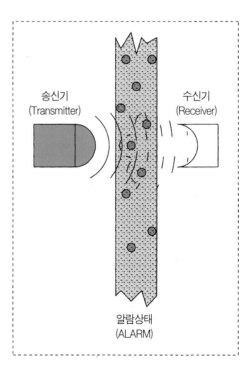

그림 6-5 음파 공기/거품 감지기

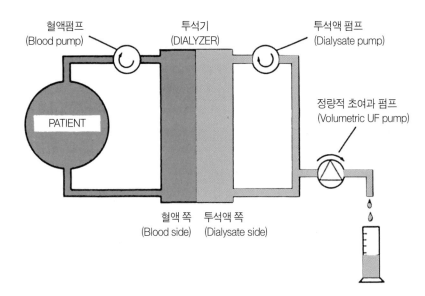

그림 6-6 **정량적 초여과 조절.** (출처: Vlchek DL: Staying tuned in to the high-tech world. Part II: Dialysis delivery systems. Dial Transplant 18, Aug 1989.)

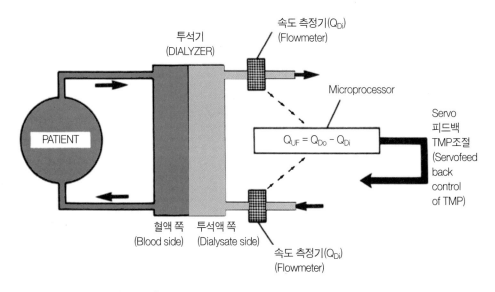

그림 6-7 **Servo 피드백 초여과 조절.** (출처: Vlchek DL: Staying tuned in to the high-tech world. Part II: Dialysis delivery systems. Dial Transplant 18, Aug 1989.)

| 용량 측정 초여과장치(volumetric ultrafiltration device)의 작동원리

가장 일반적인 용량 측정장치는 2개의 격막이 있는 챔버를 사용하여 유입투석액과 유출투석액의 균형을 조정한다. 첫 번째 챔버의 한쪽 면이 새로운 투석액으로 채워지는 동안, 챔버의 격막은 같은 용량의 사용된 투석액을 다른 쪽에서 밀어낸다. 이와 동시에 두 번째 챔버에서는 챔버의 한 면이 투석기로부터 나온 용액이 채워지고, 반대편은 동량의 새로운 투석액을 투석기로 내보낸다. 격막들이 챔버들의 폭을 가로질러 한쪽으로 기울면 비워진 면을 채우기 위하여 밸브가 역전된다(그리고 반대의 경우도 마찬가지이다). 유출용량이 유입용량과 일치하기 전에 초과여과액량이 계량펌프에 의해 유출투석액 통로에서 제거되며, 원하는 양의 초과여과

액을 환자에게서 제거한다. 조절기의 유입과 유출 용량이 정확히 측정되기 때문에 양압이나 음압에 관계없이 투석기로부터 정확한 초여과량을 제거할 수 있다.

| 유속 측정 초여과 조절장치의 작동원리

유속 측정방식의 장치에는 유입과 유출 경로를 통과하는 액체의 속도를 측정하기 위한 하나 혹은 두 개의 매우 정밀한 유속 측정기가 투석액의 유입과 유출 경로에 있다. 유입 측정기를 통과한 용량과 계획된 초여과액량을 합친 것과 유출 측정기를 통과한 용량을 정확하게 일치시키기 위하여 전자 조절 모듈로 유출경로에 있는 투석액 펌프의 속도가 조절된다.

고효율과 고유량 투석 High-Efficiency and High-Flux Dialysis

| 고효율 투석을 위해 필요한 장비

고효율 투석은 다음과 같은 네 가지 요구사항이 있다.
- 1.5m² 이상의 표면적과 높은 대량 전달계수를 가진 고효율의 셀룰로오스 막
  (초박형 큐프로판, 헤모판, 셀룰로오스 아세테이트 이스터 등)
- 350mL/min 또는 그 이상의 믿을 만한 혈류속도; 500mL/min 또는 그 이상의 투석액 유속
- 중탄산염 투석액 전달시스템
- 초여과 조절시스템

많은 양의 물질운반 능력을 가진 넓은 면적의 막과 높은 혈류속도, 투석액속도의 조합은 저분자물질의 이동을 증가시킨다. 중분자나 고분자 물질의 이동은 막의 면적과 투과력에 의해 영향을 받는다.

| 고유량 투석을 위한 시스템 요구사항

고효율 투석과 마찬가지로, 고유량 투석에서 높은 혈류속도, 높은 투석액속도, 초여과량의 정밀조절을 유지하는 것은 중요하다. 고유량 투석기는 고투과력을 가진 합성막을 사용하며, 대류작용이 용질 운반의 주요 부분을 차지한다(제7장 참조). 이러한 투석기는 20~100mL/hr/mmHg 또는 그 이상의 초여과계수를 가지고 있다. 투석기의 초여과계수(K_{uf})는 막 전체에 전달되는 액체의 양을 나타낸다. 고유량 투석기는 초여과계수가 15mL/hr/mmHg 이상이다. 특히 용질과 요소를 제거하는 투석기(dialyzer)의 기능을 요소계수(KoA)라고 한다. KoA는 투석기가 주어진 용액에서 분당 밀리리터당 최대 제거율을 나타낸다. KoA는 투석기 막의 표면적에 비례한다(Hoque & Fakir, 2011). 이 투석기로 훨씬 더 많은 양의 요소를 제거할 수 있고, 요소 제거 외에도 고유량 투석막은 비타민 B_{12} 및 β-2 마이크로글로불린과 같은 분자량이 큰 물질 및 반코마이신과 같은 일부 약물이 더 잘 투과된다(Skorecki et al., 2016).

초여과 조절기는 정량의 수분 제거를 정밀하게 관리한다. 그러나 이 과정에서 투석기 말단 부위에서 투석액에서 혈액으로의 역 여과를 일으키는 투석액 압력이 발생하기도 한다. 고유량 막은 2,000~10,000Da의 입자들을 쉽게 통과시키기 때문에 발열성 물질과 내독소 파편에 의한 혈액의 오염 문제가 발생한다. LAL 검사는 투석액의 내독소를 모니터링하는 데 사용된다.

| 역여과 방지방법

투석액이 투석기를 통과하면서 세균 증식이 계속되며, 역여과(reverse filtration) 시 발열성 물질이 증가하여 고유량 투석막을 통과한다. 고유량 투석을 위해서는 투석기 바로 앞단에 분자필터 또는 울트라필터(제8장 참조)를 추가해야 한다. 5만~10만 달톤의 울트라 필터는 온전한 내독소를 제거할 수 있고, 내독소 파편이 문제라면 1,000~1만 달톤의 초울트라필터가 필요하다. 일부 제조업체는 전달시스템에 울트라필터를 제공한다. 초순도 투석액의 경우 박테리아 수치가 0.1 CFU/mL 미만이어야 하며, 내독소 농도는 0.03EU/mL 미만이어야 한다.

CHAPTER

7

Principles of Hemodialysis

혈액투석의 원리

역사적 배경 Historical Background

1861년 런던 화학자 토마스 그라함(Thomas Graham)은 반 투과막의 원리와 투석이라 명명하는 선택적 확산의 과정을 보고하였다. 1913년 아벨(Abel), 르윈트리(Rowntree), 터너(Turner)는 여러 개의 콜로디온관을 사용하여 외부에 생리식염수 용액이 흐르는 동안 혈액을 통과시키는 혈액투석장치를 고안해 내어(그림 7-1) 이 장치로 요독증이 있는 동물을 성공적으로 치료하였다. 코프(Kolff)와 버크(Berk)는 후에 임상적인 인공신장기를 성공적으로 발전시켰다. 그러나 항응고제로 헤파린 사용이나 셀로판관 형태의 셀룰로오스가 유용하게 사용되기 전이었다. 그들은 나선형의 셀룰로오스관이 나무조각으로 둘러싸인 형태의 회전형 드럼을 사용하였다. 드럼이 회전하면서 혈액이 관을 따라 통과하는 동안 드럼의 아랫부분은 투석액으로 채워졌다. 1948년에는 스케그스(Skeggs)와 레오날드(Leonards)는 처음으로 평판형 투석기를 개발하였는데, 첫 일회용 투석기는 트라베놀 트윈 코일 단위(unit)였고 1956년에 시장에 내놓았다. 1965년경 감브로(Gambro)에서 평판형 투석기 생산을 시작하였고, 동시에 미국에서 섬관형 인공신장기가 개발되었다.

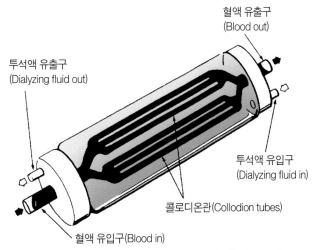

그림 7-1 **아벨, 르윈트리, 터너의 생체확산구조**(vividiffusion apparatus). (출처: Nosé Y: *Manual on Artificial Organs*, vol.1: The arfificial kidney, St Louis, 1969, Mosby.)

용질 이동 Solute Transfer

| 혈액투석

헤모(hemo)란 혈액을 의미하고, 투석(dialysis)은 분리 또는 여과 과정을 내포한다. 대사성 노폐물 또는 독소는 반투과막을 통해 혈액에서 여과되어 투석액으로 운반된다. 혈액투석(hemodialysis)의 목표는 만성콩팥병 증상인 요독증, 체액 과다 및 전해질 불균형을 조절하는 것이다.

| 투석으로 제거되는 노폐물

요독증 시 많은 물질이 축적된다(제4장 참조). 이러한 물질들의 대부분은 분자량이 500Da 이하이다. 달톤(Da)은 원자의 질량 단위이다. 500Da 이하의 입자는 셀룰로오스막을 쉽게 통과하여 확산된다. 500~2,000Da의 중분자 물질 입자는 확산을 통해 막을 통과하기가 어렵다. 이러한 크기의 폴리펩티드는 증명되지는 않았지만 요독증의 원인이라 의심할 수 있다. 3,000Da 이상의 분자 중 베타2-마이크로글로불린(11,800Da)을 제외한 분자들은 독소로 취급하지 않으며, 이는 아밀로이드 뼈질환 및 빈혈과 관련이 있다. 표 7-1에서 일반적인 물질의 분자량을 참고할 수 있다.

| 투석 시 독소 제거나 확산에 영향을 주는 요인

- 투석액 온도 : 온도가 높을수록 용질이 잘 제거된다.
- 투석액속도 : 속도가 빠를수록 용질이 잘 제거된다.
- 혈류속도 : 혈류속도가 빠를수록 용질이 잘 제거된다.
- 용질의 분자량 : 용질의 분자량이 작을수록 용질이 잘 제거된다.
- 농도차 : 농도차가 클수록 확산의 양이 많아진다.
- 막 투과성 : 막 투과성이 좋을수록, 용질이 잘 제거된다.

| 반투과막

반투과막(semipermeable membrane)은 여과 역할을 하는 선택적 막이다. 투석에 사용되는 반투과막은 초현

표 7.1 일반적인 물질의 분자량

물질	분자량(Da)	물질	분자량(Da)
아세틸살리실산(아스피린) (acetylsalicylic acid: aspirin)	180	헤모글로빈(hemoglobin)	68,800
알부민(albumin)	68,000	인슐린(insulin)	5500
베타2 - 마이크로글로불린 (β_2 - microglobulin)	11,600	마이오글로빈(mioglobin)	17,000
콜레스테롤(cholesterol)	386	소디움(sodium)	23
크레아티닌(creatinine)	113	유레아(urea)	60
덱스트로스(dextrose)	198	반코마이신(vancomycin)	1486
글루코스(glucose)	180	물(water)	18

출처: Hall JE : Guyton and Hall : Textbook of medical physiology, ed. 13 (pp.335~ 346), Philadelphia, 2016, Elsevier.

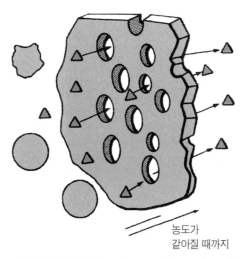

그림 7-2 **반투과막**(semipermeable membrane).

미경적 세공으로 몇몇 용질과 수분을 통과시킨다. 이 세공보다 큰 용질입자는 통과할 수 없어 남아 있고 작은 용질입자는 크기와 반비례로 통과할 수 있으며, 작은 용질입자는 큰 용질입자보다 더 빠르게 이동한다.

| 혈액투석에서 반투과막의 기능

환자의 혈액은 반투과막에 의해 형성된 구획을 통해 이동하고 투석액은 그 주위를 둘러싼다. 적혈구, 백혈구, 혈소판과 대부분의 혈장 단백은 너무 커서 반투과막의 세공을 통과할 수 없다. 수분과 소립자, 예를 들면 요소(60Da), 크레아티닌(113Da), 포도당(180Da)과 같은 전해질은 확산에 의해 이동한다(그림 7-2).

| 확산

확산(diffusion) 또는 전도성 이동은 고농도에서 저농도로 용질이 이동하는 현상이다. 용액 내 분자는 지속적으로 움직여 용액 내에 균일하게 퍼진다. 확산률은 농도차, 크기, 입자의 전기적 전하에 따라 달라진다. 투석의 원리는 반투과막을 통한 입자의 확산이며, 이는 평형에 도달될 때까지 지속된다(그림 7-3).

| 혈액 내 모든 용질과 수분이 투석기에 의해 모두 제거되지 않는 이유

투석액은 정상 혈장 성분과 비슷한 전해질 용액이다. 물 분자는 전해질과 다른 소립자처럼 양방향 막을 통과한다. 어떤 입자 농도가 한쪽이 다른 한쪽보다 높으면, 높은 농도에서 낮은 농도로 순수 흐름이 나타나게 된다. 저분자 크기의 용질과 노폐물은 혈액 쪽(높은 농도)에서 투석액 쪽(낮은 농도)으로 확산된다. 이것이 농도차이며 투석에서 용질 제거에 필수적이다(그림 7-4).

| 중분자, 고분자에 대한 막의 투과성

다양한 합성물질이 고유량 투석에 사용된다. 대표적으로 폴리아크릴로니트릴(PAN), 폴리카보네이트, 폴리설폰, 폴리아마이드, 폴리메틸 메타크릴레이트(PMMA) 등이 있다.

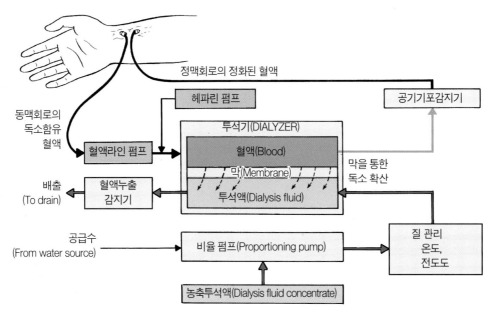

그림 7-3 **전형적인 혈액투석체계. 환자 혈액 내에 포함된 독소가 투석막을 통해 투석액으로 확산되고 깨끗해진 혈액은 환자에게 되돌아간다.** (출처: Black JM, Hawks JH, Keene AM: Medical-surgical nursing, Clinical management for positive outcomes, ed. 7, Philadelphia, 2005, Saunders.)

물질이동률(유량)

인공신장기 또는 투석기는 산-염기 불균형을 교정하고 전해질 균형과 물을 재분배하며 신체로부터 대사성 노폐물을 제거하도록 고안되었다. 투석과정은 반투과막을 통해 혈액 내의 과도한 용질과 수분을 이동시킨다. 이러한 이동을 공학적인 용어로 물질이동이라 하며, 그 이동률을 물질이동률(mass transfer rate) 또는 유량(solute flux)라고 한다.

물질이동률에 영향을 주는 요인

일정한 온도에서 유량은 투석기의 특성과 용질의 농도차에 의하여 좌우된다. 투석기의 특성에는 막 표면적, 막의 투과성, 혈액과 투석액의 속도, 흐름의 구조가 있다. 물질이동율은 투석 동안 계속해서 변화한다.

흐름의 구조

흐름의 구조(flow geometry)란 혈액과 투석액 흐름의 방향을 말한다. 반류흐름은 최적의 농도차가 있는 혈액과 투석액의 흐름이 반대방향일 때 발생한다. 동시흐름은 혈액과 투석액 흐름이 같은 방향일 때 발생하며 농도차가 적으므로 투석 중 기대하던 농도차에 이르지 못한다(그림 7-5).

이동 Transport

확산이동

용질 입자는 높은 농도에서 낮은 농도로 투석막을 통해 확산된다. 이러한 이동을 확산적 이동(diffusive transport) 또는 흔히 사용하지는 않지만 전도성 이동이라고도 한다.

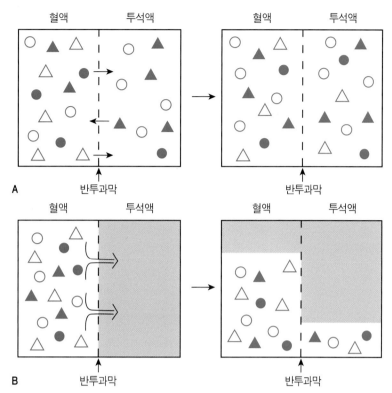

그림 7-4 확산은 반투과막을 통해 일어난다. 혈액 내 농도가 높은 용질은 농도차로 인해 막을 자유롭게 통과하여 확산된다(포타슘은 색칠된 원으로 요독은 투명 삼각형으로 표시함). 혈액과 투석액 농도가 같은 용질은 막을 통한 이동이 적다(염화나트륨은 투명 원으로 표시함). (출처: Himmelfarb J, Ikizler TA : Chronic kidney dialysis, and transplantation : A companion to Brenner and Rector's The Kidney, ed. 11, Philadelphia, 2019, Elsevier.)

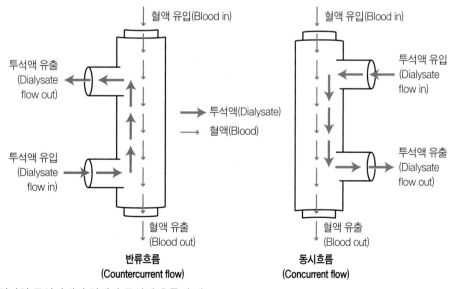

그림 7-5 섬관형 투석기에서 혈액과 투석액 흐름의 예.

| 확산이동률을 결정하는 요인

확산이동률(rate of diffusive transport)은 다음과 같은 요인의 영향을 받는다.

- 막을 통과하는 각 용질의 농도차
- 막의 표면적이 넓을수록 단위시간당 용질 제거 증가
- 용질의 물질이동계수는 특정한 막에서 증가한다. 얇거나 세공이 많을수록 증가하며 혈액과 투석액의 속도에 영향을 받는다.

| 여과계수

막을 통과하여 대류되는 용질의 양은 용질 크기에 대한 세공 크기 비율에 따라 달라진다. 만약 용질 크기와 비교하여 세공 크기 비율이 높으면 용질 이동의 제한이 없고 여과계수(sieving coefficient)는 1이다. 만약 쥐어짜도 통과할 수 없다면 여과계수는 0이다.

| 대류이동

압력차에 의해 물이 막을 통과할 때(초여과), 용질에는 마찰효과가 있다. 초여과가 발생할 때 저분자량의 분자 또는 입자들은 막을 통과하며 함께 휩쓸려간다. 이와 관련된 용질 이동을 대류이동(convective transport) 혹은 용매끌기라고 한다(라틴어로 convectus, "동반이동").

| 대류이동의 중요성

500Da 이상의 용질입자는 여과계수가 낮다. 그러나 낮은 확산이동 때문에 낮은 대류이동이 전체 물질이동의 주요 부분이 된다. 대류이동은 고유량 혈액투석과 지속적 동정맥 혈액여과, 혈액투석, 혈액투석여과에서 가장 중요하다.

| 청소율

청소율(clearance)은 주어진 시간 안에 용질이 완전하게 제거된 혈액의 양을 경험적으로 측정하는 것이다. 청소율은 mL/min으로 표시하며, 이는 이론적인 것으로 실제 양은 아니다.

투석에서 수분 제거 조절은 중요하다. 혈액투석 시 압력에 의해 수분이 제거될 때 초여과가 일어난다. 가장 최근의 투석기는 혈액 부분의 양압과 투석액 부분의 음압을 모두 사용한다(그림 7-6).

| 초여과의 발생

정수압은 투석기의 혈액 부분에서 투석액 부분으로 혈장을 움직이는 압력이다. 수분 제거율은 혈액과 투석액 부분의 정수압 차이에 영향을 받는다. 혈액과 투석액의 정수압 차이를 막통과압(Trnasmembrane pressure, TMP)으로 나타낸다. 막통과압은 투석기의 양압과 음압 모두를 반영한다. 양압은 투석기의 혈액 구획에서 혈장을 밀어내도록 가해지며, 음압은 투석액 구획에서 혈액 구획의 혈장액을 제거하도록 투석기의 투석액 구획에 가해진다. 혈액 구획보다 더 높은 양압이 투석액 구획에 절대 가해지지 않도록 하는 것이 매우 중요하다. 이것이 역여과이다.

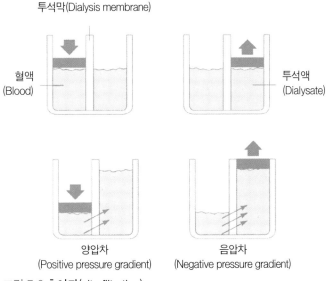

투석막(Dialysis membrane)

혈액
(Blood)

투석액
(Dialysate)

양압차
(Positive pressure gradient)

음압차
(Negative pressure gradient)

그림 7-6 **초여과**(ultrafiltration)

| 역여과

역여과(reverse filtration or backfiltration)는 투석기의 혈액 구획의 압력보다 투석액 구획의 압력이 더 클 때 발생한다. 고유량 투석 동안 초여과 조절시스템은 수분이 과도하게 제거되지 않도록 예방한다. 이 과정은 혈액 유입구 가까이 양압이 발생하거나 어떤 상황에서는 혈액 유출구로 음압이 발생하는 투석기 내의 혈액-투석액 변동 모델을 만든다. 투석액이 혈액 쪽으로 이동하는 것을 역여과라고 한다.

| 역여과의 중요성

투석액 준비에 사용되는 물은 무균적이지 않다. 첨가되는 중탄산염 농축액은 박테리아 증식을 촉진한다. 역여과가 일어날 때 내독소가 파괴되어 생성되는 물질은 혈류를 통해 고유량막을 통과한다. 이때 다른 부작용뿐 아니라 발열 반응도 일어날 수 있다.

| 역여과의 영향 방지

분자필터(한외여과기, ultrafilter)는 투석액 전달시스템 중 투석기 맨 앞쪽에 위치한다. 이 장치는 용해된 입자가 아닌 분자 크기의 의심되는 용질을 제거하기 위해 한외여과막을 사용한다. 세균과 발열물질 또는 발열물질 파편은 한외여과막에 의해 제거된다(제8장 참조).

| 정수압과 초여과율의 관계

특정한 투석기에서 주어진 막통과압에 따라 혈류와 투석액 속도에서 단위시간당 일정한 수분이 제거된다. 새로운 투석기의 임상단계에서 mmHg TMP당 평균 초여과율이 계산된다. 이것이 초여과상수(K_{UF})이고 각 투석기마다 고유한 값이다. 초여과상수는 각 mmHg마다 시간당 수분 제거율(mL/hr)로 표현된다. 반투과막에서 낮은 압력에도 초여과상수(K_{UF})가 높을수록 많은 양의 수분 제거가 일어난다(환자 치료를 위한 TMP 계산 정보는 제13장을 참조한다).

| 혈액회로의 저항에 영향을 미치는 요소

혈액회로 저항에 영향을 주는 2가지 주요 요소는 (1) 혈액의 점성 (2) 혈액통로에서의 혈액 흐름 형태이다.

점성은 대부분 헤마토크릿과 관계가 있다. 헤마토크릿이 30%일 때 혈액 점성은 거의 2.3~2.5cpoise(센티포아즈; 점성도 단위)로, 물의 약 2~2.5배이다.

몇 가지 관점에서 혈액통로에서 혈액 흐름 형태가 중요하다.
- 섬관형 투석기는 짧은 통로(15~50cm) 때문에 저항이 낮다.
- 혈액통로의 수가 많으면 저항이 분산되어 낮아진다. 섬관형 투석기는 수천 개의 통로가 있어 저항이 낮다.
- 횡단면이 큰 혈액투석 통로는 저항이 낮고 횡단면이 작은 혈액투석 통로는 저항이 높다. 섬관형 투석기의 조절인자는 섬유의 내경이다.

| 혈액투석 동안 조절되는 초여과량

과거에 초여과는 막통과압(TMP)을 조절함으로써 얻을 수 있었다. 초여과 조절에 있어 혈액 출구와 투석액 입구 압력은 중요한 변수이나 정확하지 않다. 제조사가 제공하는 초여과상수(K_{UF}) 정보는 체외실험 연구에 기초로 하고 있어, 실제 환자 적용 시 30% 이상 차이가 크게 난다. 전통적인 셀룰로오스막과 혈류속도가 200~300mL/min인 경우라도 계획된 수분 제거율과 실제 제거량에는 현저한 차이가 발생할 수 있다. 초여과 관리의 정확성은 순간순간 직접 초여과를 조절하는 장비 개발이 필요하고, 고유량 또는 고효율 투석기 사용과 함께 매우 중요해졌다.

| 초여과 변동 모델

정상적인 초여과는 투석 중 일정한 비율로 수분을 제거한다. 초여과 변동모델(UF profiling)은 투석 중 수분 제거량을 다르게 조절하는 투석기술이다. 정상적으로 투석간호사는 투석 환자의 제거 목표 수분량을 입력하게 된다. 기계는 투석시간 동안 제거되어야 할 전체 수분량을 자동적으로 나눌 것이다. 수분 제거량은 초여과 변동 모델에 따라 달라진다. 예를 들어, 환자가 투석 후반에 저혈압이 나타나면, 가능한 한 투석 초반에 많은 수분을 제거하도록 설정할 수 있다. 혈관 내 보충할 체액이 부족하면 남아 있는 시간 동안 수분 제거율을 감소시켜 환자는 저혈압을 예방할 수 있다. 또한 환자가 경험하는 투석 전·중·후 증상에 따라 다른 변동모델을 선택할 수 있다. 모든 변동 모델은 투석 중 전체 목표 수분량을 제거하게 되지만 간격과 비율이 각각 다르므로 수분 제거와 관련된 치료 내인성에 따라 증가하기도 하고 치료 합병증에 따라 감소하기도 한다.

| 혈액투석 동안 세포내액과 세포외액 사이에 발생하는 이동

축적된 체내 수분은 초여과로 제거한다. 혈관 구획 또는 순환혈액량에서 초여과가 먼저 일어나고 혈관 외 구획에서 혈관 구획으로 수분이 채워진다. 초여과가 급속하게 이루어져 수분 제거율이 혈관 보충비율을 초과하면 저혈량과 저혈압이 발생한다. 투석 중 조직에서 혈관으로 수분이 채워지는 충전이 부적절하면 투석과 관련된 저혈압의 주요한 원인이 된다.

고농도 식염수의 주입은 혈관과 혈관 외 부분에서 삼투압을 증가시킨다. 이로 인해 세포에서 많은 양의 수분을 끌어당기게 되고 저혈압을 유발하는 저혈량증이 예방된다.

나트륨 변동 모델

나트륨 변동 모델(sodium modeling)은 혈액투석 관련 합병증을 최소화하기 위해 사용되는 방법이다. 이 방법으로 투석과 관련된 저혈압과 경련을 예방할 수 있다. 합병증 발생의 원인을 이해하기 위해서는 나트륨 변동 모델에 대한 이해가 필수적이다. 혈액투석 환자에게서 초여과가 이루어지는 동안 혈장은 혈관으로부터 제거된다. 빠른 투석으로 혈관 내 공간의 수분은 감소하고 혈관 외 공간에서 "충전"이 충분히 이루어지지 않는다. 혈장량이 감소되면 저혈압이 일어난다. 사지의 경련은 감소된 혈액량을 보충하기 위한 관류 때문에 발생한다. 저알부민혈증과 우심부전은 혈관 재충전을 지연시킨다.

나트륨 농도를 변경하는 방법은 초여과 동안 혈관 공간의 충전을 최대화하도록 돕는다. 이러한 방법은 투석 동안 분획 사이에서 나트륨과 수분 이동의 컴퓨터 모델을 개발시켰다. 투석액의 나트륨 농도를 미리 계획된 프로그램에 따라 치료하는 동안 변화시킨다. 투석기에 전달되는 투석액 나트륨 농도는 혈액의 나트륨 농도를 더 높은 수치로 증가시킨다. 치료 초기에 투석액 나트륨 농도는 거의 150~160mEq/L로 증가되고, 치료과정 중 거의 140mEq/L까지 감소한다. 투석액 나트륨 농도를 증가시킬 수 있는 방법은 두 가지가 있다. (1) 주입 펌프로 투석액에 염화나트륨(NaCl)을 첨가한다. (2) 치료과정 중 통상적인 농도비율을 변화시켜 최종 나트륨 농도를 변경한다. 예를 들면 일반적인 투석액 140mEq/L에 10% 나트륨을 첨가하면 결국 칼륨과 칼슘과 같은 다른 전해질 농도를 거의 변화시키지 않으면서 나트륨 농도는 154mEq/L로 증가한다. 나트륨 농도는 160mEq/L만큼 높게 할 수도 있다. 이러한 나트륨 농도는 투석 후반부에 부작용 없이 서서히 정상으로 돌아오지만 투석 후 고나트륨혈증이 발생하는지 주의 깊게 관찰해야 한다. 환자는 갈증 호소나 저혈압, 투석 간 체중 증가를 호소할 것이다. 이러한 이유로 수분 제거와 관련된 투석중 합병증이나 투석 중 혈압을 유지하기 위해 나트륨 변동 모델을 추천하진 않는다. 투석액 온도를 낮추는 것과 같은 투석 중 증상 관리를 위한 예방법은 혈압약 중단, 투석횟수 증가, 목표 체중을 자주 사정하는 방법이 있다.

투석 중 적절하게 수분을 제거할 수 있는 기술적 요소

크릿-라인 모니터(Crit-Line Monitor, CLM)는 적절하고 이상적인 건체중에 맞게 안전하고 효과적으로 초여과할 수 있도록 도움을 주는 수분관리장비로 환자의 혈장 충전율을 모니터링할 수 있다. 환자의 혈장 재충전율을 기계의 초여과율과 비교할 수 있다. 만약 초여과율이 혈장충전량보다 클 때 의사는 환자가 저혈량 혹은 저혈압을 상태가 되기 전에 중재할 수 있다. 또한 혈액투석 동안 수분 제거율이 환자가 건체중에 도달할 수 있게 하는지 여부를 판단할 수 있다. 크릿-라인 모니터는 비침습적으로 혈장량 변화, 산소포화도, 헤마토크릿을 측정할 수 있다. 크릿-라인 모니터에 관한 추가적인 정보는 제13장을 참조한다.

혈액투석 중 산-염기 균형

1963년 지속적인 수분비율시스템이 소개되었을 때 중탄산염을 칼슘과 마그네슘의 침전으로 인해 투석액에 사용할 수 없었다. 초산염은 체내에서 대사되어 중탄산염으로 바뀌고, 침전 문제를 일으키지 않아 수년간 표준으로 사용되었다. 그러나 여러 가지 단점이 있는데, 그중 대표적인 것은 투석 중 심혈관 불안정을 유발하는 것이다.

단기간의 빠른 투석과 고유량 투석에서는 반드시 중탄산염 투석액을 사용하게 되었다. 중탄산염 투석액은 이제 대부분의 투석실에서 표준이 되고 있다. 혈액투석의 목표 중 하나는 콩팥기능과 관련된 산증을 교정하는 것이다. 투석 중 투석액에서 혈액으로 중탄산염이 이동한다. 중탄산염의 확산은 수소이온을 완충함으로써 산-염기 균형을 유지하는 데 도움이 된다.

| 중탄산염은 투석액에 어떻게 사용되는가?

투석액은 두 부분으로 포장되어 있다. "산 농축물" 부분은 중탄산염보다 화학물을 더 포함하고 있고, 약간의 산이 첨가되어 있다. "염기 농축물"은 중탄산염과 염화나트륨(전도도 증가를 위해 필수적인)을 포함한다. 1) 물 2) 산 농축물 3) 중탄산염 농축물 세 가지가 34 : 1 : 1.8의 비율로 섞인다.

장비의 종류에 따라 구성성분이나 혼합비율이 다른 농축물을 이용한다. 각각의 구성비율은 적정하게 특정한 산 및 중탄산 농축물이 필요하다. 부적절한 농축물을 사용할 경우, 적합한 전도도(conductivity)로 투석액을 준비할 수는 있으나 그 구성 성분은 부적절하며 우발적으로 사용할 경우 치명적인 오류로 이어질 수 있다. 2008년 ESRDCC(End-Stage Renal Disease Conditions for Coverage)에서는 한 시설에서는 한 가지 비율만을 사용하도록 제한하도록 하였다. 만약 다른 비율을 사용한다면 불일치를 예방하기 위해 분리시키고 명확하게 라벨링하도록 하였다. 게다가 모든 직원이 하나 이상의 비율을 사용하고 있음을 알고 이해해야 한다고 하였다.

CHAPTER
8

Water Treatment

투석용수 관리

물은 복합체이고, 불완전한 화학적 화합물이다. 가장 순수한 형태의 물은 구름으로부터 만들어진 순수한 빗물이다. 빗물은 높은 에너지 형태의 물이다. 비구름에서 수도꼭지에 이르는 동안, 물에는 용질과 부유물과 같은 불순물이 섞이게 된다.

투석기술의 향상으로 투석 시 사용되는 순도 높은 물의 생산이 가능해졌다. 투석액 준비에 사용되는 물은 환자 안전을 위해 고도로 가공되고 지속적으로 모니터링되어야 한다. 투석액에 다량 노출되는 투석 환자에게는 유기물과 소량의 물질이라도 해로울 수 있다. 정수 과학이 발전하면서 역삼투막, 박테리아뿐 아니라 내독소를 걸러내는 초여과장치, 발전된 모니터링 체계가 투석 분야에 적용되고 있다.

| 수돗물에 존재하는 불순물

환자에게 위해하거나 장비기능장애를 일으키는 오염물질은 세 가지 형태가 있다. (1) 화학적 용질, (2) 박테리아나 박테리아로 인한 생산물, (3) 부유물질이다. 이들 중 화학적 용질이나 박테리아 오염원은 투석 동안 환자에게 직접적으로 유해할 수 있다.

| 수돗물 불순물이 함유되는 이유

빗물이 떨어지면서 이산화탄소나 아황산가스 등과 희석되어 탄산이나 아황산으로 변한다. 지면에서 이러한 물질들은 석회석이나 무기질과 만나서 중탄산염과 황산염, 탄산마그네슘과 다른 염기들을 형성한다. 다른 오염원으로는 오염된 공기, 지표수, 흙·바위·농약 등에서 나올 수 있는 부유물 등이 있다. 수돗물에서 가장 일반적인 불순물인 탄산칼슘은 물의 경도를 증가시킨다.

| 수돗물에 존재하는 다른 유기화합물

나트륨, 염소, 철, 알루미늄, 질산염, 망간, 구리, 아연, 요오드, 불소 등이 일반적인 이온 성분이다. 지리적 특성에 따라 광물질의 종류가 물의 접촉시간에 따라 성분이 결정된다.

비소, 은, 스트론튬, 셀레늄, 크롬, 납, 카드뮴, 청산가리, 바륨, 주석과 그 밖의 물질들이 미량 존재한다.

표 8-1 수질 오염원의 독성

독성 효과 / 증상	오염원
빈혈(anemia)	알루미늄(aluminum), 클로라민(chloramine),구리(copper), 아연(zinc)
골질환(bone disease)	알루미늄(aluminum), 불화물(fluoride)
용혈(hemolysis)	클로라민(chloramine), 구리(copper), 불화물(fluoride), 질산염(nitrates)
고혈압(hypertension)	칼슘(calcium), 마그네슘(magnesium), 나트륨(sodium)
저혈압(hypotension)	박테리아(bacteria), 내독소(endotoxins), 질산염(nitrate)
대사성 산증(metabolic acidosis)	강산성(low pH), 황산염(sulfate)
근력 약화(muscle weakness)	칼슘(calcium), 마그네슘(magnesium)
오심과 구토(nausea and vomiting)	칼슘(calcium), 구리(copper), 강산성(low pH), 마그네슘(magnesium), 질산염(nitrate), 황산염(sulfate), 아연(zinc)
신경학적 변화(neurological changes), 뇌병증(encephalopathy), 두통(headache), seizure(경련), 혼돈(confusion).	알루미늄(aluminum), 나트륨(sodium), 아연(zinc)

| 공급수가 음용수 안전기준(Safe Drinking Water Act)과 환경보호단체(Environmental Protection Agency Standard) 기준에 일치하는 경우의 안전성

투석액 속에 녹아 있는 오염물은 투석막을 통해 환자의 혈액 내로 들어갈 수 있다. 또한 대부분 투석에서 중탄산염을 완충제로 사용하고 있어, 중탄산염 모드 전달체계는 산도가 6.5~7.8 범위를 벗어나면 작동하지 않는다. 처리 전 수돗물은 강산성이거나 강알칼리성이다. 투석치료에 사용되는 물, 투석액, 장비 등은 AAMI(Association for the advancement of Medical Instrument)에서 발행한 투석액 기준(ANSI/AAMI RD 52:2004)과 일치하여야 한다. 이 기준은 미국 연방정부 통제하에 메디케어 & 메디케이드 서비스센터(Medicare & Medicaid Services, CMS)에서 의무화한 적용범위 조건의 일부이기도 하다.

| 투석액을 만들기 위해서 특별한 투석용수 관리가 필요한 이유

혈액투석 시 혈액이 접하는 물의 양은 마시는 물의 양보다 25배나 많다. 환자는 투석 동안 투석처방에 따라 대개 300~600L, 야간 투석 시에는 주당 590~860L의 물에 노출된다(Coulliette & Arduino, 2013). 물에 녹아 있는 물질은 안전한 음용수 기준의 상한 1/4 수준에 속하여도 혈액투석 시 체내로 10~25배 정도 유입된다. 마시는 물은 혈액 내로 유입되기 전 위장관을 거치고, 소화관에서 섭취된 물은 선택적 막을 통과하면서 함유물질의 비율이 변한다. 그러나 투석막은 이온을 흡수하거나 배출시키는 선택적 능력이 없으므로 이온은 오직 확산에 의해서만 통과한다. 그러므로 식수로는 무해한 물질이라도 투석용수로는 유해할 수 있다.

| 혈액투석에 사용되는 용수의 처리

- 여과
- 활성탄막(흡착)
- 연수장치
- 역삼투(RO)

- 탈이온화
- 자외선 조사

| 여과

부유입자(진흙, 모래, 녹, 해조) 등은 나선형 필라멘트, 카트리지 필터, 역세척이 가능한 과립으로 채워진 탱크의 기계적 여과(filtration)에 의해 제거된다. 이 과정으로 크기 5mm 이하의 입자를 효과적으로 여과한다. 서브마이크론 필터는 0.5mm만큼 작은 크기의 입자를 여과시키는 데 이용된다. 필터의 크기가 작을수록 물질 여과에 더 효율적이다.

| 사용되는 여과기 종류

멀티미디어 여과기(모래 여과기 등)는 물이 모래를 통과하여 여과가 이루어지는 방법으로 부유물 제거에 경제적이고 효과적인 방법이다. 카트리지 필터란 물이 거칠고 단단한 장치를 통과하면서 여과되어 부유물이 제거되는 필터이다. 초여과기는 내독소와 같은 작은 물질을 제거하는 얇고 섬세한 여과기이다. 초여과기는 고분자 물질뿐 아니라 작은 입자, 세균, 내독소나 다른 발열물질을 제거하는 데 효과적이다.

| 막오염지수

막오염지수(Slit Density Index, SDI)는 수돗물 속에 있는 콜로이드나 부유물의 여부를 나타내는 지표이다. 측정장치는 0.45mm의 여과막을 수돗물이 통과하면서 시간이 경과함에 따라 압력이 저하되는 것을 측정한다. 부유물이 많을수록 물은 더 천천히 통과한다. 대부분의 역삼투시스템에 사용되는 물의 막오염지수는 5 이하여야 한다.

| 탄소탱크의 작용

미국에서 도시정수관리 표준 첨가제인 염소와 클로라민은 물속의 세균뿐 아니라 적혈구 또한 파괴한다. 탄소탱크(carbon tank)는 흡착에 의해 물 속의 염소와 클로라민을 제거하는 과립형 활성탄(GAC)을 함유하고 있다. 염소와 클로라민은 혈액에 독성이 있고 환자가 여기에 노출되면 매우 위험하다. 탄소탱크나 탄소여과기는 유기물이나 냄새 생성물질을 제거한다. 흡착은 화학적 작용이 아닌 물리적 방법으로 활성탄 표면에 액체, 가스, 부유물이 달라붙는 단순한 과정이다. 탄소탱크에서 칼슘이나 나트륨과 같은 전해질은 제거되지 않는다.

두 개의 탄소탱크가 필요한데, 첫 번째 탱크(작업탄소탱크; worker tank)에서 두 번째 탱크(연마탄소탱크; polisher tank)로 물을 보낼 수 있도록 연속적으로 연결되어야 한다(그림 8-1). 샘플 포트는 염소와 클로라민 검사를 위해 각 탱크 뒤쪽에 위치해야 한다. 반드시 검증된 방법으로 첫 번째 탱크에서 바로 나온 물로 염소와 클로라민을 검사해야 한다. 첫 번째 탱크에서 클로라민 검사수치가 한계치 0.1ppm을 초과한다면 두 번째 샘플은 두 번째 탱크에서 바로 나온 물 검사해야 한다. 두 번째 검사가 한계 이내라면 교체탱크가 설치될 때까지 72시간 동안 계속 사용할 수 있다(물 검사는 더 이상 염소가 검출되지 않을 때까지 더 자주해야 한다). 만약 두 번째 탱크의 물 검사에서 염소의 허용한계치 이상 초과 검출된다면 투석치료를 중단해야 한다. 샘플 전 투석용수 관리시스템의 현재 상태를 점검하기 전에 최소 15분 동안 작동시켜 보아야 한다. 오랜 기간 탄소에 노출된 샘플은 검사를 시행하지 말아야 한다. 최대 허용 유리염소는 0.5mg/L(ppm), 최대 허용 총염소는(유리염소 + 클로라민) 0.1mg/L(ppm)이다. 염소와 클로라민 검사는 치료를 시작하기 전마다, 4시간마다 혹은 더 짧게 검사하고 정확하게 기록해야 한다. 공탑 체류시간(Empty Bed Contact Time, EBCT)은 탄

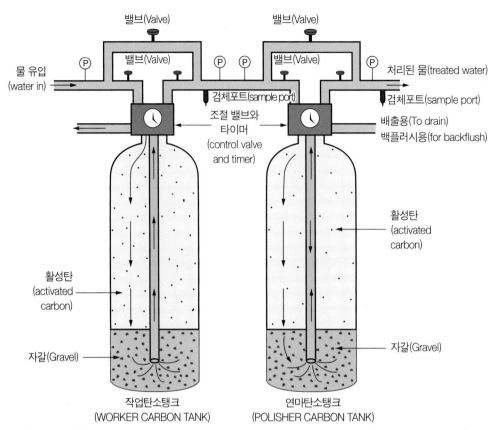

그림 8-1 **탄소탱크**. (출처: Bieber S: Water treatment, In Nissenson AR, Fine RN, eds: Handbook of dialysis therapy, Philadelphia, 2017, Elsevier, pp. 123-143.)

소탱크 내 물이 통과하는 데 걸리는 시간이다. AAMI 기준과 신부전 말기질환은 공탑 체류시간은 10분을 초과해서는 안 된다(각 탱크에 최소 5분 이내)로 정하고 있다.

첫 번째 탱크(작업탄소탱크)는 대부분의 염소를 제거하고, 두 번째 탱크(연마탄소탱크)는 첫 번째 탱크에서 염소나 클로라민을 효과적으로 제거하지 못할 경우의 백업 역할을 한다. 탱크의 역세척 과정은 더 많은 표면을 노출시켜 더 효과적인 흡착을 하기 위함이다. 두 번째 탱크(연마탄소탱크)는 저속이며 약간의 염소를 함유하고 있고, 이는 박테리아 성장의 좋은 배지가 된다. 두 번째 탱크(연마탄소탱크) 교대 사용으로 유기물 성장을 최소화하고, 탱크의 수명도 연장할 수 있다.

일반적으로 (1) 이동 교환형 (2) 역세척 가능한 영구 탱크형, 이 두 가지 형태의 탄소탱크가 있다. 이동 교환형 탱크는 시설에서 순환형으로 바꿀 수 있다. 제조사는 "새로운 탄소 충전 탱크"로 교환한다. 영구탱크는 시설의 신중한 결정에 따라 역세척을 위해 조절기를 장착하고 시설이나 제조사의 정해진 주기마다 탄소를 교환한다. 탄소탱크가 새로 설치되는 경우 개인보호장비에 대해 제조사의 권장사항뿐 아니라 폐기물 관리 가이드라인에 따라 처리되어야 한다. 역세척으로 탄소를 재생시키지는 못한다. 탄소탱크는 표면적이 한정되어 있기 때문에 역세척으로 사용하지 않는 표면적의 탄소를 재분배한다.

| 연수장치의 작용

연수장치(water softner)는 탄소탱크 다음에 위치하는 이온교환장치이다. 물의 경도는 칼슘과 마그네슘 이온

의 영향을 받는다. 연수장치에서 mEq/L 밀리당 밀리 단위의 나트륨 이온이 칼슘과 마그네슘 이온으로 교환된다. 양전하를 띤 알루미늄, 철, 마그네슘 등이 연수장치에서 제거된다. 하나의 칼슘 이온이 제거될 때마다 두 개의 나트륨 이온이 첨가된다. 나트륨은 나중에 역삼투장치에서 제거된다. 영구적 연수장치는 염화나트륨을 저장하는 농축된 소금물 탱크를 가지고 있고, 이는 연수장치의 재생을 조절한다.

공급수는 경도가 매우 강하나 연수장치에서 대부분의 칼슘과 마그네슘이 제거된다. 탈이온기가 다음 단계에 사용된다면, 연수기는 탈이온기에 2가 이온의 부담을 줄여 주고 수명을 연장시킨다. 연수기를 통과하면서 칼슘과 마그네슘이 제거되고, 다음 처리과정인 역삼투 단계를 거치면서 고수질로 변해 역삼투막 수명을 연장시킬 수 있다. 연수기가 물 처리 단계에서 없다면, 칼슘이 잠재적으로 역삼투막에 침적되어 기능이 감소할 것이다. 칼슘 침적은 때때로 "스케일링"이라고 불린다.

| 연수장치 사용의 문제점

공급수의 경도가 높으면 칼슘과 마그네슘의 교환과정에서 상당량의 소금이 소비된다. 수돗물 공급은 복합적으로 사용되기 때문에 그 지역의 계절 영향을 받거나 하루만에도 달라질 수 있다.

연수장치는 이동형과 영구형 두 종류가 있다. 이동형 연수장치는 제조사에서 사용할 준비가 된 상태로 제공된다. 미디어 레진의 재생은 중앙시설에서 제조사에 의해 수행된다.

"경도"와 "순도"를 나타낼 수 있는 온라인 감시장치는 없으나, 총 경도를 측정할 수 있는 시판용 시험도구가 있어 이용 가능하며 정확도가 높다. 원수와 생산수의 경도는 최소한 치료 종료시점까지는 매일 측정되어야 한다. 총 경도는 연수기 뒷부분에서 측정되며 grains per gallon (gpg) 또는 ppm으로 표기되며, 연수기 처리 후 총 경도 한계는 1gpg 또는 17.2ppm이다. 이것은 연수장치의 기능부전뿐만 아니라 재생과정의 필요성을 나타내는 지표이다.

| 역삼투

역삼투(Reverse Osmosis, RO)는 궁극적으로 초여과를 의미하며, 투석용수 처리의 가장 효과적인 방법이다. 역삼투과정은 전처리 단계에서 남아 있었던 대부분의 오염원, 내독소를 포함한 수성염 외 다른 오염원까지 제거한다. 역삼투과정은 반투과막을 통과하여 높은 압력에 의해 물이 이동하는 것이다. 용해된 용질이나 오염원은 막 공급수 부분에 모이고, 순수한 물은 막의 생성수 부분에 형성된다. 생성수에는 용해된 용질이나 미생물이 거의 없다. 막을 통과하는 물 중 적어도 80% 정도가 폐기될 것으로 예상되고, 생산수는 사용 전에 저장탱크로 보내진다.

| 막에 의해 처리되는 유기물

유기물은 전하를 가지고 있지 않고 전기적 반발성이 없어 막의 물리적 작용으로 걸러진다. 분자량이 200Da 이상인 입자들은 폐기된다. 여기에는 박테리아, 바이러스, 발열물질 등이 포함된다.

| 역삼투에 사용되는 막

역삼투에 사용되는 막은 (1) 물 투과는 자유롭고, (2) 용질은 투과하지 못하며, (3) 고압에 내성이 강하다. 이상적인 특성으로는 넓은 범위의 산도와 온도에 내성이 있어야 하고, 박테리아나 염소와 같은 화학물질에 의한 공격도 견딜 수 있어야 한다.

일반적으로 사용되는 막은 (1) 셀룰로오스, (2) 아로마성 폴리아마이드, (3) 얇은 필름 합성막, (4) 고유량, 염소 저항성 폴리설폰이다.

1. 셀룰로오스 아세테이트막은 물 투과성이 높지만 저분자량 물질의 폐기율은 낮다. 산도에 대한 내성도 제한적이다. 온도가 35℉(95℃)보다 높으면 질이 떨어지고, 박테리아에 취약하며 비교적 저렴하다.
2. 폴리아마이드막은 넓은 범위의 산도에 내성을 가지며 셀룰로오스막에 비해 세균 작용과 가수분해에 더 잘 견딘다. 이 막은 유리염소에 의해 가수분해되기 쉽다.
3. 얇은 필름 합성막은 비싸다. 지지층은 투과성 폴리설폰이다. 이것에 부착된 것은 폴리퓨렌 사이아뉴 레이트나 폴리아마이드 같은 것으로서, 얇고 고밀도의 용질을 배제하는 표면막을 가지고 있다. 합성 막은 셀룰로오스막에 비해 수분 유동성과 용질 폐기율이 좋다. 이 막들은 압축작용과 세균의 표적이 덜 된다.
4. 염소 저항성 폴리설폰막은 수명이 아주 길다. 이 막은 산도와 온도에 잘 견디며 수분 유동성이 높다. 이 막들은 공급수에 이가 이온이 존재할 때, 일가 이온의 폐기율이 크게 감소하는 것이 다른 막들과 다르 다. 따라서 역삼투기에 공급되는 물의 연수과정과 탈이온화과정은 필수적이다.

| 역삼투의 기본 단위로 사용되는 형태

모듈 디자인은 넓은 표면적과 높은 압력에 잘 견뎌야 하고(500psi 이상) 유속이 좋아야 하며, 압력 저하가 적 은 형태여야 한다. 투석용수 생성에 사용되는 형태에는 (1) 나선형으로 감기거나 나선형으로 덮인 모듈(그림 8-2), (2) 섬관형 모듈이 있다.

나선형으로 감긴 장치는 샌드위치 형태로 그 사이에 천 소재가 고정된 구조로 된 두 층의 막으로 구성되어 있다. 그 구조물은 생성수 운반체이다. 플라스틱 그물망 분리기를 따라 위치한 샌드위치 형태의 시트막은 과 거 코일형 투석기와 같은 방식으로, 가운데 구멍이 뚫린 관 주위에 나선형으로 덮여 있다. 공급수는 높은 압 력하에 말단부로 들어가서 플라스틱 그물망에 의해 만들어진 통로를 따라 흐르며, 물은 막을 통과하면서 높 은 정수압에 영향을 받는다. 중앙의 직물구조는 여과된 물을 중앙으로 전달하는 역할을 한다.

섬관형 구조의 막은 내경 80~250mm의 미세섬유로 형성되어 있다. 수천 개의 이 섬유들은 높은 압력의 원 통 안에 묶여 있다. 공급수에 압력이 가해져 모세관 안쪽에 생성수가 만들어진다. 섬관형 구조의 작은 내경은 유입되는 흐름을 감소시키고 막을 수도 있다.

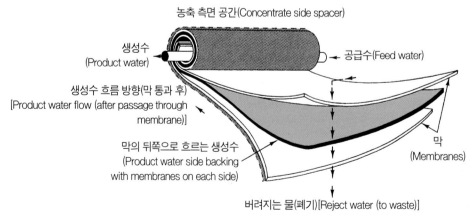

그림 8-2 **나선형 역삼투 모듈**

| 역삼투 방식의 장점

역삼투 방식은 다음을 포함하여 여러 가지 장점이 있다.

- 박테리아, 바이러스와 발열물질이 막에 의해 제거된다. 이러한 관점에서 역삼투물은 질적 측면에서 증류수에 가깝다.
- 상대적으로 치밀하고, 필요한 공간이 적다. 가정용 투석에 적합하다.
- 평균적으로 막 교체는 1~5년 이상이다(각 병원의 규정에 따른다).
- 역삼투시스템은 주기적 소독이 필요하다.

| 역삼투 방식의 단점

역삼투 방식의 단점은 다음과 같다.

- 역삼투막은 사용수명이 제한적이다.
- 셀룰로오스 아세테이트막은 제한된 산도 내성을 가진다. 35℃(95℉) 이상의 온도에서 견딜 수 없고 세균에 취약하고 결국 가수분해된다.
- 폴리아마이드막은 35℃(95℉) 이상 온도에서 견딜 수 없다. 이 막들은 유리염소에 대한 내성이 낮다.
- 얇은 필름 합성막은 염소에 대해 내구성이 없다.
- 고유량 폴리설폰은 적절한 기능을 위해 공급수의 연수장치와 탈이온화가 필요하다.
- 혈액투석막으로 사용할 경우 누출의 가능성이 있으므로 생성수의 유속이나 전도율에 대한 지속적인 감시가 필요하다.
- 생성수는 공급수의 25~75%이며, 역삼투시스템 형태에 따라 나머지 25~75%는 폐기된다.
- 막은 수명을 다할 때까지 젖은 상태로 유지되어야 한다. 물의 흐름은 계속되어 물로 채워져서 유지되기 때문에, 그 결과 박테리아의 성장, 막의 가수분해, 발열물질이 생성될 수 있다. 작동하지 않는 동안에도 멸균상태로 유지되어야 한다.
- 클로라민(때로 수도물에서 살균제로 사용되는 암모니아와 염소 사이의 반응으로부터 형성되는 산화화합물)은 비이온이고 역삼투막을 자유롭게 통과한다. 클로라민은 투석 환자의 빈혈을 유발한다. 소량의 클로라민의 제거를 위해 탄소탱크(활성탄 막)가 역삼투시스템 전에 항상 설치되어야 한다.
- 규모가 큰 투석실에서 적정 유속을 확보하기 위해 저장탱크가 필요하다. 물의 흐름이 정체되지 않도록 역삼투시스템에서 저장탱크까지 갔다가 루프 형태로 지속적으로 순환한다. 탱크와 연결부위는 박테리아 성장과 내독소 형성의 잠재적인 위치이므로 오염이 최소화되게 디자인해야 한다. 유속이 낮은 원뿔 모양 바닥의 배출 부위는 완전하게 비워져야 한다. 재유입 부분은 상단 근처에 있어야 하고 덮개 밑면에 분사할 수 있는 특별한 노즐이 있어야 한다. 이 장치는 덮개에 물방울이 생성되지 않도록 아래로 떨어지게 해서 물이 고이는 것을 방지한다. 상단에는 미생물 여과장치가 필요하다. 이러한 설계방식은 또한 화학적 소독 동안 우수한 효과도 있고, 완전하게 세척도 이루어질 수 있다. 역삼투압시설이나 저장탱크의 박테리아 성장을 억제하기 위해 RO 장치와 탱크 사이의 시스템 내에서 염소나 요오드 측정이 가능해야 한다(그림 8-3).

| 탈이온화

탈이온화(Deionization, DI)는 공급수로부터 이온화된 미네랄과 염분을 제거하는 것이다. 양전하를 띤 이온들은 레진 베드(resin beads)에서 수소 이온(H^+)으로 교환된다. 음전하를 띤 이온들은 수산화 이온(OH^-)으로 교환된다(그림 8-4). 수소 이온과 수산화 이온은 결합하여 물 분자를 만든다. 탈이온화는 순도 높은 물은

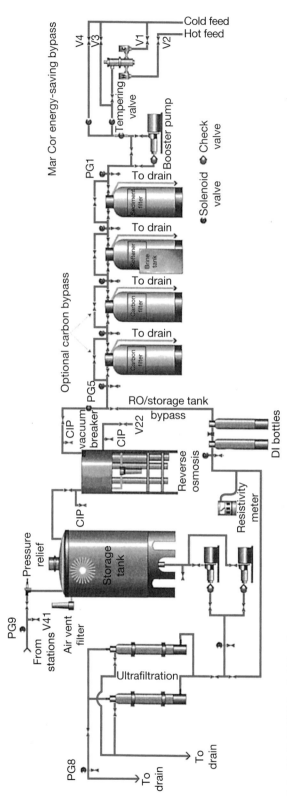

그림 8-3 재순환 투석용수 관리시스템. Recircuating loop water treatment system with a holding tank. CIP, Clean in Place; DI, Deionization; PG, Pressure Gauge; RO, Reverse Osmosis; V, Valve. (출처: Courtesy Mar Cor Services, Harleysville, PA.)

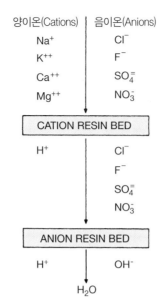

양이온(Cations)   음이온(Anions)

Na$^+$ Cl$^-$
K^{++} F$^-$
Ca^{++} SO$_4^=$
Mg^{++} NO$_3^-$

CATION RESIN BED

H$^+$ Cl$^-$
              F$^-$
              SO$_4^=$
              NO$_3^-$

ANION RESIN BED

H$^+$ OH$^-$

H$_2$O

그림 8-4 **탈이온시스템의 모형도**(Schemaic diagram of a two-bed deionizing system)

만들 수 있지만 박테리아나 발열물질은 제거하지 못한다. 실제 박테리아나 내독소가 포함되어 수질이 더 나빠질 수 있다. 레진 베드에서 박테리아 증식이 촉진되므로 서브마이크론 필터나 초여과기 설치가 매우 중요하다(그림 8-5)

| 탈이온기 사용 시 수질 모니터

생성수의 화학적 질 보장을 위한 모니터 설치는 반드시 필요하다. 탈이온화된 수질은 저항단위로 표시한다. AAMI 지침에 의하면 생성수의 허용치는 1MΩ(megohm/cm)이다. 그 이하로 떨어질 경우 탱크는 교환해야 한다.

| 탈이온기와 관련된 문제

다음과 같은 여러 가지 문제점이 있다.
• 우선적으로 필요한 최대 유량을 얻어 내는 것이다. 연수기와 마찬가지로, 탈이온기의 적정 크기는 중요하다. 최대와 정상 가동 시 유속과 가동 라인 압력을 결정해야 한다. 사용자는 탈이온기를 지나면서 압력 저하를 고려하여 다양한 크기의 작동사양을 살펴보고 시설에 가장 적당한 크기를 선택하여야 한다. 이 시스템 전후의 압력지표를 통해 타당성 있게 결정할 수 있다.
• 공급수의 총 이온 함량이 문제가 되는데, 제한된 일부 이온만이 주어진 크기의 레진 베드에서 제거될 수 있다. 탈이온기의 수명은 물의 성분과 통과하는 양에 따라 달라진다. 만약 탈이온기가 역삼투압 구조 앞에 위치하게 되면 수명은 짧아질 것이다. 역삼투막이 박테리아나 내독소에 대해 우선적으로 작동하는 동안 탈이온기는 많은 이온을 포함한 물 처리를 하게 된다. 만약 탈이온기가 역삼투막 장치 뒤에 위치하면 "연마기(polisher)"가 된다. 이것 역시 미생물 오염의 기회를 증가시킨다. 서브마이크론 필터나 초여과필터가 정수 시스템의 하부에 설치되도록 권장하고 있다.
• 레진 베드는 갑자기 소진되는 경향이 있다. 우회로 설치가 필요한데, 이는 소진된 탱크를 교체하는 동안 사용된다. 소모된 탱크 교체 동안 정지된 탱크의 물은 정체된다. 플러싱을 위한 구조는 배관으로 가는 적당량

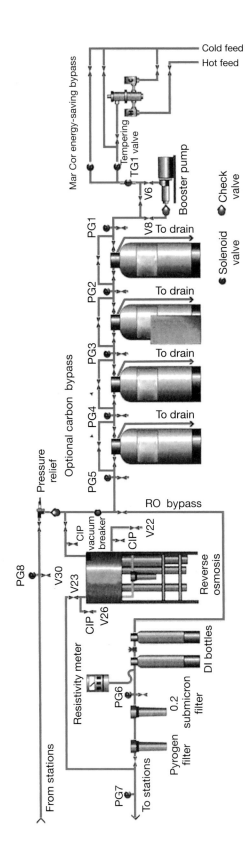

그림 8-5 조정제수를 생산하기위한 직수 시스템. Direct feed water treatment system to produce ultra pure water. CIP, Clean in Place; DI, Deionization; PG, Pressure Gauge; RO, Reverse Osmosis; V, Valve.(출처: Courtesy Mar Cor Services, Harleysville, PA.)

물을 세척하기 위한 설비이며, 이 시스템의 일부여야 한다. 탈이온기의 용적량(탱크를 통과하는 물의 양)은 총 용해입자(Total Dissolved Solids, TDS)의 grains per gallon(gpg)으로 평가되며, 탄산칼슘으로 표시된다(주의: 1gpg은 대략 탄산칼슘 약 17.1mg/L). 공급되는 물의 TDS로 나눈 탈이온기의 용적비율은 장치가 소진되기 전 처리할 수 있는 물의 양을 대략적으로 알려 준다. 온라인 연속 판독 저항계는 배출수를 모니터링할 수 있는 위치에 배치되는데, 저항이 1MΩ/Acm으로 떨어지면 탱크를 교체해야 하고(AAMI 기준으로), 1MΩ 이하의 저항은 환자에게 전달되어서는 안 된다. 모든 탈이온환기시스템은 자동적으로 유출 방향을 바꿀 수 있어야 한다.

• 일반적으로 양이온과 음이온 수지는 서로 다른 시간에 소진된다. 탱크가 소진되면 기존 공급수보다 더 높은 농도로 방출될 수 있다. 어떤 이온 수지가 먼저 소진되느냐에 따라 물은 강산성이거나 강알칼리성이 될 것이다. 이러한 상황은 환자나 설비에 위험할 수 있다.

| 투석용수 처리과정에서 자외선 사용

자외선(Ultraviolet Light, UV)은 미생물의 세포막을 침투하여 DNA를 파괴하는 방사선의 일종이다. 투석용수 관리시스템에서 자외선은 투명한 자수정 슬리브관으로 둘러싸여 있다. 물은 강력한 자외선에 노출되는 유속관을 통과한다. 물의 흐름은 소용돌이가 많이 일어나지 않아야 하며, 부유물질이 없는 것이 중요하다. 자외선은 투명한 물이 통과할 때 더 투과력이 좋다. 혼탁한 물은 자외선 침투가 어렵고, 미생물이 부유물질에 가려져 제거가 어려워진다. 자외선은 내독소를 파괴하지는 못하기 때문에 전처리시설(여과, 역삼투) 뒤쪽에 위치해야 한다.

| 혈액투석을 위한 투석용수의 순도

AAMI 수질표준이 국제기준으로 인정되어 왔다. 이 기준은 현재 화학적 또는 무기물질 오염뿐 아니라 미생물학적 오염에도 적용되고 있다. 일부 염화불화탄소와 관련 규정은 CMS의 기준을 채택하고 있다. 기준량과 노출 시 부작용에 대해서는 표 8-2에 나타나 있다. 안티몬, 베릴륨, 탈륨 등을 포함한 AAMI 오염원 목록은 음용수 기준까지도 변화시켰다.

| 투석용수 관리과정에서 박테리아, 발열물질의 문제

투석액 준비에 사용되는 물이 미생물에 오염된 경우 투석 환자에게 패혈증이나 만성 염증 반응(심혈관질환, 영양학적 합병증, 에리트로포이에틴 자극제에 대한 반응 감소, 잔여 콩팥기능 감소)을 초래할 수 있다. 투석용수 및 투석액의 박테리아 오염물질에 대한 허용기준은 제품 유형에 따라 전통방식의 형태, 초 순수 형태, 치환 형태로 구분된다(Coulliette & Arduino, 2013).

"전통방식의 형태"은 미국에서 일반적으로 혈액투석에 사용되는 투석액을 의미한다. CMS CfC는 투석액을 준비하고 투석기를 재처리하는 데 사용되는 물에서 최대 박테리아 수준을 갖기 위해 기존 투석을 요구하는데, 작용 수준은 50CFU/mL로 200CFU/mL 미만이어야 하지만 AAMI는 최대 박테리아 수준은 100CFU/mL 미만이고 작용 수준은 50CFU/mL를 권장한다.

표준이 CMS 또는 AAMI에 의한 것인지 여부에 관계없이 개별 공급자가 설정한 표준을 따라야 한다. CMS CfC는 투석액에 대한 최소 요구사항으로 기존 투석액을 설정하고 있다. 새로운 투석막들은 수분, 용질, 부유물질 등의 투과성이 높다.

막을 사이에 두고 양방향의 물질이동은 압력과 용질의 농도 차이로 발생한다. 역삼투 단계의 여과나 탈이

표 8-2 AAMI 수질기준*

	AAMI 최대 허용기준(mg/L)	노출 시 부작용 (adverse effect from exposure)†
알루미늄(Aluminum)	0.01	빈혈, 뼈질환, 신경학적 변화, "투석 치매"
안티몬(Antimony)	0.006	*오심/구토*
비소(Arsenic), 납(Lead), 수은(Silver)	0.005 each	암, 피부 변화, 중추신경계·뇌·콩팥 손상
박테리아(Bacteria)	200CFU/mL	저혈압, 오심/구토
베릴륨(Beryllium)	0.004	뼈 손상
카드뮴(Cadmium)	0.001	*오심/구토, 설사, 타액분비 과다, 감각 저하, 콩팥·간·뼈 손상*
칼슘(Calcium)	2 (0.1mEq/L)	*오심/구토, 두통, 근력 저하, 빈맥, 고혈압, 뼈 강화작용 이상, 연조직 석회화, 췌장염*
클로라민(Chloramines)	0.1	*용혈, 흉통, 부정맥, 오심/구토*
염소(Chlorine)	0.5	*용혈, 흉통, 부정맥, 오심/구토*
크롬(Chromium)	0.014	간손상
구리(Copper), 바륨(Barium), 아연(Zinc)	0.1each	*오한, 홍조, 두통, 투사성 구토, 저혈압, 빈혈, 간손상, 췌장염*
내독소(Endotoxin)	< 2EU/mL	저혈압, 오심/구토
불화물(Fluoride)	0.2	*흉통, 오심/구토, 저혈압, 두통, 뼈질환*
마그네슘(Magnesium)	4 (0.3mEq/L)	오심/구토
수은(Mercury)	0.0002	콩팥손상
질산염(Nitrate, N)	2.0	*용혈, 저혈압, 오심/구토, 허약감, 혼돈*
포타슘(Potassium)	8 (0.2mEq/L)	오심, 신경전도장애
셀레늄(Selenium)	0.09	*피로, 불안, 모발/손톱 감소, 콩팥·간 손상,*
나트륨(Sodium)	70 (3.0mEq/L)	*구갈 증가, 오심, 두통, 저혈압, 폐부종, 경련, 혼수*
황산염(Sulfate)	100	대사성 산증, 오심/구토
탈륨(Thallium)	0.002	간·콩팥 손상

*투석을 위한 수질 결정에 대한 궁극적인 책임은 내과 의사에게 있다.
†급성 증상은 진한 글씨, 기울임체로 표시했다.
출처: Vlchek DL, BurrowsHudson S: Quality assurance guidelines for hemodialysis devices, Washington, DC, February 1991, U.S. Department of Health & Human Services, U.S. Food and Drug Administration; U.S. Environmental Protection Agency: Drinking water contaminants, 2001.

온기에 있는 서브마이크론 필터는 대부분 이러한 기준에 부합한다. 필터 표면, 탄소 탱크, 연수기, 탈이온기 수지, 역삼투막에 공급되는 원수 표면 등에 박테리아가 증식한다. 박테리아 성장을 최소화하기 위해 허용된 소독제로 적어도 한 달에 한 번 모든 투석용수 관리시스템을 소독해야 한다. 소독제는 투석용수가 환자에게 사용되기 전 완전히 제거되어야 한다. 화학적 소독제는 박테리아를 죽이기는 하나 제거하지는 못하고 실제로 일부 단백질, 다당류, 내독소 등이 고착된다. 이러한 잔재물질을 제거하기 위해서는 막대한 양의 세척이 필요하다.

대부분의 시설에서는 중탄산염 투석액, 초여과 장치, 고유량 투석기를 사용한다. 저장상태의 중탄산염 투석액은 내독소를 형성하는 미생물의 증식을 돕는다. 투석액이 용액이든 분말형태이든 상관없이 엄격한 미생물과 내독소의 제한이 필요하다. 역여과가 일어나는 고유량 투석에서는 소독제, 미생물, 내독소가 완전히 제거된 투석액이 필요하다.

미생물의 오염을 줄일 수 있는 방법

다음과 같은 방법이 미생물학적 오염원을 제거하기 위해 대부분 사용된다.
- 서브마이크론(0.05mm) 필터는 박테리아나 바이러스의 통과를 차단한다. 이러한 필터는 자주 갈아 주어야 하고 가격이 비싸다. 이러한 필터는 모든 발열물질을 제거시키지는 못한다.
- UF는 박테리아나 내독소를 효과적으로 제거한다. 초기 설치비용이 상대적으로 비싸지만, 사용은 경제적이다. 위생관리는 간단하고, 평균수명은 길다.

초여과(ultrafiltration)에 의해 박테리아나 내독소가 제거되는 원리

초여과막은 0.001mm 크기 이상의 효과적인 세공을 가지고 있다. 이 정도 크기의 세공은 삼투성 용질 이동이 늦춰지지 않는다. 이러한 이유로 수분의 막간 이동을 위해 역삼투압과 비교하여 낮은 정수압이 필요하다.

초여과막은 간혹 분자필터라고 불린다. 용해되어 있는 물질보다는 분자 크기의 부유물질을 여과시킨다. 큰 입자는 삼투효과를 내지는 못한다. 역삼투막과 비교했을 때 삼투적 역투과력이 낮아 높은 수압은 필요하지 않다. 그러나 이 필터는 수천 Da에 이르는 박테리아, 내독소, 내독소 파편들을 제거하게 된다. 초여과필터는 50,000~100,000의 입자를 제거하는 데 사용할 수 있다. 실제로 1000~10,000Da 크기의 막도 이용 가능하다.

박테리아의 성장을 막고, 부유입자들의 축적을 막기 위해 초여과장치는 역삼투(RO) 전에 설치한다. UF가 투석을 위해 분배되기 마지막 단계로 설치되면, 미생물학적으로 질 보장이 가능하다.

투석용수 관리과정을 유지하기 위해서 시행되는 검사

박테리아 배양
박테리아 배양은 물의 박테리아를 발견하기 위해 시행된다. 군집수(colony count)는 24~48시간에 확인하고, 투석액의 배양도 실시한다. 투석액이나 투석막 재처리과정에 사용되는 물의 내독소 허용한계치는 CMS 기준 0.25EU/mL를 초과하지 않아야 하며, 검사는 월 1회 시행, 배양검사 결과가 양성이면 문제가 해결될 때까지 일주일 간격으로 재검사한다.

전도도
공급수와 생성수에서 적당량의 이온이 있는지 확인하는 것이다. 이것은 pHoenix meter로 측정한다(pH와 온도로 측정). 전도도는 Mydron-L과 같은 손바닥 크기의 소형기기로도 한다.

저항력
탈이온기의 과정으로부터 이온의 제거효율을 나타낸다. 높은 저항력을 가진 물은 용액 내의 이온의 양이 낮기 때문에 전도도가 낮다.

경도 검사
물의 칼슘과 마그네슘을 검사한다.

총용해입자(TDS)
용액 안에 있는 모든 이온의 합이고 역삼투막의 효과를 입증하는 것이다. 이것은 소형기기로도 측정할 수 있다. 결과는 ppm으로 표시된다.

CMS에서는 의료 감독 및 관리기관 승인을 받은 교육 프로그램을 이수한 투석용수 처리시스템 검사 및 모니터링을 수행할 수 있는 기술자를 규정하고 있다.

| 투석기의 재사용에 적용되는 미생물학적 기준

투석기 재사용에 대한 미생물학적 기준은 투석기 재사용의 실제에 대한 AAMI (RD47)에 정의되어 있다. CMS도 이 기준을 받아들여 투석에 대한 상환 보장조건으로 삼고 있다. 재사용과정에 사용되는 물의 허용한계치는 박테리아 100CFU/mL, 내독소 0.25EU/mL이며, 이 기준은 중탄산염과 고유량 투석기 사용으로 더 엄격하게 적용되어야 한다. 교정한계치는 박테리아 수 50CFU/mL, 내독소 0.125EU/mL이다(기준 수치는 AAMI 2011년 기준을 적용하여 변경함).

| 개인 투석을 위해 가장 적합한 투석용수 관리

투석용수 관리 종류는 수질과 용질의 내용에 따라 다르다. 공급수는 화학적 내용물과 세균 포함에 대해 정기적인 분석해야 하고 이는 환경보존기관의 음용수 기준에 적합해야 한다. 마지막 정제수로 만들어진 물은 AAMI 기준이나 다른 승인 가능한 기준에 적합해야 한다. 이러한 요구사항에 맞추기 위해서 시스템에서 갖추어야 할 것은 다음과 같다.
• 초기 침전물 필터
• 수지 형태의 연수기(경도 검사는 매일 측정되어야 함)
• 활성탄필터(두 개가 연속으로 정착)
• 역삼투 유닛(유입수와 유출수의 지속적인 전도도/저항률의 모니터링)
• 탈이온화 유닛(유출수의 지속적인 전도도 모니터링, 세균, 내독소 검사, 화학적 분석 등 매달 검사)

이 형태를 완전히 갖추면 최대의 순수한 물을 공급할 수 있고 18MΩ/cm 저항에 다다를 수 있다. 물의 순도에 도달하기 위한 가장 경제적인 방법은 철저한 검사이다. 이렇게 유지하기 위해서는 지속적인 모니터링이 중요하다.

| 적절한 물관리 시스템을 수립하는 데 포함되는 비용 요소

얼마나 소요될 것인가를 결정하기 전에, 투석시설의 투석용수 관리시스템의 유능한 계획자와 믿을 만한 공급업체에 의뢰해야 한다. 현재와 미래의 요구도 고려해야 하며 내용은 다음과 같다.
• 공급수의 질
• 최대 필요량
• 바람직한 생성수의 질
• 인력의 전문성
• 공급수 비용
• 기준 이행 정도
• 치료 유형에 따른 분배시스템
• 편리한 조작
• 유지 요건

위의 요소들은 적정 기준에 부합되거나 또는 그 기준 이상에 도달한다는 최종 목표를 가지고 오직 이 목적을 성취하기 위해서 이루어져야 한다.

공급수에 미네랄 포함량이 적다면, 역삼투나 탈이온화 단독이라도 적절한 여과에 의해 생성수는 $1M\Omega/cm$ 물을 얻을 수 있다. 반드시 활성탄 탱크는 있어야 하며 적정 기준치를 초과하지 않도록 최소한의 구성요소는 필수적이다.

중탄산염 투석액이나 고유량 투석액 준비 시에는 AAMI나 CMS 기준보다 더 엄격한 미생물 관리가 이루어져야 한다.

| 투석에 사용되는 정수시스템 종류 및 투석용수 관리 담당자

병원장은 투석에 사용되는 수질의 안정성에 궁극적 책임이 있다. 수질기준이 적합하지 않다면 주의의무 태만이다. 병원장이 질 향상 활동모임을 월 1회 개최하여 수질관리에 대해 적절하게 관리 감독해야 한다. 박테리아 배양 검사와 내독소 검사 결과를 포함한 수질검사에 대한 모든 서류는 병원장이 검토하고 서명해야 한다(CMS, 2014).

CHAPTER
9

Dialyzer Preparation and Reprocessing

투석기 준비와 재처리

투석기 준비 | Dialyzer Preparation

투석기마다 독특한 특징이 있으며, 환자에게 사용하기 전 준비과정이 있다. 제조사의 사용법은 제품의 변화, 또는 기술이 발전함에 따라 자주 업데이트되어 왔다. 그러므로 최신 사용방법을 숙지하고 제품설명서를 자주 읽는 것은 매우 중요한 일이며, 항상 확인하고 제조사의 권고에 따라 사용해야 한다.

사용 전 투석기 준비의 기본요소

투석기 준비의 기본요소는 다음과 같다.

• 투석기 내부의 모든 공기를 제거한다. 소량의 공기라도 막을 통과하여 환자의 순환계로 침입할 가능성이 있다. 섬관형 섬유의 벽면에 잔류된 공기는 혈액과 투석액 사이의 확산을 방해하여 청소율을 감소시키고 투석기의 섬관형 섬유의 응고를 촉진한다.

• 제조과정 중 남게 되는 투석기 내부의 입자는 생리식염수 프라임(prime)과정으로 제거되어야 한다.

• 재처리과정 시 사용된 모든 소독제를 제거해야 하고 잔류 소독제가 없어야 한다.

• 투석기는 항상 환자의 혈액에 적합한 생리식염수(0.9g of sodium chloride in 100mL of water)를 사용하여 세척하고 충전해야 한다.

투석기의 공기제거

투석기의 공기를 제거하기 위해 투석기의 아래쪽부터 생리식염수를 채운다. 공기제거를 위하여 투석기와 혈액라인을 연결시킨 후 정맥 끝이 위로 향하도록 한다. 동맥 쪽 라인을 통해 생리식염수가 통과되고 투석기를 거친 후 정맥 쪽 라인으로 통과되어 버려진다. 투석기가 식염수로 채워지면서 공기는 투석기의 윗부분으로 밀려 올라가며 이때 가볍게 투석기를 두드리거나 좌우로 돌리며 투석기 윗부분으로 완전히 제거한다.

투석기의 프라임에 사용하는 식염수의 양

투석기 프라이밍에는 500~1,000mL의 생리식염수가 사용된다. 사용량은 투석기의 종류와 재사용 여부에 따라 결정된다. 새 투석기는 글리세린과 제조과정 중 남아 있는 입자의 제거를 위해 식염수 1,000mL의 프라임과정이 필요하다. 재사용되는 투석기는 잔류 소독제 제거를 위해 프라임 용액이 투석액과 반류방향으로 500mL 정도의 생리식염수로 더 재순환시켜야 한다. 제조사의 사용법이나 투석실 정책을 신중하게 따라야 한다.

| 재처리된 투석기의 프라임

재처리 투석기는 소독제로 채워져 있기 때문에 소독제 제거가 중요한데, 이때 투석기 안으로 공기가 들어가지 않아야 한다. 공기가 주입되면 제거하기 어렵기 때문에 모든 공기는 투석기와 접촉하기 전 동맥 쪽 라인에서 제거해야 한다. 동맥 쪽 라인을 생리식염수로 프라임하여 모든 공기를 제거한 후 투석기와 연결한다. 이 과정 후 투석기의 정맥 쪽이 위로 향하게 하여 충전과정을 계속 진행한다.

| 투석기 프라임에 관한 제조회사별 방법

모든 종류의 투석기마다 준비과정이 다르며, 어떤 종류는 혈액 통과되는 부분을 식염수로 먼저 채워야 하는 반면 다른 종류는 투석액 통과 부분을 먼저 채워야 한다. 대부분의 섬관형 투석기는 투석액 라인을 연결하기 전 막을 먼저 "젖게(wet)" 하여야 한다. 이는 막이 투석액에 노출될 때 투석기 섬유가 손상되지 않도록 하기 위함이다. 투석실 구성원은 이러한 투석기 준비과정을 숙지해야 한다.

▎투석기 재처리 Dialyzer Reprocessing

동일 환자 치료에 반복적으로 사용되는 투석기를 세척·소독하는 것을 투석기의 재처리 또는 재사용이라 한다. 투석기의 재사용은 안전하며 비용 효과적인 장점이 있어 1960년대 초반부터 사용되었지만 더 이상 사용되지 않는다. 혈액투석기의 재사용에 관해서는 AAMI 기준(RD 47)을 따르며, 이는 메디케어 & 메디케이드 서비스센터(Centers for Medicare & Medicaid Services, CMS)가 AAMI 기준을 따르도록 권하기 때문이다. 투석기 제조사는 미국식품의약국 기준에 따라 투석기 사용자들이 재처리할 수 있도록 설명서를 첨부하고 있다. 제조사는 적절한 재처리과정 기술과 사용된 살균제 등을 제시하고 있다.

재처리는 제조공장에서 수행할 수 있고 혹은 투석기를 다른 곳으로 옮겨서 재처리할 수 있다. 혈액라인과 기타 일회용 부속이 재사용되기도 하지만 미국식품의약국에 의해 제한되어 있어 거의 재사용되지 않고 있다. CMS는 공식적으로 말기신장질환 프로그램을 투석기의 재사용에 초점을 맞추고 명확한 기준을 발표하였다. 투석기의 재처리에 사용되는 일부 화학물질이 유해하다고 인식하고 OSHA(Occupational Safety and Health Administration)에 의해 규제하고 있다. 하지만 국내에서는 투석기 재사용은 거의 하지 않는다.

| 투석기 재사용의 이점

투석기의 재사용의 이점으로 임상적 측면을 들 수 있다. 각 투석치료마다 환자의 혈액은 투석막 표면에 단백 성분으로 잔존한다. 이러한 단백 침전물은 2차 막을 형성하여 다음 투석 시 환자의 혈액이 인공투석막에 접촉하는 것을 방해한다. 소독과정에서 사용되는 표백제는 투석기의 단백질층을 제거한다.

드물게 어떤 환자의 경우 생체 비적합성막 또는 투석기 소독과정에 잔류된 에틸렌 옥사이드(EO 가스)에 의해서도 투석기 반응이 나타난다. 이러한 반응은 투석 시작 후 즉시 나타나며, 환자는 생명에 위협적이지 않은 소양증, 두드러기, 호흡곤란, 요통 등을 호소한다. 또한 투석기 반응은 생명을 위협하는 아나필락시스, 심폐정지 등도 일으킬 수도 있다. 투석기 재사용을 위해 재처리과정을 하게 되면서 이러한 현상은 관찰되지 않았고 투석기 EO 가스 사용으로 대체되었다.

투석기 재사용은 투석비용을 낮추는 데 기여하였고 의료폐기물과 유해한 쓰레기량을 현저히 감소시켰다.

| 투석기의 재사용횟수

일부 투석실은 3~5회의 재사용횟수를 고집하고 있는 반면 투석기 효율성이 권장 투석량에 미치지 못하여 사용하기에 적합하지 않다고 판단될 때까지 사용하는 센터들도 있다. 물론 일부에서는 이러한 경제적인 중요성을 강조하고 있다. 재사용의 비용효과를 계산하기 위해서는 투석기 원가를 총 재처리비용으로 나누어야 한다. 재사용의 질을 유지하기 위해서 다음과 같은 명확한 기준을 지켜야 한다. 잔여 섬유량이 원래 양의 80% 이상, 제조사에서 명시한 청소율의 적어도 90% 이상 보유하여야 하며 압력유지 검사를 통과해야 한다. 그리고 소량의 응고섬유 이외에는 보이면 안 되는 외형평가도 이루어져야 한다. 각 투석실에서 사용 후 투석기는 재사용 전 이러한 기준을 적용하여 평가하여야 한다.

| 재사용을 위한 기본 순서

대부분 재처리 프로그램의 기본 순서는 다음과 같다. (1) 세척: 대부분의 혈액 잔여물을 제거하기 위하여 투석기를 세척한다. (2) 청결: 화학물질(표백제나 레날린)과 역삼투압을 이용하여 일반적인 청결단계를 거친다. (3) 검사: 투석막의 안정성을 확인하고 노폐물 제거능력을 검사한다. (4) 소독: 마지막으로 포름알데히드나 레날린(과초산, 초산 및 과산화수소)과 같은 화학물질 또는 열을 이용하여 소독한다.

| 투석기 재사용의 기준

재사용에 대한 4가지 중요한 기준은 다음과 같다.

재사용 투석기가 적절한 용질 제거능력을 유지하고 있는가를 결정하는 총 섬유보유량(total cell volume) 측정은 가장 보편적인 방법이다. 투석기를 물로 채운 후 물을 빼내어 눈금 실린더를 이용하여 측정한 양이 보유량이 된다. 이 양은 투석기의 기준이 되며 사용 후 이 양과 비교평가된다. 초기의 양에 비해 80% 미만이 남으면 투석기는 환자에게 사용하기 부적합하다. 투석기가 초기 보유량의 80%가 남아 있는 것은 초기 용질 제거능력의 90%를 가진다는 의미가 된다.

1. 투석기 압력 검사는 투석 시 혈액누출의 원인이 되는 파손 섬유가 있는지를 확인하기 위해 시행된다. 투석기에 압력을 가한 후 유지시킨다. 만일 압력이 너무 많이 떨어지는 투석기는 폐기한다. 이것은 누출 검사(leak test)로도 사용된다.

2. 일부 재사용 기계는 투석기의 초여과상수(K_{UF})를 검사한다. 투석기의 청소율을 예측하는 검사는 아니지만 큰 분자량의 입자를 통과시킬 수 있는지에 대한 지표가 된다.

3. 마지막으로 외형이나 육안 검사가 매우 중요하다. 투석기에 다량의 잔여 혈액응고가 남는 경우, 많은 응고섬유가 보이는 경우 모두 즉각 폐기해야 한다. 사용 후 투석기 섬유응고를 최소화하거나 세균증식 예방을 위해 혈액투석 치료 이후 2시간 이내 재처리해야 한다.

투석기 재처리과정은 투석기 재사용 기술자 또는 혈액투석 테크니션, 사무직원과 같이 서로 다른 직종을 교차 훈련시켜야 한다. 재처리과정에 투입된 인력은 훈련되고 인증받아야 한다(CMS, 2008).

| 재처리과정이 분자량이 큰 용질의 제거에 미치는 영향

이는 투석막과 재처리기술에 의해 광범위한 영향을 받는다. 일부 막의 세공은 표백제에 노출될 때 더 열리는 경향이 있다. 분자량이 큰 용질, 예를 들면 베타2 마이크로글로불린의 경우 레날린을 사용할 때 청소율은 감소한다. 어떠한 재처리기술을 사용하느냐에 따라 각 투석기마다 어떤 영향을 받는가를 이해하는 것은 매우 중요하다. 표백제로 재처리된 투석기는 막 투과성이 증가하여 투석액에서 혈액으로 이동하는 박테리아나 내독소 위험이 증가한다(Nissenson & Fine, 2017). 일부 투석기 제조업체는 두 유형의 투석기를 생산한다. 막 투과성을 최소화하기 위해 표백제 소독을 사용하는 투석기 유형이 있고, 다른 유형으로는 막의 투과성을 최소화하여 균을 죽이는 것이 있다.

| 재처리 투석기의 소독

과초산(3~4%), 포름알데히드 또는 포르말린(1~4%), 글루탈 알데하이드(0.8%), 열과 구연산(1.5%) 등이 주로 재처리과정의 소독제로 사용된다. 높은 수준의 소독제는 혈액과 투석액 부분에, 낮은 수준 소독제는 포트 캡 등 소독에 사용된다[CMS ESRD Conditions for Coverage (CfCs), 2008].

| 재처리 투석기의 라벨 방법

각각의 투석기는 사용 전 총 섬유량 및 청소율 검사가 이루어져야 하며, 사용자의 이름, 사용횟수 및 마지막 재처리 날짜와 시간을 표시한다.

각 투석기는 오직 한 환자에게만 사용되도록 세심한 주의를 기울여야 한다. 특히 이름이 같거나 비슷한 환자의 경우 주의를 더 기울여야 한다. 생년월일 등 신원 확인을 위한 추가 정보를 사용하며, 사용 전 정확한 환자에게 사용하는지 재확인을 하도록 권장한다. 몇몇 투석실은 환자와 투석기를 정확히 배치하기 위해 주의를 기울이고 직원에게 경각심을 주기 위해 경고문을 부착한다. 치료공간에서 환자와 함께 성과 이름을 확인하여야 한다. 투석기 재사용을 시작하는 처음부터 폐기될 때까지 투석기 사용에 대한 이력을 추적할 수 있도록 기록해 두어야 한다.

| 투석기가 레날린과 포르말린에 노출되는 시간

레날린은 과산화수소, 과초산, 아세트산의 혼합 소독제로서 0.5% 용액에 11시간의 노출시간이 필요하다. 반면 수성 포름알데히드는 높은 수준의 소독제로서 포자와 바이러스를 포함한 모든 미생물을 죽이며, 실온에서 최소 포르말린 4% 농도에 24시간 노출시간이 필요하다. 더 낮은 농도인 1.5% 포르말린일 경우 38℃(100℉)에서 24시간의 노출이 효과적이다.

| 투석기가 충분히 소독되지 않았을 때 발생하는 현상

적절한 시간이나 농도에서 충분히 소독되지 않으면 투석기 내부에 세균이 남아 증식한다. 다음 투석 시 이러한 투석기에 혈액이 노출되면 세균혈증이 발생할 가능성이 있다.

| 재처리된 투석기를 사용할 때의 확인사항

가장 중요한 것은 투석기가 정확한 환자에게 사용되는가를 여러 번 확인하는 것이다. 투석기가 적절한 접촉시간과 소독제를 사용하였는지 판단하는 것은 매우 중요하다. 린스 전 투석기가 적절한 소독액을 함유하고 있는지 확인하며, 소독액이 린스과정에서 모두 제거되는지를 확인하여야 한다. 마지막으로 투석기는 총 섬유 보유량 검사와 압력 검사와 같은 재사용 검사를 통과하여야만 사용할 수 있다.

| 화학소독제 사용 시 주의사항

보호장구의 사용(보안경, 장갑, 방수 가운)이 필요하다. 적절한 환기(OSHA의 지침에 따른)가 필요하다. 피부나 눈에 약물이 튀는 경우 많은 양의 물로 씻어내야 하며 적절한 의료적 처치를 받아야 한다.

　직업안전보건관리국(OSHA)은 "투석실 직원은 이러한 유해한 화학물과 잠재적 독성에 대해 정보를 제공받아야 한다."라고 권고하고 있다. 모든 투석실은 OSHA의 소독제 사용과 관련된 기준을 출력하여 비치해야 한다. 직원의 교육과정에 대한 기록과 건강관리기록은 보관하여야 한다. 구체적인 물질안전보건자료는 각 기관에서 보관하는 화학물 관리와 고용인의 노출 여부 판단에 유용하게 사용되며, 직원이 항상 쉽게 열람할 수 있어야 한다.

| 포르말린 사용 시 주의사항

　OSHA 표준, 미국연방규정집 29 부분 1910. 1048조항은 포르말린 노출 가능성이 있는 직원 보호 관련법이다. 포르말린은 비암이나 폐암의 발암물질로 추정된다. 공기 중에 0.1ppm 미만의 농도에서도 코, 눈, 목을 자극한다. 천명(쌕쌕거림), 기침, 천식과 같은 알레르기 반응도 포르말린 노출에 의해 일어날 수 있다.

　잠재 위험 노출로부터 직원을 보호하기 위해 공기질 감시가 필요하다. OSHA는 허용 한계치를 8시간 누적 평균(time-weighted average, TWA)으로 측정하여 0.75ppm으로 정하였다. 단기간 노출기준은 15분 동안 2ppm으로 정하였다. 교정한계치는 8시간 누적 평균 0.5ppm이다. OSHA는 투석 직원이 포르말린을 안전하게 다루는 방법과 유해성에 대해 매년 교육받아야 한다고 명시한다. 노출된 경우 응급으로 눈을 세척할 수 있는 장소가 필요하다. 의무적인 호흡 훈련 및 방독면 착용 검사가 재사용과정에 참여하는 직원에게 시행되어야 한다(최근 한국은 포르말린이 유해화학물질로 취급되어 투석기계 및 투석기 소독에 사용하지 않는다).

| 시간의 경과에 따른 화학물의 안전성

레날린은 27℃(80℉) 이상의 온도이거나 빛에 노출된 경우 그리고 혈액과 같은 유기물질에 접촉할 경우 매우 빠르게 파괴된다. 시간은 또 다른 변수로, 레날린은 한번 희석되면 상대적으로 유통기한이 짧아진다. 환자에게 사용 전 레날린 잔여량을 확인하는 것은 매우 중요하다. 포르말린은 상대적으로 긴 기간 동안 매우 안정적이다.

| 다음 투석을 위한 준비

투석기는 재처리과정의 마지막 단계에서 소독액으로 채워지는데 적절한 화학적 검사를 통해 문서화해야 한다. 이것은 투석기가 소독제로 채워져 보관되는 것을 확인하는 데 도움이 된다. 소독제는 다음 투석 사용 전에 제거된다. 혈액라인을 투석기와 연결하고 생리식염수로 투석기의 혈액 쪽 부분을 씻어낸다. 일반적으로 1,000mL 정도의 생리식염수를 투석기로 통과시킨 후 버린다. 그리고 동맥라인과 정맥라인의 끝부분이 서로 연결되게 한다. 혈액펌프가 작동되면서 남아 있을 수 있는 잔여 화학물을 제거하기 위해 초여과를 시키면서 식염수를 재순환한다. 원칙적으로 소독제는 이 과정에서 간단히 제거된다.

　투석 시작 직전 투석기 내부의 재순환 식염수를 채취하여 검사한다. 검사 후 소독제의 제거 여부를 기록으로 남긴다. 소독제가 완전히 제거된 것을 확인한 후 환자에게 안전하게 사용할 수 있다. 대부분 투석실에서 재처리된 투석기가 정확하게 동일 환자에게 사용되는지를 두 사람이 확인하는 절차를 거치고 사용 전 잔여 소독제에 대한 검사를 실시하고 있다.

| 투석기 프라임 시 레날린을 사용하는 경우 특정한 규칙

레날린은 강산이기 때문에 투석액 라인을 연결하기 전 생리식염수로 혈액이 통과되는 부분을 프라임하는 것은 중요하다. 만일 투석액이 지나가는 부분이 먼저 프라임된다면 투석액과 레날린이 반응하여 이산화탄소가 발생함으로써 가스가 형성된다. 이러한 가스 방울은 투석기의 섬유 속에 자리잡게 되고 혈액과 투석액 사이에 공간을 형성하여 확산을 방해한다.

| 투석기 재사용이 부적합한 환자

전신적인 감염증상이 있거나 패혈증이 있는 환자의 투석기는 일반적으로 재처리하지 않는다. 말기신부전 환자를 위한 CMS 권고기준에 따라 B형 간염 환자도 재사용 프로그램에 참여할 수 없다.

| 투석기 재사용 시 환자의 동의

CMS는 환자의 서면동의를 권장한다. 이 서면동의는 환자의 의무기록 일부이다. 만일 환자가 서면으로 동의하지 않는다면 재사용은 할 수 없다.

CHAPTER 10

Infection Control

감염관리

감염관리는 투석실에서 이환되는 감염들로부터 환자 및 의료진을 보호하기 위함이다. 감염관리는 투석용수 관리, 투석막의 재사용, 세균오염, 혈행성 또는 다른 감염성 질환의 전파에 대한 감시와 모니터링을 포함한 정책과 방법을 말한다.

미국 질병통제예방센터(Center for Disease Control and Prevention, CDC)는 투석센터 및 다른 의료기관의 혈행성 감염관리에 대한 전략과 예방책(표준주의를 포함한)에 대해 공포하고 업데이트한다. 2008년 10월 발효된 메디케어 & 메디케이드 서비스센터(Centers for Medicare and Medicaid Services, CMS) 원칙은 투석치료 제공자가 CDC 문서인 "만성 혈액투석 환자의 감염의 예방 및 전파에 대한 권고(Recommendations for Prevention and Transmission of Infections among Chronic Hemodialysis Patients)(MMWR, 50〔RR-5〕, 2001)"와 "혈관 내 카테터 관련 감염의 예방(Prevention of Intravascular Catheter-Related Infection)(MMWR, 51〔RR-10〕, 2002)"을 따를 것을 요구한다. CDC가 2016년에 추가 및 업데이트된 감염관리 권장사항은 이 챕터 전체에 요약되어 있다

직업안전보건관리국(The Occupational Safety and Health Administration, OSHA)은 모든 의료기관에서 표준 주의사항 준수를 강조하고 다른 감염관리 계획에 대한 법규를 제정하였다. 직업안전보건관리국의 혈행성 병원균 관리에 대한 규정은 업무 중에 생길 수 있는 혈행성 감염질환을 감소시키고 의료종사자의 위험을 실제적으로 줄이는 데 직원이 함께 참여하도록 한다. CDC는 또한 약제 내성 세균과 결핵과 같은 잠재적 감염성 질환의 전파를 예방하기 위한 권고사항을 제정하였다.

이 장에서는 투석실에서 감염성 질환의 전파를 예방하기 위해 도움이 되는 정보에 대해 재검토하고자 한다. 또한 CDC에 의해 공표된 메티실린 내성 황색포도알균(Methicillin Resistant, MRSA), 반코마이신 내성 장알균(Vancomycin Resistant Enterococcus, VRE), 결핵(TB)의 전파를 예방하기 위한 대책과 혈행성 질환과 표준 주의사항에 대한 검토를 포함한다. 투석요원이 투석용수 관리, 세균오염, 투석막의 재사용, 감염관리에 대한 의문사항은 특수 분야를 다루는 장에서 설명한다. 2008년 10월 14일 개정된 지침인 CMS 보험보장 조건은 시설투석과 가정투석 프로그램 모두에 적용할 수 있는 규정이다.

CDC에서는 투석시설에서 혈행성 병원균 예방책에 대한 권고사항을 제정하였다(상자 10-1).

상자 10-1 만성 혈액투석 환자 간의 전파를 예방하기 위한 포괄적인 감염관리 프로그램의 구성요소

혈액투석실 감염관리 방법
1. 환자 간의 혈액매개 바이러스나 병원성 세균의 전파를 예방하기 위한 명확한 감염관리 지침 수립
2. B형 간염과 C형 간염을 위한 정기적인 혈청검사
3. B형 간염 항체가 음성인 환자에게 예방접종
4. B형 간염 표면항원 양성 환자의 격리
5. 일회주사용 약물이나 수액을 한 환자에게만 사용하고 천자를 한 번만 수행.
6. 감염과 기타 특별한 상황에 대한 지속적인 감시감독
7. 감염관리에 대한 지속적인 교육과 훈련

| 표준 주의사항

혈행성 질환상태와 무관하게 모든 환자에서 일관되게 사용되는 혈액 및 체액 예방의 권고사항은 표준 주의사항(Standard precautions)에 근간을 두고 있다. 인간면역결핍바이러스(Human Immunodeficiency Virus, HIV), B형 간염 바이러스(Hepatitis B Virus, HBV)와 같은 혈행성 병원균은 모든 연령층, 사회경제적ㆍ지리적 환경에 있는 모든 사람에 감염될 수 있다. 의료기관 종사자는 바이러스 보균자 또는 전염성 질환자를 모두 식별하지는 못한다. CDC는 "표준 주의사항"을 감염이 의심되거나 확진과 관련 없이 의료가 제공되는 모든 상황에서 모든 환자에게 제공되는 최소한의 감염예방활동으로 정의하고 있다(2018).

표준화된 지침을 이용하여 혈행성 병원균의 노출이나 전파를 감소시키는 것은 보호구의 사용과 같은 적절한 실무를 포함한다. 적절한 보호구는 피부나 점막이 다른 환자의 체액이나 혈액에 노출되는 것을 예방하기 위해 사용된다. 의료진은 예상되는 잠재적인 노출에 가장 적합한 개인보호장비(Personal Protective Equipment, PPE)를 착용해야 한다. 개인보호장비는 다음과 같다.

• 장갑
• 안면보호구(face shields)/마스크와 보안경
• 가운

장갑은 혈액, 투석액 또는 잠재적인 감염원에 노출될 가능성이 있는 행위를 수행할 때, 즉 환자의 체액, 점막, 피부를 접촉할 때 착용한다. 또한 혈액이나 체액과 관련된 물건이나 표면; 투석 바늘의 삽입ㆍ제거 또는 혈액이 유출될 수 있는 카테터와 같은 도관 관리; 투석치료 후 튜빙, 여과기, 혈액라인의 처리; 투석 후 혈액투석장비 또는 의자의 세척 또는 소독 시에도 착용한다(CMS ,2014). 장갑은 자가 혈관 삽입이나 투석 후 지혈과 같은 행위에 참여하는 환자 또는 방문자 모두에게 제공되어야 한다. 비닐, 라텍스, 니트릴 등으로 만들어진 일회용 장갑은 한 번만 사용해야 한다. 장갑은 각각의 환자 또는 스테이션을 접촉 후, "오염" 구역에서 "청결" 구역으로 옮길 때, 동일 환자에서 오염 부위에서 청결 부위로 옮길 때, 감염 폐기물을 만졌을 때는 반드시 교체하고 손을 씻는다. 손씻기는 항균비누와 물 또는 60~90%의 알코올이 함유된 항균 손세정제를 사용하여야 한다. 안면보호구/마스크와 보안경은 얼굴 가까이에서 혈액이나 체액이 튀거나 튈 수 있는 특정 시술을 하는 동안 착용한다. 마스크는 코와 입을 완전히 덮어야 하고, 보호안경은 눈 주위에 완전히 밀착되어야 한다. 일반적인 안경은 보안경으로 적절하지 않다. 안면보호구를 적절하게 착용하려면 반드시 이마를 덮고 턱 아래까지 내려야 하며 얼굴 양옆으로는 랩이 덮여야 한다. 투석을 시작하거나 종료할 때, 혈관통로를 수정하는 동안 장갑, 안면보호구, 방수가운, 앞치마 등을 사용하지 않은 의료종사자는 혈행성 병원균에 노출될 가능성이 높다.

방수가운 또는 격리가운은 혈액이나 체액이 튀거나 물질 또는 신체 근처에 화학물질 등에 잠재적 오염될 가

능성이 있으므로 생성할 가능성이 있는 시술을 하는 동안에 착용해야 한다. 보호가운은 팔과 목부터 무릎까지의 몸통 전체를 보호한다. 작업장을 떠나기 전 모든 개인보호장구는 제거하여 지정된 장소에서 세척 및 소독하거나 버린다. 손은 개인보호장구를 제거한 후 그리고 처치장소를 떠나기 전에 반드시 철저하게 씻는다. 직원의 보호구 착용과 철저한 손씻기는 혈행성 병원균의 전파와 노출의 위험성을 줄이기 위해 필수적이다.

직원의 실천사항 중에는 혈행성 질환이 쉽게 전파될 수 있는 주사바늘, 외과용 메스, 그 외 예리한 기구에 의한 손상을 예방하기 위해 직원들이 지켜야 할 주의사항을 포함하고 있다.

특히 기구 세척, 사용한 일회용 주사바늘이나 예리한 기구를 처리할 때 각별한 주의가 필요하다. 주사바늘은 캡을 다시 씌우지 않아야 하고 주사기로부터 제거하여 구부리거나 부러뜨리는 등 손으로 조작하는 일체의 행위를 하지 않아야 한다. 사용한 일회용 주사기, 주사바늘, 외과용 메스, 그 외 예리한 기구들은 반드시 사용이 용이하도록 가까운 위치에 비치한 찔림 방지용 용기에 폐기해야 한다. 동정맥루 바늘용 안전장치나 기기는 반드시 주사바늘이 제거된 후 폐기물 용기에 폐기한다. 폐기물 용기는 너무 높지 않은 곳에 두어야 하며 넘치도록 채우지 않는다.

응급상황 시 구강 대 구강 심폐소생술을 최소화하기 위하여 마우스피스, 마스크, 앰부백, 기타 호흡기계 장치 등은 응급 시 심폐소생술이 예상되는 곳에 손쉽게 쓸 수 있도록 비치해야 한다.

삼출성 피부병변이 있는 의료인은 환자를 직접 치료하거나 처치하지 않아야 하며, 환자를 치료하는 기구의 취급도 삼가도록 한다. 모든 피부병변(자상, 찰과상, 궤양 등)은 폐쇄 드레싱을 하도록 한다.

임신한 의료인은 임신을 하지 않은 사람에 비해 인간면역결핍바이러스나 B형 간염 바이러스에 노출될 위험성이 증가한다는 보고는 없으나 임신기간 동안 이들의 감염은 모체로부터 태아에게 수직감염되어 치명적일 수 있다. 그러므로 임신 중인 의료인은 인간면역결핍바이러스나 B형 간염 바이러스 감염의 위험성을 최소화하기 위해 철저한 주의가 필요하다.

손씻기의 중요성

환자에서 환자로, 의료인에서 환자로 병원체의 전파를 막는 가장 좋은 방법은 손씻기이다. 손씻기는 손으로부터 다른 사람에게, 신체의 다른 부위로 또는 의료인이 나중에 접촉할 수도 있는 표면으로 오염물질을 전달할 수 있는 위험을 감소시킨다. 환자 치료공간에 들어올 때와 나갈 때, 장갑을 착용하기 전과 장갑 또는 개인보호장비를 벗은 후, 환자와 환자 사이 접촉 후, 장갑을 착용하지 않고 투석기와 같은 의료기기 표면을 만졌을 때도 반드시 손을 씻도록 한다. 또한 손씻기는 간호 전과 후, 식사 전후, 화장실을 가기 전후에도 수행하여야 한다. 투석실은 손을 씻는 용도로만 사용되는 "청결" 세면대를 정해야 한다. 배액된 체액이나 환자처치에 사용된 물품은 "청결" 개수대에서 처리하지 않아야 한다. 개수대는 처치부위를 씻거나 손을 씻기 위해 환자도 사용할 수 있어야 한다. 장갑 착용이 손씻기를 대신할 수 없다는 것을 꼭 명심해야 한다.

손씻기에 대한 가이드라인은 환자 안전 관리에 있어서 필수적이다. 손씻기는 항상 장갑을 벗은 후 실시해야 한다. CDC에서는 손씻기에 사용되는 일반적인 비누나 물을 대신하여 알코올이 함유된 손소독제를 사용하도록 권고하고 있는데, 이는 환자 접촉 전후, 체액이나 분비물과 접촉한 후, 손상된 피부나 창상 치료 후, 장갑을 벗은 후에 사용하도록 권고하고 있다. 비누나 물로 씻는 전통적인 손씻기는 손이 아주 더럽거나 오염되었을 때 수행된다.

비누나 물로 손씻기를 할 때 양손을 적어도 15초간 문지른 후 헹구어야 한다. 손소독제를 사용할 때는 제품을 손바닥에 취한 후 마를 때까지 문지르도록 한다. 디스펜서(dispenser)는 제조사에서 권장하는 정확한 양을 1회에 분배한다.

CDC에서는 투석실에서의 손위생에 대한 가이드라인을 제시했다(표 10-1). 손톱은 길이가 0.25인치 이상이면 세균이 많이 보균되므로 철저한 손씻기에도 불구하고 손톱길이가 길면 그람음성균, 코리네 박테리아, 효모 등과 같은 병원체가 손톱 밑에 다수 존재할 수 있다. 인조손톱 또한 그람 음성균과 같은 병원균이 전파되는 데 중요한 역할을 한다. 따라서 면역력이 저하되어 있는 환자를 관리함에 있어서 이는 매우 중요하다는 사실을 명심해야 한다.

| 투석실에서 표준 주의사항의 예

투석실에서의 표준주의는 다음의 네 가지 범주로 요약할 수 있다.
1. 장갑, 안면보호구, 마스크, 보안경, 가운, 앞치마 등과 같은 개인보호장비
2. 예리한 물건에 대한 손상 예방
3. 환자에게 알레르기 반응을 일으킬 향수 사용 금지와 적절한 개인위생관리
4. 쾌적한 환경 및 환경오염의 예방

투석을 시작하거나 마치는 동안이나 혈행성 병원체에 노출될 가능성이 높을 때는 마스크, 보안경, 장갑을 착용하도록 한다. 방수가운이나 비닐 앞치마는 혈액이 튈 가능성이 높을 때 사용한다. 날카로운 물건을 담는 폐기물 용기는 주사바늘을 떨어뜨리거나 다시 줍지 않도록 가까이에 둔다. 손은 장갑을 벗은 후에 반드시 씻고, 의료기구, 차트, 전화기, 그 외 기계의 손잡이를 접촉하기 전에 씻도록 한다. 치료실에서는 음식 섭취나 흡연, 콘택트렌즈 착용, 화장을 고치는 행위는 금해야 한다. 올바른 환경관리를 위해 의자나 혈압계 등 환자와 접촉한 기구와 적절한 청결과 소독이 이루어진 치료실뿐만 아니라 청결한 곳과 오염된 지역을 구분하고 유지한다.

표 10-1 투석에서의 손씻기 가이드라인

손위생이 필요한 상황	예
1. 무균술 시행 전	• 캐뉼라나 카테터 접근 전 • 카테터 삽입부위를 간호하기 전 • 비경구약물 준비 전 • 정맥 내 주입 약물 투여 전
2. 환자 접촉 전	• 환자에게로 가기 전 • 혈관경로에 접근하기 전 • 바늘을 삽입하기 전 혹은 바늘 제거 전
3. 체액에 노출된 후	• 혈액 혹은 체액에 노출된 후 • 기타 오염된 액체 접촉 후(예: 사용된 투석액) • 사용한 투석기, 혈액관, 프라이밍 통 등을 만지고 난 후 • 상처간호 혹은 드레싱 교환 후
4. 환자 접촉 후	• 환자간호 후 • 장갑을 벗은 후
5. 환자 주변과의 접촉 후	• 투석기를 만지고 난 후 • 투석한 공간의 물건을 만지고 난 후 • 기록을 위해 침상 옆 컴퓨터를 사용하고 난 후 • 투석실을 나온 후 • 장갑을 벗은 후

출처: CDC Dialysis Collaborative: Version 11/30/2010. Retrieved from http://www.cdc.gov/dialysis/PDFs/collaborative/Hemodialysis_HandHygiene_AuditTool.pdf.

| 가장 중요한 혈행성 병원체

혈행성 병원체(bloodborn pathogens)는 혈액이나 체액으로 전파되는 미생물(일반적으로 바이러스)이다. 가장 중요한 혈행성 병원체는 B형 간염 바이러스, C형 간염 바이러스(HCV), 인간면역결핍바이러스이다. 바이러스의 대다수가 혈액 내 존재하므로 전파능력이 다양하다. 감염의 위험은 다양하며 감염원, 노출의 경로, 감염된 혈액의 양, 노출된 시간에 따라 다르다.

| 간염

간염은 전염원, 약제, 독소 등에 의해 생긴 간의 염증이다. 여러 형태의 전염성 간염이 있지만 투석 환자에서는 A, B, C형 간염이 가장 흔하다. 세 가지 간염 바이러스는 다른 경로를 통해 전염된다. 백신은 B형과 A형 간염에 유효하다. C형 간염의 백신은 현재로서는 존재하지 않는다. CDC는 1990년부터 2014년 까지 B형 간염의 신규 발생률이 감소했다고 보고했다. 아동의 정기 예방접종이 처음 권장된 1991년 이후로 태어난 아동에서 감소율이 가장 높다. 2017년 이후에 B형 간염이 증가하고 있는데, 이것은 약물 주사 증가와 관련이 있는 것으로 보인다(CDC, 2017). 의료종사자의 B형 간염 유병률은 알려지지 않았지만 일반 인구의 유병률을 반영한다(Lewis, Enfield, & Sifri, 2015).

| B형 간염의 전염력

B형 간염 바이러스는 감염된 환자의 혈액에 높은 농도로 존재하며[B형 간염 표면항원(HBsAg) 혈액 1mL에는 1억 개의 바이러스 감염성 용량이 존재한다] 상온의 환경에서 며칠 동안 생존할 수 있는 전염력이 높은 바이러스이다.

| B형 간염의 전파

투석실에서는 B형 간염의 전파 가능성이 있는 혈액에의 노출이 직·간접적으로 일어날 수 있다. 직접 노출은 주사바늘, 외과용 메스, 손상된 미세튜브와 같은 예리한 물건이 피부를 관통하였거나 혈액이 손상된 피부와 눈, 입, 코와 같은 점막에 직접 노출된 경우이다. 간접적인 노출에는 투석기계의 조절기, 문고리, 겸자와 같은 표면으로부터의 전파가 있다.

혈액투석실에서 B형 간염 전파의 대부분은 예리한 것에 피부가 관통되거나 손상된 피부나 점막에 혈액이 접촉되어 일어난다.

| B형 간염 항원양성 환자의 투석기 안전에 대한 부가적인 주의사항

CDC 가이드라인에 따라, CMS는 투석실에 등록하기 전 모든 환자가 정기적인 B형 간염 바이러스 감염 여부 검사를 받을 것을 권장한다. 감염 위험이 있는 모든 환자와 직원은 B형 간염 예방접종을 받아야 한다. 표준주의에 따라 별도의 또는 "격리"실이 B형 간염 환자를 위해 표준지침으로 사용되어야 한다. B형 간염 환자는 전용기계를 사용하여야 하며 투석기를 재사용할 수 없다. 격리실에 들어갈 때는 장갑과 가운을 착용해야 하고, 동일한 혈액투석장비를 HBsAg 양성과 HBsAg 음성 환자에서 사용할 수 없다. B형 간염 바이러스 양성자에게는 전용 용품 및 약물이 있어야 한다. B형 간염 표면항원 양성자는 투석막 재사용 프로그램에서 제외한다. 이상적으로는 투석실 요원은 같은 근무시간에 HBsAg 양성자와 음성자를 함께 돌보지 않도록 하지만 HBsAg 양성자와 Anti HBs 양성자를 돌볼 수 있다. HBsAg 양성자인 의료진은 HBsAg 양성자인 환자에게

표 10-2 B형 간염 혈청학적 검사결과 해석

검사	결과	감염	백신
HBsAg Anti-HBc Anti-HBs	Negative Negative Negative	감염되기 쉬운 상태	예방접종 대상
HBsAg Anti-HBc Anti-HBs	Negative Negative Positive with > 10mIU/mL*	B형 간염 예방접종으로 면역이 획득된 상태	예방접종 필요하지 않음
HBsAg Anti-HBc IgM anti-HBc Anti-HBs	Negative Positive Negative Positive	자연감염으로 면역획득 상태	예방접종 필요하지 않음
HBsAg Anti-HBc IgM anti-HBc Anti-HBs	Negative Positive Positive Positive	급성감염에서 회복된 상태	예방접종 필요하지 않음
HBsAg Anti-HBc IgM anti-HBc Anti-HBs	Positive Positive Positive Negative	급성감염 상태	예방접종 필요하지 않음
HBsAg Anti-HBc IgM anti-HBc Anti-HBs	Positive Positive Negative Negative	만성감염 상태	예방접종 필요하지 않음(또는 치료가 필요)
HBsAg Anti-HBc Anti-HBs	Negative Positive Negative	4가지 감염 가능성 있음 1. 면역 가능성은 어려움. 그러나 검사가 혈청에서 매우 낮은 수준의 항-HBs를 검출할 만큼 충분하지 않을 수 있음 2. 잘못된 양성 antiHBc 가능성 3. 낮은 수치의 만성 감염상태이거나 혈청 HBsAg 수치가 너무 낮아 검사가 정확히 안 된 상태 4. B형 간염 예방접종 상태거나 또는 HBsAg를 엄마로부터 수동면역된 상태	임상적 판단이 필요

*예방접종 후 항체검사는 백신접종 후 1~2개월 후에 실시되어야 하며, HBsAg를 엄마로부터 수동면역된 영아는 B형 간염접종을 3회 추가접종한 후(정상아인 경우 9~18개월) HBsAg과 anti-HBs가 시행되어야 함

먼저 배정되도록 한다. 만약 같은 투석시간대에 HBsAg 양성자와 음성인 환자를 함께 관리해야 할 경우 교차감염을 예방하기 위해 환자 처치 사이사이에 가운과 장갑을 교체하고 손씻기를 철저히 시행해야 한다.

| B형 간염의 혈청학적 조사를 위한 CDC의 권고사항

환자는 처음 투석실에 들어가기 전에 혈청학적 상태를 확인하기 위해 HBsAg, anti-HBc(total hepatitis B core antibody), ALT(alanine amiotransferase)에 대한 선별검사를 받아야 한다(표 10-2). 환자는 B형 간염 표면항원 양성(B형 간염 표면항원이 존재하는 환자임을 의미), B형 간염 표면항원 음성(B형 간염 표면항원을 갖지 않는 환자임을 의미), 또는 B형 간염 표면항원 감수성이 있는 경우(B형 간염 바이러스에 대한 면역을 달

성하기에 충분한 B형 간염 표면항체 수준에 이르지 못한 환자임을 의미)로 구분된다. B형 간염 표면항체 측정의 결과는 반드시 수치로 나타낸다. 단순히 "양성" 또는 "음성"이라는 측정결과는 허용되지 않는다. CDC에서는 혈청학적 상태의 각 분류에 따라 주기적인 조사를 권고하고 있다. 상자 10-2의 B형 간염 선별내용을 참고한다.

상자 10-2 B형 간염 선별

- B형 간염 표면항원(HBsAg)은 B형 간염 바이러스의 표면에 있는 단백질이다. 이것의 존재는 감염되었음을 의미한다. 또한 만성 보균자를 나타낸다.
- B형 간염 표면항체(antiHBs)는 면역의 표지자이다. 이것의 존재는 B형 간염 바이러스에 대한 회복과 면역을 의미하며 과거의 감염 혹은 예방접종을 했음을 나타낸다.
- Total hepatitis B core antibody (antiHBc)는 급성 B형 간염의 증상이 있을 때 나타나며 이전 혹은 진행 중인 B형 간염의 감염을 의미한다.
- IgM antibody to hepatitis B core antigen (IgM antiHBc)이 양성으로 나온다면 최근의 B형 간염 바이러스 감염이 있었고 급성 감염이었음을 의미한다.
- Hepatities B early antigen(HBeAg) 급성 및 만성 HBV 감염 동안 혈청에서 발견되는 단백질이다. 이것의 존재는 바이러스가 복제되고 감염된 사람의 HBV 수치가 높고 감염성이 증가했음을 나타낸다. 이것은 만성 감염의 급성기 및 활성 바이러스 단계에서 양성을 나타낸다.
- Hepatities B early antibody (HBeAb, or anti-HBe) : 감염 후 8~16 주에 나타나는 B형 간염에 대한 혈청 마커이다. 급성 HBV 감염 동안 일시적으로 또는 바이러스가 폭발하는 동안 또는 이후 지속적으로 면역체계에 의해 생성된다. e 항원에서 e 항체로의 자발적인 전환(혈청 전환으로 알려진 변화)은 장기적인 예측인자이며, HBV의 제거 및 급성 감염의 해결을 의미한다.

출처: Mast EE, Margolis HS, Fiore AE, et al: A comprehensive immunization strategy to eliminate transmi ssion of hepatitis B virus infection in the United States: Recommendations of the Advisory Committee on Immunization Practices, part 1: Immunization of infants, children, and adolescents, MMWR 54(RR-16):1-31, 2005.

IgM, Immunoglobulin M.

| B형 간염 백신에 대한 CDC의 권고

CDC에서는 B형 간염에 감염될 가능성이 있는 환자와 의료진에게 투석실에서 B형 간염 바이러스의 전파를 예방하기 위해 예방접종을 권고하고 있다. 게다가 업무 중 의료진이 B형 간염 바이러스에 노출되면, 고용주는 의료비 지급 없이 B형 간염 예방접종을 해 주도록 법으로 정하고 있다. CDC(2012)는 혈액 투석을 받는 환자에 대해 더 높은 백신 용량 또는 접종횟수를 증량할 것을 권장한다.

오늘날 예방접종은 안전하고 효과적이어서 현재 미국에서는 효모로부터 추출한 B형 간염 백신을 이용하고 인간면역결핍바이러스 또는 혈행성 병원균에도 감염되지 않는다. 200만 명 이상의 의료인이 이미 예방접종을 하였고, 이는 완전한 B형 간염 예방접종으로 환자나 보균자로부터 85~97%까지 효과적으로 예방할 수 있다.

| 예방접종 2년 경과 후 항체

예방접종 관례에 대해 보건서비스 자문위원회는 "처음에 B형 간염 표면항체의 예방 수준으로 B형 간염 예방접종이 반응을 보인 경우 검출 가능한 항체를 상실한다고 해도 다시 추가접종은 필요하지 않다. 그들은 B형 간염이 예방될 것이며 임상적으로 간염이 발생하지 않는다."라고 하였다. 그러나 투석 환자의 경우 항체를 유지하게 하는 백신의 효과가 부족할 수 있으므로 투석 환자는 추가접종이 필요하며 매년 항체 검사를 받아야 한다.

| 업무 중 혈액 노출 시 단계

제도적으로 감염 위험성을 평가하고 보고하며, 적절한 치료, 사후관리 등을 위한 계획을 세우도록 한다. 혈액에 노출되면, 노출된 사람에 대해 적절한 주의가 필요하다. 주사바늘 자상 시에는 찔린 부위를 비누와 물로 씻도록 하고 입, 코, 피부에 혈액이 튀면 물로 씻는다. 눈에 혈액이 들어갔을 경우에는 깨끗한 물, 식염수, 증류수 등으로 헹구어 내야 한다. 또한 적절한 평가와 조언을 위해 감독자에게 즉시 보고한다. 노출된 사람과 원인이 된 사람에서 혈액채취를 가능한 한 즉시 시행한다.

　노출 후 예방(Postexposure Prophylaxis, PEP)은 인간면역결핍바이러스 또는 간염의 가능성을 감소시킨다. 인간면역결핍바이러스에 대한 예방은 노출 1시간 이내에 행해져야 하므로 노출 후 예방을 즉시 시행하는 것이 중요하다. 노출 후 예방에 사용되는 약제는 여러 부작용이 있어 전파 위험성이 있을 때만 사용된다. B형 간염에 대한 노출 후 예방은 바이러스 감염 기회를 의미 있게 감소시키기 위해 노출 24시간 이내에 시작한다. HCV 노출 후 양성으로 전환의 위험은 약 1.8%이다. 기본적으로 노출 후 48 시간 이내에 anti-HCV와 ALT 검사를 하고 3주 후 다시 측정한다(CDC, 2018). 의료인은 안전바늘을 사용하고, 바늘과 날카로운 물건을 제거 즉시 폐기물통에 버리며, 예리한 물건과 주사바늘 노출을 보고하여 자신과 동료를 항상 보호하도록 한다.

| 인간면역결핍바이러스

인간면역결핍바이러스(HIV)는 후천성 면역결핍증후군(AIDS)으로 알려진 질병으로 인체의 면역계를 공격한다. 인간면역결핍바이러스는 질병이나 감염과 싸우는 세포의 파괴를 통해 면역체계를 약화시킨다. 최근까지 이 감염을 예방하는 백신은 없다.

| 인간면역결핍바이러스의 감염

투석실에서의 인간면역결핍바이러스의 전파 가능성은 B형 간염 바이러스에 비해 훨씬 낮다. 이는 B형 간염 바이러스와 비교하여 볼 때 인간면역결핍바이러스가 혈액 내 낮은 농도로 존재하기 때문이다. 혈액 내 인간면역결핍바이러스의 농도는 약 10~10000 감염 바이러스/mL로 존재한다. 2013년 12월, CDC는 미국의 의료진에서 58건의 감염사례와 150건의 인간면역결핍바이러스의 감염 가능성에 대한 자발적 보고를 받았다. 57개의 문서화된 발생건수 중, 48건은 경피적 노출에서 발생했다. 인간면역결핍바이러스와 관련된 주사바늘 자상 관련 감염은 치료되지 않을 경우 0.23%의 감염 가능성이 있다. 체액과 체액이 손상되지 않은 피부나 점막으로 전염될 위험은 혈액과 관련 유무와 관계없이 인간면역결핍바이러스의 전염 위험이 낮은 것으로 간주된다(CDC, 2016)

| 인간면역결핍바이러스의 전파경로

다른 혈행성 병원체와 마찬가지로 인간면역결핍바이러스도 감염된 환자의 혈액 내에 존재한다. 인간면역결핍바이러스는 일차적으로 성접촉에 의해 전파되나 혈액이나 체액의 접촉에 의해서도 전파될 수 있다. 또한 감염된 모체로부터 수직감염도 될 수 있다. 오염된 기구 표면에 의한 전파는 검증된 바 없다. 이 바이러스는 화학적 소독에 매우 민감하고, 0.5% 락스(sodium hypochlorite)를 10%로 희석한 용액에서 1분 내에 완전히 비활성화된다.

　B형 간염 바이러스와 인간면역결핍바이러스는 공기 감염이 입증된 바 없으나, 혈액이나 체액이 튀거나 원심분리 시 사고, 튜브의 마개를 제거하는 과정에서 입, 눈, 손상된 피부표면에 방울형태로 튀어서 노출될 수 있다. 인간면역결핍바이러스는 재생산될 수 없으며 무생물에서 생존할 수 없다.

투석실에서 인간면역결핍바이러스 예방

표준화된 지침은 투석실에서 인간면역결핍바이러스 감염으로부터 환자 및 의료인을 예방하기 위해 중요하다. 환경을 통한 바이러스 전파는 매우 드물고 혈액 내 바이러스 수가 적어서 환자를 격리할 필요는 없다. 또한 인간면역결핍바이러스 양성자들을 코호트하거나 그룹으로 치료할 필요도 없다. 인간면역결핍바이러스 검사가 투석실에서 감염관리를 위해 추천되지는 않는다. 투석실에 내원하기 위해 미리 검사되어야 하는 것은 아니지만 적절한 처치와 조언으로 도움을 받을 수 있다. 인간면역결핍바이러스로 인하여 이미 면역이 억제된 사람은 이식이 금기되므로 반드시 이식 전 검사해야 한다. 만약 인간면역결핍바이러스 항체를 검사한다면 동의서, 확진 검사, 전문적 조언, 검사의 신뢰성이 필요하다.

인간면역결핍바이러스 양성 환자에서 투석막의 재사용

CDC에서는 올바르게 시행되기만 하면 투석막의 재사용은 특별히 위협적이지 않다고 보고 있으나 투석실에서 인간면역결핍바이러스 양성자로 알려진 환자의 투석막은 재사용하지 않는다.

인간면역결핍바이러스 양성 환자로 알려진 환자의 혈액에 노출된 경우

어떤 혈액에 노출된 것과 마찬가지로 감독자에서 즉시 보고하고, 원인제공자인 환자는 동의하에 인간면역결핍바이러스 감염 검사를 한다. CDC에 의하면 인간면역결핍바이러스에 노출된 직원은 추후상담과 의학적 평가를 받되 노출 후 최초의 인간면역결핍바이러스 항체 검사 후 최소 6개월 이상 주기적으로 검사받아야 한다 (6주, 12주, 그리고 6개월 후). 그리고 2차 전파를 막기 위해 주의사항을 준수해야 한다.

　1996년 공중보건서비스는, 노출의 종류에 따라 질병예방을 위한 화학약재 재료와 사용법에 대한 권장지침을 발표하였다. 이런 권고들은 제한된 데이터를 기반으로 하기 때문에 잠정적이긴 하지만 인간면역결핍바이러스 전파 위험성이 높은 직업군에게는 화학적 예방법이 추천된다. 노출 후 72시간 내에 4주, 2-drug PEP 복용을 권장한다. 예방의 위험성을 무시할 수는 없지만 비교적 그 위험성이 낮은 경우 불확실한 효능과 독성을 가진 약물 사용에 대한 위험성의 균형을 맞춘 노출 후 예방법이 제공돼야 한다. 노출 후 예방의 위험성을 무시할 수 없다면 노출 후 예방의 사용을 고려해야 한다. 항레트로바이러스 약물이 타당한지 여부를 결정하기 위해 의사와 상담해야 한다(CDC, 2016)

C형 간염

C형 간염은 C형 간염 바이러스(HCV) 감염으로 인한 심각한 간질환이다. 미국에서 간염의 가장 흔한 형태이며, 미국 전역에서 만성적으로 감염된 사람이 270~300만 명일 것으로 추정하고 있다(CDC, 2018). C형 간염 바이러스 예방 백신은 존재하지 않는다.

C형 간염의 감염

C형 간염은 B형 간염보다 혈액 내에 적게 농축되어 있고 체외 환경에 오래 생존할 수 없다. 감염 가능한 바이러스 농도는 1,000개/mL 이하로 생각된다. 그러나 투석실에서 발생할 경우 감염관리의 부재로 여겨진다. C형 간염 감염 가능성이 높은 사람은 정맥주사 사용자, 혈액에 직업적으로 노출 가능성이 있는 의료종사자, 혈액투석 환자, 수혈받는 환자 등이다. 장기투석 환자에서 C형 간염 바이러스 감염 위험이 증가한다. 투석 년수, 수혈을 받은 과거력, 수혈받은 혈액량은 모두 C형 간염 바이러스 감염의 관련 위험인자이다.

표 10-3 C형 간염 바이러스 감염 검사 결과의 해석과 추가적인 처치

검사결과	해석	추가적 처치
HCV antibody nonreactive	C형 간염 바이러스 항체 없음	• 검체가 C형 간염 바이러스 항체에 반응이 없는 것으로 보고될 수 있다. • 만약 최근에 노출이 의심된다면 C형 간염 바이러스 RNA 검사를 시행한다.*
HCV antibody reactive	C형 간염 바이러스 감염 추정	반복적인 reactive를 보인다면 최근의 지속적인 C형 간염 바이러스 감염을 의미하거나 회복된 과거 C형 간염 바이러스 감염을 의미한다. 현재 감염을 확진하기 위해 C형 간염 바이러스 RNA 검사를 시행한다.
HCV antibody reactive, HCV RNA detected	현재 C형 간염 바이러스 감염	적절한 상담과 함께 검사를 수행하고 간호와 치료를 담당할 의료진을 연결해 준다.†
HCV antibody reactive, HCV RNA not detected	C형 간염 바이러스 감염 없음	일반적으로 다른 처치가 필요하지 않다. • C형 간염 바이러스 항체 진양성(true positivity) 및 생물학적 위양성(false biological positivity)에 대한 구별이 요구되는 경우와, 초기 시험에서 반복적으로 반응성인 경우, 다른 C형 간염 바이러스 항체 검사를 시행하라. • 이런 상황에서는† 추후 C형 간염 바이러스 RNA 검사를 하고 적절한 상담을 제공한다.

출처: CDC: Testing for HCV infection: An update of guidance for clinicians and laboratories, MMWR 62(18):362-365, 2013.

*만약 C형 간염 바이러스 RNA 검사를 시행할 수 없고 검사받은 자가 면역력이 약화되었다면, 혈청전환을 확인하기 위해 재검사를 시행한다. 만약 검사받은 자가면역력이 약화되었다면, C형 간염 바이러스 RNA 검사를 고려한다.

†항 바이러스 치료를 시작하기 전에, C형 간염 바이러스 RNA 양성을 확인하기 위해 차후 혈액검체에서 C형 간염 바이러스 RNA 검사를 재시행할 것을 권장한다.

†만약 검사받은 자가 지난 6개월 내에 C형 간염 바이러스에 노출됐을 것으로 의심되고 C형 간염 바이러스 질병의 임상적 증거를 가지거나, 검체의 취급이나 보관상 염려가 되는 경우

C형 간염 바이러스 전파는 부적절한 감염관리 관행으로 발생할 수 있다. 기계 및 기타 환경 표면이 소독되지 않고 환자 간에 사용되면 환자 간 교차위험의 문제가 발생할 수 있다. 이런 문제는 물품이 환자 간에 공유되고, 유출된 혈액을 신속하게 청소하지 않았을 때 발생한다. 2016년 새롭게 미국에서 C형 간염 바이러스에 감염된 사람은 4만 1,200명에 이른다(2018, CDC).

| C형 간염의 전파경로

C형 간염은 B형 간염이나 다른 혈행성 병원체와 마찬가지로 감염된 혈액에 노출되었을 때 전파된다. 혈액투석에서 모든 혈액투석 환자에게 감염관리 예방책을 엄격히 적용하여 C형 간염 바이러스 전파를 예방하도록 한다.

| C형 간염 양성 환자의 안전한 투석을 위한 예방조치

C형 간염 바이러스 항체 양성인 환자는 격리하거나 투석기를 분리해서 할 필요는 없다. 만약 간효소 검사상 허용할 만한 수치이면 투석막의 재사용도 허용할 수 있다.

| C형 간염의 혈청학적 검사를 위한 CDC의 권고사항

환자 및 의료인을 대상으로 한 정기적인 C형 간염 항체 검사는 감염관리 차원에서는 필요하지 않다. 그러나

투석실에서 C형 간염 유병률 조사나 C형 간염 진단 후 적절한 내과적 치료를 하기 위해 C형 간염의 항체 검사를 하도록 한다. C형 간염 바이러스 항체 및 C형 간염 바이러스 RNA 검사를 포함한 C형 간염의 진단적 혈액검사를 표 10-3에 정리하였다.

이 검사의 민감도는 90%이지만 급성과 만성을 감별하지 못한다. 게다가 감염자와 완전히 회복된 환자, 다른 사람에게 전염 가능성이 있는 환자를 감별할 수 없다. 비록 CDC에서는 C형 간염에 대해 장기적인 선별검사는 권하지 않으나 C형 간염 및 모든 형태의 간염을 색출하기 위해 정기적인 간효소 검사를 추천하고 있다.

C형 간염 바이러스를 진단하기 위해 간효소 검사, ALT, AST를 매달 모든 환자에게 시행해야 한다. 간효소 수치가 증가하면 C형 간염 항체보다 급성 C형 간염을 잘 확인할 수 있는 최근의 민감한 검사를 이용하도록 한다.

잘 설명되지 않는 ALT 증가가 없다면, 6개월마다 시행하는 anti-C형 간염 바이러스 검사가 새로운 C형 간염 바이러스 감염의 발생을 알아내는 데 충분하다. 만약 잘 설명되지 않는 ALT 증가가 anti-C형 간염 바이러스 음성인 환자에서 나타나면 anti-C형 간염 바이러스 검사를 반복한다. 반복적인 anti-C형 간염 바이러스 음성환자에서 지속적인 ALT 증가가 보이면 C형 간염 바이러스 RNA 검사를 고려해야 한다(CDC, 2001). 현재 C형 간염 바이러스 감염을 확인하기 위한 권장되는 검사 순서를 참조한다(그림 10-1).

| C형 간염에 노출되었다면?

혈액이나 체액에 노출된 의료진에게는 HCV에 대한 예방은 권장되지 않는다. HCV 항체 검사는 노출 후 48시간 이내에 실시하고 6개월 후에 반복한다. CDC 보고에 따르면 HCV 양성 혈액에 바늘이나 날카로운 물건에 노출된 후 HCV 감염 위험은 약 1.8%이다(CDC, 2018).

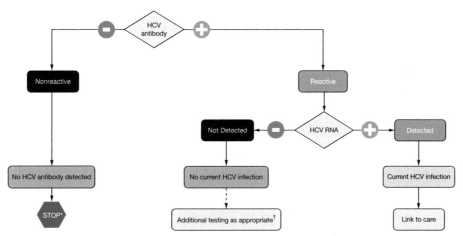

그림 10-1 현재 C 형 간염 바이러스 (HCV) 감염을 확인하기 위한 권장 테스트 순서. * 지난 6 개월 이내에 HCV에 노출되었을 가능성이 있는 사람은 HCV RNA 검사 또는 HCV 항체 추적 검사를 권장한다. 면역력이 약한 사람의 경우 HCV RNA 검사를 고려할 수 있다. 과거에 해결 된 HCV 감염을 HCV 항체에 대한 생물학적 위양성과 구별하기 위해 다른 HCV 항체 분석을 사용한 테스트를 고려할 수 있다. 피험자가 지난 6 개월 이내에 HCV에 노출 된 것으로 의심되거나 HCV 질병의 임상 적 증거가 있는 것으로 의심되거나 또는 HCV의 취급 또는 보관에 관한 우려가 있는 경우 HCV RNA 검사를 반복한다. Centers for Disease Control and Prevention (CDC): Testing for HCV infection: an update of guidance for clinicians and laboratorians. MMWR Morbidity and Mortality Weekly Report 62(18):362-325, 2013. MMWR Morbidity and Mortality Weekly Report 62 (18) : 362-325, 2013.)

| 결핵

결핵(Tbc)은 결핵균(mycobacterium tuberculosis)에 의해 발생하는 감염성 질환으로 일반적으로 폐를 공격하나 신체의 모든 부분을 공격할 수도 있다.

| 결핵의 전파

적절한 항결핵제를 복용하지 않은 폐결핵, 후두결핵을 가진 환자의 기침이나 재채기에 의해 공기 중 비말핵에 의해 전파된다. 이런 작은 비말은 공기 중 오랜 기간 존재한다. 상온에서 비말핵은 세균이 포함된 흡인성 비말과 마찬가지로 사람의 폐포에 감염될 수 있다.

초기 감염 2~10주에는 건강한 면역체계를 가진 환자는 세균 복제가 제한적이어서 질병이 발생하지 않는다. 피부반응검사에서 양성반응은 일반적으로 감염의 증거이다.

잠복성 결핵인 건강한 사람의 약 10%는 몇 개월 또는 몇 년 후 활동성 결핵으로 발전할 수 있다. 그러나 인간면역결핍바이러스 감염자는 활동성, 감염성 질환의 진행의 위험성이 매우 높아진다. CDC는 연간 세계 인구의 약 4분의 1이 결핵에 감염되어 있으며, 130만 명이 결핵으로 사망하는 것으로 추정한다. 미국의 결핵 발병률은 2016년보다 1.6% 감소하고 있다. 약 9,105명의 결핵 사례가 2017년 미국에서 보고되었으며, 이는 1953년 기록이 시작된 이후 가장 낮은 사례 수이다(CDC, 2017).

| 활동성 결핵과 결핵감염의 차이

활동성 결핵에 감염된 환자는 결핵 전파력이 높다. 활동성 결핵은 아니지만 감염자는 무증상이며 전염성도 떨어지며 Mantoux 검사에서 비록 양성이지만 전염성이 있지는 않다. 활동성 결핵으로 진행하는 데는 몇 개월 또는 몇 년이 걸리며 결코 활동성 결핵으로 진행하지 않을 수도 있다. 활동성 결핵의 증상은 3주 이상의 기침, 피로감, 열, 체중감소, 야간 발한 등이다. 투약과 치료가 가능하다.

| 투석실에서 결핵의 문제점

미국에서 결핵의 유병률은 점차 감소하고 있다. 집단발병은 관리공단, 병원, 투석실에서 보고된 것이다. 결핵의 전파방식은 다양하다. 예를 들어 결핵감염이 선별이나 진단되기 전 진료장소인 응급실에서의 감염 가능성이 높다.

| 전염력이 있는 활동성 결핵 환자의 외래 투석

전염력이 있는 상태의 활동성 결핵 환자는 외래 환경에서 투석을 받아서는 안 된다. CDC 권고사항에 따라 이들은 독립된 공간(1인실, 음압)에서 적절히 격리되어야 한다. CMS의 말기신장질환 프로그램의 규정에서는 사전에 병원의 동의를 구하고 독립된 투석실을 권장하여 결핵 환자의 감염력이 더 이상 없을 때까지 투석을 받을 수 있게 한다.

| 결핵검사에 대한 CDC의 권고사항

TB 박테리아를 검출하기 위한 방법에는 투베르쿨린 피부 검사(TST) 및 TB 혈액 검사의 두 가지 유형이 있다. 피부 또는 혈액 검사 결과가 양성일 경우 결핵균에 노출되었거나 현재 결핵에 감염된 것을 의미한다. 결핵 활동성 감염을 확인하려면 흉부 방사선 촬영과 객담 분석이 필요하다. 의료종사자는 고용 초기에 검사를 받아야 한다. 결핵 검진은 최소 1년에 한 번 또는 정부 규정에 따라 실시한다(CDC, 2017). 결핵 검진의 빈도는 지역사회 TB 프로필과 같은 기관의 위험평가를 기반으로 한다. 결핵 발병률이 높은 지역에 거주하고 근무하는 경우 검진을 더 자주 받을 수 있다.

투석 환자는 첫 치료 전에 검사를 받아야 한다. CDC는 모든 투석 환자가 최소한 한 번은 투베르쿨린 피부검사(TST)를 받고, 결핵 노출이 감지되면 재검사하도록 권고한다.

새로운 투석 환자가 입원 또는 광범위한 검사 후 환자가 되는 경우 최근 2년 이내 흉부 방사선 검사나 투베르쿨린 피부 검사를 시행한 환자는 위험인자가 있다 하더라도 초기 선별검사는 불필요하다.

CDC에서의 권고사항은 기초검사로 두 단계 Mantoux 검사를 하도록 하는데 5 tuberculin units를 포함한 PPD (purified protein derivative) 0.1mL를 경피주사하고 두 번째 단계는(첫 PPD검사에서 음성인 대상자를 1~3주 후 PPD 재검사하는 것) 새로운 감염에 대한 증폭반응에 대한 잘못된 해석의 가능성을 줄이기 위해 주기적으로 결핵 피부반응검사를 시행한 사람에서 기초 검사로 실시한다.

환자 및 의료인에게 비정기적인 검사는 임상적인 증상이 있거나 활동성 결핵 환자 및 의료인과 접촉이 있었던 경우에는 비정기적인 검사를 시행하도록 한다.

결핵 감시의 새로운 방법인 인터페론-감마 분비 검사(Interferon-Gamma Release Assay, IGRA)는 결핵 진단에 도움이 될 수 있다. 현재 두 인터페론-감마 분비 검사가 미국식품의약국에 의해 승인됐다. 인터페론-감마 분비 검사는 잠복성과 활동성 결핵을 구별하지 못하나 결핵에 대한 사람의 면역 반응도를 측정한다. 인터페론-감마 분비 검사의 장점으로는 24시간 내 결과를 알 수 있고 추후 검사에서 증폭반응의 가능성이 배제된다는 점이 있다. 이 검사는 각 기관에서 대안적인 검사방법으로서 아직 널리 사용되지 않고 있다(CDC, 2012).

약물 내성세균

약물 내성세균은 일반적인 항생제에 대한 변이가 발생한 세균이다. 변종은 재빨리 발생하고 이종교대로 발전할 수 있으며, 다른 세균에 대한 내성까지 발생한다. 반코마이신 내성 장알균(Vancomycin-Resistant Enterococci, VRE)과 메티실린 내성 황색포도알균(Methicillin-Resistant Staphylococcus Aureus, MRSA)은 항생제 치료에 내성을 가진 대표적인 세균이다. 이것은 미국 내 병원 및 의료기관에 중요한 병원성 병원체이며, 말기신장질환, 암, 인간면역결핍바이러스 감염자, 노령, 신생아, 다제 항생치료 중인 환자와 같이 면역저하 환자에서 흔히 발생한다. 약제 내성세균의 획득 감염 위험성이 높은 환자는 다음과 같다: 너싱홈 환자, 잦은 병원 입원 환자, 장기 입원 환자, 스테로이드 치료가 필요한 만성질환자, 각종 도관을 하고 있는 환자, 피부절개 및 체내 각종 기구들을 가진 환자 등이다. 결핵은 또한 치료과정을 완전 종결하지 않았거나 잘못된 처방으로 약을 정확히 복용하지 않았을 때 약물 내성이 생긴다.

메티실린 내성 황색포도알균(MRSA)과 반코마이신 내성 장알균(VRE)의 전파

메티실린 내성 황색포도알균

메티실린 내성 황색포도알균의 주요 감염경로는 이들 균주에 감염된 환자 또는 보균자와 접촉하여 감염된 의료종사자의 손이다. 사람들은 코나 피부를 통해 세균이 전파되어 일부는 보균자가 되고 일부는 균이 활성화되어 창상감염, 압박성 궤양 등으로 진행된다. 메티실린 내성 황색포도알균은 창상, 출구부, 혈관 접근부 등에 전파되고 의료기기 표면도 오염될 수 있으며 세균 저장소가 된다.

반코마이신 내성 장알균

장알균은 소화기계와 여성 생식기의 상재균이다. 이런 이유로 환자는 쉽게 감염된다. 그러나 최근 보고에 따르면 반코마이신 내성 장알균을 포함한 장알균은 사람에서 사람으로 직접 전파되거나, 사람들의 손에 일시적인 보균상태로 전파되거나, 의료기구의 오염에 의해 전파된다고 알려져 있다.

| 외래 투석 환자의 메티실린 내성 황색포도알균와 반코마이신 내성 장알균에 대한 안전

CDC에서 권고하는 포준 감염관리 또는 표준화된 지침은 다음과 같이 투석실에서 메티실린 내성 황색포도알균 전파에 대한 예방책을 제시한다.

- 장갑을 착용하였더라도 혈액, 체액, 분비물 및 각종 오염물에 접촉한 후 손씻기를 한다. 또한 같은 환자에서 시술과 시술 사이에 장갑을 벗은 후 손씻기는 다른 부위로의 교차감염을 예방한다.
- 혈액, 체액, 분비물 및 오염물 관리 시 장갑을 착용한다. 장갑은 점막, 비감염 피부에 접촉하기 전에 착용하고 사용 후 즉시 벗는다.
- 마스크, 보안경을 착용하는데, 이는 눈, 코, 입 등에 시술을 하는 동안 체액이 튀어서 접촉될 수 있는 점막을 보호한다.
- 시술 중 또는 환자를 간호하는 동안 피부 오염이나 의복의 얼룩을 예방하기 위해 가운을 착용한다.
- 환자에게 사용한 도구는 감염환자의 체액과 분비물이 옷에 감염되고 피부에 노출되지 않도록 끊여서 소독하고, 재사용 가능한 도구는 재소독 전까지는 다른 환자에 사용하지 않는다.

이런 표준 주의사항에 부가적으로 배액 창상을 가진 환자, 설사 또는 요실금, 위생상태가 불량한 환자에서 반코마이신 내성 장알균을 가진 환자는 격리하고 의복 등을 관리하도록 한다. 반코마이신 내성 장알균 보균자나 감염된 환자에게 청진기나 맥박기와 같은 위험하지 않은 기구의 사용에도 주의하는 것이 중요하다. 이와 같은 기구를 다른 환자에서 사용하려 한다면 적절한 세척과 소독이 필요하다.

| 카바페넴 내성 장내균

카바페넴 내성 장내균(Carbapenem Resistant Enterobacteriaceae, CRE)은 일반적인 항생제에 강한 내성을 보이는 세균으로 매우 치료하기 어렵다. *Klebsiella spp.*와 *Escherichia coli*는 장내균의 일종으로 인간의 장내에 존재하는 정상 상재균이다. 이런 세균들이 어떤 이유로 장 바깥으로 나와 폐렴, 혈액감염, 요로감염, 상처감염, 수막염 등을 유발한다. 카바페넴은 *E. coli* 및 *Klebsiella pneumoniae*와 같은 세균에 의한 감염을 치료하는 데 자주 사용된다. 항생제가 남용되면서 많은 장내균이 항생제에 내성을 갖기 시작했다. 카바페넴 내성 장내균은 질병이 있거나 급성기 혹은 만성기 의료기관에 있는 개인에게 잘 발생한다. 다른 예로는 면역계에 이상이 있는 사람, 당뇨병 환자, 기계환기요법 적용 환자, 혹은 침습적인 장치를 가진 환자가 있다.

카바페넴 내성 장내균은 50% 이상의 높은 사망률과 관련이 있다(CDC, 2015). 카바페넴 내성 장내균에 감염된 환자에게는 접촉주의를 적용해야 한다. 손위생 지침을 충실히 이행하여 의료진의 손에 의한 교차감염을 예방해야 한다. 중심정맥관이나 유치도뇨관과 같은 장치 사용을 최소화하는 것이 감염위험을 감소시킨다.

| 클로스트리디움 디피실 대장염에 대한 투석 환자의 취약성

클로스트리디움 디피실(*Clostridium Difficile*)은 결장의 염증 또는 대장염을 일으키는 박테리아이다. 항생제를 오래 사용하는 사람들에게서 흔히 볼 수 있다. 항생제를 사용하거나 치료 종료 30일 후 항생제를 복용하는 사람들은 복용하는 동안 *C. Difficile*에 걸릴 확률이 7~10배 더 높다. 그리고 요양원에 거주하거나 입원 중인 65세 이상에서 더 자주 발생한다. 투석 환자가 항생제에 자주 노출되기 때문에 *C. Difficile* 감염에 취약하고 감염률이 일반인보다 높다. 증상은 묽은 설사, 발열, 식욕 감소, 메스꺼움, 복통 및 압통 등이다. CDC(2015)에서는 *C. Difficile* 환자를 치료할 때 장갑과 가운을 착용하고 비누와 물로 손을 씻을 것을 권장한다. 손소독제가 박테리아를 죽이지 않기 때문이다.

| 투석실에서의 소독과 멸균 방법

모든 투석실은 혈액투석기의 투석액 흐름의 소독을 위해 표준화된 방법으로 소독을 시행하여야 한다. 이러한 방법들은 세균 감염을 관리하고 혈행성 감염을 예방하는 것과는 관계가 없다. 일반적인 방법으로 차아염소산나트륨(sodium hypochlorite; 표백제)을 사용하고 일정 시간 간격으로(100시간 사용마다) 야간에 소독을 한다. 임상적으로 다소 적은 용량의 농도인 화학적 살균제에도 인간면역결핍바이러스는 쉽게 비활성화된다는 보고도 있다. 내성이 좀 더 강한 B형 간염 바이러스도 일반 가정용 표백제에서 비활성화되는 것으로 알려져 있다. 소독제의 올바른 희석을 위해서는 제조업체의 라벨 지침을 따르는 것이 중요하다. 표면 소독을 위해 가정용 표백제보다 차아염소산나트륨과 같이 환경보호국에 등록된 소독제를 권고한다. 일상적인 소독은 낮은 수준의 소독제를 사용하여 수행할 수 있지만 표면이 혈액이나 체액으로 눈에 띄게 오염된 경우 중간 수준의 소독제를 사용해야 한다. 중간 수준의 소독제는 마이코박테리아와 결핵균을 비활성화하기에 충분히 강력하다. 일상적인 소독에는 중간 수준의 소독제를 사용하고 다음과 같은 경우 혼란을 최소화하기 위해 소독할 제품의 선택 시 중간 수준의 소독제를 사용하는 것이 좋다(CDC, 2016).

| 환경의 표면 청소

기계 표면, 환자 의자, 다른 의료장비 및 가구는 환자 치료마다 1:100에서 1:10 정도의 표백제로 정기적으로 닦아야 한다. 벽, 바닥이나 다른 표면 등의 환경 표면은 적절한 관리 관례대로 정기적으로 청소한다. 제품 라벨에 명시된 대로 소독제는 최소한의 도포시간을 준수하여야 한다. 소독 중 투석실에 환자가 없어야 한다. CDC는 치료 후 일상적인 소독은 환자가 없어질 때까지 또는 해당 스테이션에서 방금 치료를 받은 환자가 물리적으로 해당 스테이션을 떠날 때까지 수행하지 않아야 한다고 권고한다. 교차오염의 위험을 최소화하고 환자가 소독제에 노출되는 것을 방지하기 위해 철저한 소독 동안 환자 없는 시간이 필요하다(CDC, 2016). 환경 표면의 청소를 위해 소독이나 살균소독제를 사용하는 특별한 시도는 불필요하다. 그러나 혈액을 흘린 곳은 즉시 청결하게 해야 한다. 혈액이나 체액이 묻은 린넨은 새지 않는 햄퍼에 넣도록 한다.

프라이밍 통의 세척 및 소독을 위한 광범위한 시설의 절차가 수립되어야 한다. 프라이밍 통은 소독 후 기계에 부착하기 전에 건조시켜야 한다. 스테이션으로 가져왔지만 사용하지 않은 모든 일회용품은 치료 후 폐기해야 한다. 투석기에 있는 컴퓨터 스테이션, 키보드, 터치스크린 등은 제조사의 권장에 따라 소독제로 소독하여야 한다.

| 감염 통제를 위한 기본 ESRD 설문조사의 주요 관찰영역

CDC의 지침과 일부 특정 CMS 개발 지침은 시설 내 만성 투석 및 가정투석 프로그램 모두에 적용된다. CMS는 투석요법을 받는 환자의 안전한 문화를 보장하기 위해 핵심 조사 프로세스를 개발했다. 설문조사는 환자 치료행위를 직접 관찰하여 수행되었고, ESRD CfC(CMS, 2014)를 충족하면서 지식이 있고 치료를 제공할 수 있는 자격을 갖춘 직원이 환자 치료를 제공하는지 확인하고자 하였다. 설문조사 과정에는 환자 진료

제공 관찰, 직원 및 환자 인터뷰, 의료기록 및 시설일지 검토 등이 포함된다. 직접 환자 치료를 수행하는 직원은 감염 관리 및 기술과 관련하여 소독과정, 손위생 기술, 일회용품, 린넨, 의약품을 포함한 의료용품의 소독 및 취급도 모니터링 된다. 시설의 감염관리 프로그램은 환자 간 혈액 매개 바이러스 및 박테리아 전파 방지정책, 정기 혈청 검사, HBV 검사 및 예방접종, 격리정책, 감염 감시, 감염통제 훈련 및 교육 등이 검토된다.

| 폐기물의 유형

투석실에서는 일반 쓰레기와 감염성 쓰레기의 두 가지 폐기물이 발생한다. 일반 쓰레기는 대부분 종이, 비닐이며 일반적인 방법으로 폐기할 수 있다. 미국에서는 감염성 쓰레기는 혈액을 상징하는 붉은색 표기용기에 폐기하도록 정해져 있으며, 여러 주에서 법적으로 감염성 폐기물에 대한 기준이 있다.

| 인간면역결핍바이러스에 대한 복막투석액의 검사

인간면역결핍바이러스 항체는 인간면역결핍바이러스 감염 환자의 투석액에서 검출되지만 현재 이 투석액의 폐기에 대해서는 법적 관리지침은 없다.

| 가정복막투석 환자 관리 시 주의사항

표준화된 지침에 따라 혈액이나 체액에 노출될 가능성이 있는 모든 환자를 관리하고 각 투석실에서는 환자의 가정이나 투석실에서 발생하는 폐기물의 안전한 처리를 위해 자체적인 방법을 모색하여야 한다. 가정에서 환자는 화장실에 자신의 분비물을 버리는 곳을 준비하고 투석을 위한 폐기물도 처리하기 전 플라스틱통 안에 전용 용기를 준비하여 처리한다. 복막투석실의 화장실 및 배출구는 언제든지 사용할 수 있도록 해야 한다. 많은 투석실에서 1:10 비율의 표백제를 사용하고 있다. 일부에서는 폐기물을 버리기 전에 통에 10mL의 표백제를 추가하기도 한다. 만약 개수대에 폐기물을 처리한다면 폐기물 처리 후 표백제를 30분 동안 채워 둔다.

Anticoagulation and Heparin Administration
항응고요법과 헤파린 주입

혈액은 정상적인 혈관 내층 이외의 표면에 접촉하면 응고되는 경향이 있다. 이것은 생명보존을 위한 매우 중요한 기전이다. 이러한 혈액의 응고기능을 중단시키지 않는다면 혈액투석시스템의 체외순환회로가 응고되어 혈액투석치료가 불가능하다. 환자나 실무자를 위해 체외순환회로에서 혈액 응고를 막기 위한 몇 가지 방법이 있고, 각각의 방법은 장점과 단점이 있다. 투석실무자는 혈액투석 환자의 개별 요구에 안전하고 효과적으로 대처하기 위한 여러 방법을 반드시 숙지해야 한다.

항응고요법

항응고요법(anticoagulation)은 혈액 응고의 차단, 억제 또는 지연을 의미한다. 응고 형성은 혈액이 혈액라인이나 투석기에서 "외부" 표면과 접촉했을 때 발생한다. 정상적으로 혈액은 혈관 내에서 응고되지 않는다. 그러나 특정 조건하에서 응고되는데, 가장 흔하게는 손상기전 시 혈전을 형성하여 혈관을 막아 혈액손실을 막는 작용이다. 혈액투석의 항응고요법은 체외회로의 혈전을 줄여 투석기 효율을 최적화하여 보다 효과적인 투석치료를 제공한다.

혈액 응고의 원인

응고는 지혈이라는 복잡한 신체 프로세스의 일부이다. 응고의 결과로서 이 과정은 (1) 손상 혈관의 수축과 위축 (2) 손상부위에 혈소판이 협착 (3) 응고인자들의 복잡한 상호작용 등을 거친다. 이러한 응고인자들은 정상적인 혈액에 존재하고, 로마숫자 I~V, 그리고 VII~XIII로 구분한다. 혈소판은 외부 표면과 접촉되면 파손된다. 혈소판 제3인자가 방출되어 혈소판이 혈관벽에 부착되거나 들러붙으면 응고과정이 시작된다. 또한, 혈장인자 XI 및 XII는 외부 표면과 접촉에 의해 활성화되어 응고에 기여한다.

혈액이 정상 혈관 내에서 응고하지 않는 이유

혈관의 내벽, 내피 세포는 혈액이 혈관을 통해 자유롭게 이동할 수 있도록 매끄러운 구조로 되어 있다. 다른 세포들의 표면(혈관 내피세포, 혈소판, 그리고 적혈구)은 수분 함량이 높은 젤리 형태로 친수성을 띠고 있으며 손상되지 않았을 때 계면장력이 낮으므로 들러붙는 경향이 낮다.

| 투석 시 항응고요법의 필요성

혈액은 투석기나 혈액라인 등과 같은 외부 표면과 접촉 시 응고되므로 이를 방지하기 위해 항응고제를 사용한다. 최초의 항응고제는 의료용 거머리의 머리에서 추출한 히루딘이었다. 1916년, Jay McLean은 동물의 간에서 항응고제를 발견했는데, 이 추출물을 헤파린이라고 했다. 그러나 1936년까지는 사람에게 사용 가능하도록 정제되지 않았다. 그 효능은 1966년 마침내 미국에서 표준화되었다.

| 헤파린의 본질

헤파린은 산성 뮤코다당류이며, 프로타민 설페이트, 톨루이딘 블루, 퀴니딘과 같은 강한 염기성 화합물에 의해 중화되어 항응고제 특성을 잃게 만든다. 임상에서 사용 가능한 헤파린의 분자량은 8,000~14,000Da (dalton)이다. 미국에서는 저분자량(MW: 4,000~6,000Da)으로 구성된 헤파린을 사용하는데, 이는 비록 더 비싸지만 단일용량 투여의 장점이 있다. 이러한 저분자량 헤파린을 사용할 경우 출혈 위험이 감소하며 리파아제의 효과를 감소시켜 장기 혈액투석 환자에게서 중성지방과 콜레스테롤 수치를 낮추는 효과가 있다. 후자의 요인은 높은 중성지방과 콜레스테롤 수치가 심혈관질환과 연관되어 있기 때문에 매우 주목할 만하다.

| 헤파린의 응고 예방

헤파린은 헤파린 공동인자(안티트롬빈 III, antithrombin III)라 불리는 혈장단백과 결합한다. 헤파린안티트롬빈 III 복합체는 트롬빈과 활성화된 인자 X, 활성화된 인자 XI와 결합하고 비활성화시킨다. 따라서 혈액응고의 세 단계(그림 11-1)에서 응고를 방지한다. 피브리노겐이 피브린으로 변환되는 것이 억제되듯이 프로트롬빈에서 트롬빈으로의 변환도 억제된다. 항응고 활성은 약물 주입 후 약 5~10분 후 최고에 달한다. 보통 투석에 사용된 헤파린 용량의 반감기는 약 90분이다. 헤파린 비활성화의 기전은 명확하지 않으나 간에서 대사되며 세망 내피계에 의해 흡수된다.

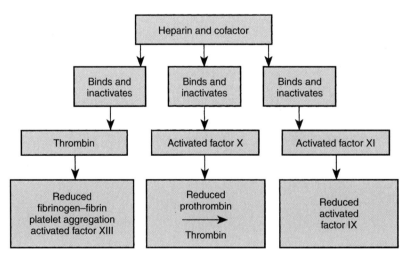

그림 11-1 **헤파린 작용의 도식도**

| 헤파린의 종류

대부분의 헤파린은 돼지 창자점막 또는 소의 폐에서 얻는다. 돼지 점막 헤파린은 저렴하고, 많은 양을 추출할 수 있어 가장 흔히 사용된다. 미국약전(The U.S. Pharmacopeia, USP)에 따르면 헤파린의 단위량(밀리리터당 활성 단위)에 따른 작용은 두 형태에서 동일하지만 중량을 기준으로 할 때에는 항응고제 작용에 차이가 있다. 즉 돼지 헤파린 1mg은 소의 폐 헤파린 1mg보다 항응고 작용이 더 크다. 소 헤파린은 비용이 많이 들 뿐만 아니라 혈소판감소증 발병의 우려 때문에 더 이상 상업적으로 이용하지 않는다.

| 헤파린과 상호작용하는 약물

아스피린, 비스테로이드성 항염증제 및 덱스트란과 같은 일부 약물은 헤파린의 효과를 강화시켜 출혈의 원인이 될 수 있다. 심장 글리코시드, 니코틴, 퀴닌 및 테트라사이클린은 헤파린의 효과를 방해하거나 감소시킨다.

| 헤파린의 용량 결정

환자의 헤파린 용량은 일반적으로 환자의 건체중에 기초하여 의사가 처방한다. 용량 조절은 환자의 체중 변화가 있거나, 투석시간이 변경되었거나, 또는 투석기 막의 변경 시 필요하다. 에리트로포이에틴은 헤파린 요구량을 증가시켜 처방된 양을 증가시켜야 한다. 헤파린 용량은 출혈의 위험을 줄일 정도로 충분히 낮아야 하고, 체외순환회로에서 응고를 방지할 수 있을 만큼 충분히 높아야 한다. 적절한 헤파린요법은 투석기의 용질 청소율을 높인다. 적절한 헤파린요법은 또한 혈액투석 종료 시 투석기를 더 깨끗하게 하여, 환자에게 혈액이 반환될 때 많은 적혈구를 받을 수 있도록 돕는다. 검사실표준안(Clinical Laboratory Improvement Act, CLIA)에 따라 응고시간을 감시할 수 없기 때문에 투석 실무자는 헤파린 사용량의 증감이 요구되는 환자의 상황에 더 세심한 주의를 기울여야 한다. 투석시스템의 응고, 치료 후 투석기의 불량한 청소율 및 불충분한 요소청소율은 헤파린의 용량 증가 필요성을 암시할 수 있다. 치료 후의 과도한 출혈이나 멍은 헤파린 용량의 감소 필요성을 의미할 수 있다.

| 헤파린 주입 시 사용되는 기술

혈액투석을 위한 헤파린 투여에 대해 다양한 프로토콜을 사용할 수 있다. 전신 헤파린요법은 가장 보편적으로 사용되는 방법이다.

이것은 일반적으로 의사 처방에 따라 투여되고 환자의 체중에 기초한다. 헤파린의 초기 1회 용량은 바늘이 고정된 후 정맥으로 주입되고 그 후 더 이상 헤파린을 투여하지 않는다.

투석실무자는 의사의 처방에 따라 헤파린의 시간당 주입량을 반복하거나 지속적으로 정맥주입한다.

| 지속적 헤파린 정맥주입요법

앞서 설명한 바와 같이 프라이밍 또는 헤파린의 "부하"용량이 주입된다. 헤파린은 주입펌프를 통해 일정한 속도로 체외순환시스템에 주입된다. 이것은 일반적으로 1,000~2,000units/hr의 속도로 투석치료에 걸쳐 계속된다. 응고 여부는 주기적으로 평가해야 한다. 즉, 드립챔버나 투석기 섬유를 관찰하고 생리식염수로 세척하며 헤파린 주입속도의 적절성도 평가해야 한다. 일반적으로 헤파린 주입은, 특히 투석 후 바늘을 제거해야 하는 환자는 응고시간이 정상으로 회복하도록 치료 종료 30분에서 1시간 전에 중단된다.

| 헤파린을 혈액투석에 사용하는 경우 출혈 위험

헤파린 투여 시 출혈 위험은 항상 있다. 말기신부전 환자는 요독증과 관련된 혈소판기능장애로 인해 더 쉽게 출혈하는 경향이 있다. 특히 24~48시간 내에서 수술을 받았거나, 투석 후 바로 수술 예정인 환자, 최근 상처를 입었거나, 심낭염이 있거나, 위장관이나 자궁에 출혈 병변이 있는 환자는 특히 주의를 기울여야 한다. 응고장애 환자의 치료 시에는 체외순환회로에서 응고를 방지하기 위한 일환으로 생리식염수 세척을 해야 한다.

| 출혈 위험이 있을 때 혈액투석 시 헤파린 사용방법

이러한 상황에서 세 가지 방법이 사용된다: 국소적 헤파린요법(regional heparinization), 저용량(low-dose) 또는 "최소량(tight)" 전신(systemic) 헤파린요법, 그리고 무헤파린 생리식염수 세척 방법(no heparin-saline flush techniques).

| 국소적 헤파린요법

국소적 헤파린요법에서는 항응고제를 투석기의 동맥라인 입구를 통해 지속적으로 주입한다. 동시에 환자에게 혈액을 반환하기 전에 정맥라인을 통해 길항제를 주입하여 중화시킨다.

과거에는 헤파린이 항응고제로 사용되었고, 연어 정자로부터 추출한 저분자량 단백질인 프로타민 설페이트를 정맥으로 주입하였다. 강력한 염기성 단백질인 프로타민은 산성 헤파린과 결합하여 혈액응고시스템의 효과를 상쇄시켰다. 그러나 헤파린과 프로타민 설페이트 두 약물의 주입용량의 정확한 균형 유지의 어려움, 투석 후 몇 시간 내에 발생하는 항응고 경향, 프로타민과 관련된 아나필락시스 등의 몇 가지 어려움 때문에 이 방법은 오늘날 거의 사용되지 않는다.

국소적 항응고요법의 대안으로 구연산 나트륨(sodium citrate)을 사용한다. 국소적 구연산 항응고요법은 체외순환회로 혈액에 존재하는 이온화칼슘과 결합하여 항응고작용을 한다. 왜냐하면 칼슘 이온이 혈전 형성을 위해 필수적이기 때문이다. 이 방법은 동맥라인으로 삼나트륨구연산염(trisodium citrate)을 주입하며 칼슘이 포함되지 않은 무칼슘 투석액이 사용된다. 왜냐하면 이온화칼슘이 섞인 혈액이 환자에게 귀환하는 것은 위험하기 때문에 가능한 혈관 통로 연결부위와 가까운 정맥라인에 염화칼슘을 주입한다.

이 방법의 주요 단점은 환자의 총 칼슘 수치뿐만 아니라 응고시간을 확인하기 위해 혈액검사가 자주 수행되어야 한다는 것이다. 구연산 대사는 중탄산염을 생산하므로 혈장 중탄산염 수치가 확연하게 알칼리 혈증 수준으로 증가된다(대안적 방법은 정상 투석액과 대용량의 희석된 구연산나트륨과 무칼슘 주입액을 사용한다. 단점은 최소화되지만, 초여과 목표는 여분의 수분을 제거하기 위해 반드시 조절되어야 한다).

두 가지 유형의 국소적 항응고요법은 높은 수준의 충분한 경험, 기술, 그리고 세심한 주의를 요구한다. 최근 일반적으로 사용되는 헤파린요법은 저용량 또는 "최소량" 시스테믹 헤파린요법과 무헤파린요법이며 국소적 헤파린요법은 심한 중증 응급투석 환자에게 국한적으로 사용된다.

| 구연산 투석액

국소적 구연산 항응고요법의 대안으로, 체외순환회로에서 약간의 항응고요법을 제공하는 구연산을 소량 함유한 산성 농축액인 구연산 투석액이 있다. 구연산의 농도는 2.4mEq/L 또는 전통적인 국소 구연산 주입을 통한 항응고요법에 사용되는 농도의 약 1/5이다. 구연산은 특히 헤파린 기인성 혈소판감소증(Heparin-

Induced Thrombocytopenia, HIT), 헤파린 항체, 심한 혈액 응고장애, 또는 급성 출혈, 외상, 수술 이전/이후의 출혈 위험요인을 가진 환자에게 유용하다. 구연산은 또한 지속적인 저효율 매일 투석(Sustained Low-Efficiency Daily Dialysis, SLEDD)치료에 적절하다.

구연산 투석액에는 항응고제인 구연산이 포함되어 있다. 구연산은 투석기와 혈액라인에 항응고효과를 제공하고 전신순환에 들어가면 빠르게 중화된다. 구연산 투석액을 이용한 투석은 일반 중탄산 투석액으로 환자를 투석하는 것과 다르지 않다. 환자 모니터링을 평상시보다 추가할 필요가 없다. 구연산 사용으로 인한 저칼슘혈증에 대한 우려, 출혈의 위험, 또는 혈중 미네랄 농도의 저하 우려가 없으므로 추가적인 혈액 검사나 모니터링이 필요하지 않다.

구연산 투석액 사용의 주요 장점은 항응고를 개선하고, 투석량을 높이고, 투석기 내 섬유 응고를 방지하여 청소율을 높이고 저칼슘혈증에 대한 우려를 낮춘다는 것이다(Advanced Renal Technologies, 2015).

| 저용량 또는 "최소량" 헤파린요법

저용량 또는 "최소량" 헤파린요법은 응고시간을 자주 모니터링하고, 활성응고시간(ACT) 검사 시 90~120초의 응고시간 유지를 위해 필요한 양의 헤파린만을 주입하는 것이다. 저용량 또는 "최소량" 헤파린요법은 출혈의 위험이 있는 환자를 관리하기 위한 가장 실용적인 방법이다. 최근에 수술을 받았거나, 생리 중이거나, 치료 후 중심정맥카테터를 제거할 사람들이 대상이다. 기저 응고시간은 삽입된 첫 번째 투석 바늘을 통해 도출해 내고 프라이밍 용량 및 유지 헤파린 필요량의 정도를 정하는 지표가 된다. 최소 초기 용량은 보통 체중을 기준으로 10units/kg을 주입하며, 헤파린 용량은 110±10초의 활성응고시간을 제공하도록 조정된다.

일부 센터에서 저용량 또는 "최소량" 헤파린요법은 환자의 첫 번째 투석치료를 위해 사용된다. 이후 투석 시 일정하게 투여될 헤파린 용량은 여러 번의 치료 후 설정될 수 있다. 하지만 검사실표준안(CLIA)의 제한 때문에 응고시간 측정을 통한 항응고요법의 결정은 문제가 된다.

| 헤파린을 사용하지 않은 혈액투석

무헤파린 투석은 출혈이 심하거나 출혈위험이 높은 환자, 심낭염, 응고장애, 또는 혈소판 감소증이 있는 경우에 선택적 방법으로 사용되어 왔다. 여러 방법을 사용할 수 있는데, 헤파린 생리식염수로 혈액라인 및 투석기를 프라이밍하거나 혈류속도를 가능한 한 높게 설정하거나 또는 생리식염수 100~200mL로 15~30분마다 투석기와 혈액라인을 씻어 내는 방법이 대표적이다.

환자가 무헤파린으로 투석할 때 대부분의 시설은 헤파린으로 혈액회로를 프라이밍하지 않는다. 대신 투석기나 정맥 챔버의 응고를 모니터하기 위해 30분이나 한 시간마다 생리식염수로 씻어 내는 방법을 사용할 것이다.

| 무헤파린 투석 시 수혈

수혈, 특히 적혈구 성분을 포함하는 수혈의 경우 무헤파린 투석을 어렵게 할 수 있다. 수혈된 혈액은 투석기에서 혈액의 점도를 증가시키고 상당수의 정상적인(즉, 비요독증) 응고인자를 임상적으로 주입할 수 있다. 생리식염수 세척은 투석을 유지하고 응고를 의미하는 어두운 선의 섬유가닥을 잘 보이게 해 준다. 다른 변수(생리식염수 세척, 혈류속도 등)는 무헤파린 투석과 동일하다.

| 혈액투석 시 출혈을 예방하는 주요 요인

투석과정 중 출혈 예방의 성공 여부는 환자의 전반적 관리와 투석 시 수행되는 간호에 달려 있다. 요독증 환자의 출혈 경향은 적절한 투석으로 교정된다. 체외순환회로의 응고가 혈액투석치료의 효과를 저해할 수 있기 때문에 투석 중 사용되는 항응고요법은 투석과정의 중요한 부분이다. 따라서 투석 프로그램의 적절한 지침은 출혈 예방의 중요한 초기 요인이지만 이후의 성공은 최적의 치료 적정성과 관련된 모든 요소에 대한 신중하고 지속적인 관심에 달려 있다.

CHAPTER

12

Access to the Bloodstream

혈류통로

▌역사적 배경 Historical Background

혈액투석은 1940년대에 현실화되었고 각각의 치료는 외과적인 절개가 필요하다. 유리나 금속의 섬관형 튜브(hollow tube, 캐뉼라, 체내에 삽입하는 튜브)가 동맥과 정맥 안으로 삽입되었고, 이후에는 폴리비닐 클로라이드(polyvinyl chloride)나 다른 유연한 재질로 만들어진 캐뉼라로 대체되었다. 1950년대에는 한 번 삽입한 캐뉼라를 제거하지 않고 한 번 이상의 치료를 시도하였고, 개방성을 유지할 다른 방법들이 시도되었으나 몇 회의 치료에서만 지속되었다.

1960년에 워싱턴 대학의 스크리브너(Scribner), 퀸턴(Quinton), 딜라드(Dillard)는 더 오랫동안 유지할 수 있는 캐뉼라를 고안했다. 이것은 테프론(Teflon) 관으로 이루어졌으며, 하나는 동맥 안에 하나는 정맥 안에 위치한다. 이 관들은 외부로 연결되며 이 장치를 지나는 혈액은 지속적이고 빠르게 흐를 수 있다. 이 기술은 1962년에 혈관 끝의 외부 션트(shunt, 혈관 간의 통로 또는 연결) 고리와 테프론에 실리콘 고무를 사용하면서 향상되었다. 이는 도관의 유연성을 극대화했고 환자의 안녕을 증진시켰으며, 이 혁신은 단 한 번의 혈액투석에 대해 효과적일 뿐 아니라 반복치료도 가능하게 했다.

더 중요한 발전은 1966에 키미노(Cimino), 브레시아(Brescia) 외 동료들이 아래팔의 내부 동정맥루를 개발한 것이다. 이는 아래팔의 동맥과 정맥 사이에 외과적인 문합술을 통해 동맥에서 정맥으로 이어진 혈관에 적절한 혈류량이 유지되므로 피하천자를 통한 혈액투석이 가능하였다.

1974년에 내부 합성인조혈관 소재를 사용하기 시작했다. 오늘날 가장 일반적으로 보급되어 있는 합성인조혈관의 종류는 폴리테트라플로오로에틸렌(Polytetrafluoroethylene, PTFE)이다. 1980년에 혈관에 바늘을 삽입하지 않는 "단추(button)"가 개발되었지만 다른 내부 합성인조혈관 소재만큼 잘 활용되지는 않았다. 이 새로운 합성인조혈관과 장치는 내부 동정맥루 수술이 불가한 환자에게 새로운 가능성을 제공했다.

1961년에 샬돈(Shaldon)은 넙다리정맥에 삽관하는 혈액투석의 일시적인 통로를 설명하였고 1979년 울달(Uldall)은 속목정맥 또는 빗장밑정맥의 특별한 카테터를 고안했다. 이중내강 카테터(double-lumen catheter)의 도입은 하나의 카테터로 유입과 유출의 두 가지 기능이 가능해져 일시적인 통로방법을 더욱 발전시켰다.

1960년대 초, 사용한 혈관통로는 지난 30여 년간 꾸준히 개발되었으나 적절한 혈류 흐름이 가능한 혈관통로의 개방성을 유지하는 것은 만성 혈액투석을 받는 환자의 주요 문제 중 하나로 남아 있다(그림 12-1).

내부 통로 Internal Accesses

2009년 초 미국에서, 1차 혈관 접근방법인 동정맥루를 가진 혈액투석 환자의 비율은 52.6%였고 2017년 5월의 비율은 62.8%로 증가했다(USRDS, 2016).

달성 가능한 실무에 기초한 메디케어 & 메디케이드 서비스센터(Centers for Medicare & Medicaid Services, CMS)의 목표는 일반적인 동정맥루 사용률 66%이다. 미국신장재단(The National Kidney Foundation, NKF)의 KDOQI(Kidney Disease Outcomes Quality Initiative)는 만성 혈액투석을 위한 영구적 혈관통로의 선택에 대한 지침을 세웠다. 현재의 지침은 일반 혈액투석 환자에서 50% 이상의 동정맥루 사용률을 권하며 최소 40%는 되어야 함을 권고한다(NKF, 2006).

2005년에 설립된 CMS는 The Fistula First Breakthrough Initiative (FFBI)는 동정맥루 사용에 적합한 모든 혈액투석 환자에서의 사용을 증가시키고 중심정맥카테터 사용을 줄이도록 권하고 있다. CMS와 말기신장질환 네트워크로 이루어진 단체는 연합을 창설했고 모든 혈액투석 환자에게 동정맥루를 가질 기회를 제공하는 13 "변화 개념(Change Concepts)"을 지지하고 진척시켰다. 이 변화 개념은 환자와 의료인력에게 혈관통로 배치에 대한 KDOQI 지침을 충족하는 자원, 도구와 최상의 근거실무를 제공하는 전략이다.

만성 혈액투석을 받는 환자에서 혈관통로 종류는 다음과 같다.

(1) 손목(노동맥 노쪽피부정맥) 일차 동정맥루[a wrist (radial-cephalic) primary AV fistula](그림 12-2 A)

(2) 팔꿈치(위팔동맥 노쪽피부정맥) 일차 동정맥루[an elbow (brachiocephalic) primary AV fistula]

(3) 합성물질로 된 동정맥 인조혈관(an AV graft of synthetic material; 그림 12-2 B)

(4) 치환된 상완동맥기저정맥 동정맥루(a transposed brachiobasilic vein fistula)

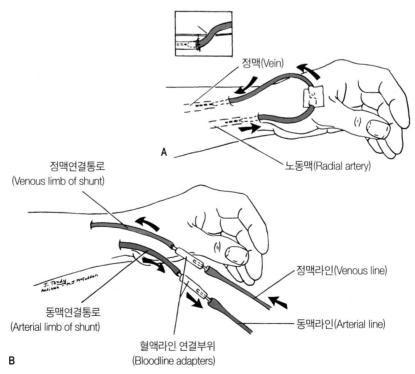

그림 12-1 **A.** 투석의 흐름 사이에 놓인 연결관을 가진 퀸턴-스크리브너 션트(Quinton-Scribner shunt). **B.** 션트 팔은 투석기 혈액라인과 분리되고 연결됨. (출처: Larson E, Lindbloom I, Davis KB: Development of the clinical nephrology practitioner, St. Louis, 1982, Mosby.에서 발췌)

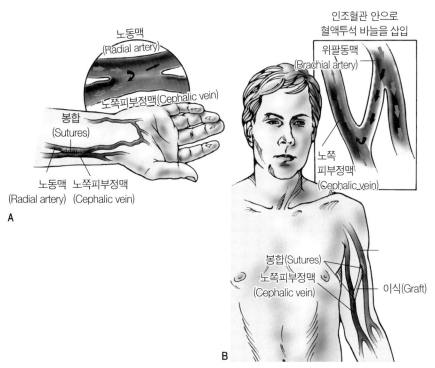

그림 12-2 **혈액투석을 위한 장기 혈관통로의 선택. A.** 수술적으로 형성된 정맥루. 동맥으로부터의 증가된 압력은 정맥 안으로 혈액을 이끈다. 이 과정은 혈액투석 시 배치되는 바늘을 위해 충분히 정맥이 확장되도록 한다. 이 방법으로 정맥이 확장될 때 동정맥루가 "자랐다"고 한다. **B.** 수술적으로 형성된 위팔의 곧은 인조혈관. 인조혈관은 동맥과 정맥 혈액 사이에 션트를 만든다. (출처: Ignatavicius DD, Workman ML: Medical-surgical nursing: Critical thinking for collaborative care, ed. 6, St. Louis, 2010, Saunders)

만약 동정맥루를 가질 수 없다면 동정맥 인조혈관을 적용한다. 커프가 있는 터널식 중심정맥 카테터 같은 장기 사용 카테터는 영구적인 혈관통로로서는 적합하지 않다. 일시적 카테터는 급성 투석 시 사용될 수도 있지만 제한된 기간 동안만 사용될 수 있다(NKF KDOQI Vascular Access Clinical Practice Guidelines Update, 2006).

혈관통로시술은 주로 투석치료가 요구되기 전에 이루어진다. 만성콩팥병에 대한 2006 미국신장재단 KDOQI 임상 실무 가이드라인은 토리여과율(사구체여과율)이 30mL/min/1.73m² (만성콩팥병 4단계)보다 낮을 때 혈관통로를 시술하는 것을 추천한다. KDOQI 가이드라인은 동정맥루는 혈액투석치료 예상시점으로부터 최소 6개월 전에 만들어져야 하고 인조혈관은 적어도 유지투석 3~6주 전에 만들 것을 권고하고 있다.

그 목적은 혈액투석치료를 시작하는 시기에 환자가 영구적이고 기능적인 혈관통로를 가지게 하는 것이다. 혈관통로의 필요성을 조기교육하고 혈관통로를 미리 준비하는 것은 동정맥루가 적절히 성숙하고 발달하는 데 필요한 시간을 제공한다. 듀플렉스 초음파(duplex ultrasound)는 수술 전 혈관을 매핑(mapping)하기 위해 선호되는 방법이며, 모든 환자는 혈관통로 적용 전에 이 검사를 받아야 한다. 만성콩팥병 4단계 또는 5단계 환자는 혈관통로가 배치될 수 있는 아래팔이나 위팔에 정맥천자되어서는 안 된다. 모든 환자와 의료인력은 잠재적인 통로로서의 혈관 보호 필요성에 대해 교육받아야 한다. 환자는 응급한 경우가 아니라면 정맥천자 시 이 혈관의 사용을 피할 것을 알려 주는 의료용 경보 팔찌를 착용하는 것이 권고된다. 혈관통로 시술시기는 유지투석이 요구될 때 환자가 충분히 기능하는 혈관통로를 갖게 하기 위해서 중요하다. 예상된 혈액투석치료의 시작 전에 동정맥루는 적어도 6달 전에 인조혈관은 3~6주 전에 만들어져야 한다(NKF Clinical Practice Guidelines and Recommendations, 2006).

동정맥루 Arteriovenous Fistulas

| 동정맥루

동정맥루(arteriovenous fistula)란 혈관외과 의사가 환자의 혈관을 외과적으로 만들어 내는 내부 통로이다. 내부의 동정맥루 안에서 외과적으로 인접한 동맥과 정맥 안에 작은 구멍(5mm)을 만들고 이 두 혈관을 접합시켜 동정맥루를 만든다. 사용된 두 혈관은 측방-측방(side-to-side, 동맥 측방과 정맥 측방의 연결), 끝-측방(end-to-side, 동맥 끝과 정맥 측방의 연결), 끝-끝(end-to-end, 동맥 끝과 정맥 끝의 연결)의 연결로 문합된다(그림 12-3). 동맥혈이 정맥으로 흐르면 정맥을 더 확장시키고, 팽창시키며, 돌출시켜 투석치료 시에 굵은 게이지의 바늘 삽입을 가능케 한다. 동맥혈의 높은 압력이 정맥계로 들어가는 것에 반응하여 혈류속도와 혈관통로의 직경이 증가한다. KDOQI는 혈관통로의 성숙도를 사정하는 데 사용하는 객관적인 기준으로 "6의 규칙(rule of 6's)"을 제시했다. 혈관통로 형성 후 6주에 동정맥루가 압박대로 묶여 있는 동안에는 가장자리를 육안으로 관찰 가능해야 하며, 직경이 적어도 6mm여야 하고, 깊이는 피부 표면 아래로 6mm 이상 깊지 않아야 한다. FFBI는 지정된 게이지의 바늘로 침습 없이 적절한 혈류속도가 유지되며, 두 개의 바늘천자가 3번 연속으로 유지되는 경우 충분히 성숙한 동정맥루라고 정의한다(NKF, 2006; FFBI Coalition, ClinicalPractice Workgroup, 2010).

동정맥루의 정맥 부분이 확장되고 두꺼워지면 혈관통로가 성숙된 것이다. 이는 동맥혈액의 흐름과 압력이 증가되었기 때문이다. 동정맥루를 만드는 데 사용된 정맥은 때때로 투석을 위한 바늘천자가 가능할 정도로 충분하게 커지고 곁가지들이 성숙되도록 한다. 이를 측부순환이라고 하며, 이것은 천자가 가능한 유용한 표면적을 증가시킨다. 그러나 만약 측부순환이 중요한 정맥의 발달을 방해한다면, 결찰이 필요하다.

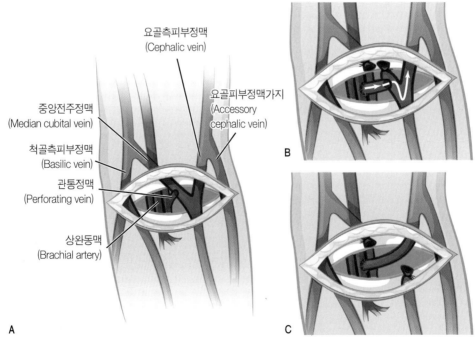

그림 12-3 **A. 팔꿈치 동정맥루를 위한 혈관**(vessels for the creation of an elbow AV fistula). **B. 위팔-정중주와 동정맥루**(brachiocubital AV fistula). **C. 위팔-요골측피부정맥 동정맥루**(출처: Brachiocephalic AV fistula) (Floege J, Johnson RJ, Feehally J: *Comprehensive clinical nephrology*, ed. 4, St. Louis, 2011, Mosby.에서 발췌)

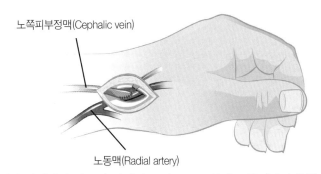

노쪽피부정맥(Cephalic vein)

노동맥(Radial artery)

그림 12-4 **원위부 노동맥이 적절하지 않으면 전완의 중간부분 노동맥-노쪽피부정맥 동정맥루를 이용한다.** (출처: Tordoir JH: Vascular access for dialytic therapies. In Feehally J, Floege J, Tonelli M, Johnson RJ, eds: *Comprehensive clinical nephrology*, ed. 6, Philadelphia, 2019, Elsevier, pp. 1050-1061.)

동정맥루는 팔의 위팔 혹은 아래팔에 위치할 수 있다. 노동맥, 노쪽피부정맥(아래팔)(그림 12-4), 위팔동맥과 노쪽피부정맥(위팔)이 흔히 사용된다. 혈관의 구조와 신체사정에 대한 적절한 평가는 각 환자의 통로선택을 결정하는 데 영향을 미친다. 조기 동정맥루 실패의 주 원인은 차선의 혈관을 선택해서이다. 정맥조영술은 적합한 정맥을 확인하고 부적절한 부위를 배제하도록 도와준다. 도플러 혈류 검사(doppler flow studies)는 정맥조영술을 이용할 수 없을 때 사용한다.

환자가 자가투석치료가 가능한 경우 현재의 생활 수준을 유지하고 자가천자를 격려하기 위해 환자가 잘 사용하지 않는 팔에 혈관시술을 시도한다. 혈관통로 유지와 적절한 투석치료를 위해 충분한 동맥의 혈액흐름이 반드시 필요하다. 동정맥루는 바늘천자가 가능할 만큼 충분히 성숙하는 데 4개월 이상이 소요될 수 있다.

| 기저정맥 치환술

기저정맥 치환술(basilic vein transposition)은 손목의 혈관이 좋지 않은 환자에서 혈관통로를 만들기 위한 방법이다. 혈관이 피부 가까이 오도록 혈관을 끌어올리거나 측면으로 바늘천자가 수월하도록 혈관을 이동시킴으로써 정맥 치환이 이루어진다. 혈관치환 기술에는 기저정맥을 절개하고 상완동맥에 문합하면서 혈관을 전방이나 피하로 치환하는 것이 포함된다(그림 12-5). 치환된 혈관은 천자를 위한 큰 표면적을 제공하며 한 번만 문합하면 된다. 이 혈관통로의 절개는 조금 크며 중앙 전주와(mid-antecubital fossa)에서 시작해서 액와의 팔 중앙 쪽으로 확장된다. 이런 유형의 통로 위치의 장점은 합성인조혈관의 사용을 피할 수 있다는 것이다. 다른 동종 인조혈관과 같이 더 오랜 개방성을 유지할 것이며 감염위험은 더 낮아질 것이다.

| 근위부 노동맥 동정맥루

역방향 흐름으로 알려진 근위부 노동맥 동정맥루(Proximal Radial Artery Arteriovenous Fistula, PRA-AVF)는 자가 동정맥루 수술의 더 새롭고 진보된 외과적 시술이다. 이런 유형의 혈관통로에서 근위부 노동맥은 동맥의 유입을 위해 사용된다. 동맥의 문합은 팔 위쪽에 만들어지고 정맥은 문합의 위아래 모두에서 발달한다. 이런 구조에서 혈액은 동시에 두 방향으로 흐르게 되므로 아래팔과 위팔 모두에 천자가 가능하다. 천자 시 두 개의 바늘이 아래팔에 위치할 경우 정맥 바늘은 혈류의 방향, 즉 바늘침이 손을 향하도록 역방향으로 삽입되어야 한다. 위팔이 정맥귀환을 위해 사용된다면 혈류는 심장 방향이며 바늘침이 어깨를 향하도록 순방향으로 위치하게 된다(Jennings, Ball, & Duval, 2006)(그림 12-6). 근위부 노동맥 동정맥루(PRA-AVF)는 환자의 아래팔이 손상을 입었을 때나 진전된 동맥경화증적인 석회화된 노동맥을 가지고 있을 때 유용하다. 이러한

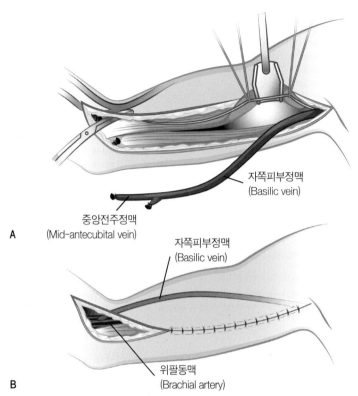

A   중앙전주정맥
     (Mid-antecubital vein)

자쪽피부정맥
(Basilic vein)

자쪽피부정맥
(Basilic vein)

B   위팔동맥
     (Brachial artery)

그림 12-5 치환된 위팔동맥-기저정맥 동정맥루(transposed brachiobasilic AV fistula). A. 기저정맥의 절개(dissection of the basilic vein). B. 전외측 치환과 위팔동맥 문합(anterolateral transposition and brachial artery anastomosis). (출처: Floege J, Johnson RJ, Feehally J: *Comprehensive clinical nephrology*, ed. 4, St. Louis, 2011, Mosby.)

접근법은 수용 가능한 생존율(acceptable survival rate)을 가지며, 스틸증후군(steal syndrome, 허혈) 등의 순환 합병증을 일으키지 않는다.

| 동정맥 인조혈관

환자의 동정맥루 혈관 시술이 어려우면 인조혈관으로 대체할 수 있다. 동정맥 인조혈관(arteriovenous graft)은 생물학적 혹은 합성 소재로 만들어지나 합성인조혈관이 더 흔하게 사용된다. 인조혈관 물질은 아래팔이나 위팔의 피하에 이식된다. 팔이 사용될 수 없는 일부 상황에서는 가슴이나 다리 쪽이 사용된다. 인조혈관은 하나의 끝이 동맥에, 또 다른 끝은 정맥에 연결된다. 인조혈관을 둘러싼 조직은 이식편 안팎으로 성장하여 혈관을 안정화시킨다. 혈류 방향은 동맥에서 정맥으로 향한다. 동정맥 인조혈관에서 천자를 위한 바늘은 인조혈관 물질 내부에 바로 위치한다. 인조혈관은 직선형, 고리형 또는 곡선형의 여러 구성으로 시술할 수 있다. NKF KDOQI 지침은 생물학적 물질보다 합성물질의 사용을 권장한다. 합성인조혈관은 PTFE 또는 폴리우레탄(PU)과 같은 플라스틱 폴리머로 만들어진다. AV 인조혈관은 외과의의 승인을 받아 시술 후 2~6주 이내에 사용할 수 있다. NKF KDOQI 가이드라인은 시술 후 최소 2주 동안 투석바늘을 삽입하면 안 되고, 모든 부기가 가라앉은 후에 투석바늘 삽입을 권장한다(NKF, 2006).

합성인조혈관은 내부 동정맥루를 만들기에 적합한 혈관이 없는 환자에서 자주 사용된다. 동정맥루 성숙에 소요되는 시간만큼 카테터 사용기간이 연장되기에 특정 환자들은 동정맥루에 비해 동정맥 인조혈관 시술의 이점을 누릴 수 있다(USRDS, 2018).

혈류의 방향

- 일부 동정맥루는 반대방향의 흐름을 가진다.
- 수술 후 혈류의 흐름을 그린다.
- 중앙의 동정맥루를 눌러서 청진한다.

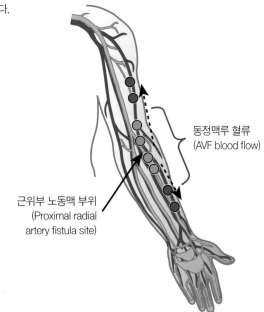

동정맥루 혈류
(AVF blood flow)

근위부 노동맥 부위
(Proximal radial
artery fistula site)

● 동맥천자부위(Arterial punture sites)
● 정맥천자부위(Venous punture sites)

그림 12-6 "흐름"에 대해 "아는 것"은 근위부 노동맥 동정맥루와 같이 역행하는 흐름의 동정맥루에서 대단히 중요하다. (출처: Courtesy William Jennings, MD, FACS; Lynda Ball, BS, BSN, RN, CNN; and Linda Duval, RN, BSN.)

| 동정맥 인조혈관의 혈류 방향

혈액투석치료에서 바늘을 적절하게 삽입하기 위해 혈류 방향을 아는 것은 필수적이다. 정맥바늘은 항상 혈류 방향(동맥에서 정맥으로)으로 삽입돼야 한다. 정맥바늘을 혈류 반대방향으로 삽입하면 환자에게 혈액이 귀환될 때 저항이 증가한다. 이때 투석기계에 높은 정맥압이 표시될 것이다.

| 고리형 동정맥 인조혈관의 혈액 흐름

고리형(looped)이나 편자형의 동정맥 인조혈관의 중심점을 부드럽게 누르면 인조혈관의 양쪽에서 잡음(bruit)이나 떨림(thrill)의 느낌을 확인할 수 있다. 중심점에서 혈액의 흐름을 막았을 때 떨림이나 잡음이 들리는 쪽이 동맥 쪽이고 떨림이나 잡음이 약하거나 없는 인조혈관 쪽이 정맥 쪽이 된다. 혈액의 흐름을 결정하는 데 사용하는 다른 기술은 바늘을 삽입한 후에 인조혈관의 중심점을 촉진하면 인조혈관의 중심점에 압박이 가해질 때 동맥바늘 쪽에서 지속적인 혈류의 역류현상(flashback)이 나타날 수 있다.

| 동정맥 인조혈관의 유형

합성인조혈관은 현재 가장 일반적인 동정맥 인조혈관이다. 많은 합성물질(다크론, 폴리테트라플로오로에틸렌 등)이 다양한 직경과 길이로 사용 가능하다. 신형 폴리테트라플로오로에틸렌은 비록 제조사에서는 5~7일을 기다리라고 권고하지만 이식 후 즉시 바늘 삽입이 가능하다. 그림 12-7은 합성인조혈관의 2가지 유형의 배치를 보여 준다.

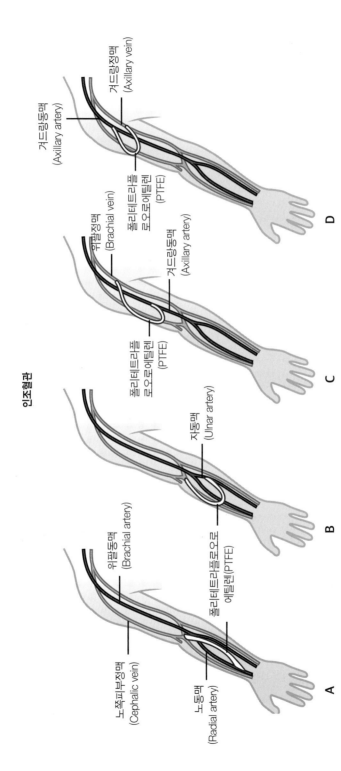

인조혈관

그림 12-7 폴리테트라플루오로에틸렌(Polytetrafluoroethylene, PTFE) 인조혈관. A. 직선형 아래팔 폴리테트라플루오로에틸렌 인조혈관. B. 고리형 아래팔 폴리테트라플루오로에틸렌 인조혈관. C. 직선형 위팔 폴리테트라플루오로에틸렌 인조혈관. D. 고리형 위팔 폴리테트라플루오로에틸렌 인조혈관. (출처: Floege J, Johnson RJ, Feehally J: Comprehensive clinical nephrology, ed. 4, St. Louis, 2011, Mosby.)

표 12-1 동정맥루 종류에 따른 장점과 단점

동정맥루	동정맥 인조혈관	중심정맥 도관
장점		
• 영구적 • 높은 개방성 • 수십 년 사용 가능 • 가장 높은 혈류속도 • 가장 낮은 합병증률(감염, 스틸증후군, 협착) • 시간이 지남에 따라 혈관 성숙으로 인한 기능 향상 • 주변 혈관의 순환 향상으로 인해 추가적인 바늘천자 가능 부위 생성	• 영구적 • 바늘천자 가능 부위가 많음 • 인조혈관 형성 가능 부위가 신체 중 많이 존재함 • 쉬운 바늘천자 • 성숙시간이 짧은 편(2주) • 다양한 모양과 배치 가능 • 수술이 쉬움 • 정맥이 좋지 않은 환자에게 좋은 선택이 됨	• 즉시 사용 가능 • 내부통로 성숙기간 동안 사용 가능
단점		
• 정맥의 확장/성숙 실패 • 인조혈관보다 바늘천자가 어려움 • 미용상의 문제 • 너무 구불구불하지 않고 근위부의 건강한 정맥이 반드시 필요 • 사용 전까지의 긴 성숙시간 필요(6~8주)	• 높은 감염률 • 인조혈관 소재로 인한 거부 반응 발생 가능성 • 높은 혈전 발생률 • 내막 증식으로 인한 정맥 문합부위의 협착 • 주변 혈관이 향상되지 않음 • 동정맥루보다 낮은 사용 가능기간	• 높은 감염률 • 보통 일시적으로 사용 • 입원기간 연장 • 낮은 사용 가능기간 • 부적절한(불충분한) 혈류 • 부적절한 투석위험성 • 높은 혈전 발생률 • 빗장밑정맥 및 다른 정맥들의 손상 위험

동정맥 인조혈관의 장점

동정맥 인조혈관은 동정맥루보다 조기에 사용할 수 있으며 이식 후 사용까지 보통 2주가 소요된다. 혈관 확장을 위한 성숙시간은 필요치 않다. 혈관 크기가 클수록 바늘천자가 좀 더 빨리 가능하다. 표 12-1에 내부 통로의 장점과 단점이 기술되어있다.

동정맥루 사용 시 요구되는 특별한 관리와 잠재적인 문제

혈액투석마다 바늘천자가 필요하다. 반복되는 천자로 인해 동정맥루에 반흔조직이 형성되어 바늘천자를 더 어렵게 하며 바늘천자 시 환자를 고통스럽게 한다. 또한 바늘이 혈관 내에 위치하지 않고 침습하여 혈관 밖으로 뚫고 지나간 경우 혈액이 조직으로 유출되어 통증을 동반하는 혈종을 형성한다. 이러한 경우 동정맥루 사용이 어려워지거나 부종이 감소될 때까지 사용이 불가능해진다. 매 혈액투석치료 종료 시 바늘이 제거된 후 출혈 방지를 위해 반드시 12~20분간 천자부위에 압박을 가해야 한다.

동정맥루의 특별한 문제

동맥화된 정맥의 위치와 크기는 중요하다. 굵은 바늘의 천자가 가문제 없이 능할 만큼 정맥이 확장되기까지는 수 주에서 때로는 수개월이 소요된다. 이 과정은 남성에서보다 여성에서 더 오래 걸린다. 아래팔의 정맥은 그 모양과 분포된 정도가 다양하다. 반복되는 바늘천자에 사용하기 위해 혈관통로로 선택할 만한 혈관은 몇 군데로 제한적이다.

    간혹 정맥의 크기 문제나 곁가지혈관이 혈류를 우회시켜서 원하는 혈류속도를 얻기 어려울 때가 있다. 간

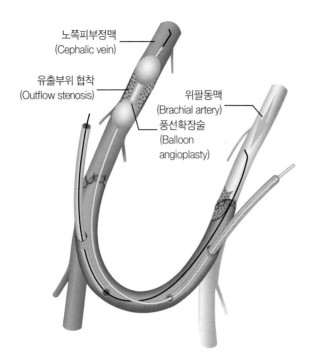

노쪽피부정맥
(Cephalic vein)

유출부위 협착
(Outflow stenosis)

위팔동맥
(Brachial artery)

풍선확장술
(Balloon
angioplasty)

그림 12-8 혈액투석 접근로 중재. 유출부위 협착의 풍선확장술. 유출부위 협착은 정맥 문합부위 근처에서 주로 발생하나 말초정맥 어디에서도 발생할 수 있다. (출처: Bittl JA: Catheter interventions for hemodialysis fistulas and grafts. *JACC Cardiovascular Interventions* 3(1):1-11, 2010.)

혹 바늘은 충분한 혈류를 얻기 위하여 동정맥루 수술 문합부위와 매우 가까이 위치해야 한다[바늘끝은 문합부위에서 최소한 1.5~2인치(3.81~5.08cm)만큼 떨어져 있어야 함]. 때로 측방–측방 동정맥루(동맥 측방과 정맥 측방의 연결; 예: radiocephalic)에서 손 쪽의 정맥이 가장 확장되고 팔의 정맥은 돌출되지 않는 경우가 있다. 동정맥루에서 적절한 혈류가 얻어지지 않을 경우 필요한 치료효율에 도달하기 위해 수술적 교정이 필요하다.

세 번째 문제는 가장 흔한 혈관경련이다. 혈액투석 시작 시 주로 발생하며 동맥혈류의 감소가 원인이다. 경련은 미성숙한 동정맥루로부터 높은 혈류를 얻으려고 할 때 발생한다. 바늘 내강이 혈액을 빨아들이면서 혈관벽이 자극되어 경련이 발생할 수 있다. 이것은 통증을 유발하며 바늘이 덜덜 떨리는 느낌이 동반된다. Back-eye needle(주사침 끝에 작은 구멍이 있는 바늘)의 사용은 투석바늘이 튕기는 느낌을 최소화하는 데 도움이 되며 경련을 방지하고 외상을 감소시키고 혈류를 개선시킨다.

유입 혈류(return flow) 쪽에서는 문합부위 위의 유출 혈류(outflow)의 정맥 협착으로 인해 저항이 높아질 수 있다. 정맥협착은 풍선혈관 성형술이나 확장술로 교정할 수 있다(그림 12-8). 다른 원인으로는 사지의 자세, 천자된 바늘이 혈관벽을 건드리는 문제 등이 유입 혈류 저항의 기능적인 원인이 될 수 있다. 바늘 위치를 조정하여야 한다.

네 번째 문제는 바늘천자 시의 혈관 찢김이다. 이것은 큰 혈종이 형성되어 혈관 사용을 장기간 방해하거나 불가능하게 만든다. 투석 중에 환자가 갑자기 움직이거나 몸부림을 칠 경우에도 이와 같은 문제가 발생할 수 있다.

또한 노동맥 "스틸증후군"이 발생할 수 있다. 몇몇 환자는 손가락에 허혈이 발생하며 손가락 끝의 차가움, 기능저하, 괴저, 괴사의 증상이 나타난다. "스틸"은 노동맥에서 정맥으로 혈액이 우회한 결과 동맥압이 낮아지고 이로 인해 허혈이 발생한다. 왜냐하면 동정맥루 원위부의 노동맥은 일반적으로 자동맥과 연결되는데,

압력 차이로 인해 자동맥의 혈액이 손가락으로 흐르지 않고 동정맥루로 흘렸기 때문이다. 손바닥과 손가락의 혈류 저하로 인해 투석치료 동안 통증, 차가움이 악화된다. 이런 증상들을 조기발견할 경우 동정맥루 원위부의 노동맥에 수술적 결찰을 시행함으로써 스틸증후군을 교정할 수 있다. 저혈압이나 당뇨가 있는 노인 환자나 말초동맥폐색 질환의 과거력이 있는 환자는 허혈성 스틸증후군이 발생할 가능성이 더 높다.

감염, 혈전, 동맥류, 이 세 가지는 추가적이며 잠재적인 동정맥루의 문제들이다. 동정맥루의 감염은 개인위생 불량이나 바늘천자 시 잘 지켜지지 않은 무균술 때문일 수 있다. 동정맥루의 감염은 드물지만 국소감염은 치료되지 않을 경우 혈전증이나 패혈증으로 이어질 수 있다. 징후와 증상들로 혈관통로의 발적과 부기 혹은 통증과 발열이 있다. 배액물을 통한 미생물배양검사나 혈액배양검사로 진단된다. 항생제 치료가 시행된다. 문합부위가 감염될 경우 즉시 수술이 시행되어야 한다.

혈전은 동정맥루에서 가장 흔한 합병증이며 감염 외에 저혈압이나 동정맥루의 협착으로 인해 발생할 수 있다. 혈전은 꽉 끼는 붕대로 인한 혈류 압박이나 동정맥루 바늘 고정장치(fistula-needle-holding device), 수면 중 동정맥루가 있는 팔의 압박, 혹은 혈종으로 발생할 수도 있다. 동정맥루 바늘 고정장치 사용은 권하지 않으며 이것은 성숙 중인 동정맥루에 절대 사용되어서는 안 된다. 동정맥루 바늘 고정장치를 혈관통로에 적용한 후에는 반드시 잡음(bruit)을 청진해야 한다. 혈전이 생성된 동정맥루는 기계적 혈전용해술 혹은 조직플라스미노겐 활성제(tissue plasminogen activator, tPA) 같은 혈전용해제를 소량 사용하는 방법 등 약물 기계적인 혈전용해술로 치료할 수 있다. 기계적 장치로 혈전을 파쇄 후 흡인하여 제거할 수도 있다.

마지막으로 동맥류(혈관벽의 팽창)는 감염 혹은 같은 부위의 반복적인 바늘천자로 인해 발생할 수 있다. 큰 동맥류는 바늘천자 가능 부위를 제한한다. 시간의 흐름에 따라 더 손상될 수 있는 피부통합성을 사정해야 한다. 동맥류에는 출혈 및 파열의 위험이 있으므로 바늘천자를 해서는 절대 안 된다.

| 바늘 삽입 전 혈관통로 사정

혈관통로 사정은 아무리 강조해도 지나치지 않으며 능숙한 바늘천자의 지름길이다. 철저한 혈관통로 사정은 혈관통로의 생명을 연장하며 합병증을 최소화한다. 혈관통로의 완벽한 사정은 천자부위를 소독하거나 바늘을 천자하기 전에 이루어져야 한다. 손위생을 철저하게 시행해야 하며 혈관통로를 사정하기 전에 장갑을 착용해야 한다. 혈관통로 사정은 다음의 몇 가지 단계를 거친다.

- 혈관통로를 시진하여 감염의 징후를 확인한다. 발적이나 감염의 징후를 확인한다. 혈관통로가 위치한 사지의 피부온도가 정상인지, 열이 나거나 차갑지 않은지 사정한다. 피부온도는 정상 체온이어야 한다. 열감은 감염의 지표, 현저한 냉감은 혈전의 지표이다. 이전 바늘천자부위가 적절히 아물었고 딱지가 잘 형성됐는지 확인해야 한다. 개방성 부위나 유출이 있으면 기록한다. 간호사가 비정상적인 소견에 대해 알고 있어야 한다. 유출물의 배양검사를 실시해야 하며 바늘천자 가능 여부를 간호사가 결정해야 한다.
- 피부는 변색되거나 멍이 들지 않아야 하며 혈관통로나 사지의 통증이나 저림으로 인한 불편감 호소가 없어야 한다. 최근 바늘이 위치했던 부위에 부기가 있을 수 있다. 어떤 환자는 혈관통로가 존재하는 사지의 정맥환류가 불충분하여 부기가 생길 수 있다. 결정적으로 부기는 이전에 천자한 바늘의 침습으로 인해 발생된다. 해당 부위를 상승시키는 것은 정맥환류를 증가시키고 부기를 감소시킨다. 부기가 개선되는지 혹은 악화되는지 치료 시작부터 끝까지 모니터링해야 한다. 줄자를 이용하여 팔 둘레를 측정하고 부기의 변화를 비교한다. 간호사는 바늘천자 전 비정상적인 소견을 확인해야 한다.
- 순환 및 개방성을 확인한다. 내부 통로의 떨림을 촉진한다. 이 떨림은 내부 통로의 전체 길이에 걸쳐 부드러운 진동처럼 느껴져야 한다. 문합부위에서 멀어질수록 떨림의 강도는 감소한다. 떨림은 혈관에 450mL/min 이상의 적절한 혈류가 흐름을 의미한다. 맥박은 혈관통로의 부적절한 혈류를 판단할 수 있는 지표이

다. 청진기의 종형 쪽으로 지속적이며 낮은 음조의 잡음 혹은 휙 하는 소리를 혈관통로의 전체 길이에서 명확하게 들을 수 있어야 한다. 잡음은 문합부위에서 더 큰 강도로 들을 수 있다. 잡음의 정상적인 소리가 강화되는 것은 혈관통로에 협착된 부위가 있음을 의미한다. 잡음이나 떨림의 부재는 혈관통로가 응고되었거나 더 이상 개방성이 없음을 의미한다. 응고된 혈관통로에는 절대 바늘천자를 할 수 없다. 환자나 돌봄제공자는 매일 떨림을 촉진하여 혈관통로를 사정하는 방법을 교육받아야 한다.

| 혈관통로 천자를 위한 무균적 준비

바늘천자를 위해 피부를 세척하고 준비하기 전에 항상 바늘천자부위를 평가, 검사, 촉진 및 사정한다. 동정맥루와 그 주위의 피부소독을 위해 10% 베타딘(povidone-iodine), 70% 알코올, 또는 2% 클로르헥시딘 같은 소독용액을 사용해야 한다. 천자부위를 중심으로 2인치(5.08cm) 직경의 원을 그리며 소독제를 도포한다. 효과적인 소독을 위해 소독제 제조사에서 제공하는 지침을 정확하게 따른다. 베타딘의 경우 표피에서 건조된 후에 바늘천자를 해야 한다. 환자가 베타딘에 알레르기가 있다면 이소프로필 알코올을 사용한다. 알코올은 정균작용 기간이 짧아서 알코올이 마르기 직전에 바늘 삽입을 하는 것이 중요하다. 바늘천자를 위해 피부를 소독하고 준비하기 전에는 항상 바늘천자부위를 사정하고 확인해야 한다.

| 혈관통로 내부 천자에 사용하는 바늘의 형태

굵은 게이지, 벽이 얇은 바늘침, 그리고 주사침 끝에 작은 구멍을 가진 바늘(back-eye needle)은 최대의 혈류를 얻기에 적합하다. 더 굵은 게이지의 바늘은 고유량 또는 고효율 투석 시 필요한 높은 혈류속도를 얻어야 할 때 사용한다. 400~500mL/min의 혈류속도는 14게이지 바늘을 사용한다. 가장 작은 바늘인 17게이지 바늘은 일반적으로 초기 캐뉼라 시도에 사용된다(NKF, 2006). 좀 더 얇은 17게이지 바늘은 아동이나 유아의 얇고 가는 혈관이나 낮은 혈류속도에 적합하다. 350mL/min 이상의 혈류속도를 얻기 위해서는 보통 최소 15게이지 바늘을 사용하는 것을 권장하고 있다. 가는 게이지의 바늘을 이용하여 높은 혈류속도로 투석을 시행하면 적혈구가 가는 바늘구멍을 통과할 때 전단력(shear force: 비트는 힘, 물체 내 임의 면에 작용하여 그 양쪽을 역방향으로 어긋나도록 작용하는 내력)에 의해 용혈될 수 있다.

동정맥루 바늘에는 고정되거나 회전하는 날개가 있다. 회전하는 날개는 바늘이 혈관통로에 삽입된 후 주사침을 회전하거나 "반전"시키는 것을 가능하게 한다. 주사침을 회전시킬 때 혈관통로 벽이 손상되지 않도록 주의해야 한다. 게다가 이 바늘은 혈관 손상을 방지하기 위해 제거하기 전 원래의 위치로 돌려 놓아야 한다. 만약 바늘을 반전시킨 후 제거 전에 위치를 돌려놓지 않으면, 피부의 구멍이 커지고 혈관벽에 손상을 입힌다. 이런 이유로 바늘을 반전시키는 것을 절대로 권하지 않으며 항상 동맥 바늘 뒤쪽에 눈이 있는 바늘을 사용한다. 바늘 뒤쪽 눈은 혈관에서 나오는 혈류를 최대화하고 바늘 회전의 필요성을 최소화한다.

| 바늘천자 시 고려해야 할 요소

정맥 바늘은 혈류의 방향으로 배치되어야 하기 때문에 혈관통로를 흐르는 혈류는 바늘위치를 결정한다. 혈류는 때로 전향이나 역방향으로 확인되는데, 전자의 경우 혈류가 제 방향으로 흐르는 것이고 후자의 경우 혈류의 반대로 흐르는 것이다. 동맥 바늘은 문합부위의 가장 가까운 곳에 위치해야 하나 문합부위에서 최소 1.5~2인치(3.81~5.08cm) 떨어져 있어야 한다. 문합부위에 천자하는 것을 피하기 위해 바늘이 문합부위로부터 충분히 떨어져 있는지 철저하게 사정해야 한다. 동맥 바늘은 손이나 심장 방향을 향하거나, 마찬가지로 혈류의 방향 혹은 혈류의 역방향이다. 정맥 바늘은 동맥 바늘로부터 최소한 1.5~2인치 떨어져 있어야 하며 항상 심장방향이나 혈류의 방향으로 위치해야 한다.

동정맥루와 동정맥 인조혈관은 다른 각도로 삽입된다. 바늘 삽입 시 각도는 혈관통로의 깊이에 따라 다르다. 더 깊이 위치한 혈관통로일수록 삽입각도의 경사는 더 커진다. 삽입각도는 20~45° 정도이다.

새로운 동정맥루에 천자할 경우 극도의 주의가 필요하다. 혈관은 초기 단계에 매우 약하며 침습되기 쉽다. 최초의 천자는 가급적 경험이 많은 간호사가 하는 것이 좋다. 대부분의 투석센터에서는 동정맥루의 첫 천자 시 동맥 바늘만 천자하고 정맥은 중심정맥카테터를 사용하여 몇 차례 투석을 시행하는 바늘천자 프로토콜을 채택하고 있다. 최초 및 이후 몇 차례의 치료는 얇은 게이지의 바늘과 낮은 혈류속도로 시행한다. 연속적인 치료에서 두 개의 바늘천자가 성공적으로 수행됐을 때 일반적으로 일시적 카테터를 제거한다. 환자의 혈관통로 천자 전에 철저히 손위생을 실시하고 장갑을 착용하는 것이 중요하다.

| 바늘천자 부위 선정

바늘이 배치되는 방식은 혈관통로의 장기 개방성에 영향을 미치므로 매 치료 시 동일한 위치에 바늘을 삽입하지 않도록 주의해야 한다. 시간이 지남에 따라 혈관벽이 얇아지고 동맥류가 발생할 수 있기 때문이다. 동맥류는 확장되고, 비대해지고, 팽창된 혈관의 약화된 부분이다. 그러므로 일반적으로 이러한 반복천자 부위는 피해서 바늘 삽입이 이루어져야 한다. 바늘 위치는 치료마다 달라야 하며 천자 가능 부위를 최대한 확보하고 혈관 성숙을 위해 혈관통로의 전 부위를 사용해야 한다.

동맥 바늘을 문합부위 가까이에 위치시킴으로써 최적의 혈류를 얻을 수 있다. 바늘침 끝은 문합부위에서 1.5~2인치(3.81~5.08cm) 이상 떨어져 있어야 한다. 바늘을 문합부위 방향 혹은 반대 방향으로 위치시킬지에 대한 문제는 어떤 방향에서 최적의 혈류를 얻을 수 있는지에 달려 있다. 최종적으로 바늘 간 간격이 최소 1인치(2.54cm)일 때 부적절한 투석의 원인이 되는 혈액 재순환을 최소화할 수 있다.

| 재순환을 초래하는 조건

동정맥루의 느린 혈류속도는 재순환으로 이어진다. 느린 흐름은 동맥 말단의 협착, 혹은 주로 정맥 말단의 협착에 의해 일어난다. 이것은 보통 정맥압 증가와 관련이 있으며 재순환이 심할 경우 흑혈증후군을 유발한다. 이것은 투석바늘이 서로 너무 가깝게 배치된 경우에도 발생할 수 있다. 그 결과 환자의 혈액이 충분히 투석되지 않아 투석효율이 저하된다.

| "흑혈" 증후군

재순환이 심한 경우 혈액은 산독성이 되며 적혈구가 산소를 운반하지 못한다. 이런 혈액의 수소이온 농도지수(pH)는 보통 7 미만이며 혈액은 매우 검게 보인다. 이를 흑혈증후군(black blood syndrome)이라 한다.

| 재순환의 발생

투석기로 향하는 동맥 혈액라인 내의 모든 물질(요소 혹은 크레아티닌)의 농도는 환자의 체순환 혈액농도와 동일하다. 만약 동맥 혈액라인의 농도가 더 낮다면, 그 물질은 투석기로부터 나가는 정맥혈로 인해 희석되었기 때문이며, 일부 혈액은 체순환으로 되돌아가지 않고 투석기를 한 번 이상 통과함을 의미한다. 재순환율을 측정하기 위해, 세 개의 혈액샘플을 동시에 채취한다. 하나는 체순환(S) 혹은 말초순환을 대표한다. 나머지는 투석기로 진입하기 직전의 유입라인에서 채취한 검체(동맥혈 혹은 A)와 투석기를 떠나기 직전의 유출라인에서 채취한 검체(정맥혈 혹은 V)이다. 다음은 예상 재순환의 계산법이다.

$$재순환율 = 100\,[(S-A)/(S-V)]$$

예: $S = 100$, $A = 90$, 그리고 $V = 20$일 때

$$재순환율 = 100\,[(100-90)/(100-20)]$$
$$= 100\,[10/80]$$
$$= 100\,[0.125]$$
$$= 12.5\%$$

적합한 동정맥루와 두 개의 바늘이 모두 잘 삽입되었다면 재순환율은 10% 미만이어야 한다. 이중내강 카테터의 경우 재순환은 종종 15% 정도로 높다. 15% 이상의 과도한 재순환은 원인을 조사하고 교정해야 한다.

| 말초혈액샘플 채취방법

말초정맥은 더 이상 사용되지 않는다. 혈관통로 재순환 측정을 위해서는 동맥라인에서 말초샘플을 채취해야 하는데 이것은 투석기가 슬로-스톱 방법(slow-stop flow technique)을 이용하기 전에 해야 한다(상자 12-1).

상자 12-1 요소에 기반한 재순환 측정 프로토콜

치료시작 약 30분 후 초여과를 끄고 다음의 실험을 진행한다.

1. 펌프 속도를 500mL/min(혹은 가능한 최대 속도)로 설정한다.
2. 동맥(A)과 정맥(V)라인에서 샘플을 채취한다.
3. 즉시 혈류속도를 120mL/min로 낮춘다.
4. 혈류속도를 낮춘 후 정확히 10초 후에 혈액 펌프를 끈다.
5. 즉시 샘플링 포트 위의 동맥라인을 클램프를 잠근다.
6. 동맥라인 포트에서 전신(S) 동맥 샘플을 채취한다.
7. 라인의 클램프를 해제하고, 초여과와 투석을 재개한다.
8. A, V, S 샘플에서 BUN을 측정하고, 다음 공식을 이용해 재순환율(R)을 구한다.
   $R = [(S - A)/(S - V)] \times 100$.

출처: Nissenson AR, Fine RN: Handbook of dialysis therapy, ed. 4, Philadelphia, 2008, Saunders.

| 바늘천자 전 마취

혈관통로에 바늘천자를 해본 경험이 적은 환자는 바늘천자를 불편하게 느끼므로 리도카인 1%(사이로카인; 국부마취제) 같은 마취제를 피내 투여할 수 있다. 리도카인을 피부 최상위 조직 바로 아래에 15°의 각도로 투여한다. 바늘 삽입 후 리도카인을 주입하기 전에 바늘침이 혈관에 삽입되지 않았음을 확인하기 위해 주사기를 흡인해 보아야 한다. 만일 혈액이 주사기에 흡인되었다면 그 주사기를 폐기하고 다시 시도해야 한다. 바늘천자가 반복되면 반흔조직이 형성되어 환자는 천자에 대한 고통을 덜 느끼게 된다. 다른 국부마취제로 크림의 형태를 이용할 수 있다. 환자는 치료를 위해 투석실에 도착하기 전에 크림을 도포하고, 크림은 천자 전에 닦아 낸다.

| 동정맥루의 성숙 유도

혈관통로가 생성된 지 4~5일 이내에는 아무것도 시도할 수 없다. 의사는 동정맥루 수술 후 이를 성숙시키기 위해 다양한 등척성 운동을 권장한다. 고무공을 쥐어짜듯이 움켜쥐거나 손가락 끝 만지기, 덤벨을 이용한 두갈래근 운동이 도움이 될 수 있다. 의사는 이러한 운동들을 하면서 가벼운 압박대를 착용하도록 권장하거나

그림 12-9 자가 동정맥루에서 찔림을 방지하는 무딘 경사를 이용한 성숙된 일정 부위에의 바늘천자. (출처: National Kidney Foundation (NKF): KDOQI clinical practice guidelines and clinical practice recommendations for 2006 updates: Hemodialysis adequacy, peritoneal dialysis adequacy and vascular access. Am J Kidney Dis (Suppl 1):S1-S322, 2006.)

또는 권장하지 않을 수도 있다. 하루에 여러 번 온찜질을 하거나 따뜻한 물에 담그는 것은 정맥 확장을 촉진할 수 있다. 심장박출량 증가와 함께 빈혈을 교정하면 누공을 통한 혈류량을 증가시켜 성숙을 향상시킬 수 있다.

| 투석 간 처치

새로운 동정맥루가 있는 팔은 치료 사이에 사지의 부종을 감소시키기 위해서 베개 위에 올려놓아야 한다. 바늘을 제거한 후 10~20분 동안 손이나 가벼운 압박드레싱으로 적당한 압력을 유지시키는 것이 중요하다. 대부분의 환자는 투석 종료 후에도 일부 헤파린 부작용을 경험하며, 출혈은 심각한 문제가 될 수 있다. 피부 아래의 혈액누출은 혈종, 흉터 형성을 초래할 수 있고, 이는 결국 혈관을 사용하기 어렵게 만든다. 출혈이 멈춘 후에 붕대를 적용함으로써 천자부위를 충분히 보호할 수 있다. 바늘을 제거한 후 20분 이상이 되었는데도 천자부위에 출혈이 계속된다면 헤파린의 투여량을 평가 및 조정해야 한다. 동정맥루 팔은 매일 비누로 깨끗하게 닦도록 권장된다. 몇몇 사람은 피부를 부드럽게 유지하기 위한 연고 사용을 선호한다.

| 버튼홀 방법

버튼홀 방법(Buttonhole technique; 단춧구멍 방법)이나 동일부위 방법은 약 25년 동안 동정맥루에 천자하는 것에 제한적으로 사용되어 왔고, 최근에는 특히 자가간호 환자에서 점점 더 대중적으로 이용되고 있다. 버튼홀 방법에서는 매 치료 시 정확하게 동일한 지점에 동일한 각도로 바늘이 혈관통로에 천자된다. 천자 시마다 같은 경로에 바늘이 들어가기 때문에 흉터조직에 터널 트랙이 쉽게 발달한다. 치료마다 같은 위치에 천자하기 때문에 이전의 치료에서 생성된 딱지를 천자 전에 제거해야 한다. 감염을 예방하기 위해서 딱지는 무균적으로 제거되도록 처치해야 한다. 딱지 제거 후에 혈관통로는 투석실의 프로토콜에 의해서 소독해야 한다. 바늘의 경로는 보통 대략 8~10회 천자 후에 자리가 잘 잡힌다. 이런 유형의 천자는 침습사고가 적고, 고통이 덜하다. 다른 장점으로는 감염이 적고 바늘을 잘못 찔러서 생긴 상처가 적고, 혈관통로 천자 시 소요되는 시간 감소 등이 있다. 이 방법은 집에서 투석하는 환자나 자가천자 환자에게 유용한 대안이다. 메디시스템(Medisystems, 미국의 혈액투석 관련 회사)은 찔림을 방지하는 무딘 경사를 가진 버튼홀 바늘 세트를 제공한다. 이런 무딘 바늘(그림 12-9)은 버튼홀이 발달한 후에 사용할 수 있다. 찔림 사고를 방지하는 무디고 비스듬한 경사는 흉터조직의 터널 트랙 주변 조직의 찢김을 예방한다. 2006 KDOQI 가이드라인에서는 혈관통로가 잘 자리 잡히고 버튼홀 방법 적용이 가능한 환자는 선호하는 버튼홀 방법으로 자가천자할 것을 제안한다. 상자 12-2는 버튼홀 방법을 이용한 혈관통로 천자에 대한 세부사항을 제시한다.

> **상자 12-2 버튼홀 방법 지침**
>
> • 매 천자 시 같은 각도로 바늘을 삽입한다.
> • 터널이 형성될 때까지 동일한 형태의 천자도구를 사용한다.
> • 매 천자 시 모든 동정맥루에 압박대를 적용한다.
> • 피부를 팽팽하게 잡아당기면서 동정맥루를 고정한다.
> • 혈관의 상처를 예방하기 위해서 무딘 바늘로 전환한다.

| 헤로(HeRO) 혈관통로장치

헤로(HeRO) 혈관통로장치는 중심정맥 협착 혹은 위대정맥 폐색으로 동정맥루나 인조혈관을 위한 말초 혈관통로가 제한된 환자나 카테터 의존성 환자를 위한 혈관통로의 대안이다. 헤로 혈관통로는 중심정맥으로 혈액이 유출되는 피하 인조혈관으로서 정맥의 문합이 필요하지 않아서 중심정맥의 협착을 우회하는 것이 가능하다. 이 장치는 외과적으로 이식할 수 있고 장기 혈관통로로 사용될 수 있다. 헤로 장치는 정맥 유출 부분과 동맥 인조혈관 부분의 두 부분으로 구성된다. 정맥유출 부분은 속목정맥 안으로 직접 삽입되며 그 끝이 우심방 내에 위치한다. 동맥 인조혈관 부분은 끝에 티타늄 연결관이 있는 6mm의 폴리테트라플로오로에틸렌 위

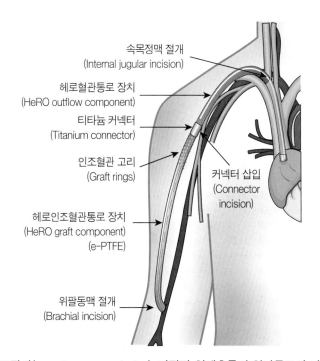

그림 12-10 HeRO 혈관통로장치(vascular access device). 안정적 혈액흐름의 혈관통로의 다이어그램 (A diagram of the Hemoaccess Reliable Outflow, HeRO) 장치는 우심방에 위치한 정맥카테터의 끝과 전주와(antecubital fossa) 근처의 위팔동맥에서 동맥 문합임. 티타늄 커넥터는 정맥과 인조혈관과 연결하는 것임. 동맥문합을 위해 위팔 근처의 절개 정맥캐뉼라 삽입을 위해 목의 기저부를 절개, 두 구성요소(e-PTFE, Expanded polytetrafluoroethylene; PTFE, polytetrafluoroethylene)의 통과를 용이하게 하기 위해 어깨세모근 그룹 근처의 절개하여 장치를 삽입함. (출처: Glickmann MH: HeRO vascular access device. Seminars in Vascular Surgery 24(2):108-112, 2011.)

팔 인조혈관으로 이루어져 있다. 위팔 인조혈관은 티타늄 연결관과 함께 유출 부분으로 연결된다. 혈액은 인조혈관과 유출 부분을 통하여 동맥에서 심장으로 흐르기 시작할 것이다(그림 12-10).

헤로 장치에 천자하기 위한 특별한 방법이 있는가?

헤로 장치(HeRO Device)는 미국식품의약국(FDA)에 의해 인조혈관으로서 승인되었고, 그와 같이 취급될 수 있다. 천자를 위한 KDOQI 가이드라인을 따라야 한다. 헤로 장치는 기존 위팔의 인조혈관과 같은 방법으로 천자된다. 천자는 부기가 가라앉기 전까지 연기되어야 한다. 표준적인 동정맥루 바늘을 사용하여야 하고 각 투석실의 프로토콜을 따를 수 있다. 바늘은 45°로 삽입돼야 하고 천자부위는 치료마다 변경되어야 한다. 정맥문합의 부재로 기존의 인조혈관에 비해 떨림은 현저히 적을 수 있다.

투석 시 정맥카테터 사용

투석 카테터는 다음과 같은 특정한 상황의 혈액투석 환자 치료에 사용된다. (1) 응급투석에서 혈관통로로 (2) 임박한 신장이식 대기 환자를 위해 (3) 동정맥 통로 성숙기간 동안 (4) 영구적인 내부 혈관통로로서의 혈관 가능성이 제한될 때 영구적인 혈관통로로 (5) 혈장교환술을 시행하는 환자를 위해 (6) 지속적인 정맥정맥 신대체요법을 받는 환자를 위해 (7) 복막염으로 인해 일시적으로 혈액투석을 받는 복막투석 환자를 위한 경우이다. 빗장밑정맥 카테터를 장시간 사용할 경우 빗장밑정맥 협착이 초래될 수 있다는 점에 주의해야 한다.

미국신장재단 KDOQI 가이드라인에서는 10%의 만성 혈액투석 환자만이 영구적인 혈관통로로서 카테터를 가져야 한다고 권고한다. 유행하는 혈액투석 패턴에 대한 동정맥루 사용률은 개선된 반면, 투석 시작 시 중심정맥카테터 사용률(80%)은 상대적으로 정체된 상태를 유지했다 (USRDS, 2016). 투석을 위한 영구적인 혈관통로로서 중심정맥카테터의 사용은 가장 좋은 선택은 아니며 하나의 대안일 수 있다. 만성콩팥병 4단계 환자에게 투석을 시작하기 전 시간적 여유를 충분히 두고 카테터의 위험성과 장점을 교육해야 하며, 동정맥루와 같은 영구적인 혈관 접근통로를 선택할 것을 강력히 권장해야 한다. 4 또는 5단계의 만성콩팥병 환자를 위해 선택되는 혈관통로는 아니지만 정맥 협착, 혈전증의 위험을 예방하기 위한 빗장밑정맥카테터를 갖고 있고, 말초중심정맥관(Peripherally Inserted Central Catheters, PICC) 라인을 사용하는 환자에게는 사용을 피함으로써 혈관을 유용한 상태로 보존할 수 있다. 표 12-1은 정맥카테터의 장점과 단점을 나열한 것이다.

정맥카테터로 사용할 수 있는 정맥

빗장밑정맥, 속목정맥, 넙다리정맥이 일시적 통로로 사용된다(그림 12-11 A). 이중내강 카테터를 사용하여 혈관에 접근한다(그림 12-11 B).

빗장밑정맥이나 속목정맥 사용의 금기사항

빗장밑정맥이나 속목정맥은 다음 환자에게 사용하지 않는다.
• 앙와위나 트렌델렌버그 자세를 취할 수 없는 급성 호흡곤란증후군이 있는 환자
• 빗장밑정맥 협착이 있는 환자

빗장밑정맥이나 속목정맥 카테터의 삽입

의사는 엄격한 무균술을 사용한다. 환자는 머리는 반대로 돌린 채로 트렌델렌버그 자세로 반듯하게 눕는다.

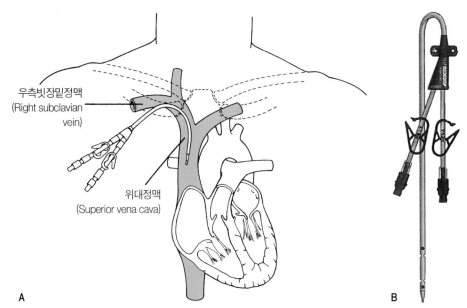

우측빗장밑정맥
(Right subclavian
vein)

위대정맥
(Superior vena cava)

A   B

그림 12-11 **A.** 빗장밑정맥 이중내강 정맥카테터를 사용한 일시적 혈관통로. **B.** 이중내강 일시적인 카테터. (출처: Courtesy MEDCOMP Corp., Harleysville, PA.)

시술 부위 근처 피부를 깨끗하게 하고 외과용 멸균포로 덮는다. 국소마취 후 카테터를 삽입하고 봉합한다. 카테터를 사용하기 전에 가슴 X-ray 검사로 위치가 정확한지 확인해야 한다.

| 빗장밑정맥 또는 속목정맥 카테터 사용 시 합병증

카테터 삽입 직후에 기흉, 혈흉, 혹은 공기색전증이 발생할 수 있다. 카테터 삽입 동안 동맥에 부주의하게 삽입된다면 출혈은 또 하나의 합병증이 될 수 있다.

| 넙다리정맥 사용의 적응증

넙다리정맥은 다음과 같은 경우에 사용한다.
• 와상 중환자
• 응급투석이 필요한 응고된 혈관통로를 가진 만성콩팥병 환자
• 지속적 신대체요법(Continuous Renal Replacement Therapy, CRRT)을 받는 환자
• 빗장밑정맥 협착의 가능성이 있는 환자

| 넙다리정맥 사용 시 합병증

넙다리정맥카테터는 널리 사용되지 않지만 카테터 삽입으로 발생 가능한 몇 가지 합병증으로 삽입 시 정맥 뚫림으로 인한 후복막 출혈, 삽입부위의 출혈, 혈종, 감염이 있다.

| 이중내강 카테터의 영구적 사용

영구적인 카테터는 점점 더 널리 사용되고 있다. 실리콘 고무 카테터 삽입은 수술 중에 행해진다. 카테터는 감염 예방을 위해 피하 다크론 이식(Dacron graftDacron graft, 신체조직에 부착되기 위한 합성물질)이 있다.

이 카테터는 보통 속목정맥에 위치되고 피하의 터널은 흉벽을 통해서 카테터가 피부 밖으로 나오도록 만들어진다(그림 12-12 A). 영구적인 카테터는 또한 빗장밑정맥, 가슴정맥, 넙다리정맥에 위치된다. 다른 종류의 영구적인 카테터로 테시오 카테터(Tesio catheter)(그림 12-12 B)가 있다. 한 정맥에 두 개의 단일내강 카테터를 나란히 위치시킨 것이다. 이것은 환자 개인에게 맞춰 카테터를 위치시킬 수 있고 혈류속도를 증가시킨다. 영구적인 카테터는 작은 동맥과 정맥으로 인조혈관 이식을 금하는 소아 환자에게 유용하다.

CHAPTER 13

Patient and Machine Monitoring and Assessment

환자와 기계의 모니터링과 사정

환자 사정과 투석기계의 지속적인 모니터링은 투석의 가장 중요한 요소 중 하나이다. 다음은 간호사와 테크니션에 대한 역할과 책임을 정의하고 있다. 미국간호사협회에서는 간호실무를 위한 자격시험과 특정 업무를 간호사로부터 위임받아 행하는 비전문직 직원을 직접 감독할 것을 규정에서 정하고 있다. 따라서 자신이 속한 주(state)의 규정을 임상에서 검토하는 것이 좋다.

미국의 일부 주에서는 등록된 간호사만이 간호사 실무법대로 사정을 수행할 수 있으나 일부 주에서는 LPN(licensed practical nurse)이나 LVN(licensed vocational nurse)에게도 허용하고 있다. 많은 주에서 테크니션은 프라이밍과 저혈압에 대한 생리식염수 주입을 허용한다. 또한 혈관통로에 투석 바늘을 삽입하기 전 피내에 리도카인(자이로케인)을 주입할 수 있다. 그리고 의사의 처방, 프로토콜에 따라 항응고제인 헤파린을 정맥에 투여하는 것을 허용한다. 이러한 업무들은 간호사의 직접적인 감독하에 허용되고 있다.

이 장에서 사정(assessment)은 간호사의 역할이며, 자료 수집 및 모니터링은 테크니션의 역할이다. 자료가 수집된 후 간호사와 테크니션은 의사의 처방이나 프로토콜에 따라 투석치료를 시작한다.

| 환자 모니터링

환자 모니터링은 지속적인 관찰, 환자의 생리학적 상태에 대한 기록, 투석 시행 시 환자의 반응을 연속적으로 관찰하며 반복하는 것이다. 기계 모니터링은 지속적으로 이루어지며 다음 사항들을 모니터링한다. 동맥과 정맥의 압력, 투석액 속도, 막통과압(TMP), 초여과량(UF), 투석액 온도, 투석액 흐름과 전도도, 남은 투석치료 시간 등이다. 투석간호사는 이러한 매개변수를 읽어내고 기록하여 평가할 책임이 있다. 활력징후는 적어도 매 시간 측정해야 하며 불안정한 환자나 각 투석센터의 지침에 따라 더 자주 측정하기도 한다. 사정은 투석치료의 목표를 달성하기 위해 적절한 중재를 결정하게 한다.

| 투석치료 성과 표준

미국신장재단(The National Kidney Foundation, NKF)과 KDOQI(Kidney Disease Outcomes Quality Initiative)는 성과 지표와 가이드라인을 제공한다. 네 가지의 임상실무 가이드라인, 즉 혈액투석 적절성, 복막투석 적절성, 빈혈 치료, 혈관통로와 관련된 것을 사정하며, 이것은 투석의 결과를 개선하기 위해 사용된다. 또 다른 지침들을 보면 영양상태를 포함하여 이상지질혈증, 뼈질환 및 고혈압과 관련된 지침들이 개발되었다. 현재 소아를 위한 추가적인 지침도 개발되고 있다.

| 혈액투석 사정방법

사정에 포함되는 내용은 다음과 같다. 신체사정, 검사 자료의 분석과 해석, 첫 투석 시, 투석 중 사정(투석 전후, 그리고 혈액투석 절차의 모니터링), 메디케어 & 케디케이드 서비스 임상 진료지침을 사용하는 다학제팀 (IDT) 사정 등이다. 다학제팀은 발전시킬 수 있는 방법을 문서화하고 개별화된 종합계획을 구현한다. 치료계획은 환자의 상태 변화를 반영해야 하며 정해진 치료시간 내에 측정 가능한 예상 결과를 포함한다.

■ 일반적 사정지표 General Assessment Parameters

사정이란 환자와의 면담, 신체검사, 임상검사 결과, 환자 관찰의 해석을 통해 자료를 수집하는 것을 말한다. 이러한 자료는 직접적으로 환자 치료에 영향을 미친다.

| 신체사정에 포함되는 사항

신체사정은 체중, 혈압, 체온, 맥박, 호흡; 호흡활동 및 부종 정도 평가; 심음과 호흡음 사정을 위한 청진; 심첨맥박과 말초부위 맥박의 비교; 피부통합성 사정, 피부색, 경정맥 울혈; 혈관통로 평가 등으로 구성된다.

| 환자의 체중 측정 시기

투석 환자는 투석치료 전과 후에 각각 체중을 측정한다. 어떤 환자는 투석 간 수분 섭취량 조절을 위해 집에서 자신의 체중을 측정하기도 한다.

| 체중 측정의 중요성

체중은 투석 간에 환자가 수분 조절을 얼마나 잘 하였는지를 보여 주는 좋은 지표이다. 투석 전 체중은 투석치료 중, 초여과를 얼마만큼 제거해야 하는지를 보여 준다. 투석 후 체중은 혈액투석 과정 중에 얼마만큼의 초여과가 발생되었는지를 보여 주는 좋은 지표가 된다.

| 건체중

건체중은 과도한 체액을 모두 또는 대부분 제거한 후의 투석 후 이상적인 체중을 말한다. 건체중에 맞춘 환자는 일반적으로 정상 혈압으로 측정된다. 투석 후 체중의 볼륨 상태가 큰 경우는 체액 과다의 경계에 있을 수 있으며 또한 혈압이 높음을 시사한다. 투석 후 체중이 너무 적으면 저혈량과 저혈압, 혈관통로의 응고 위험이 있음을 의미한다.

| 투석치료 사이의 체중 증가 허용량

투석 간 체중 증가는 체액 저류로 인한 것이다. 대부분의 투석실에서는 환자에게 체중 증가를 하루 0.5kg (1파운드)으로 제한하도록 권장한다(추가적인 논의와 수분제한에 대한 계산은 제14장을 참조).

| 혈압 측정의 중요성?

혈압은 흔히 체액량과 관련이 있다. 고혈압은 과도한 체액량을 나타내며 저혈압은 탈수를 나타낸다. 혈압은 기립성 변화를 평가하기 위해서 환자가 앉아 있을 때와 서 있을 때 모두 측정해야 한다. 만성콩팥병 환자의 심혈관질환 및 기타 합병증의 위험을 줄이기 위해 고혈압을 모니터링하고 치료하는 것이 중요하다. 고혈압은 만성콩팥병 5단계의 환자 80% 이상에서 발생한다.

| 정상 혈압

고혈압은 만성콩팥병 환자에서는 매우 일반적이며 무려 75%나 되는 환자가 토리여과율(사구체여과율, GFR) 이 60mL/min 이하이며 혈압은 140/90mmHg를 가지고 있다. 정상 혈압은 개별적인 문제이다. 만성콩팥병 환자에서 혈압은 절댓값으로 보기보다는 동향을 분석해야 한다. 2003년 KDOQI 가이드라인에 따르면 투석 중인 만성콩팥병 환자를 위한 항고혈압 치료목표는 투석 전 및 투석 후 140/90mmHg 미만 및 130/80mmHg 미만이어야 한다고 권장한다.

| 혈압 측정 시 커프 위치

위팔 부위에 커프를 감는 것이 가장 일반적이지만 대안으로 두 부위가 있다. 넙다리부위는 허벅지 중간 부위에 커프를 감을 수 있다. 맥박은 오금(슬와) 부위에서 청진기로 들을 수 있다. 추가적으로 커프는 발목 위쪽을 감고 뒤정강동맥 또는 발등동맥에서 청진한다. 일반적으로 다리에서 측정한 혈압은 위팔에서의 측정 압력보다 20~40mmHg까지 높다. 다리에서 압력을 측정할 때 환자의 진료기록에 측정부위를 표기해야 한다.

혈압 측정 시 심부정맥 혈전증과 이식한 사지, 허혈성 변화 또는 동정맥루, 인조혈관이 있는 곳에 커프를 감아서는 안 된다. 적합하지 않은 커프를 사용하는 경우 혈압 측정치가 부정확해진다. 예를 들어, 커프가 환

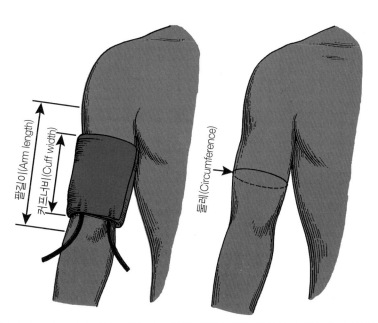

그림 13-1 **적절한 혈압 커프의 크기에 대한 지침. 커프 폭은 상완의 직경 20%보다 커야 하며, 팔 길이 2/3, 둘레 길이의 40%보다 커야 한다.** (출처: Potter P, Perry A, Stockert P, Hall A: Fundamentals of nursing, ed. 8, St. Louis, 2013, Mosby.)

자에게 너무 넓으면 혈압 수치가 인위적으로 낮아지고 커프가 너무 좁으면 수치가 인위적으로 높아진다.

커프는 측정되는 환자의 팔다리에 가장 잘 맞도록 다양한 크기로 제공할 수 있다. 혈압 측정 시 이상적인 커프의 폭은 둘레의 40%(직경의 20%보다 넓게)여야 하며 사지의 중간지점에 위치해야 한다. 비만 환자를 측정하고 큰 커프를 사용할 수 없는 경우 표준 크기 커프를 환자의 팔뚝에 감고 노동맥을 촉지한다. 매우 얇은 환자를 측정하는 경우 소아용 크기의 커프 사용을 고려한다(Ball et al., 2019). 커프로 묶은 사지는 적어도 성인 위팔의 80%를 둘러싸고 있어야 한다(Potter & Perry, 2013)(그림 13-1).

| 체온, 맥박, 호흡 모니터링의 필요 이유

체온, 맥박, 호흡의 기준치는 투석 시작시점이다. 체온 상승은 감염 및 복잡한 질환을 의미한다. 체온 상승은 자주 혈관통로 감염의 징후를 나타낸다. 투석 시 발열은 높은 투석액 온도나 발열 물질의 반응에 의해 발생한다. 빈맥은 빈혈이나 체액 과다로 인해 생길 수 있다. 불규칙한 심장 박동(부정맥)은 심장 합병증을 나타내며 혈청 칼륨 농도와 관련이 있다. 투석 시 맥박수의 증가는 혈액량이 적어지거나, 혈압이 떨어지기 전에 발생할 수 있다. 호흡수 증가는 과도한 수분 증가로 인해 나타날 수 있다. 이 밖의 예상치 못한 것들을 발견했을 때에는 의사에게 즉시 보고한다.

| 부종

부종은 조직 공간 내에 수분이 과도하게 축적된 것이다. 부종은 투석 간 사이에 과도한 체중 증가의 결과로 인해 나타나며, 환자의 다양한 신체적 부위에 서로 다른 영역에서 나타난다. 이는 대부분 발목, 천골, 안면 또는 안와 주위, 말초 부위에서 발생한다. 환자의 체액이 과다한 상태에 있을 때 목정맥이 자주 확장된다. 체액 상태의 사정은 투석 중 필요한 초여과량을 결정한다.

| 이 밖의 신체사정

투석 전 사정은 투석치료 이전부터 환자의 건강상태를 주관적으로 분석한다. 환자에게 두통, 저혈압, 출혈, 설사 등의 증상이 있었는지 확인한다. 투석간호사는 투석치료 기간 동안 환자가 자신의 건강과 관련된 문제에 대해 대화할 때 환자의 심리상태, 언어, 기동성 및 사고과정의 변화도 사정해야 한다.

▌첫 혈액투석 사정 First Hemodialysis Assessment

| 첫 혈액투석 절차의 중요성

메디케어 및 메디케이드 서비스센터(CMS) 조건은 등록된 간호사가 투석치료를 시작하기 전에 첫 번째 간호 평가를 완료해야 한다(Department of Health and Human Services, 2008). 첫 혈액투석은 나중의 치료절차에 영향을 주기 때문에 중요하다. 첫 혈액투석은 때때로 병원에서 이루어진다. 환자는 불안정한 상태일 것이고 통증을 느끼고 있을 것이다. 환자는 첫 투석 시 간호사가 제공하는 정보를 잊거나 이해하지 못할 수 있다. 그러므로 간호사는 치료에 관한 지시사항을 환자에게 반복해서 알려 주어야 한다. 매뉴얼과 지시사항은 환자에게 필요한 정보를 제공하는 데 도움이 된다. 때때로 첫 투석은 외래환자 투석시설에서 이루어진다. 이 경우 투석 담당자는 새로운 환자의 정서적 상태를 반드시 인식하여야 한다. 환자는 자신이 들은 투석에 대한 이야기나 투석장비의 모습 때문에 두려울 수 있다. 이러한 공포들은 환자의 질환이 만성이 되었다는 사실과 정신적인 충격으로 인한 것이다. 이러한 심리정신적인 충격은 첫 투석 시 주어진 지시사항들을 기억하지 못하는 큰 원인이 된다. 투석간호사와 직원은 첫 번째 투석을 가능한 한 순조롭게 진행해야 한다.

| 첫 투석 시 필요 절차

의사들은 새로운 환자에게 투석지시에 관한 평가와 처방을 한다. 간호사는 수분과 관련된 구성요소와 기계 프로그램을 세팅한 후 의사의 지시와 투석 전 환자사정을 검토한다. 환자와의 첫 대면 전에 의료기록을 검토해야 한다. 이 정보는 환자의 신체사정을 하는 동안 도움이 된다. 환자에게 자신을 소개한 후 투석실을 간단하게 둘러보게 해야 한다. 첫 방문은 가능한 한 간단하고 환자에게 긍정적 반응을 주어야 한다. 지시사항은 여러 번 반복하여 명심할 수 있게 한다.

투석치료를 위한 서면동의가 이루어지면 환자의 기록을 정확히 유지 기록한다. 신체사정은 환자의 체중, 혈압, 체온, 맥박, 호흡 관찰로 시작한다. 그 다음 환자의 수분상태와 전반적인 건강상태 등 일반적 사정을 한다. 환자 사정 시 다음과 같은 질문을 한다.

• 현재 부종이 있는가?
• 호흡곤란이나 고통을 느낀 적이 있는가?
• 출혈이나 타박상이 있는가?
• 남은 콩팥기능이 있는가?
• 장운동은 규칙적인가?
• 수면 문제가 있는가?
• 음식이나 약에 대한 알레르기가 있는가?

대부분의 투석실에서는 간병인을 위한 가이드라인으로 이와 같은 사정 내용을 알려 준다. 투석 시의 매개변수는 다음과 같이 첫 과정 동안에 설정되어야 한다. 헤파린 요구량, 수분 제거의 허용, 동맥과 정맥의 판독, 생리식염수 요구량, 투석기의 허용, 투석액의 구성 등이다. 첫 투석은 매우 중요하기 때문에 의사는 보통 느린 혈액 흐름과 2시간의 투석 처방을 내린다.

투석 전 사정 Predialysis Assessment

| 투석 전 사정

혈액투석 시작 전에 환자와 기계 두 가지 모두 사정한다. 환자의 생리적인 상태는 투석지시나 약을 처방하는 데 필요한 판단을 확실하게 해 준다. 기계 매개변수는 처방된 절차가 올바르게 시행되는지를 확실하게 해 준다.

| 환자의 투석 전 사정에 포함되는 사항

투석 전 사정은 다음 사항을 포함한다.
• 체액상태(호흡수와 호흡양상, 경정맥 울혈, 심음, 호흡음, 부종유무)
• 체중
• 혈압(앉아서 측정, 서서 측정)

- 체온, 맥박, 호흡, 심첨맥박과 말초부위 맥박을 포함하는 평가
- 피부색, 체온, 긴장도, 통합성
- 혈관통로 개방성과 출혈과 감염 여부
- 신체사정의 이해와 적절한 조절을 위한 임상자료와 약물관리

| 투석 전 투석기계 점검사항

기계 성능을 점검하고 올바르게 작동하는지 확인해야 하며 모든 체외 신호가 적절하게 대응하는지 확실하게 점검해야 한다. 동맥혈압, 정맥혈압, 공기탐지기 신호들은 혈액펌프의 멈춤과 정맥라인이 클램프로 닫히면 발생한다. 또한 투석액의 온도와 전도성은 적절한 범위 안에 있도록 확실하게 검사해야 한다. 이러한 알람은 항상 작동해야 투석액이 투석기에서 전환되는 등의 중요한 합병증을 피할 수 있다. 마지막으로 투석 농축액 은 환자의 치료에 적합해야 한다.

| 투석치료 전 환자 사정과 철저한 기계 검토의 중요성

사정의 정확도와 중재의 타당성은 직접적으로 환자의 결과에 영향을 끼치며 적절한 투석목표가 성취될 수 있 게 한다.

| 초여과

초여과는 투석을 하는 동안 수분의 제거를 말한다. 이것은 투석 시 통과하는 막의 정수압 결과이다. 정수압은 혈액과 투석액의 차이이며 막통과압(TMP)이다. 투석액 측의 압력이 혈액 측의 압력보다 낮으면 물이 혈액 측에서 투석액 측으로 이동한다. 초여과율은 초여과계수로 알려진 각각의 투석기 양압과 음압의 총합이며 여 과인자이다. 초여과계수는 0.5~80mL/hr/mmHg로 특정한 투석기의 특성에 따라 다양하다.

| 초여과율을 계산하기 위해 필요한 정보

다음 질문은 초여과의 속도를 계산하기 위한 것이다.
- 환자의 건체중은 얼마인가?
- 체중을 몇 kg 빼야 하는가?
- 투석 후 목표체중은 얼마인가?
- 환자는 투석치료 중 경구나 정맥 내 수분공급을 얼마나 받을 수 있는가?
- 투석기의 초여과계수는 얼마인가?
- 혈액회로의 프라이밍 양으로 식염수를 얼마나 주입할 것인가?
- 환자의 투석시간은 얼마나 걸리는가?

| 수분 제거량의 계산

수분 제거를 계산하기 위해 다음 단계들이 이루어진다.

1. 더하기　제거해야 할 체중의 양(Amount of weight in mm to be removed)
(add)　치료 중 수분 섭취의 양(Amount of fluid intake in mm)
　　　＋ 제거해야 할 정맥 내 수분의 양(Amount of intravenous fluid in mm to be removed)
　　　밀리리터로 제거해야 할 수분의 총량(Total amount of fluid to be removed in mm)

2. 나누기 (Divide)

$$\frac{투석시간(\text{Number of hours of dialysis})}{제거해야\ 할\ 수분의\ 총량(\text{Total amount of fluid in mm to be removed})}$$

3. 나누기 (Divide)

$$\frac{2단계에서의\ 총량(\text{Total from step 2})}{투석기의\ 초여과계수(\text{kUF of dialyzer})} = TMP$$

수분 제거의 계산방법 예는 다음과 같다. 3시간 투석을 하고, 2.3kg을 제거할 때, 전통적인 투석기의 초여과계수가 4라면

1. 더하기
제거해야 할 체중　　　　　2300mL
경구 섭취　　　　　　　　600mL
＋ 씻어 낼 생리식염수　　　100mL
제거해야 할 수분의 총 양　3000mL

2. 나누기

$$\frac{제거해야\ 할\ 수분(3000mL)}{투석시간의\ 수(3\ hr)} = 1000mL/hr$$

3. 나누기

$$\frac{2단계에서의\ 총량(1000mL)}{초여과계수(4)} = 250TMP$$

전통적인 투석기계는 막통과압을 수동으로 설정해야 한다. 현재, 대부분의 시스템은 초여과 설정 제한이 가능한 프로그램 기능을 제공한다. 제한된 초여과는 기계로 조정할 수 있으며, 수분 제거를 제한할 수 있다.

| 표준 혈액투석 치료 중에 제거할 수 있는 체액량의 제한

투석치료 중 다량의 체액을 제거해야 하는 경우 높은 초여과율(UFR)이 필요하다. 높은 UFR은 투석 중 저혈압과 관련이 있다. 투석 중 저혈압은 투석 치료의 20~30%에서 발생하며 잠재적으로 뇌, 장, 심장 및 콩팥을 손상시킬 수 있고 이러한 기관의 저혈압 상태는 "장기 기절"로 알려져 있다(Feehally et al., 2019). CMS는 환자에게 최대 13/mL/kg/hr 이하의 UFR 지침을 설정했다. 이 초여과 최댓값은 장기 기절 및 사망위험 증가의 가능성과 함께 극심한 저혈압 에피소드를 방지하는 데 도움이 된다.

UFR을 mL/kg/hr 단위로 계산하려면 :

제거할 체액(Fluid weight to remove) = 1800 mL
생리식염수 프라이밍(Prime and rinseback) = 300mL

총 (Total) = 2100mL
시간당초여과율(UFR as mL/hr)
여과목표량(UF goal) ÷ 투석시간(treatment time) = 시간당초여과율(UFR as mL/hr)

$$2100 \text{ mL} \div 4 \text{ 시간} = 525 \text{ mL/hr}$$

초과율(mL)/kg/hr (목표 ≤ 13mL/kg/hr)

시간당초여과율(UFR as mL/hr) ÷ 목표체중(target weight) = mL/hr

$$525 \div 51 \text{ kg} = 10.29 \text{ mL/kg/hr}$$

| 순차적인 초여과 및 투석

1947년 앨월(Alwall)은 투석치료 중 수분 제거방법으로 초여과의 적용을 제정했다. 대류운반의 개념보다는 확산(제7장 참조)의 개념으로 현재 혈액여과법이 사용되고 있다. 여러 투석기는 투과성과 강도성이 좋은 막과 섬유로 되어 있어서 시간당 몇 리터의 초여과를 얻기에 충분하다.

최소한의 초여과를 시행하는 일반 혈액투석을 시행하기 전 단순 초여과를 먼저 적용하는 것은 순차적인 초여과 또는 단순 초여과로 알려졌다. 초여과 단계에서는 투석기를 통해 혈액이 정상적으로 순환하지만 투석액은 없다. 초여과의 결과는 막을 횡단하는 음압경사로 인해 배출구에서 측정된다. 환자는 기존의 저혈압이나 다른 증상이 없었던 투석보다 더 많은 비율과 양으로 체액을 제거하는 이 방법을 견딘다. 중증 고혈압 환자에게 있어 효과적으로 혈압 조절을 할 수 있다. 이 요법은 만성적으로 과다한 수분 제거가 필요한 투석 환자에게 특히 유용하다.

투석 중 사정 및 모니터링 Intradialytic Assessment and Monitoring

| 투석 중 모니터링

투석 중 모니터링은 투석치료 중 환자 및 투석 기계의 지속적인 사정을 의미한다. 환자와 투석기는 투석간호사에 의해 적어도 30분에 한 번씩 모니터링되어야 한다. 불안정한 환자는 활력징후와 기계 모니터를 더 자주 사정한다.

환자의 의식 또한 모니터링해야 하고 간호사는 환자의 혈관통로 상태, 투석 바늘과 라인의 안전성을 반드시 확인해야 한다. 환자가 헤파린 펌프를 사용하는 경우 투여량을 문서화해야 한다. 동맥 및 정맥 드립챔버를 관찰하고 필요에 따라 적절한 수준으로 조정해야 한다. 외부 트랜스 듀서 보호기는 식염수나 혈액이 있는지 관찰해야 하며 오염되었을 경우 교체해야 한다.

이 지표는 환자의 치료목표에 따라 조정된다. 모든 사정은 투석기록지에 기록한다. 컴퓨터화된 전달시스템으로 기계 지표가 자동적으로 모니터링되면 투석기록지에 기록한다.

| 투석 중 필요한 환자사정

사정에서 중요한 것은 수치화된 기록이 아니라, 치료하는 동안 환자의 전반적인 상태 및 반응을 보는 것이다. 오심, 불안 호흡곤란, 안절부절못함, 예민함, 가려움증, 홍조, 근육위축, 과민반응, 현기증, 통증 등 투석치료를 하는 동안 일어날 수 있는 여러 가지 증상이 있다. 규칙적으로 투석을 받는 환자는 개인적 반응 양상이 있으므로 그 양상의 변화를 중요하게 관찰한다. 급성 혈액투석 환자는 투석치료에 대한 반응이 알려져 있지 않고 불안정한 컨디션이기 때문에 더 자주 사정되어야 한다. 관찰한 모든 상태는 기록에 남기고 의사에게 보고한다. 때때로 투석 시 반응이나 합병증은 지속적인 모니터링 및 교정을 위해 지속적 질 향상 위원회(Continuous Quality Improvement, CQI)에 보고한다.

| 투석치료 중인 환자의 혈액 청소율 확인방법

급성 투석치료를 받는 환자의 청소율을 모니터링할 수 있는 비침습적 사정도구가 있다. 그중 하나가 기계 형태에 따라 적용될 수 있는 온라인 청소율 타당성 모니터링 프로그램(online clearance adequacy monitoring program)이다. 예를 들어 Fresenius2008K과 2008T 기계는 온라인 청소율이라고 불리는 모니터링 시스템을 사용한다. 이 모니터링 도구는 분자량 60g/mol 요소를 대리 표지자로 두고 분자량이 58g/mol 염화나트륨을 사용한다. 나트륨은 요소와 비슷하게 투석기를 통과할 수 있다. 온라인 청소율 검사는 두 단계를 거친다. 첫 번째 단계는 혈액 내 정상 나트륨 농도를 초과한 높은 투석액 나트륨 농도와 관련이 있다. 전도도를 맞추기 위해 투석액의 나트륨 농도를 15.5 millisiemens/cm까지 올린다. 농도경사가 생기면 나트륨은 투석막을 통해 혈액으로 넘어온다. 두 번째 단계는 13.5millisiemens/cm의 전도성을 맞추기 위해 투석액의 나트륨 농도를 낮추는 것이다. 이는 혈액에서 투석액 쪽으로 나트륨을 이동시키기는 확산 현상이 일어나도록 한다. 전도성 모니터는 투석기의 입구, 출구 양쪽에 위치한다. 두 전도성의 차이를 읽으면 청소율의 값을 알 수 있다. 나트륨과 요소의 유사성이 있기 때문에 요소의 제거 정도를 유추해 볼 수 있다. 투석기계는 4시간 동안 6번까지 온라인 청소율 검사를 시행하며, 치료 처방이 환자를 위해 얼마나 잘 수행되고 있는지를 간호사가 알 수 있도록 해 준다. 요소 분포량은 적절한 청소율을 결정하므로 반드시 치료시작 전 온라인 청소율 프로그램에 입력해야 한다. 부적절한 바늘 위치, 투석기 응고, 투석통로 재순환, 부적절한 혈액 및 투석액 흐름을 포함한 투석은 부적절한 변화를 일으킨다. 온라인 청소율 프로그램은 치료의 적절성을 증가시켜 궁극적으로 환자의 삶의 질을 높여 준다. 이러한 형태의 도구를 사용할 때의 장점은 간호사가 치료 중 문제를 일찍 파악하고 효율적인 중재를 제공할 수 있도록 도와준다는 데 있다.

| 잠재적인 혈액투석 합병증

투석치료를 하는 동안 잠재적인 합병증이 환자와 기계 양쪽에서 자주 일어날 수 있다. 이러한 합병증은 자발적으로 일어나거나 환자와 투석치료 사이에서 복합적인 상호작용에 의해 발생한다.

| 투석치료 중 가장 흔한 합병증

투석치료를 하는 동안 가장 흔한 합병증은 저혈압이다. 이는 초여과에 의한 빠른 혈류량 감소로 인해 일어난다. 혈관수축의 부족은 고혈압약이나 저혈압을 유발하는 심인성 요소에 의해 일어난다. 초여과(UF) 동안 혈관 공간에서 체액이 제거된다. 지속적인 초여과를 위해서는 혈관 공간을 다시 채워야 하는데 혈관 공간을 다시 채울 수 있는 속도보다 빠르게 체액을 제거하면 저혈압이 발생한다.

투석치료를 하는 동안 음식 섭취는 혈관을 이완시켜 저혈압을 유발한다. 이는 보통 식후 저혈압이라고 하는데, 소화를 위해 장에서 혈액을 가져가기 때문에 식후 약 2시간 동안 일어난다. 이와 같은 이유로 투석 중 식사는 피해야 한다. 또한 환자가 식사 중이면 기도 폐쇄의 위험성이 높아지고 저혈압 치료가 제대로 이루어지지 않아 의식저하가 일어날 수 있다.

| 투석 중 저혈압의 원인

투석 시작 시 저혈압은 비교적 적은 혈류량을 가진 환자(아동과 작은 여자)에게서 일어난다. 이는 투석기가 환자의 혈액으로 채워질 때 혈류량이 이동하면서 나타나는 결과이다. 고용량 투석기보다 저용량 투석기에서 덜 발생한다. 이러한 반응은 심각하지는 않으며, 긴 시간 동안 지속되지는 않는다. 소량의 식염수나 알부민을 주입하면 증상이 나아질 수 있다. 투석 시작 시 세심한 기술이 저혈압 발생을 줄여줄 수 있다.

| 투석 후 저혈압 발생

투석 후 저혈압은 보통 환자의 혈관으로부터 보상능력을 넘어설 정도의 수분을 제거했을 때 일어난다. 저혈압은 수축기 혈압이 40~55mmHg까지 감소해도 증상이 없는 경우가 많다. 이는 수분 대체에 대한 반응 때문이다. 대부분의 투석기계는 설정된 일정한 비율로 수분을 제거한다. 수분 제거량이 시간당 환자의 건체중 1% 이상이면 저혈압이 발생할 수 있다.

| 전신부종이 있는 환자의 투석 초기 저혈압 발생 이유

전신에 수분 과잉이 있는 환자는 심부전이 있거나 혈장 알부민 수치가 낮은 경우가 종종 있다. 투석은 혈관에서 수분을 제거하는데 혈장 단백질 수치가 낮으면 간질공간으로부터 수분이 이동하는 데 필요한 교질삼투압이 충분히 가해지지 않는다. 심장질환이나 저단백혈증의 원인은 분명치 않으나 투석 중 혈관 불안정이나 수분 과잉과 관련한 문제가 있는 환자가 많다. 일반적으로 투석 중 초여과를 하게 되면 이러한 환자는 빈맥, 오심, 구토 등을 동반한 저혈압이 발생할 수 있다. 저혈압의 다른 증상으로는 숨가쁨, 차갑고 축축한 피부, 창백함, 안절부절못함, 과도한 하품, 발한 및 정신상태 감소가 있다. 그 원인은 다원적일 가능성이 있다. 완충제로 사용된 초산염의 효과로 인해 혈장 삼투압의 변화, 노르에피네프린의 고갈 등이다. 이때 고장성 식염수나 만니톨, 투석액의 나트륨 농도보다 높은 수액을 사용하면 효과적이다. 투석을 하는 동안 순차적으로 초여과를 시행하는 것이 도움을 줄 수 있다.

| 투석 중 저혈압의 예방과 치료

나트륨 변동 모델링과 초여과 변동 모델은 발생할 수 있는 심각한 저혈압을 미리 예방할 수 있는 좋은 방법이다. 주의 깊은 혈압 모니터링과 헤마토크릿 모니터링으로 이런 저혈압 발생을 줄일 수 있다. 만일 저혈압이 트렌델렌버그 자세나 초여과를 감소시키거나 수액을 보충해 주는 것으로 초기에 치료된다면 심각한 합병증을 피할 수 있다. 환자가 덥다고 하거나 약간 어지러움증을 느끼는 것과 같은 저혈압의 징후를 초기에 발견해야 한다. 몇몇 환자는 시야가 흐려지거나 오심을 호소하기도 한다. 환자가 이러한 증상을 호소할 때마다 혈압을 체크할 필요가 있다. 저혈압은 생리식염수를 주입하거나, 트렌델렌버그 자세를 취하거나, 초여과를 줄이거나, 처방에 따라 혈장 증량제를 사용함으로써 치료할 수 있다.

| 크릿-라인 모니터

크릿-라인 모니터(Crit-Line Monitor, CLM)는 실시간으로 헤마토크릿, 혈액량 변화율, 산소포화도를 비침습적이고 지속적으로 측정해 주는 동맥 인라인 의료기구이다. 크릿-라인 모니터는 치료기간 동안 환자의 수분이 얼마나 잘 제거되는지 사정하고, 수분 과잉 여부를 알려 준다. 또한 환자의 혈액이 이동하고 다시 채워질 수 있는 수분의 양이나 다시 채워지는 혈장을 시각화해서 보여준다. 헤마토크릿과 혈액량이 역으로 연관성이 있기 때문에 헤마토크릿에 기반하여 혈액량을 측정한다. 수분이 혈관내강으로부터 제거되면서 혈액의 농도는 증가한다. 크릿-라인 화면에 격자무늬의 그래프로 혈액량 변화율이 표시된다. 이 장비가 있으면 볼륨 감소와 관련된 저혈압이나 근육경련, 그 외 합병증들을 예방하고 초여과를 최대한으로 뺄 수 있다. 일회용 혈액 챔버는 투석기의 동맥 쪽에 연결되어 있고 광도측정 기술이 사용된다. 이 장비는 혈액투석 통로 재순환도 측정할 수 있다. 크릿-라인 모니터는 검사실 표준안(Clinical Laboratory Improvement Act, CLIA)에서 제외되었다.

| 투석 중 고혈압

소수의 환자는 투석 중 혈압이 상승한다. 몇몇 환자는 투석을 하는 동안 혈압이 점진적으로 오르는 현상을 경험한다. 반면 그 밖의 환자들은 투석 직후에 혈압이 상승한다. 몇몇 환자에게서는 수분 과잉을 없애기 위해 심박출량을 증가시키는 결과로 혈압이 상승된다. 또 다른 경우는 반사작용이나 호르몬에 의한 말초혈액저항 증가로 나타난다. 레닌 수치가 높을 경우에는 안지오텐신 전환효소(Angiotensin-Converting Enzyme, ACE) 억제제 치료나 양측 콩팥절제술이 필요할 수도 있다. 반면 소아나 고령의 환자에서 나타나는 고혈압은 혈류 속도를 낮추거나 작은 표면적을 가진 투석기를 사용함으로써 나아질 수 있다.

| 투석 중 부정맥

고령 환자나 합병증을 가진 많은 환자가 말기신장질환(End-Stage Renal Disease, ESRD) 프로그램에 참여하면서, 투석 중 부정맥이 더 빈번해졌다. 환자가 가지고 있는 기저 심장질환은 대부분 부정맥의 원인이 된다. 의사는 이러한 문제가 있는지 여부와 그 중요성을 알고 있어야 한다. 투석을 하는 동안 새롭게 부정맥이 나타나거나 평소와 다른 리듬이 보이면 심전도를 찍어야 한다. 환자는 약물에 관하여 문의해야 하고 최근 칼륨, 칼슘, 마그네슘 수치가 어떠한지 측정하여야 한다. 심근장애를 가진 환자는 전해질, 특히 칼륨이 변화하거나 볼륨이 변할 때 다양한 형태의 부정맥이 생길 수 있다. 강심제를 복용하는 환자는 특히 이러한 문제가 많이 일어날 수 있다.

| 투석 중 흉통

몇몇 환자는 투석을 시작할 때나 투석을 하는 동안 흉통이 생긴다. 이런 환자는 보통 기저 심장질환을 가지고 있고 그 통증은 협심증이라고 봐야 한다. 혈류속도를 줄이거나 초여과(UF)를 감소시키거나, 산소가 공급되거나 식염수가 주입되면 완화될 수 있다. 몇몇 환자는 간혹 가슴 불편감이나 등 아래쪽에 통증을 호소한다. 그 메커니즘은 잘 알려져 있지는 않지만 혈액량 변화와 헤마토크릿 감소와 연관이 있는 것으로 보인다. 알려진 심장질환이 없는 환자에게 일어나는 새로운 증상이나 예상치 못한 흉통이 있으면 즉시 의사에게 보고해야 한다.

| 투석 중 일어나는 근육경련의 원인

근육경련은 수분 이동과 삼투압 변화에 의해 일어나는 것으로 추정되지만, pH의 변화도 주요 원인이 된다. 투석 처방을 조정하여 경련을 감소시킬 수 있다. 나트륨 변동 모델링을 사용하거나, 고장성 식염수나 50% 포도당 용액을 주입해 주면 근육경련의 증상은 거의 호전된다. 그러나 일반적으로 투석 후 갈증과 그와 관련된 투석 간 체중 증가로 인해 권장하지는 않는다. 통증부위를 주무르거나 따뜻하게 해 주는 것도 일시적으로 도움이 된다. 또한 투석치료를 하는 동안 수분과 나트륨 주입량을 조절하는 것이 근육경련을 예방하는 데 도움이 된다. 가장 좋은 방법은 투석 간 체중 증가를 합리적인 양으로 유지하여 예방하는 것이다.

| 투석 중 다른 심각한 합병증

투석을 하는 동안 일어날 수 있는 다른 합병증은 용혈과 공기색전증이다.

| 용혈

용혈은 세포 내 칼륨의 방출로 인해 적혈구가 용해되는 현상을 말한다. 용혈은 화학, 열, 기계적 현상의 원인으로 발생할 수 있다. 용혈의 화학적 원인은 차아염소산나트륨, 포름알데히드, 구리, 질산염 같은 화학물질에 혈액이 노출되어 나타난다. 열성 용혈은 고열의 투석액에 혈액이 노출되었을 때 일어난다. 투석액 온도가 42℃가 넘으면 위험하다. 기계적 용혈은 투석라인이 꺾이거나 혈액펌프가 막히는 경우, 내강이 작은 바늘을 사용하면서 혈류속도를 높게 올려 과도한 음압이 발생한 경우, 바늘 위치가 잘못되었을 경우에 발생한다. 또 다른 경우는 환자가 저장성 용액을 사용하여 투석하는 중 수혈을 받게 될 때 용혈이 일어날 수 있다. 용혈은 급성적으로 또는 만성적으로 일어날 수 있다. 용혈은 경미하게 일어날 수도 있고 그 즉시 치료가 필요하지 않을 수도 있지만, 생명을 위협하는 응급상황일 때도 있다. 투석치료를 하는 동안, 급성용혈은 의학적 응급상황이다. 환자가 투석 후 집에 돌아간 후에도 증상을 경험할 수도 있다. 원인은 알려져 있지 않지만 췌장염이 간혹 급성용혈을 일으키기도 한다.

| 용혈증상

용혈되었을 때 체외순환회로 속 혈액은 "체리소다 음료" 색깔을 띤 투명한 색으로 보일 수 있지만 매우 탁하고 불투명하게 보일 수도 있다. 또 다른 용혈증상은 주로 정맥주사바늘의 접촉부위에서 파괴된 적혈구에서 유리된 칼륨이 주입되면서 타는 듯한 화끈거림을 느끼는 것이다. 환자는 복부통증이나 경련, 요통, 흉통, 메스꺼움과 구토, 가쁜 호흡, 소화불량 등의 불편을 호소할 수 있다. 세포에 칼륨이 주입되면서 저혈압이나 고혈압을 동반한 부정맥과 서맥과 같은 심박 변화가 관찰될 수도 있다. 적혈구 세포가 파열되면서 헤마토크릿의 급격한 저하가 보일 수 있다.

| 용혈증상 의심 시 대응

모니터는 저장성의 투석액이나 높은 투석액 온도를 감지해야 한다. 그러나 기계를 100% 신뢰할 수는 없다. 이렇게 잠재적으로 생명을 위협하는 합병증을 예방하기 위해서는 투석간호사의 신중한 모니터링이 필수적이다. 만약 용혈증상이 의심된다면 혈액라인을 즉시 잠그고 혈액펌프를 멈추고 환자의 증상을 치료해야 한다. 환자의 혈액을 다시 재주입하지 않는다. 투석액은 pH와 전도성 측정을 위해 즉시 채취한다. 환자로부터 얻은 혈액 샘플에서 헤마토크릿, 전해질, 헤모글로빈, 헵토글로빈 등의 수치를 검사해야 한다. 만약 용혈증상이 의심된다면 혈청분리관 속의 혈액샘플을 원심분리기에 돌렸을 때, 혈청이 붉은색이 되어야 한다. 용혈된 혈액세포는 결코 환자에게 재주입해서는 안 된다. 용혈된 혈액을 재주입하면 고칼륨혈증을 유발할 수 있다. 환자의 증상을 치료하고 의사에게 즉시 보고해야 한다.

| 공기색전증

공기색전증은 공기나 많은 양의 거품(미세기포)이 환자의 혈관계로 유입될 때 나타난다. 공기색전증은 동맥라인이나 정맥라인이 분리되거나 혈액 혹은 식염수 주입백이 비었을 때 발생한다. 그에 따라 생긴 진공상태는 미세기포나 거품을 유발시킨다. 투석간호사는 전체적인 투석과정 동안 공기/기포 감지기를 세팅하고 모니터링해야 할 책임이 있다.

| 공기색전증의 증상

공기색전증과 관련된 증상들은 유입된 공기의 양, 유입된 위치, 환자의 자세, 공기가 유입되는 속도 등에 따라 다양하다(Floege, 2010). 환자는 흉통, 흉부경색, 가쁜 호흡 등의 불편을 표시하거나 기침을 할 수도 있다. 만약 환자가 똑바로 앉아있다면 공기가 뇌 정맥계로 유입되어 시각장애, 의식상실, 경련 등의 신경계 증상을 유발할 수 있다.

| 환자에게 공기가 주입되었을 때 취해야 할 조치

공기색전증은 심각한 합병증으로 응급의료상황으로 조치되어야 한다. 환자에게 공기가 주입되었을 때 응급조치가 취해져야 한다. 투석라인을 막고 투석을 중단해야 한다. 환자의 혈액을 다시 재주입하지 않는다. 환자의 머리를 낮추고 좌측 트렌델렌버그 자세를 취해 준다. 이 자세는 공기가 뇌로 이동하는 것을 감소시키고 우심실 삼첨판 위의 우심방 속에 공기를 가둬 준다. 이는 주로 심장의 오른쪽 심실에서 발생한 기포를 최소화시켜 준다. 환자의 기도를 확보하고 필요시 산소를 공급하는 것이 중요하다. 환자의 움직임을 가능한 한 최소화하고 트렌델렌버그 자세를 유지시켜야 한다. 질소를 포함하여 대부분의 공기가 완벽하게 재흡수되는 데는 몇 시간이 걸린다. 심장 속에 존재하는 공기의 양을 측정하기 위해 흉부 엑스레이(X-ray)를 확인해야 한다.

| 불균형증후군

불균형증후군이란 환자가 투석치료를 시작한 직후 신경계 증상을 비롯한 여러 증상이 발생하는 상황을 말한다. 신규 환자는 이 합병증이 발생할 위험이 가장 높으며, 특히 짧은 투석시간 동안 넓은 표면의 고효율 투석기로 투석을 시작했을 때 나타난다. 위험요소로는 어린 나이, 심각한 질소혈증, 낮은 투석액 나트륨 농도, 기존 신경계 이상 등이 포함된다(Feehally, 2019). 요소는 세포와 혈청 사이를 자유롭게 이동하는 능력이 있다. 다양한 이론이 있으나 요독증이 심한 환자가 처음 투석을 받을 때 요소가 제거되면서 혈장이 저장성이 되어 상대적으로 높은 양의 요소를 함유하고 있는 뇌조직으로 혈장의 수분이 이동한다고 설명하고 있다. 이것은 혈중요소수치가 높은 환자나 급성신부전 환자에게서 주로 발생한다. 수분이 요소 농도가 높은 쪽으로 흘러가서 뇌세포가 부풀어오르면서 두통, 메스꺼움, 구토, 불안함, 경련부터 좀 더 격심한 경련, 방향감각 상실, 발작까지 다양한 신경계 질환을 유발한다. 증상은 주로 투석이 끝날 때까지 발생하지만 투석 후 24시간까지도 지연되어 발생될 수 있다. 이에 대한 처치는 고장식염수, 50% 포도당, 만니톨과 같은 삼투압이 높은 고장성 용액을 공급하는 것이다. 환자의 증상은 치료되어야 한다. 이러한 증상들의 치료는 혈액 및 투석액 속도를 낮추는 저효율 치료법을 시행하고, 치료시간을 줄이거나 병행흐름을 이용하여 환자에게 투석을 실시하는 것이 좋다. 이는 혈중요소수치(BUN)가 안정될 때까지 이런 증상을 최소화시키는 데 도움이 된다.

| 투석기반응

투석기반응은 일부 환자가 투석기 막에 처음으로 노출되었을 때, 알레르기 형태의 증상을 보이는 경우가 있기 때문에, "첫 회 사용 증후군(first-use syndromefirst-use syndrome)"이라고 부르기도 한다. 투석기 반응은 최근에 일반적으로 A 유형 반응과 B 유형 반응이라고 불린다.

A 유형 반응은 두 개의 유형 중에 좀 더 심각한 부류이고, 종종 과민성 유형의 증상과 함께 나타난다. 이런 반응들은 처치 후 최초 5분 이내에 주로 발생하며, 이 경우 환자는 호흡곤란, 흉통과 요통, 더워지는 느낌, 곧 죽을 것 같은 느낌, 심장마비 등과 같은 증상들을 경험한다. 조금 덜 위험한 증상으로는 가려움증, 두

드러기, 기침, 재채기, 눈물 고임, 복부경련 등이 있다. A 유형 반응은 보통 공장 소독제인 에틸렌 옥사이드 (ethylene oxide, ETO) 때문에 발생한다. 이런 유형의 반응들은 최근 일부 투석기 제조사들이 감마선 조사, 전자빔 살균, 또는 증기 살균 등의 대체살균방법을 사용함으로써 감소하고 있다. 에틸렌 옥사이드로 소독된 투석기를 사용하는 환자에게는, 투석기를 적절하게 프라이밍하는 것이 투석치료 중 방출되는 섬유질에 잔존하는 에틸렌 옥사이드 포켓을 예방하는 데 도움을 줄 수 있다.

B 유형 반응은 덜 위협적이지만 더 일반적으로 보인다. 이 유형의 증상은 환자의 혈액이 투석기에 노출되었다가 다시 환자에게 돌아오면서 즉시 발생한다. 흉통, 저혈압, 간헐적인 요통 등이 이 증상에 속한다. 두 유형의 반응에 대한 처치는 증상에 기반을 둔다. 투석치료는 증상의 원인이 확인되고, 의사의 지시를 받을 때까지 중단되어야 한다. 환자의 혈액을 재주입하지 않는다. 산소는 호흡곤란을 치료하기 위해 일반적으로 공급된다. 아나필락시스에 대비해 정맥 내로 주입되는 항히스타민제나 에피네프린이 처방될 수도 있다. 저혈압 상황에 대비할 필요가 있다.

| 포름알데히드 반응

포름알데히드 반응은 환자의 혈액이 살균제에 노출되었을 때 발생한다. 원인은 포름알데히드가 채워진 투석기에서 살균제가 부적절하게 씻겼을 때나 잔여 포름알데히드의 유무 검사가 부적절하게 이루어질 때 발생한다. 증상에는 입속에서 씁쓸한 후추맛이 느껴지거나, 불안함, 혈관바늘 주위의 화끈거림, 입이나 입술 주변의 마비, 흉통이나 요통, 가쁜 호흡 등이 있다. 적혈구세포의 용혈이 발생할 수 있기 때문에 포름알데히드 반응의 인지와 조치는 신속하게 이루어져야 한다. 투석이 중단되어야 하며 환자의 증상을 즉각적으로 치료하여야 한다. 환자가 포름알데히드에 노출되지 않기 위해서는 각 바늘마다 10mL의 혈액이 제거되어야 한다. 투석기를 적절하게 프라이밍해 주고 잔여 포름알데히드에 대한 검사를 하는 것이 이 합병증을 완화시킬 수 있다.

| 발열반응의 원인

발열반응은 부적절하게 소독된 투석기, 투석용수나 투석액 속의 세균, 무균기법의 변화, 부적절한 혈관통로 준비 등의 이유로 발생할 수 있다. 발열원은 죽은 세균, 세포벽의 부산물인 내독소를 비롯한 열을 만들어 내는 물질을 말한다. 세균은 투석기 막을 통과할 수 없는 큰 크기이나 내독소는 투석기 막을 통과해서 증상의 원인이 될 수 있다. 환자는 투석치료가 시작된 후 수축기 혈압 감소를 동반한 오한을 겪을 수 있다. 또한 두통, 열, 근육통, 메스꺼움과 구토 등이 나타날 수도 있다. 이런 증상은 보통 환자의 투석치료가 중단된 후 진정된다. 저혈압과 열은 치료될 필요가 있다. 또한 혈액 배양이 필요할 수도 있다. 환자의 도관을 소독하거나 체내 접근 시 철저한 무균술을 시행해야 한다. 투석기는 제조사의 지침이나 센터의 방침에서 허가된 것보다 오랫동안 재순환되어 왔다면 절대 사용하지 말아야 한다. 투석액 통과 혼합탱크, 기계들을 센터의 방침에 따라 주의 깊게 살균해야 한다. 패혈증 증상은 발열반응의 증상과 매우 비슷하기 때문에 패혈증과 구분하는 것이 매우 중요하다.

| 혈액투석장비와 관련한 잠재적 문제점

혈액투석장비는 환자에게 치료 중 발생할 수 있는 합병증으로부터 환자를 보호하기 위해 고안된 것이다. 그러나 기계라는 것은 100% 신뢰할 수 없고, 주기적으로 오작동을 일으키기도 한다. 온도 제어기기의 오작동은 이상고열을 초래하여 용혈증상을 일으킬 수도 있다. 사전에 발견되지 않으면 사망의 원인이 될 수도 있다. 그 반대의 경우인 이상저열도 역시 발생할 수 있는데 이 상황은 극도의 오한과 격렬한 떨림을 유발할 수 있다.

| 장비와 관련된 합병증

장비와 관련된 다른 합병증은 투석기와 혈액라인이 분리되거나, 새거나, 응고되었을 때 발생할 수 있다. 세심한 모니터링은 대부분의 기계 합병증을 예방할 수 있다. 기계 유지보수관리 또한 기계와 관련된 사고를 예방하는 데 중요한 역할을 한다.

| 동맥압

동맥압은 환자의 바늘 위치와 혈액펌프의 근위부 사이에 체외혈액순환 압력을 측정하는 것을 말한다. 이는 전신적 동맥압은 아니고 혈액펌프로부터 생기는 음압을 의미한다. 펌프 앞쪽의 동맥압은 혈액펌프가 동정맥루로부터 혈액을 끌어올 수 있는 편이성을 나타낸다. 동맥 모니터링에서는 혈관통로에서 과도하게 빨아들이는 힘을 감시한다. 예를 들어 환자의 동맥압이 100mmHg였는데 갑자기 200mmHg가 되면 이는 응고되었거나, 바늘 위치가 잘못되었거나, 환자의 수축기 혈압이 떨어지거나, 동맥라인이 꺾인 것을 의미한다. 모니터가 제대로 설정되어 있다면 동맥압이 증가하거나 감소하면 알람이 활성화되면서 혈액펌프가 멈춘다. 투석간호사는 알람을 잘 보고 들어야 하며 즉시 살펴보아야 한다. 알람은 지속적으로 울리며 비정상이 교정될 때까지는 혈액 펌프가 작동하지 않는다. 동맥의 높은 음압을 항상 사정하고 문제를 교정해 주어야 한다. 동맥의 높은 음압은 혈관통로를 손상시키고 용혈의 원인이 될 수 있다. 동맥압 모니터링은 혈류속도 문제를 효과적으로 해결하며 동정맥루 기능저하의 가장 빠른 지표가 된다.

| 정맥압

정맥압은 투석기로 유입된 혈액이 환자의 몸으로 다시 들어오기 전까지의 체외혈액순환 압력을 측정한 것을 말한다. 모니터링 라인은 대개 정맥 쪽 공기감지기 위쪽에 붙어 있다. 정맥 체외압은 정맥 바늘을 통해 환자에게 들어가는 혈액의 저항을 측정한다. 예를 들어 환자의 정맥압이 50mmHg에서 150mmHg로 갑자기 증가했다면 이는 정맥라인이 꺾였거나, 공기감지기가 응고되었거나, 정맥쪽 바늘이 응고되었거나 어긋나 혈관통로가 실패할 위험이 있다는 것을 의미한다. 그러나 정맥압이 갑작스럽게 감소한다면 정맥 쪽 바늘이 빠졌거나, 변환기가 젖었거나, 동맥 쪽 챔버가 응고된 것을 의미한다. 정맥압 알람은 동맥압 알람과 마찬가지로 비정상적인 상태가 교정되고 혈액이 순환하여 지속적인 혈액 흐름을 유지하게 되면 기계가 활성화된다.

모든 알람은 투석 시작 시에 제대로 설정되어야 함을 기억해야 한다. 만약 투석 중 어떤 문제가 일어난다면 반드시 알람은 잘 들리고 잘 보이게 설정해 두어야 하며 투석간호사는 잠재적인 문제까지 인식하고 있어야 한다.

| 투석액 속도가 투석기 청소율에 미치는 영향

투석액의 속도는 요소 같은 작은 용질의 청소율에 영향을 미친다. 일반적으로 투석액 속도는 500ml/min인데 몇몇 투석장비(예: Sorb system's Ready 2000)는 속도를 250mL/min으로 사용한다. 투석액 속도를 낮추면 투석기 요소청소율도 감소한다. 고효율 투석을 위한 클리어런스를 높이기 위해 최대 800mL/min의 투석용액 유속이 사용된다. 어떤 이유로 혈류량이 감소하는 경우에는 요소청소율을 높이기 위해 투석액 속도를 올릴 수 있다.

클락슨(Clarkson) 등에 따르면 효과적인 투석액 흐름의 실제 상한이 혈류속도의 두 배이며, 그 이상에서는 용질 제거의 이득이 최소화된다는 연구 결과가 입증되었다(Clarkson et al., 2010).

| 만성콩팥병 환자가 투석치료 중 음식과 경구 섭취를 조절해야 하는 이유

투석치료를 받는 중에 음식과 경구 섭취를 조절해야 하는 데는 여러 가지 이유가 있다. 첫째, 초여과로 제거된 수분량은 투석 전과 후의 체중 변화를 의미한다. 환자가 투석 중에 많은 양의 음식과 수분을 섭취한다면 체중변화는 실제 수분 제거량을 반영하지 못한다. 투석치료를 받는 동안 초여과되는 수분량을 계산할 때는 투석을 하는 동안 섭취하는 음식과 수분량을 항상 고려해야 한다. 투석을 하는 동안 음식 섭취가 허용된 환자라면 소량의 스낵 정도를 먹는 것이 가장 좋다. 음식을 섭취하면 혈액이 소화기관으로 몰려 저혈압, 구토, 흡인의 위험성이 증가한다. 투석효율성이 높고 수분 제거가 잘되는 환자는 경구섭취를 덜 제한하는 편이다.

▌투석 후 치료 사정 Postdialytic Therapy Assessment

| 투석 후 사정

투석 후 사정은 환자, 투석치료, 투석 전 목표에 대한 이해 등의 총 평가를 의미한다. 그 요소는 상자 13-1에서 기술한다.

상자 13-1 투석 후, 평가되어야 하는 환자의 변수

- 환자의 체중과 체중 증감량
- 활력징후(예: 체온, 맥박, 호흡, 혈압)
- 문제가 되었던 투석 전 변수의 해결 및 개선
- 식염수와 혈액의 주입 총량
- 환자의 주관적 신체사정(예: 통증 및 불편감)
- 혈관통로 사정
- 출혈 경향

| 이 밖의 투석 후 사정

투석처방 계획을 세울 때, 다음 투석 때 시행할 어떤 변화에 대해서 사정해야 한다. 최종적으로 다음 투석날짜가 결정된다.

CHAPTER
14

Nutrition Management

영양 관리

영양은 콩팥병 관리에 중요한 역할을 한다. 식이는 콩팥병의 유형과 단계에 따라 다를 뿐만 아니라 환자와 치료유형과 밀접한 관련성이 있다. 또한 식이요법은 첫 4단계에서의 콩팥병의 진행을 늦출 수 있게 한다. 연구에 의하면 정상 콩팥기능을 가진 사람에서도 질적으로 떨어진 식사를 하거나, 붉은 육류 및 가공육을 많이 섭취하거나, 단 음료수를 많이 마시거나, 짜게 먹을 경우 콩팥병이 발생한다고 한다. 이런 식이요법은 만성 및 급성 신장손상(AKI) 환자에게 공통적으로 적용될 수 있다. 그러나 요구되는 식이요법은 만성콩팥병(CKD)의 진행에 따라 변경될 수 있다. 식이제한은 종종 CKD 환자가 직면할 수 있는 가장 어려운 도전이다. 체액 제한은 유지투석을 받고 있는 만성콩팥병 환자에게 추가적인 부담을 줄 수 있다. 급·만성 신장질환 환자를 위한 투석요법은 효과적이고 적절한 영양 관리를 병행함으로서 최적의 환자 결과를 제공할 수 있다. 식이관리는 궁극적으로 환자와 간호제공자에게 책임이 있지만, 다학제팀의 구성원은 환자 개인에 맞게 조정되고 모니터링된 효과에 관한 식이정보를 교육하고 강화하는 데 중요한 역할을 한다.

| 콩팥병 환자에서 식이요법의 중요성

식이요법을 시행하면 다음과 같은 장점이 있다.
- 투석 시작시점을 연기하는 데 도움을 준다.
- 콩팥병의 합병증을 줄이는 데 도움을 줄 수 있다(예: 인 제한식이는 뼈질환을 예방하는 데 도움이 된다).
- 적절한 단백질과 칼로리의 섭취는 콩팥병 환자의 이환율과 사망률을 낮출 수 있다.
- 당뇨병, 고혈압, 고지혈증 등 동반된 합병증을 관리할 수 있다.
- 생활양식과 인종, 사회경제적인 면을 고려한 개별화된 식이로 만성콩팥병 환자의 삶의 질이 향상될 수 있다.

| 영양사의 역할

신장 영양사는 영양등록위원회에 등록 된 영양사로서 임상영양 분야에서 최소 1년 이상 전문적인 업무경험이 있는 영양사이어야 한다. 등록된 영양사는 병원에서 다학제팀의 일원이며, 따라서, 환자의 치료계획에 참여할 수 있다. 영양사는 또한 신장 전문의와 협력하여 환자의 식이처방을 권유할 수 있다. 영양사는 환자의 영양 관련 지표를 관찰하고 영양요구를 재평가함으로서 환자와 가족에게 식이에 대해 교육한다. 영양사는 식이교육의 주책임자로서 다학제팀의 일원으로 활동한다. 영양사, 간호사, 투석기사, 의사, 사회복지사로 이루어진 다학제팀의 의사소통은 환자의 건강상태, 투석치료, 약물요법, 심리사회적 상태, 영양상태를 고려하여 환자에게 최상의 치료를 제공하는 데 중요하다.

| 만성콩팥병 환자에서 평가할 영양지표

환자의 영양상태는 자격을 갖춘 영양사가 모니터링하고 평가해야 한다. 영양사는 환자의 영양상태, 수분상태, 식욕, 위장(GI)상태, 검사결과, 씹고 삼키는 능력, 식이 또는 허브 보조제 사용을 모니터링해야 한다. 혈당 조절 모니터링은 당뇨병 환자에게 중요하다. 영양사는 또한 음식을 준비하는 환자의 능력을 평가하고 환자가 신장식이의 요구사항을 더 잘 받아들이고 현재의 식이습관을 바꾸는 데 도움이 되도록 교육해야 한다.

| 투석시작 전 식이조절

투석 전에 실시되는 식이는 몇 가지 목표를 달성하기 위해 실시된다. 한 가지 목표는 콩팥기능의 저하속도를 늦추어 투석의 필요성을 지연시키는 것이다. 최근 연구에서 단백질과 인의 제한식이가 콩팥병의 진행속도를 지연시킬 수 있는지에 대해 확정적으로 결론을 이끌어 내지 못하고 있다. KDOQI CKD 환자의 임상진료지침에서 토리여과율(사구체여과율, GFR)이 60mL/min/1.73m² 미만인 환자는 단백질 식이, 칼로리 섭취 및 영양상태 평가가 실시되어야 한다고 제안하고 있다.

  CKD를 예방할 수 있는 가장 큰 위험요소는 비만이며, 비만은 고혈압과 당뇨에 직접적인 관련이 있다. 높은 칼로리 섭취 자체가 CKD 발병위험을 높일 수 있다(Wickman & Kramer, 2013). Feehally(2019)은 비만이 더 빠른 콩팥병의 진행속도와 관련이 있기 때문에 초기 CKD 환자에게 체중 감소는 적합한 치료가 될 수 있다고 제안하였다. 또한 단백질 제한식이와 적절한 칼로리 섭취는 콩팥병 진행속도를 지연시킬 수 있으며, 질소화를 최소화하여 요독증상을 조절하는 데 도움을 줄 수 있다.

  다이어트 관리는 토리여과율이 약 15mL/min/1.73m² 아래로 떨어질 때까지 투석의 필요성을 지연시키는 데 효과적일 수 있다. 어떤 경우는 신장대체요법이 필요할 수도 있다. 적절한 칼로리를 공급하거나 바람직한 체중을 유지하여 영양상태를 유지하고 단백질 이화작용을 피하는 것은 이 기간 동안 가장 중요하다. 단백질 섭취를 줄이면 콩팥병의 진행속도를 지연시키는데 도움이 된다. KDOQI(Kidney Disease Outcomes Quality Initiative)는 CKD 환자가 GFR이 30mL/min/1.73m² 미만인 경우 단백질을 일일 0.8g/kg로 이하로 섭취할 것을 제안하고 있다(Feehally, 2019).

  인함유량이 높은 식품 제한 또는 인결합제 약물 사용을 통한 인 조절은 종종 토리여과율이 20mL/min/1.73m² 아래로 떨어질 때 필요하다.

  투석을 시작하기 전의 또 다른 식이조절은 부종이나 고혈압 환자를 위한 나트륨 조절이다. 나트륨은 하루 5g 미만으로 제한되어야 하며, 환자에게 염화칼륨 등의 소금 대체물 사용에 대해 교육해야 한다. 칼륨 제한은 일반적으로 소변 배출량이 하루 1,000mL 미만으로 떨어질 때까지 필요하지 않다. 따라서 칼륨 제한은 투석이 시작될 때까지 필요하지 않을 수 있다.

| 혈액투석 시 식이조정

혈액투석 처음 시작 후 식이는 환자의 체중, 키, 영양상태, 잔여 콩팥기능 정도, 임상검사 결과, 현재 동반질환, 처방약 등에 따라 개별적으로 조정되어야 한다. 이 시기 동안에는 신체계측 측정과 생화학적 지표에 의한 평가로 적절하고, 좋은 영양상태를 유지하는 것이 매우 중요하다. 혈액투석 환자에서 식이요법의 첫째 목표는 정상 혈청 알부민을 유지하는 것이다. 혈액투석 환자를 대상으로 한 여러 연구에서 혈청 알부민의 저하는 사망률 상승을 예측하는 중요한 지표임을 보여주었다. 혈청 알부민은 단백뇨나 심각한 간질환이 없는 경우 적절한 단백질과 칼로리의 보충으로 유지될 수 있다. 비록 혈액투석 식이는 매우 개별적으로 조정되어야 하지만, 대부분 혈액투석 환자에게는 공통된 식이요법이 적용될 수 있다.

| 투석 환자의 알부민 모니터링

알부민은 만성콩팥병(CKD) 환자의 영양상태를 평가하기 위해 모니터링해야 하는 생화학적 지표이다. 단백질 섭취 부족이나 소화장애가 있으면 알부민 수치는 최적이 아닐 것이다. 알부민은 감염, 염증, 간질환, 이화작용, 수술 및 복막투석(PD)과 같은 비영양요인으로도 감소될 수 있다. 반면, 탈수상태에서는 알부민이 상승할 수 있다. 저알부민혈증의 증상으로 체중 감소, 피로, 상처치유 지연, 탈모, 부종, 근육소모 등이 나타난다.

| 혈액투석 환자의 적절한 단백질(알부민)량

NKF KDOQI 임상진료지침은 만성신부전 환자의 식이요법을 투석 전에 단백질 열량 부족을 평가하고 혈청 알부민이 정상 범위 4.0g/dL 이상을 유지하도록 제안하고 있다(2000). 현재 연구에서 제안한 단백질 요구량은 일일 1.2 ± 0.2g/kg으로, 단백질 열량 부족 환자에게는 상한선이 적합하다고 하였다. 일반적으로 단백질의 최소 50%는 고기, 생선, 가금류, 두부, 계란, 유제품 및 치즈 등 필수아미노산을 포함하고 있는 생물학적 가치가 높은 단백질 공급원에서 섭취되어야 한다.

단백질 함유량이 낮은 식품은 과일, 채소, 콩과 식물이나 빵, 파스타, 시리얼 및 쌀 등 곡물이 있다. 그러나 채식주의자의 식이는 영양상태를 손상시키지 않은 범위에서 신중하게 영양상태를 고려하여 절충하여야 한

CKD 환자의 단백질 식이			
많은 음식에 단백질이 포함되어 있으며, 동물성과 식물성이 있음	단백질은 근육, 장기, 기타신체 부분을 치유하고 유지하는 기능을 함	동물성 단백질은 신체방어를 위한 완전한 단백질임	식물성 단백질은 신체방어를 위한 불완전한 단백질이며 결합이 필요함
동물성 단백질 • 고기(돼지, 소, 닭, 칠면조, 오리 등) • 계란 • 유제품(우유, 치즈, 요거트) • 생선	식물성 단백질(단백질을 많이 함유한) • 콩, 완두콩, 렌틸콩 • 콩식품, 두유, 두부 • 견과류 및 견과류 스프레드 (아몬드버터, 땅콩버터, 견과류버터) • 해바라기씨	식물성 단백질(단백질을 적게 함유한) • 빵, 토르티야 • 오트밀, 옥수수가루(grits), 시리얼 • 파스타, 국수, 밥 • 쌀우유(농축하지 않음)	투석방법에 따른 단백질 요구량 • 혈액투석 중인 경우 단백질의 목표량은 체중kg당 1.2g 섭취 • 복막투석 중인 경우 단백질의 목표량은 체중kg당 1.3g 섭취
단백질 섭취량			
고기와 유제품은 인을 함유하고 있기 때문에 고기와 유제품은 소량 섭취하도록 하며, 이것은 인의 수치를 낮출 수 있음	육류, 가금류, 생선: • 익힌 것으로 약 2~3온즈(1온즈=28.3g) 또는 카드 한 벌만큼 섭취	유제품: • 우유 1/2컵, 요거트, 치즈 한 장	식물성 식품: 나머지 섭취단백질 • 익힌 콩의 1/2컵 • 견과류 1/4컵 • 빵 한 조각 • 쌀과 국수 1/2컵

그림 14-1 **신장식이 교육내용: 단백질 섭취에 대한 팁(만성신장병의 올바른 식습관 데이터).** (출처: Eating Right for Chronic Kidney Disease. Retrieved from https://www.niddk.nih.gov/health-information/kidney-disease/chronic-kidney-disease-ckd/eating nutrition#protein. Accessed July 13, 2019.)

다(그림 14-1). 혈액투석 환자의 단백질 요구량은 단백질 열량 부족 환자를 위한 상한선인 일일 $1.2\pm0.2g$/kg으로 일반인에서 보다 더 많은 양이다. 그 이유는 혈액투석으로 5~10g 정도의 아미노산이 소실되기 때문이다.

적절한 칼로리

일반적으로 칼로리 섭취는 1일 kg당 35kcal이지만 혈액투석 환자의 에너지 필요량은 정확히 제시되지 않았다. 스트레스가 있거나 영양 부족일 경우 칼로리는 1일 kg당 40~45kcal가 필요하며 비만 환자는 25~30kcal가 적당하다. 이식을 고려하는 환자는 허용 가능한 체질량지수를 유지하기 위해 식단을 수정해야 할 수도 있다.

칼륨(포타슘, K) 조절

대부분의 음식은 모두 칼륨을 포함하고 있고 어떤 특정 과일과 야채는 특히 아주 높은 칼륨의 공급원이 된다. 우리의 식이에서 약 2/3의 칼륨은 과일과 야채에서 제공된다. 소변량이 하루 1L 이하로 줄어들면 식이에서 칼륨을 조절하여야 한다. 대부분의 혈액투석 환자의 칼륨의 섭취는 70mEq 또는 2,730mg 정도가 적절하다. 칼륨 섭취는 환자의 체표면적과 투석액에 함유되어 있는 칼륨 농도, 혈중 칼륨 농도에 영향을 미칠 수 있는 요인에 따라 달라진다. 무분별한 식이 섭취 외에도 심한 산증, 변비, 이화작용, 인슐린 부족, 베타 아드레날린 차단제나 안지오텐신 전환효소(angiotensin-converting enzyme, ACE) 억제제와 같은 약제의 사용 등은 고칼륨혈증을 유발하는 요인이다.

적절한 나트륨(소디움, Na)의 양

혈액투석 환자는 약 87Eq 또는 2,000mg(2g)/day의 나트륨 섭취가 적절하며, 혈압, 소변량, 부종 유무에 따라 그 섭취량을 조절할 수 있다. 만성콩팥병 환자에서 고혈압은 주로 용적과 관련되며 고혈압 환자의 건체중은 지속적으로 재평가되어야 한다. 레닌에서 유래되는 고혈압은 일부의 투석 환자에서 보이며, 이 환자에서는 나트륨과 수분 제한보다 적절한 항고혈압약이 더 필요하다. 염화칼륨이 함유된 일부 저나트륨 제품과 소금대체품에 칼륨이 들어 있을 수 있다는 것에 대해 환자에게 주의를 주어야 한다.

수분 섭취 가능량

일반적으로 하루에 섭취할 수 있는 수분량은 1,000mL이거나 하루 소변량에 1,000mL를 더한 것이다. 과일이나 야채와 같은 음식물의 수분은 일반적으로 총 수분량에 포함시키지 않고 아이스바나 얼음과 같이 실온에서 액체가 되는 음식은 수분량에 포함시킨다. 고형 음식에서의 수분량은 약 500~800mL 정도이고 이는 불감성 수분손실과 같다. 따라서 일반적인 수분 섭취량은 투석 간 수분 증가와 상관관계가 있다. 투석과 투석 간의 허용 가능한 수분 증가는 1.5kg이거나 체중의 3% 이내로 과도한 수분 섭취는 고혈압과 좌심실 비대를 초래한다.

인과 칼슘의 섭취량

적절한 단백질 섭취를 위한 음식에는 대부분 인이 많이 함유되어 있다. 1일 인의 섭취는 800~1200mg로 제한하며 탄산칼슘이나 초산칼슘과 같은 인결합 제산제를 복용하여 인을 조절할 수 있다. 그러나 알루미늄이 함유된 제산제는 알루미늄 뼈질환의 위험이 있으므로 복용하지 않는다. 칼슘이 함유된 제산제는 음식에 함유된 인과 결합할 수 있도록 식사나 간식과 함께 복용하는 것이 이상적이다. 인이 높은 음식은 칼슘이 많이 함유되어 있으므로 식이를 통한 칼슘의 섭취는 바람직하지 않다. 1,25-dihydroxycholecalciferol이 구강이나 정맥으로 투여될 때 칼슘보충제는 필요하지 않다. 칼슘의 필요량은 인의 섭취, 비타민 D의 사용, 투석액에 포함되어 있는 칼슘함유량, 부갑상샘기능항진증 등에 의해 많은 영향을 받는다. 인이 첨가된 식품은 인기 있는 가공식료품이나 편의점 식품에서 볼 수 있다. 인함유량이 높은 식품은 또한 저렴하게 구입할 수 있으며, 이러한 식품은 투석환자의 인조절장애에 기여할 수 있고, 무의식적으로 인함유량이 높은 식품의 섭취량을 늘릴 수 있다. 인 첨가제는 특히 냉동식품, 건조식품, 포장된 육류, 빵 및 제과류, 수프 및 요구르트에 많이 함유되어 있다(León, Sullivan, & Sehgal, 2013).

  인 첨가물을 피하고 혈청 인 수치를 적절하게 관리하는 데 도움이 되도록 식품 라벨을 읽도록 환자를 교육하는 것이 매우 중요하다.

| 비타민 보충의 필요성

투석 환자는 불충분한 영양 섭취, 흡수장애, 약물과 영양소와의 상호작용, 비타민 대사의 변화, 투석으로 인한 손실 등으로 일부 수용성 비타민이 부족할 수 있다. 미국 1일 권장량(US Recommended Daily Allowance, USRDA)에서는 매일 800~1,000mg의 엽산과 10mg의 피리독신(B_6), 비타민 B_1, B_2, B_{12}, 비오틴, 판토텐산, 니아신이 필요하다고 권장한다. 엽산, 비타민 B_6, B_{12}는 아미노산 매개물인 호모시스틴과 관련하여 꾸준히 연구되고 있으며 만성콩팥병 환자에서 나타날 수 있는 호모시스틴의 증가는 심혈관질환의 위험인자로 알려져 있다. 연구에서는 고농도의 엽산이나 비타민 B_6, B_{12}는 호모시스틴의 농도를 정상으로 만들고 심장 보호효과가 있는 것으로 나타났다. 투석 환자에서 비타민 B의 고농도 보충효과나 적절한 용량은 아직 결정되지는 않았다. 비타민 C의 보충은 하루 60mg으로 제한하고 있다. 비타민 C의 대사산물인 수산염의 축적을 방지하기 위하여 고용량의 비타민 C는 피해야 한다. 만성콩팥병 환자에서 비타민 A의 보충은 레티놀과 결합단백의 신장분해 감소로 인한 잠재적 독성 때문에 하지 않는다. 상품화된 비타민의 정기적 보충은 투석을 받는 만성콩팥병 환자에서 흔히 시행한다.

| 미량 미네랄 요구량

투석 환자의 미량 미네랄 요구량은 명확히 정해져 있지 않고 정기적으로 보충하는 것은 필요하지 않다. 미네랄 저장량 측정방법은 정해지지 않았으나 아연 부족현상은 투석을 받는 일부의 환자에서 나타날 수 있다. 미각감퇴증, 상처치료 지연, 탈모증과 같은 아연 부족증상이 나타나는 환자에게 일정 기간 동안 아연을 공급하는 것은 적절하다. 셀레늄은 미량 금속 중 하나로서 투석 환자에서 부족할 경우 심혈관 질환이나 암과 같은 동반질환의 발생을 증가시키는지에 대한 연구가 진행되고 있다. 또한 셀레늄 상태를 평가하는 방법이나 적절한 용량에 대해서는 앞으로 연구되어야 할 과제이다.

| 철분 부족의 평가

철분 부족은 에리트로포이에틴 치료를 받는 환자에서 철분이 조혈작용에 사용되므로 투석 환자에서 일반적으로 나타나는 소견이다. 에리트로포이에틴을 사용하기 전에는 많은 수혈로 인해(각각의 수혈제제는 약 200~250mg의 철분을 포함) 일반적으로 철과다증이 나타났었다. 혈청 페리틴 농도나 철분 포화도로 철분 저장상태를 평가하는 것은 에리트로포이에틴 치료지침에 포함되어야 한다.

  평균 적혈구용적(MCV)은 철분 결핍의 지표가 된다. 부족증상이 있으면 정맥으로 철분을 주입하거나 경구

보충이 필요하다. 철분 결핍 시 식이를 통해 철분을 제공하는 것은 충분한 양을 보충할 수 없어 여러 가지 경구제제가 이용되지만 위장장애의 원인이 된다.

| 투석 환자의 지방 섭취 조절

혈액투석 환자에서 흔히 나타나는 지질이상은 고중성지방혈증에서 보여지는 혈중지질이상으로 고밀도지단백(High-Density Lipoprotein, HDL) 콜레스테롤은 낮고 총 콜레스테롤은 정상이다. 일부 환자는 혈중 콜레스테롤이 200mg/dL 이상으로 높아져 있는데 이런 환자에게는 저콜레스테롤, 저지방 식이가 적절하다.

비만은 고중성지방혈증을 악화시킨다. 따라서 비만 투석 환자는 체중조절이 중성지방 농도를 조절하는 데 도움이 될 수 있다. 규칙적인 유산소운동은 콜레스테롤과 중성지방을 조절하는 데 유용하다. 카르니틴과 어유(fish oil)는 중성지방을 낮추는 데 도움이 된다.

| 설탕과 탄수화물의 섭취

당뇨와 과체중 환자, 총 칼로리를 제한해야 하는 고중성지방혈증 환자를 제외한 대부분의 투석 환자에서 설탕과 탄수화물의 제한은 필요하지 않다. 때때로 식사에서 적당한 열량을 제공하기 위해서 설탕과 다른 탄수화물을 증가시켜야 한다.

| 영양상태의 평가

영양상태를 평가하는 방법에는 첫째, 체중, 키, 이상체중, 체중 변화, 위팔세갈래근 피부두께 측정(지방 축적을 측정), 팔 중앙 둘레근육 측정(축적된 체단백 측정)과 같은 신체계측 방법이 있다. 둘째, 생화학적 자료이다. 혈청 알부민 수치는 수분상태에 의해 영향을 받지만 신증후군이나 간질환이 없는 안정된 혈액투석 환자의 혈청 알부민은 단백질 영양상태와 밀접한 상관이 있다. 미국신장정보체계(US Renal Data System, USRDS)의 연구에서 낮은 혈청 알부민은 총체적 영양상태를 나타내는 지표로서의 혈액투석 환자의 사망률 증가와 관련이 있다. 그러나 복막투석 환자에서의 혈청알부민은 영양상태를 잘 반영하지 못하며 사망위험률과의 상관관계도 낮았다. 또한 혈청 페리틴, 혈청 IGF-1 농도, prealbumin 농도, 낮은 크레아티닌 농도와 같은 생화학지표들도 영양상태를 평가하는 지표로 사용되고 있다.

식이일지나 잘 훈련된 면담자에 의한 식이연상 등은 좋은 영양평가 방법으로 사용된다. 주관적 총체적 평가(Subjective Global Assessment, SGA)로 명명되는 영양상태 평가방법에는 신체사정, 기능장애, 위장증상, 신체계측 지표들이 포함되며 영양상태를 수량화하는 데 사용된다.

| 요소역동학

요소역동학(Urea Kinetic Modeling, UKM)은 투석치료 처방에 사용되고 투석치료와 단백질 섭취를 평가하는 데 이용된다. 요소역동학은 혈액투석과 복막투석에서 임상표준으로 사용되는데, 수학적 계산이 복잡하므로 컴퓨터를 사용한다. 컴퓨터에 입력되는 데이터는 투석 전과 후의 혈액 요소 농도와 잔여소변 요소청소율(소변을 보는 환자)이 포함된다. 투석에 관한 정보(혈류속도, 투석액 속도, 투석기 청소율, 투석시간, 투석 간 기간)와 환자에 대한 자료(투석 전후의 체중, 키, 성별, 혈색소) 등을 이용하여 계산한다.

| 요소역동학 결과의 의미

Kt/V는 요소역동학으로부터 산출한 결과로 다음과 같이 풀이할 수 있다.

- K = 투석치료 시 주어진 투석기의 청소율과 잔여소변 요소청소율의 측정(만약 소변량이 있다면)
- t = 투석치료 시간
- V = 체내 총 수분량과 같은 투석 환자의 요소분포 용적

Kt/V의 목표치는 성인과 아동 모두에서 주 3회 투석을 받을 경우 최소 1.2가 되어야 한다. 주 2회 투석을 받을 경우의 Kt/V의 목표치는 정해지지 않았다. Kt/V가 1.2 이하가 되면 투석이 불충분한 것을 의미하며, 이환율이 증가되고 투석 중 예후가 나빠지는 것으로 보고되고 있다.

| 투석 적절도를 평가하는 다른 방법

요소 감소 퍼센트 또는 요소 감소율(Urea Reduction Ratio, URR)은 투석 적절도를 평가하는 또 다른 방법이다. 주 3회 투석하는 환자에서 투석시간 동안 혈중요소가 65% 감소하면 Kt/V는 약 1.2가 된다. 그러나 요소 감소율은 잔여 콩팥기능과 단백이화율을 반영하지 못하며 결과의 타당도를 보여주지 못하기 때문에 요소역동학 대신 사용하지 못한다.

| 요소 감소율 계산법

$$URR = 100 \times (1 - Ct/Co)$$
$$where\ Ct = 투석\ 후\ BUN$$
$$Co = 투석\ 전\ BUN$$

| 단백이화율

단백이화율(Protein Catabolic Rate, PCR)은 안정된 상태에서의 환자의 단백질 섭취량을 의미하며 단백질의 양은 표준체중 kg당 g으로 표시한다. 단백이화율의 목표치는 kg당 0.8~1.4g이고 상한선이 최적의 목표치가 된다.

| 요소역동학의 결과 해석에 대한 근거

환자의 예후와 투석량과의 관계를 규명하기 위해 시도되어 1983년 출판된 미국협력투석연구(National Cooperative Dialysis Study, NCDS)에 근거를 두고 요소역동학의 결과가 분석되었다. 부적절한 단백질 섭취상태에서 요소가 높을 경우 입원율과 이환율이 모두 증가하였다. 미국협력투석연구의 자료는 그 이후 갓치(Gotch)와 서전트(Sargent)에 의해 기계적인 분석이 시행되었고, 이로부터 Kt/V의 개념이 도출되었다. 그때부터 일반적으로 받아들여진 Kt/V의 목표치는 계속 평가되고 상향 수정되었다.

| 복막투석을 위한 요소역동학

혈액투석에 비해 복막투석 환자에 대한 연구는 활발하지 않지만, 복막투석을 위한 요소청소율(urea clearance)과 주당 크레아티닌 청소율(creatinine clearance), 단백이화율에 대한 가이드라인은 현재 사용되고 있다. 지속적 외래 복막투석은 주당 Kt/V가 최소 1.7이 되어야 하고 총 크레아티닌 청소율은 주당 최소 60L/1.73m²가

되어야 한다(KDOQI, 2006). 목표 청소율에 도달하기 위해 복막투석 교환량, 교환시간, 초여과량, 치료방법(지속적 또는 간헐적), 저류시간/배출시간을 달리 조정할 수 있다.

복막평형검사(PeritonealEquilibration Test, PET)는 환자의 복막 청소용적을 평가하기 위해 시행하며 최적의 투석처방을 하는 데 이용된다.

| 경구 영양제

영양이 좋지 않은 만성콩팥병 환자에게는 경구 영양제를 투여할 수 있다. 경구 영양제는 혈청 알부민과 영양상태를 호전시키고 감소한 체중을 증가시키며 낮은 혈청 알부민과 영양실조와 상관이 있는 이환율과 사망률을 감소시킨다. 특히 만성콩팥병 환자를 위해 만들어진 경구 영양제는 칼륨과 인이 낮고 칼로리와 단백질 함량은 높다. 경구 영양제는 주로 액체, 가루, 또는 막대 형태로 되어 있다. 대표적으로 네프로(Nepro)를 예로 들 수 있다. 영양제는 의사에 의해 처방되며 영양사는 환자를 위해 좋은 제품을 추천할 수 있다. 단백질 파우더는 자주 사용되는데 달걀, 쌀, 콩, 유청으로 만들어진다. 환자의 수분 섭취를 증가시키지 않게 하기 위하여 이 파우더를 액체에 섞지 말고 다른 음식과 섞도록 한다.

| 투석 중 비경구 영양공급

투석 중 비경구 영양공급이란 투석치료 중에 단백질과 지방, 탄수화물을 함유한 영양제를 투여하는 것을 말한다. 일반적으로 투석 중 정맥을 통해 아미노산과 지질액, 포도당액 1L를 주입하여 800~1000칼로리와 60~90g의 아미노산을 공급할 수 있다. 이 방법은 영양소를 주입하면서 주입한 만큼의 무게를 동시에 제거할 수 있고 투석관을 주입관으로 이용할 수 있기 때문에 중심정맥관이 필요하지 않은 장점이 있다. 비록 이러한 방법이 환자의 영양요구를 전부 다 제공할 수는 없지만 구강으로 적절히 섭취할 수 없는 환자, 장관영양공급을 할 수 없는 환자, 중심정맥관이 금기인 환자는 이 방법으로 영양을 보충할 수 있다. 이 과정 동안 주입한 아미노산의 약 90%가 보유된다. 잠재적인 부작용으로 고혈당과 반작용의 저혈당을 들 수 있다.

| 변비 관리

변비는 투석 환자에게 흔한 문제로 인결합제와 철분제제 투약과 관계 있다. 투석을 받지 않는 사람들에게는 수분 섭취를 증가시키고 많은 양의 통곡물 제품과 자두, 과일, 야채를 섭취하도록 권장하나, 투석을 받는 환자에게는 적절하지 않다. 변완하제 또는 장관 내로 수분을 끌어들이는 솔비톨 등이 변비를 완화시킨다. 만성콩팥병 환자에서 대변 배출은 1일 30~40mEq의 칼륨을 배출시키는 중요한 통로가 되므로 칼륨 섭취로 쉽게 설명되지 않는 고칼륨혈증 환자에게는 변비가 가능한 요인으로 고려해 보아야 한다.

| 복막투석 환자의 식이

지속적 외래복막투석과 지속적 자동복막투석, 또는 다른 형태의 복막투석을 받고 있는 환자의 식이는 혈액투석을 받고 있는 환자의 식이와 여러 면에서 차이가 있다.

단백질(Protein)

단백질은 복막투석 환자에서 더 많이 요구되는데 이것은 투석액을 통해 평균 약 9g의 단백이 매일 소실되기 때문이다. 단백질의 권장량은 체중 1kg당 1.2~1.3g이지만 실제로 섭취하기가 어렵다. 혈액투석과 같이 적어도 단백질의 50%를 생물가(biological value)가 높은 식품으로 섭취할 것을 권장하고 있다. 그러나 식단을 잘 구성한 채식주의 식사로도 좋은 단백질 영양을 유지할 수 있다. 고단백 식품만으로 부족할 경우 단백질 보충제를 사용할 수 있다.

열량(Calories)

복막투석과 혈액투석 환자 모두에서 열량 요구량은 같지만 복막투석 환자는 1일 150~1,000칼로리가 투석액에 있는 포도당으로부터 흡수된다. 이러한 점은 열량영양실조 환자에게는 장점이 될 수 있으나 비만 환자나 고지혈증 환자에게는 문제가 될 수 있다.

나트륨과 수분(Sodium and Fluid)

나트륨과 수분 섭취는 혈액투석 환자와 비교하여 복막투석 환자는 일반적으로 자유롭다. 그 이유는 수분을 제거하기 위하여 매번 교환 시마다 투석액의 포도당 농도를 조정할 수 있기 때문이다. 따라서 투석으로 적절한 수분상태를 유지할 수 있으므로 4g의 나트륨 섭취와 갈증이 날 때 수분을 섭취하는 것은 일반적으로 허용된다.

칼륨(Potassium)

지속적인 포도당 주입이 인슐린 생성과 함께 칼륨을 세포 내로 끌어들이기 때문에 칼륨 조절은 복막투석 환자에서 크게 문제가 되지 않는다. 약 10%의 복막투석 환자에서 칼륨의 보충이 필요하다.

인(Phosphorus)

복막투석 환자의 경우 혈중 인 조절은 쉽지 않다. 단백질이 높은 식품은 인이 높기 때문에 적절한 단백질 섭취를 위해서는 인이 높은 음식 섭취가 불가피하므로 인 결합제가 많이 필요하다.

비타민 및 미네랄(Vitamins and Other Minerals)

이러한 영양물질의 요구는 일반적으로 혈액투석 환자와 같다.

급성신장손상 환자의 식이 조절

급성신장손상을 위한 영양 요구는 환자의 동반질환의 상태, 콩팥의 손상 정도, 핍뇨나 무뇨의 정도에 따라 매우 다르기 때문에 정해져 있지 않다.

AKI에서 흔히 나타나는 염증과정과 생리적 스트레스는 단백질 낭비와 부정적인 질소 균형을 촉진한다(Gilbert & Weiner, 2018).

급성신부전에서는 사망률이 높은데 단백질열량 영양실조가 사망률의 주요 예측인자로 보고 있다. 적극적인 영양 보충이 예후를 향상시키는 것으로 보여지지만 이 환자들은 과도한 이화작용 때문에 단백질과 열량이 더 많이 필요하다. 단백질은 투석을 받지 않는 경우 하루에 1kg당 1.0~1.2g/kg, 투석을 받는 경우 하루에 1kg당 1.2~1.4g/kg이 요구된다. 아미노산과 단백질은 신대체요법을 받고 있거나 복막투석 환자에게 지속적으로 손실이 발생한다. 경구영양이 불가능한 경우에는 장내 영양공급을 권장한다. 필수아미노산과 비필수아미노산은 비경구적으로 공급하며 열량 요구량은 지속적으로 변하기 때문에 간접열량 측정법을 이용하여 결정한다.

다양한 치료방법이 비경구 영양공급에 미치는 영향

지속적 동정맥혈액여과 또는 지속적 정정맥혈액여과 치료는 과도한 이화작용이 있는 급성신장손상 환자에게 다량의 수액을 비경구로 공급할 수 있게 한다. 그러나 신대체요법 또한 영양소의 (아미노산) 소실로 이화상태를 만드는데, 저유량막보다 고유량막에서 영양소의 소실이 더 많다. 또한 투석막의 특성, 특히 생체부적합은 이화작용을 더욱 증가시킨다.

| 만성콩팥병과 약초제의 사용

최근 몇 년간 약이나 식이에 관한 대체요법에 많은 관심이 집중되고 있다. 약초제, 비타민, 미네랄, 다른 보조제를 포함한 보조식이는 일부 건강상 이득이 있지만 만성콩팥병 환자는 주의 깊게 사용해야 한다. 콩팥기능이 감소하면 많은 약에 대한 약역동학이 변화되고 흡수, 분배, 대사, 배설에서 변화가 생긴다. 이러한 변화로 특정 약물의 독성 수준에 도달하지 않으려면 약물의 용량 조절이 필요해진다. KDIGO에서는 만성콩팥병 환자에게 약초요법은 신독성을 일으킬 수 있으므로 약초 사용을 제한한다(KDIGO, 2013). 이런 많은 화학제품은 이 약품에 대한 안전성과 효과성에 관한 정보가 없다. 어떤 사람은 "천연의"라고 표시되어 약처럼 보이지 않기 때문에 안전하다고 믿는다. 불행히도 이러한 약제나 천연산 물질은 콩팥이나 다른 장기에 해로운 영향을 줄 수 있다. 중국 한약제인 쥐방울넝쿨은 특히 더 그렇다. 정신을 맑게 하고 신체 수행능력을 증가시키게 하는 노니식물로 만든 주스는 과량의 칼륨을 함유하고 있어 만성콩팥병 환자에서는 사용하면 안 된다. 만성콩팥병 환자에서 나쁜 결과를 가져오는 스타푸르트 섭취는 신경학적 증상, 발작, 치료되지 않는 딸꾹질의 원인이 된다.

약초제는 미국식품의약국(Food Drug Administration, FDA)에서 통제하지 않기 때문에 소비자는 생산자가 그 제품이 좋다고 광고하면 그대로 믿게 된다. 어떤 약초제는 콩팥에 직접적인 독성을 주고 어떤 것은 전해질 조절, 혈압조절, 항응고 작용에 영향을 주며, 어떤 것은 이식한 환자에서 사용되는 면역억제제의 효과를 방해한다. 환자는 약초제나 대체요법의 사용을 드러내는 것을 좋아하지 않기 때문에 환자에게 약초제나 대체요법을 사용하는지에 대해 묻는 것은 중요하다. 약초제 사용의 사정은 만성콩팥병 환자의 간호사정에 포함되어야 할 부분이다. 건강관리자는 약초제와 콩팥에 대한 작용, 만성콩팥병에 대해 잘 알고 있어야 하며, 칼륨 및 인은 투석 환자에게 제한되어야 하는 두 가지 미네랄이다. 이 약품을 사용해야 하는 경우 의사와 상담해야 한다.

| 소아환자에서의 요구

소아 만성콩팥병 환자에 대한 식이관리는 기본적으로 중요한 다른 점이 있다. 성장과 발달을 용이하게 하기 위하여 단백질, 열량, 다른 영양소의 요구를 해결해야 한다는 것이다. 2008년 미국 신장재단은 만성콩팥병 아동의 영양을 위한 임상수행지침을 개정하였다. 영양 목표는 최적의 영양상태를 유지하면서 정상 성장을 돕고, 요독과 비정상적인 대사가 일어나지 않게 하고 성인이 되어서의 만성질병과 사망률을 감소하는 데 초점을 두며 또한 과잉영양과 식이, 생활방식의 지속적인 역할 수행에도 초점을 두고 있다.

CHAPTER
15

Laboratory Data: Analysis and Interpretation

혈액검사: 분석과 해석

| 만성콩팥병 환자에서 혈액검사의 정상 범위 및 검사결과의 해석

혈액검사 결과는 전반적인 환자 사정에 포함된다. 투석 환자의 정상 범위에서 벗어난 이상 결과에 대해서는 수용 가능한 범위에 따라 평가되어야 한다. 예를 들어 혈중요소질소(Blood Urea Nitrogen, BUN)는 만성콩팥병(Chronic Kidney Disease, CKD) 환자의 경우는 정상 범위까지 떨어지지 않을 것이다. 하지만 의료진은 투석을 받고 있는 환자에서 수용 가능한 혈중요소질소, 크레아티닌의 범위를 정해 놓은 프로토콜에 따라야 하며 그에 따른 적절한 조치를 취해야 한다. 수용 가능한 범위 이상의 비정상 혈액검사에 대해서는 의사가 적절한 조치를 취할 수 있도록 보고해야 한다. 그 중재로는 투석처방이나 투약 등의 변경이 있을 수 있다. 말기신장질환(End-Stage Renal Disease, ESRD) 환자의 혈액검사 범위는 표 15-1과 같다.

| 알부민

알부민(albumin)은 개인의 영양상태를 측정할 수 있는 좋은 지표가 되는 단백질의 종류이며 혈장 내 주요 단백질이다. 알부민은 약물, 빌리루빈, 칼슘과 같은 저분자 물질을 운반한다. 또한 혈관 내의 수분을 보유하는 데 도움을 주며 환자의 단백 저장을 나타내는 좋은 지표이다. 만성콩팥병 환자에서 알부민은 이환율과 사망률의 강력한 예측인자이다. 정상 범위는 3.5~5.4g/dL이며, 만성콩팥병 환자에서는 4.0g/dL 이상 유지하는 것이 좋다.

| 알부민 수치가 낮을 때의 증상

알부민 수치가 낮은 경우 혈관에서 조직으로 수분이 이동하여 부종이 발생한다. 저알부민혈증의 증상으로는 체중 감소, 피로, 근육소모, 저혈압 등이 나타난다.

| 투석 환자에서 낮은 알부민 농도

알부민 수치는 식사에 의해 큰 영향을 받는다. 투석 환자는 식욕 감소의 원인이 되는 요독증으로 인해 낮은 영양상태를 보이는 것으로 알려져 있다. 적절한 단백질 섭취에 대한 지식 부족, 음식의 조리와 식품 구입의 어려움, 오심, 식욕부진 등이 투석 환자에서 좋은 영양상태를 유지할 수 없는 장애요인이 된다. 일부 환자는 소변으로 알부민이 배설되기도 하며, 복막투석을 하는 환자에서는 복막으로 알부민이 이동하기도 한다.

표 15-1 말기신장질환(End-Stage Renal Disease, ESRD) 환자의 임상검사 값

정상값	투석 환자에서 정상값	기능	식이 변경
나트륨(Sodium, Na)			
135~145mEq/L	135~145mEq/L	대부분의 음식에 포함되며 소금에 있음. 소금이 많이 함유된 음식 섭취는 갈증을 유발함. 환자가 너무 많은 수분을 섭취할 경우 나트륨을 희석시켜서 혈중 농도는 낮게 나타남. 만일에 환자가 나트륨을 많이 섭취하고 수분을 섭취하지 않을 경우 나트륨은 증가함. 다량의 나트륨과 수분은 혈압을 올리고 수분과다, 폐부종, 울혈성 심부전의 원인이 됨.	고: 수분상태를 측정. 수분 증가가 많을 경우 환자에게 저염식이를 하도록 권장, 수분 증가가 적을 경우 환자의 투석 간 체중 증가가 1.5kg(또는 체중의 4% 미만)인지, 드물지만 탈수가 되었는지 확인 저: 수분 증가가 많을 경우 환자에게 저염 저수분 식이를 교육. 수분상태를 평가; 환자가 다량의 수분을 섭취할 가능성이 큼. 투석 간 체중 증가를 4% 이내로 제한하고 환자에게 저염식이와 일당 수분량을 3컵(720mL)에 24시간 소변량으로 제한할 것을 교육
칼륨(Potassium, K)			
3.5~5.5mEq/L	3.5~5.5mEq/L	• 대부분의 고단백식이, 우유, 과일, 야채에 함유됨. • 근육의 활동, 특히 심장에 영향을 미침. 고농도에서는 심정지의 원인이 될 수도 있음. 낮은 농도에서는 근육허약감, 심방세동 등의 증상	고: 고칼륨혈증을 일으킬 수 있는 위장출혈, 외상, 약물 등을 확인. 한끼 식사에 250mg, 하루 2,000mg 이하로 칼륨량을 제한하도록 함. 투석액을 저칼륨 용액으로 사용할 것을 고려. 다음 치료 시 혈중 농도를 재측정 저: 식이에 고칼륨 식이를 첨가하고 혈중 칼륨 농도를 재측정. 식이 변경이 효과가 없다면 고칼륨 투석액 사용을 고려
혈중요소질소(Blood Urea nitrogen, BUN)			
7~23mg/dL	50~100mg/dL	• 단백질 분해의 노폐 산물 • 크레아티닌과 다르게 식이에 의해 영향을 받음. • 투석으로 잘 제거됨.	고: 투석이 잘 되지 않는 경우 eKt/V, nPNA 측정 저: 투석량이 적은 경우. 환자가 요독증 때문에 잘 먹지 못하는 경우 혈중요소질소가 낮음. 근육소실 동반
크레아티닌(Creatinine)			
0.6~1.5 mg/dL	15mg/dL 미만	정상 근육분해 산물이며 투석에 의해 조절됨. 환자는 정상인처럼 24시간 콩팥이 일하지 않기 때문에 크레아티닌이 높음.	투석은 정상적으로 크레아티닌 농도를 조절함. 낮은 농도는 투석이 잘 되거나 근육량이 적음을 의미함. 투석의 효율을 측정하기 위해 투석 동안 요소 청소율(kt/v)을 측정함. 체중이 감소하고 있는 환자는 더 많은 근육을 분해하며, 따라서 크레아티닌 농도가 더 높아질 것임. 그러한 환자에서는 체중 감소를 줄이기 위해 더 많은 단백질과 열량을 섭취할 수도 있음.

(계속)

정상값	투석 환자에서 정상값	기능	식이 변경
요소 제거율(Urea reduction ratio, URR)			
N/A	65% 이상	투석 도중 요소의 제거율을 측정함. 투석 전 농도와 후 농도 차이를 투석 전 요소농도로 나눈 비율	식이 변경은 없으나 이화작용과 동화작용은 Kt/V나 eKt/V에 영향을 미침
eKt/V N/A	1.2 이상	환자의 투석이 얼마나 잘 이루어지고 있는지 정량적으로 측정하기 위한 수학적 공식. 투석기의 요소청소율과 치료시간(분)을 곱한 값을 환자의 체표면적으로 나눈 값	식이 변경 없음. *고*: 높은 값은 더 나은 예후와 관련이 있음. *저*: 1.2 이하의 값은 사망률 및 이환율과 관련이 있음.
Kt/V N/A	혈액투석 1.4 이상 복막투석 2 이상	요소평형이 적용되지 않음.	식이 조절 없음.
nPNA N/A	0.8~1.4	체내 단백대사율을 보기 위한 수식. 감염, 열, 수술, 외상 등과 같은 이화 상태가 아님을 추측할 수 있음. 식이력이나 알부민과 함께 안정적인 단백 공급이 되고 있다는 좋은 지표가 됨. Normalized는 환자의 "정상 상태"나 이상체중에 맞추어진 상태를 말함.	*고*: 환자는 단백섭취를 줄일 필요가 있음. 영양사와 상담이 필요함. 이화 상태일 수도 있음. 환자가 다량의 단백질을 섭취할 수 있음. *저*: 환자가 단백 섭취를 늘려야 할 필요가 있음. 환자가 아직도 소변을 보는 경우라면 적은 소변량이라 해도 검사결과에 크게 영향을 미치며, 48시간 소변을 모아 보도록 함.
알부민(Albumin, Alb)			
3.5~5g/dL	3.5~5g/dL 3.4 g/dL 이상	투석 환자의 건강상태를 측정하는 좋은 지표. 투석 시 단백질은 소실됨. 알부민이 2.9 이하라면 수분은 혈관에서 조직으로 이동하여 부종을 야기함. 이 경우 투석으로 제거하기 어려움. 투석 환자에서 저알부민혈증은 사망률과 높은 관련이 있음.	*저*: 단백이 풍부한 식이: 달걀, 생선 육류, 섭취 권장. 단백 보조제가 필요할 수도 있음. 정맥 알부민 요법은 일시적으로 삼투압과 관련된 문제를 교정할 수 있지만 혈중 알부민 농도를 변화시키지는 못함.
칼슘(Calcium, Ca)			
8.5~10.5mg/dL	8.5~10.5mg/dL	주로 투석 환자에서 섭취가 낮음. 활성 비타민 D가 흡수에 도움이 됨. 칼슘*인이 59 이상이면 안되며 칼슘이 조직으로 이동한다. 칼슘은 알부민에 결합하고 있어 알부민이 낮을 경우 빠르게 낮아진다. 이러한 경우에 이온화 칼슘이 더 정확한 테스트가 됨.	*고*: 환자가 활성 비타민 또는 칼슘제를 먹고 있는 경우라면 의사와 함께 확인하고, 일시적으로 중단해야 함. *저*: 알부민 농도가 낮을 경우 이온화 칼슘이 낮아질 가능성이 있음. 환자는 칼슘보충제를 식간에 활성비타민 D와 함께 섭취. 의사와 함께 확인

(계속)

정상값	투석 환자에서 정상값	기능	식이 변경
인(Phosphorus, P)			
2.5~4.8mg/dL	3~6mg/dL	• 유제품, 말린 콩, 땅콩, 고기에 있음. 뼈를 형성하고 신체 내 에너지를 생성하도록 도움. • 혈중칼슘, PTH 농도, 식이 중 인의 농도 등이 영향을 미침. 칼슘, PTH 등이 정상일 경우, 정상보다 약간 높은 인수치는 수용 가능함.	고: 우유 및 유제품은 하루 1회로 제한. 환자에게 식사와 간식과 함께 처방대로 인결합제를 복용하도록 함. 인결합제 복용을 처방대로 하지 않는 것이 고인혈증의 가장 일반적인 원인이 됨. 저: 유제품을 1가지 더 첨가하거나 고인식이 섭취 및 인결합제를 줄여 줌.
PTH Intact (I-PTH)			
10~65pg/mL	200~300pg/mL	높은 부갑상샘호르몬은 혈중 칼슘 농도를 유지하기 위해 칼슘이 뼈 밖으로 밀려 나오는 것을 의미함. 이것은 이차성 부갑상샘항진증이라 불리며 콩팥뼈형성장애를 유발함. 경구 또는 활성 비타민의 정주는 PTH를 낮추어 줌.	고: 환자가 경구약제나 정맥으로 활성 비타민을 투여받고 있는지 확인. 치료와 관련하여 주치의사와 협의. 환자가 증상(고인혈증, 골통, 골절) 등이 있지 않으면 적극적 치료는 권장하지 않음. 저: 가능한 치료는 없음.
알루미늄(Aluminum, Al)			
0~10mcg/L	40mcg/L 이하	알루미늄이 포함된 인결합제를 복용하는 환자는 알루미늄 독성이 생길 수 있으며 뼈질환과 치매의 원인이 될 수도 있음. 6개월마다 검사해야 함.	고: 알루미늄 치료를 중단함.
마그네슘(Magnesium, Mg)			
1.5~2.4 mg/dL	1.5~2.4 mg/dL	마그네슘은 정상적으로 소변에서 배출되고 투석 환자에게는 독성을 나타낼 수 있음. 마그네슘 우유 또는 말로스 같은 마그네슘 포함 완화제 또는 제산제 등이 고농도의 원인이 될 수도 있음.	식이 조절은 필요 없으며, 변비 시 섬유소와 같은 독성이 없는 방법을 사용. 마그네슘이 인결합제로 사용되면 농도는 더 자주 측정되어야 함.
페리틴(Ferritin)			

남:
20~350mcg/L
여:
6~350mcg/L
	300~800
	   mcg/L with EPO
	50 mcg/L
	   without EPO
		간에 철분이 저장되는 형태. 철분이 부족하면 적혈구 생성이 감소함.	저: 철분이 함유된 식이는 잘 흡수되지 않음. 대부분의 환자는 주사용 철분 보충이 필요함. 인결합제와 동시에 복용하지 않도록 함.

CO$_2$			
22~25mEq/L	22~25mEq/L	투석 환자에서 소변으로 대사성 산을 배출하지 못하므로 자주 산증에 빠지게 된다. 산증은 근육과 뼈의 이화작용을 증가시킬 수 있음.	저: eKt/V, 혈중요소질소, nPNA 등을 체크함. • 경구용 중탄산염을 CO$_2$ 농도를 높이기 위해 투여하나 환자에게 심각하게 나트륨을 증가시킬 수 있음.

(계속)

정상값	투석 환자에서 정상값	기능	식이 변경
포도당(Glucose)			
65~114 mg/dL	비당뇨 환자와 동일하게 300 mg/dL 미만으로 (patient with diabetes)	• 콩팥의 인슐린 대사 때문에, 인슐린의 반감기가 길어져 혈중 포도당 농도가 낮을 가능성이 있음. • 당뇨 환자: 고혈당은 갈증을 유발함.	• 대부분 사람들은 에너지를 공급하기 위해 6~11회의 빵, 전분 곡물과 2~4회의 과일 공급이 필요함. • 혈당이 낮은 환자가 아니라면 당뇨 환자에서 농축된 당은 피해야 함.

이 지침은 임상검사에 대한 이해를 돕고자 함이다. 정상치는 정상 콩팥기능에서의 값이다. 투석 환자에서 수용 가능한 값에 대한 것도 제시되었다. 다양한 요소가 혈액검사에 영향을 미친다. 식이 섭취는 이 중의 하나이다. 기저질환, 치료의 적절도, 투약, 합병증 등이 임상검사값에 영향을 줄 수 있다.

BUN, Blood urea nitrogen; CO_2, carbon dioxide; *DHT*, dihydrotachysterol; *EPO*, erythropoietin; IV, intravenous; *N/A*, not applicable; *nPNA*, normalized protein nitrogen appearance; *PTH*, parathyroid hormone; *URR*, urea reduction ratio.
Developed by Katy G. Wilkens MS, RD, Northwest Kidney Centers, Seattle, Washington.

| 알부민과 C- Reactive Protein (CRP)의 관계

C-Reactive Protein는 감염, 염증, 조직의 손상에 반응하여 생성되는 단백질로 염증의 지표로 이용되어 왔다. 투석 환자에서 증가된 혈중 C-Reactive Protein 농도는 저알부민혈증과 관련이 있다. 이 두 인자의 조합은 혈관의 염증과 심장질환 발생을 증가시키는 것으로 밝혀지고 있다. 정상인에서 C-Reactive Protein는 혈중에 0~3mg/L 존재한다. 혈중 농도가 3mg/L 이상이면 심혈관질환의 발생의 위험도가 증가함을 나타낸다. C-Reactive Protein는 감염이나 손상에 의해 극적으로 상승한다. 만성콩팥병 환자에서 혈중 C-Reactive Protein 증가와 관련된 다른 요인으로는 수술, 생체 적합성이 낮은 혈액투석막, 치주질환, 고효율투석, 정제되지 않은 혈액투석액, 관절염, 요독증 등을 들 수 있다. 세균이나 바이러스 감염 시 C-Reactive Protein 농도는 정상의 100배 이상 증가한다. 급성 감염 2~3일에 가장 높게 올라 감염이 없어진 후 1~2주 후에 감소하기 시작한다. 이러한 이유로 CRP가 감염, 염증, 손상 시 초기 인자로 유용하게 사용된다. C-Reactive Protein 측정은 낮은 혈청 알부민을 예측하는 데 도움이 되고, 에리트로포이에틴(Erythropoietin, EPO) 치료의 저항성(Nissenson & Fine, 2017)을 평가할 수 있으며 급성 세균 감염의 경과와 치료에 대한 반응을 사정하고 잠재적 감염이나 만성염증을 발견할 수 있도록 한다. 미국신장재단(National Kidney Foundation, NKF) KDOQI(Kidney Disease Outcomes Quality Initiative) 가이드라인에서는 C-ReactiveProtein 농도가 5~10mg/L 이상을 감염의 지표로 제안하고 있다(NKF, 2006). 만성콩팥병 환자에서 감염 및 염증을 사정하기 위해 세심한 모니터링이 필요하다.

| 투석 환자의 알루미늄 독성 위험

알루미늄(aluminum)은 조리기구, 음료수캔, 제산제, 화장품, 소염제, 알루미늄을 함유한 인결합제, 오염된 물 등에 존재하는 경금속이다. 콩팥은 체내 알루미늄을 여과 또는 배설하는 주요 기관이다. 대부분의 알루미늄은 단백 결합이며, 따라서 토리(사구체)에서 쉽게 여과되지 않으며 뼈, 조직, 뇌조직에 재분포된다.

과거에는 투석치료 시 알루미늄이 함유된 물에 노출되거나, 알루미늄 결합 경구 약제의 사용으로 투석 환자에서 알루미늄 중독이 발생하였다. 알루미늄이 포함된 인결합제의 사용은 환자에서 축적되어 유해하므로 현재는 사용이 줄고 있다. 이러한 알루미늄 독성의 임상적 결과로 뇌, 뼈대, 혈관의 증상이 있을 수 있다. 이러한 증상은 일어날 수도 있고 그렇지 않을 수도 있다. 서서히 점진적으로 나타나는 행동 변화, 불분명한 발음, 기억력 장애 등의 신경학적 증상은 높은 혈중 알루미늄 농도와 관련이 있다. 위장계 증상, 식욕 및 활력 감소, 변비 또한 높은 혈중 알루미늄 농도와 관련이 있다. 진행된 독성으로 치매가 나타날 수도 있다. 증가된 알루미늄 농도는 에포에틴 알파 저항성 빈혈과 뼈질환을 유발할 수도 있다. 정상 혈중 농도는 0~6mcg/L이고 NKF KDOQI Clinical Practice Guidelines for Bone Metabolism and Disease in Chronic Kidney Disease (2003)에서는 투석액의 알루미늄 농도는 10mcg/L, 혈중 알루미늄 농도는 20mcg/L 이하로 유지하도록 권고하고 있다.

| 알루미늄 독성의 치료

알루미늄 노출 원인을 제거하는 것 이외에 킬레이트제(Desferal)가 과도한 알루미늄을 제거하기 위해 사용된다. 킬레이트는 혈액 내의 알루미늄, 수은, 납 등의 중금속을 제거한다. 투여된 킬레이트제는 알루미늄과 복합체를 형성하고 투석하는 동안 혈액으로부터 제거된다. 데페록사민(deferoxamine)에 대한 추가적 정보는 제17장을 참조한다.

| 체내에서의 칼륨 사용

칼륨(potassium)은 세포 내의 주요 양이온이며 체내에 두 번째로 풍부한 양이온이다. 그러나 2%의 총 체내 칼륨만이 세포 내에 존재한다. 칼륨은 세포 내 기능 유지와 신경근육의 조절, 뼈대, 심장 그리고 평활근의 활동 및 세포 내의 효소 반응을 위해 필요하다. 칼륨은 산-염기 균형에 의해 영향을 받으며 산혈증 시 수소 이온과 교환되어 세포 외로 이동한다. 과다한 칼륨의 대부분은 콩팥을 통해 소변으로 배설된다.

| 저칼륨혈증의 원인

저칼륨혈증(hypokalemia)이란 칼륨 농도가 3.5mEq/L 이하인 것을 말하며 구토, 설사, 이뇨제 사용, 완하제 사용, 과도한 발한, 식이결핍, 화상 및 과도한 위장관 손실로 초래된다. 혈청 칼륨이 낮아지면 허약감, 피로 그리고 비정상적인 심장리듬이 나타난다.

| 저칼륨혈증의 치료

칼륨을 포함한 식품의 섭취는 칼륨을 증가시키며 혈청 칼륨의 급격한 상승이 필요하다면 정맥 내 칼륨 주입이 필요하다. 고칼륨 투석액으로 투석을 하게 되면 칼륨의 확산을 최소화하여 혈중 수치를 유지하는 데 도움이 된다. 저칼륨혈증을 치료하지 않는다면 위험한 상황을 초래할 수도 있다.

| 고칼륨혈증

고칼륨혈증(hyperkalemia)은 혈중 칼륨 농도가 5.5mEq/L 이상인 경우로, 칼륨이 많이 함유된 식품을 과도하게 섭취할 때 나타난다. 투석 환자에서 예상되는 수치는 3.6~5.0mEq/L이다. 다른 원인으로는 높은 이화작용, 조직 또는 심한 외상, 수혈, 위장계 출혈, 용혈, 투석치료를 빠지는 경우, 산혈증의 경우이다. 증상으로는 복부경련, 짧은 호흡, 현훈, 설사, 근육쇠약, 저혈압, 심전도의 변화, 부정맥, 심한 경우 심정지가 나타날 수 있다. 급격한 칼륨 농도의 변화는 측정되는 혈중 칼륨 농도보다 증상의 발현에 더 큰 영향을 준다.

| 고칼륨혈증의 치료

고칼륨혈증 치료는 다양하다. 중탄산나트륨(sodium bicarbonate) 또는 포도당ㆍ인슐린 용액의 정맥주입으로 과도한 칼륨을 세포 내로 이동시켜 제거한다. Sodium polystyrene sulfonate (Kayexalate)는 경구용 또는 관장용의 양이온 교환수지이다. 칼륨 이온 하나와 나트륨 이온 두 개가 교환되어 대변을 통해 칼륨을 배설시킨다. Kayexalate는 경구 투여가 정체 관장보다 더 효과적이다.

　칼륨의 신속한 제거를 위해 혈액투석이 시행된다. 투석액의 칼륨은 혈액에서 투석액으로 확산을 위해 낮은 농도로 제조되었다. 디곡신을 투여받는 투석 환자에서 혈중 칼륨 농도가 낮아지는 만큼 디곡신 독성이 증가하기 때문에 주의를 해야 한다. 낮은 농도의 칼륨 투석액을 사용하는 환자의 경우 혈중 칼륨 농도의 잦은 모니터링이 필요하다. 의료진은 투석 동안 낮거나 높은 농도의 칼륨 혈액투석액을 사용하는 경우에는 특별한 정책이나 가이드라인을 따라야 한다.

| 만성콩팥병 환자에서 마그네슘

마그네슘(magnesium)은 세포내액 중 두 번째로 가장 많은 양이온이며 미네랄의 한 종류이다. 대부분의 마그네슘은 대변으로 배설되나 콩팥을 통한 배설과도 관련이 있다. 마그네슘은 탄수화물과 단백질 대사의 다양한 효소활동과 신경, 근육 활동에 중요한 역할을 한다. 마그네슘은 제산제, 완하제, 그리고 인결합제와 같은 약물과 음식에 포함되어 있다.

　저마그네슘혈증은 영양결핍, 만성설사, 특정 이뇨제 사용, 암포테리신 B, 네오마이신 같은 항생제 사용으로 발생한다. 저마그네슘 혈증에서는 수축, 진전, 경련, 의식착란, 안절부절못함, 부정맥 등이 나타난다. 고마그네슘증은 탈수, 마그네슘 함유 제산제 또는 완하제의 사용으로 나타난다. 마그네슘 부족은 저칼륨혈증 또는 저칼슘혈증과 동반되기도 하며 심혈관질환의 위험을 증가 시킬 수 있다. 마그네슘 부족은 골다공증에 기여할 수도 있다.

　고마그네슘 혈증은 탈수, 마그네슘 포함 투석액, 마그네슘 제산제, 완하제의 사용과 동반하여 나타날 수 있다. 고마그네슘 혈증은 과도한 발한, 호흡마비, 저혈압, 근육허약, 심부건반사 상실, 진정 및 의식 상실을 유발할 수 있다(Feehally & Floege, 2019). 환자는 마그네슘 함유의 제산제 및 완하제 사용 시 상담을 받아야 한다. 정상 마그네슘 농도는 1.6~2.4mEq/L이다.

| 만성콩팥병 환자에서 칼슘 농도

칼슘(Calcium)은 체내에서 가장 풍부한 미네랄이고, 99%가 뼈와 치아에 존재한다. 칼슘은 혈액응고, 뼈의 성장과 관련이 있으며 신경근육의 흥분 전도를 위해 필수적이다. 칼슘은 이온화 또는 탈이온화 형태로 존재한다. 이온화된 칼슘은 체내 칼슘의 50% 정도로 체내에서 자유롭게 사용되며 나머지는 단백결합 형태로 존재한다. 칼슘은 부갑상샘호르몬(parathormone, PTH)과 칼시트리올(1,25- dihydroycholecalciferol)의 도움으로 체내에서 치료범위 내에서 유지된다.

　만성콩팥병 환자에서 혈청 칼슘은 낮아지는데 1,25-dihydroxycholecalciferol의 생성 저하, 인 배설의 감소, 증가된 인의 정체로 칼슘 섭취가 방해를 받게 되기 때문이다. 정상 칼슘 농도는 8.5~10.5mg/dL이다.

| 만성콩팥병 환자에서 인의 혈중 농도

인(phosphorus)은 정상적으로 콩팥에서 배설되나 만성콩팥병 환자에서는 축적된다. 유지투석을 받는 만성콩팥병 환자 중 혈중 인의 농도가 높은 환자에서 심혈관질환과 혈관 석회화로 인한 사망률과 이환율의 위험이 증가한다는 것을 연구에서 보여 주고 있다(Askar, 2015). 만성콩팥병이 진행될수록 콩팥의 인 여과능력이 저하된다. 고인혈증은 주로 저하된 토리여과율과 과도한 음식 섭취의 결과이다. 만성콩팥병환자의 정상 인의 농도는 2.5~4.8mg/dL 이다. 고인혈증의 치료는 위장에서 인과 결합하여 장으로 배설시키도록 하는 인결합제의 사용이다. 환자는 인이 많이 함유된 식이 섭취를 제한하고 모니터링하며 모든 식사 및 간식과 함께 인결합제를 복용함으로써 치료범위 내에서 인 수준을 유지할 수 있다. 식이요법은 인 함량이 높은 식품 및 식품군과 관련된 식이 지침과 무기 인을 방부제로 포함하는 첨가물이 포함된 식품을 선택하는 방법에 대한 지침을 제공해야 한다.

| 칼슘 농도의 유지를 위한 부갑상샘호르몬의 역할

부갑상샘은 갑상샘 뒤쪽 표면에 존재한다(그림 15-1) 부갑상샘호르몬은 부갑상샘에서 분비되며 칼슘과 인의 농도를 조절하는 역할을 한다. 부갑상샘호르몬은 체내의 칼슘흡수와 인 배설을 돕는다. 칼슘 농도가 낮으면 부갑상샘호르몬 분비를 자극하여 뼈로부터 칼슘을 해리시키고, 작은창자로부터 칼슘 흡수를 증가시키고 소변으로 칼슘 소실을 최소화한다. 치료되지 않은 고인산혈증과 저칼슘혈증은 혈중의 칼슘 농도를 높이기 위해 지속적으로 부갑상샘호르몬의 분비를 자극하게 된다. 만성적으로 증가된 인 수치는 2차성 부갑상샘기능항진증을 유발하여 콩팥뼈형성장애(Renal osteodystrophy)로 알려진 뼈질환을 유발할 수 있다. 콩팥뼈형성장애 외에 혈청 내 칼슘과 인의 농도가 모두 증가되었을 경우 전이성 석회화가 폐, 각막, 관절 및 피부와 같은 신체의 연부조직에 침착될 수 있다. 혈관 석회화는 동맥이 탄력을 잃기 때문에 만성콩팥병에서 심혈관질환의 위험을 증가시킨다. 혈관경화 및 동맥경화증은 심장 및 다른 모든 원인에 의한 심혈관 사망을 비롯한 부작용에 기여한다(Palit & Kendric, 2014). 증가된 인의 농도는 인결합제와 인의 섭취를 줄일 수 있는 식이상담을 통해 조절이 필요하다. 투석을 받는 만성콩팥병 환자의 부갑상샘호르몬 농도는 150~600pg/mL로 유지하는 것을 권장한다(NFK, 2012).

| 칼슘과 인의 관계

인은 세포 내 주요 음이온이다. 80%의 인은 뼈에 존재한다. 인은 산-염기 균형을 위해 완충제 역할을 하며

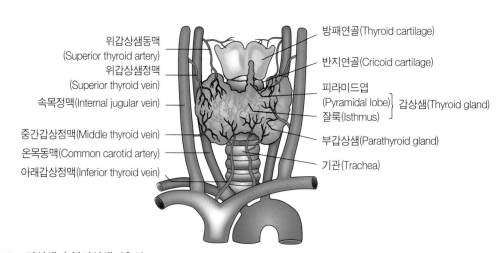

그림 15-1 **갑상샘과 부갑상샘.** (출처: National Institute of Health: National Cancer Institute SEER Training Modules: https://training.seer.cancer.gov/index.html.)

세포벽의 통합성을 유지하는 데 도움을 주고 세포대사에서 세포 내 에너지 전달에 관여한다. 칼슘과 인은 반비례 관계를 가지고 있다. 즉, 인의 농도가 증가하면 칼슘 농도는 감소한다.

| 칼슘×인(calciumphosphorus product)

뼈질환을 예방하기 위해 칼슘×인(calciumphosphorus product)을 40~60mg/dL로 유지하는 것은 매우 중요하다. 칼슘×인은 칼슘 농도와 인의 농도를 곱한 값이다. 예를 들어 칼슘 농도가 10mg이고 인의 농도가 9mg이면 칼슘×인은 90이 된다. 이 값이 높은 경우 연조직과 심장동맥의 석회화의 위험이 증가한다. 만성콩팥병 환자에서 뼈대사질환의 KDOQI 임상지침은 칼슘×인의 값을 55 이하로 유지하도록 하고 있다. 칼슘과 인의 각각의 값과, 동반 상승은 임상실무를 위한 지침으로 사용한다(NFK, 2012).

| 만성콩팥병 환자에서 헤모글로빈과 헤마토크릿

헤모글로빈과 헤마토크릿은 빈혈을 사정하고 조혈제를 처방하기 위해 가장 보편적으로 사용되는 임상검사이다. 만성콩팥병 환자에서 헤모글로빈과 헤마토크릿은 에리트로포이에틴 저하로 인하여 일반적으로 낮게 측정된다. 헤마토크릿은 전혈중 적혈구의 비율이며 헤모글로빈은 적혈구의 산소운반능력을 측정한다. 낮은 헤마토크릿은 적혈구 생성의 저하, 투석 중 혈액손실, 적혈구 생존기간의 단축 등이 원인이다. 낮은 헤마토크릿 수치는 피로, 짧은 호흡, 흉통, 심계항진, 차가운 피부 등과 관련이 있다. 조혈자극제(erythropoiesis-stimulating agent, ESA)를 투여받는 신질환 환자의 정상 헤마토크릿은 대략 30~36%이다.

　헤모글로빈은 폐로부터 모든 신체의 조직으로 산소를 공급하는 철분을 포함한 단백질이다. 헤모글로빈 검사는 빈혈의 유무를 평가하는 데 가장 많이 사용한다. 헤모글로빈 검사는 시간과 온도에 영향을 받지 않는 신뢰할 수 있는 빈혈 측정법이다. 또한 헤모글로빈은 헤마토크릿에 비해 체액 과부화와 같은 희석요인으로 인해 가성으로 낮은 판독값을 나타낼 우려가 적다. FDA와 NFK KDOQI(Disease Outcomes Quality Initiative), KDIGO(Kidney Disease Improving Global Outcomes)는 모두 빈혈 치료의 접근방식과 ESA(erythropoiesis-stimulating agent)를 시작하거나 중단하는 시기에 약간의 차이가 있다. 조혈자극제(ESA)를 투여받는 콩팥병 환자의 정상 헤모글로빈 목표는 10~12g/dL이다. 철의 이용률을 결정하는 데 도움을 주는 다른 두 개의 단백질은 1) 페리틴: 철분이 필요할 때까지 저장하는 단백질, 2) 트란스페린의 포화도: 적혈구 생성에 즉각적으로 이용될 수 있는 철분의 양이다. 만성콩팥병 환자의 빈혈에 관한 임상적 지침은 목표 헤모글로빈 농도를 도달·유지하기 위해 트란스페린 포화도는 20~40%와 100ng/mL 이상의 페리틴 농도를 유지할 수 있도록 충분한 철분제 투여를 권고한다(Macdougall & Eckardt, 2019).

| 망상적혈구 헤모글로빈 함량

망상적혈구 헤모글로빈(reticulocyte hemoglobin count)은 철 결핍의 민감한 지표로서 정맥 내 철분 투여의 효과를 모니터할 수 있는 진단도구이다. 망상적혈구는 혈류 속으로 방출된 가장 최근의 적혈구로 오직 1~2일 동안만 순환한다. 망상적혈구 헤모글로빈 함량으로 뼈속질에서 가장 최근 생성된 적혈구에 대한 철분 이용률에 대한 사정을 할 수 있다. 망상적혈구 헤모글로빈은 망상적혈구 단계에서 철분 상태를 알 수 있는 보다 민감하고 특이성 있는 지표이므로, 이러한 지표를 기반으로 정맥요법의 철분량을 결정하여 만성콩팥병 환자의 헤모글로빈은 증가한다.

| 혈중요소질소

요소는 단백질과 아미노산의 이화에서 생기는 질소의 최종 산물이다. 혈중요소질소(blood urea nitrogen, BUN)는 콩팥에서 노폐물로 걸러지고 소변으로 몸에서 배설된다. 혈중요소질소는 콩팥이 정상적으로 작용하고 있는지 결정하기 위해 모니터링된다. 또한 만성콩팥병의 경과를 관찰하기 위해서도 모니터링된다.

| 투석 환자에서 높은 요소 농도

혈중 요소의 상승은 신부전, 고단백식이, 위장관으로부터 출혈, 탈수, 감염, 상해, 또는 체온상승의 결과이며 투석시간의 연장, 혈류속도의 증가, 큰 투석막의 사용 등이 필요한 지표이다. 높은 혈중 요소 농도는 피로, 수면장애, 불안정, 건조하고 가려운 피부, 오심, 미각 및 후각의 변화와 같은 증상을 나타낸다. 정상 범위는 7~18mg/dL이나 투석 전 환자에서는 60~100mg/dL이다.

| 투석 적절도

최적의 투석이란 만성콩팥병이 없는 것과 같은 좋은 상태를 환자가 느낄 수 있도록 하는 투석치료로 정의할 수 있다. 1회 투석량은 Kt/V와 요소 감소율(URR)을 계산함으로써 측정할 수 있다. 투석량을 늘릴수록 환자의 예후는 더 좋아질 수 있다. 미국신장재단에서는 투석 적절도(dialysis adequacy)를 규정하는 가이드라인을 정하고 있으나 많은 투석센터가 좀 더 엄격한 목표를 정하고 있다.

| Kt/V$_{urea}$

Kt/V$_{urea}$는 노폐물 제거에 있어 투석 치료의 효과, 특히 요소 분포 부피(총 체수분)에 대한 요소 제거율 및 투석시간의 비율을 측정한다. 혈액투석 적정성에 대한 NKF KDOQI 임상실무지침에서는 주 3회 치료의 적절도는 최소 1.2일 것을 제안한다. 주 3회 이외의 투석을 하는 경우 제안된 목표 Kt/V$_{urea}$는 2.1이다 (NKF, 2015).

요소의 농도는 개인의 영양상태 및 단백 이화상태의 관계를 잘 반영하는 좋은 소분자 물질 지표이다. Kt/V$_{urea}$는 요소역동학의 복합적인 수학적 모형의 결과이다. K는 요소의 투석기 청소율(mL/min), t는 투석시간(분)을, V는 체액의 요소 분포량을 나타낸다. V는 실제 값이 아닌 계산된 값이다. 이는 약물역동학으로터 유도되었으며 하나 이상의 수분 구획과 그들 사이의 전달률을 포함한다. 이것들은 직접적으로 측정되지 못한다.

| 요소청소율

요소청소율(urea reduction ratio)은 투석 전 대비 투석 후에 제거된 요소 측정값이다. 요소청소율은 시행된 투석량을 나타낸다. KDOQI 임상실무지침에서는 주 3회 투석 시 요소청소율이 최소한 65%일 것을 제안한다. 최신 NKF 임상실무지침은 Kt/V와 같은 보다 정확한 방법을 선호하여 이러한 투석 적절성을 평가하는 방법을 단계적으로 폐지할 것을 주장한다(NKF, 2015).

| 투석 적절도에 영향을 주는 요인

미국신장재단이 제시한 투석의 양을 결정하는 데 영향을 주는 요소는 다음과 같다.

요소청소율에 영향을 주는 요인

- 투석통로의 재순환
- 혈관통로의 부적절한 혈류
- 부정확한 투석효율의 추정
- 부적절한 투석기 재처리
- 투석기 응고
- 기계적인 문제에 의한 혈류속도와 투석액 속도의 오류
- 부적절한 혈류 및 투석액 속도
- 투석기 유출

치료시간 단축에 영향을 주는 요인

- 투석의 조기중단
- 부정확하게 계산된 투석시간
- 치료 중에 발생한 방해요소에 대한 계산 오류

검사실 또는 혈액 채취의 오류 요인

- 식염수에 의한 혈중요소질소 샘플의 희석
- 투석 전 혈중요소질소 샘플 채취를 투석 시작 후 채취
- 검사실 오류
- 투석 후 혈중요소질소 샘플 채취를 투석 종료 전 채취
- 투석 후 혈중요소질소 샘플 채취를 투석 종료 후 5분 이상 경과 후 채취

| 당뇨 환자에서 혈청 포도당 농도 관찰시기

혈청 포도당 농도는 투석 시작시점에서 평가되어야 한다. 불안정한 당뇨 환자에서는 보다 자주 측정해야 한다. 혈청 포도당 농도가 50mg/dL일 경우 저혈당 쇼크를 예방하기 위해 50% 덱스트로스 50mL를 주사한다. 혈당이 올라간 경우 당뇨성 혼수를 막기 위해 레귤러인슐린이 필요할 수 있다(제16장 참조).

| 크레아티닌

크레아티닌은 근육으로부터 생산되는 단백질이며 콩팥기능을 결정하기 위해 측정된다. 생성되는 양은 일정하므로 콩팥에서 제거되는 비율에 따라 혈청량이 결정된다. 생산되는 크레아티닌은 근육량과 관계가 있다. 노인은 근육량의 감소에 따라 생산량이 적어진다. 콩팥기능이 감소하면서 혈청 크레아티닌은 증가한다. 정상 크레아티닌 수치는 0.5~1.5mg/dL이다. 혈청 크레아티닌 수치는 식이나 체액량에 영향을 받지 않기 때문에 콩팥기능 평가를 위한 민감한 표지자로 가치가 있다. 만성콩팥병 환자에서 가능한 범위는 12~20mg/dL이다.

| 크레아티닌 청소율의 측정

크레아티닌 청소율은 단위시간당 혈중에서 제거되는 크레아티닌의 양이며 분당 mL로 표시한다. 정상 크레아티닌 청소율의 범위는 약 85~135mL/min이며 만성콩팥병의 크레아티닌 청소율이 감소되어 있다. 정상 범위는 검사실마다 또는 교과서마다 약간의 차이가 있다.

| 토리여과율

토리여과율(사구체여과율; Glomerular Filtration Rate, GFR)은 콩팥기능의 측정이며 혈중 크레아티닌보다 신부전의 지표로 더 민감한 검사이다. 토리여과율은 연령, 성별, 체표면적에 따라 다양하다. 젊은 성인에서 정상 토리여과율은 120~130mL/min/1.73m²이다. 토리여과율은 노화와 신부전의 시작과 함께 감소한다. 토리여과율이 15mL/min/1.73m² 이하로 떨어지면 신대체요법이 필요하다.

| 토리여과율의 측정에 시스타틴 C의 역할

시스타틴 C(CystatinC)는 일정한 속도로 생성되고 콩팥에 의해 여과되는 저분자량(13,359 Da) 혈청 단백의 하나이다. 시스타틴 C는 콩팥요세관에서 완전하게 재흡수되고 체내 모든 세포에서 일정한 비율로 생성된다. 키, 체중, 나이, 성별, 식이, 염증상태, 체표면적 등에 의해 최소한의 영향을 받기 때문에 콩팥손상의 유용한 표지자로 인식되어 왔다. 정확한 토리여과율의 측정은 만성콩팥병 진단, 단계, 관리에 중요한 사항이다. 혈중 크레아티닌과 시스타틴 C를 함께 측정하여 토리여과율을 평가하는 것은 실제 토리여과율을 측정하는 데 보다 정확한 정보를 제공할 것이다. 시스타틴 C 측정은 근육량의 영향을 받지 않기 때문에 과체중 환자, 노인 및 보디빌더와 같이 근육량이 많은 사람에게 좋은 평가가 될 수 있다. GFR 의 표지자로서의 시스타틴 C의 유용성과 효능은 시스타틴 C의 단독 사용 또는 크레아티닌 추가 및 크레아티닌의 유무에 관계없이 연령, 인종 및 성별을 추가하여 연구하고 있다(NKF, 2015).

CHAPTER
16

Diabetes and Chronic Kidney Disease

당뇨와 만성콩팥병

미국 인구의 9.4%인 3,000만 명 이상이 당뇨를 가지고 있으며(National Diabetes Information Clearing House, 2017) 당뇨는 지속적으로 만성콩팥병의 주요 원인이 되고 있다.

당뇨의 정의

당뇨는 체내의 충분한 인슐린 생성의 장애로 혈중의 혈당 농도가 점진적으로 증가하는 대사성 만성 질병이다. 가장 중요하게 이해해야 하는 것은 체내에서 포도당을 생성하는 과정이다. 설탕이나 탄수화물이 포함된 음식을 섭취하게 되면, 신체는 이것을 특수한 당, 즉 포도당이라고 불리는 물질로 분해한다. 포도당은 세포 내로 이동하여 체내 에너지로 전환된다. 인슐린은 췌장의 베타세포에서 만들어지는 호르몬이다. 인슐린은 포도당을 혈액으로부터 간, 지방, 근육세포 내로 이동시킨다. 여기에서 인슐린이 없거나 부족해지면, 세포는 사용할 에너지원을 공급하지 못한다.

당뇨의 유형

당뇨는 1형 당뇨, 2형 당뇨, 임신성 당뇨 세 가지로 분류한다.

1형 당뇨는 소아당뇨 또는 인슐린의존형 당뇨(Insulin-Dependent Diabetes Mellitus, IDDM)라고 불리며, 췌장의 베타세포의 파괴가 원인이다. 췌장의 베타세포는 혈중 포도당 농도를 조절하는 데 중요한 인슐린호르몬은 생성하는 유일한 세포이다. 이 유형의 당뇨는 소아 또는 젊은 성인에게 특이하게 영향을 미치지만, 어떤 연령에서도 발병할 수 있다. 이 질병은 유전적으로 민감하지만, 실제 발생은 바이러스와 같은 환경적인 원인이 계기가 되나 결과적으로 자가면역 반응이 베타세포의 기능부전을 초래한다.

가장 보편적인 2형 당뇨는 미국의 경우 전체 당뇨 중 95% 이상을 차지하고 있다(National Diabetes Information Clearing House, 2011, 2017). 이 유형에서는 인슐린 생성이 있거나 감소하고, 인슐린 저항성이라 불리는 체내 인슐린 이용능력이 불충분해지는 상태이다. 식이조절, 운동, 체중 감소가 인슐린 요구량을 감소시키고 인슐린 사용을 증가시킬 수 있도록 하는 중요한 요소이다. 가족력, 비만, 고혈압, 흡연이 이 유형의 당뇨에서 가장 위험한 요소이다. 아프리칸 미국인, 라틴, 아시아인이 특히 이 유형의 당뇨에 대해 고위험군이다. 검사기준은 상자 16-1과 같다.

무증상 성인의 당뇨병 또는 당뇨 전단계 검사기준

다음 위험 요소 중 하나 이상이 있는 과체중(BMI 25kg/m² 또는 아시아계 미국인의 경우 23kg/m²)일 경우 검사를 고려함
- 당뇨병이 있는 가까운 친족
- 아프리카계 미국인, 라틴계, 아메리카 원주민, 태평양 섬 주민
- 심혈관계 질환의 병력
- 고혈압(140/90mmHg 또는 항고혈압제 복용 중)
- HDL 콜레스테롤 < 35 mg/dL and/or 중성지방 > 250mg/dL
- 다낭성 난소증후군
- 신체적으로 비활동적 일 경우

BMI, Body mass index; HDL, high-density lipoprotein.
출처: American Diabetes Association: 2. Classification and diagnosis of diabetes: standards of medical care in diabetes—2019. Diabetes Care42(suppl 1):S13-S28, 2019.

당뇨의 치료

당뇨는 포괄적 치료시스템이 요구되는 질병으로 치료계획을 수행하는 의사, 간호사, 영양사의 다학제적 접근이 필요하며, 당뇨 분야의 전문가들도 함께 일하게 된다. 내분비계 의사는 당뇨병의 중증도와 그 영향력을 사정한다. 신장 전문의, 심장 전문의, 안과 전문의는 주기적 진료를 통해 환자의 장기 손상 정도를 파악하고 치료한다. 모든 당뇨 환자는 1년마다 안과 전문의에게 진료를 받아야 한다. 이미 발생한 당뇨발 문제는 향후 진행상태를 대비하고 치료하기 위해 전문가에 조기의뢰해야 한다. 의학적 치료의 목표는 혈당의 정상화로 조직과 장기 손상의 진행을 막는 것이다. 혈당 모니터링을 통해 약물 투여와 용량을 조절한다. 영양사는 미국당뇨협회의 가이드라인과 개인의 선호도에 따라 식단을 계획한다. 또한 모든 치료제공자, 당뇨교육자, 영양사는 식이와 운동이 환자의 장기적 예후에 중요함을 교육하고 상담해야 한다. 간호사는 심리적 적응, 약물에 대한 반응, 식이, 운동, 발관리, 추후 관리를 포함한 건강에 관련된 모든 지표를 파악하고 환자와 가족에게 교육을 해야 하고, 치료에 대해 조정하는 역할을 한다.

혈당 측정방법과 정상 범위

당뇨의 진단과 모니터링을 위해 다음 4가지 혈당검사를 시행한다.
- 공복 시 혈당은 8시간 금식 후 측정한다. 반복 측정값이 126mg/dL 이상이면 당뇨를 나타낸다. 공복은 최소한 8시간 동안 칼로리 섭취를 하지 않는 것으로 정의한다.
- 무작위 혈당측정 시 전형적인 증상과 증후를 동반하고 200mg/dL 이상이면 당뇨로 진단할 수 있다.
- 경구 포도당 내성 검사는 환자가 75g 포도당 용액을 마시고 측정한다. 정상 범위는 2시간 후 200mg/dL 이하이다. 200mg/dL 이상이면 당뇨로 확진할 수 있다. 그 측정값이 140~190mg/dL 사이이면 비정상 포도당 내성이라고 할 수 있다.
- 당뇨로 진단되는 헤모글로빈 A1c값은 6.5% 이상이다. 이 검사는 최근에 인증되고 표준화된 방법을 사용하여 검사실에서 시행되도록 추가된 방법이다.

간호사는 환자와 가족에게 스틱을 사용한 혈당 측정을 교육하고 지속적으로 모니터링하도록 해야 한다. 이 방법은 당뇨를 진단하기 위해 사용하지는 않는다. 이름에서 말해 주듯이 손가락을 찔러 혈액을 스틱에 묻히고 글루코메타라는 기기에 의해 포도당 수치를 측정한다. 진단을 위해서는 동일한 샘플 또는 두 개의 개별 테

스트 샘플에서 두 개의 비정상 테스트 결과가 필요하다. 당뇨병 진단은 아니지만 역치에 근접한 경우 3~6개월 이내에 반복하여 검사한다(ADA, 2019).

헤모글로빈 A_{1c}

헤모글로빈 A_{1c}는 과거 2~3달 동안의 평균 혈당조절을 측정한 값이다. 증가된 혈당 농도는 헤모글로빈에 포도당이 포화된 형태인 글리코헤모글로빈(glycohemoglobin) 형성의 원인이 된다. 글리코헤모글로빈은 적혈구가 120일간 수명을 유지하는 동안 존재한다. 헤모글로빈의 당화된 부분의 평균 측정값을 헤모글로빈 A_1이라 부른다. 대부분의 검사실에서 헤모글로빈 A_{1c}가 측정되는데 그 이유는 가장 일반적인 형태이기 때문이다. 어떤 검사실에서는 전 글리코헤모글로빈을 A_1으로 측정하게 되는데 이 값은 헤모글로빈 A_{1c}보다 2~4% 높다. 따라서 실험실에서 사용하는 측정 표준값을 알아야 한다. 이 값은 오랜 기간 동안의 혈당 조절을 반영하기 때문에 처방된 식이 또는 당뇨 처방약 등과 같은 현재의 치료에 대한 환자의 반응을 알 수 있는 좋은 지표가 된다. 만성콩팥병 환자에서 헤모글로빈 A_{1c}를 평가하고 변경된 값을 해석하려는 연구들이 진행되고 있다. 투석 환자에서 적혈구 수명이 감소되고 체외로 에리트로포이에틴을 주사하기 때문에 그 값들이 변경되었을 것이기 때문이다(Rameriz, McCullough, Thumma, et. al, 2012).

당뇨병에 대한 KDOQI(Kidney Disease Outcones Quality Iintiative)와 CDK 임상진료지침에서는 당뇨병성 신장질환(DKD, Diabetic kidney disease), 기타 미세혈관 합병증을 포함한 미세혈관병증을 예방하거나 지연시키기 위해 목표 HbA_{1c} 7.0%로 권장한다. 예상평균 포도당(estimated Average Glucose, eAG)은 미국당뇨협회에 의해 새로이 제안된 용어이다. A_{1c}가 %로 보고되는 반면, eAG는 환자가 자가측정도구를 이용하여 mg/dL 또는 mmol/L로 보고된다. 이 값은 환자에게 더 의미가 있으며 환자의 혈당조절을 좀 더 용이하게 할 수 있다. 헤모글로빈 A_{1c}와 글리코헤모글로빈은 http://professional.diabetes.org/GlucoseCalculator.aspx에서 계산할 수 있다.

고혈당

고혈당은 혈당이 높은 상태를 말하며 당뇨 환자에서 혈관 합병증의 원인이 된다. 고혈당은 신체가 충분한 인슐린을 생산하지 못하거나 효과적인 당대사가 불가능할 때 나타난다. 증상 및 증후로는 빈뇨, 심한 갈증, 오심, 구토, 허약감, 혼미, 탈수 등으로 나타난다. 고혈당이 발생했을 때, 치료는 적절한 임상적 상황에 기초하여야 하며 인슐린, 경구약, 식이, 운동습관, 급성 질환의 치료 등에 대한 계획이 포함되어야 한다.

저혈당

저혈당은 혈당이 낮은 상태를 말한다. 증상과 징후로는 갑작스럽게 나타나는 두통, 피로감, 불안, 혼미, 빈맥, 발한, 진전 등이 나타난다. 일반적으로 혈당은 70mg/dL 이하로 나타나며 어떤 환자는 그 이상에서 증상이 나타난다. 15~20g의 속효성(단순) 탄수화물을 섭취하거나, 빠르게 녹는 알약이나 젤리, 반 컵 분량의 주스를 섭취하여 정상 포도당 수치로 회복하는 것이 치료이다. 포도당의 정맥주입은 의식이 저하된 환자치료에 사용된다. 고혈당과 저혈당은 생명을 위협하는 응급상황을 초래하는 간질이나 의식저하로 이어질 수 있다. 혼수상태가 되기 전 환자는 만취상태의 모습으로 보일 수도 있다.

당뇨의 치료

1형과 2형 당뇨는 현재로서는 치료될 수 없다. 고위험 환자를 판별하고, 1형 당뇨에서는 췌장에, 2형 당뇨에

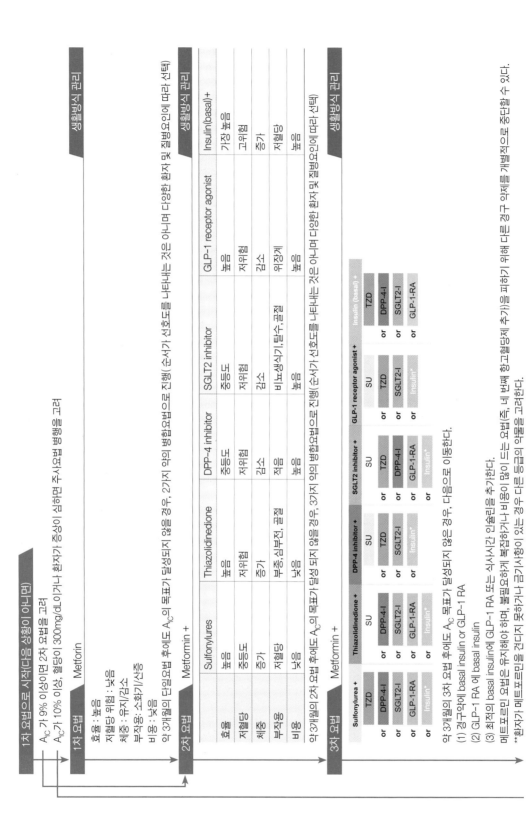

그림 16-1 혈당 치료의 약물적 접근. DPP-4-i, DPP-4 inhibitor; SGLT2-i, SGLT2 inhibitor; SU, sulfonylurea: TZD, thiazolidinedione. (출처: American Diabetes Association: Pharmacologic approaches to glycemic treatment, Diabetes Care 40[suppl 1]:S65-S74, 2017.)

서는 환자의 인슐린 수용체에 대한 손상을 지연하거나 방지하도록 계획된 치료를 수립하는 등 당뇨를 예방하는 연구들이 진행되어 왔다. 성공적인 췌장이식은 정상 인슐린을 생산할 수 있지만, 다른 장기이식과 마찬가지로 환자는 면역이 억제된 상태이고 이러한 약제들로 인한 부작용의 위험이 있다.

당뇨병성 콩팥병

당뇨병성 콩팥병(diabetic nephropathy) 또는 당뇨병성 신부전은 당뇨로 인한 콩팥병을 의미한다. 이것은 콩팥의 작은 혈관이 손상되는 합병증으로 그 결과로 토리가 손상된다. 병리적 토리의 경화는 토리의 섬유성 비후를 발생시킨다. 이것은 당화 또는 "카라멜화된" 단백의 축적 또는 과여과에 의해 발생한다. 병이 진행됨에 따라, 토리는 효과적 여과능력이 감소하여 혈중요소와 크레아티닌과 같은 노폐물이 체내에 축적된다.

　당뇨병성 콩팥병은 다섯 단계로 발생한다.

1단계: 콩팥으로의 혈류증가로 인해 콩팥이 비후해지며, 토리여과율(estimated Glomerular Filtration Rate, eGFR)이 90mL/min/1.73m^2 이상이다.

2단계: 토리의 과여과는 막을 손상시키고 정상적으로는 통과되지 못하는 큰 분자들의 유출을 유발한다. 혈액으로부터 소변으로 알부민이 유출되는 것은 미세알부민뇨로 알려져 있다. 이러한 알부민이나 다른 단백질의 유출이 증가할수록 요소나 크레아티닌과 같은 노폐물의 청소율은 떨어진다. 토리여과율은 60~89mL/min/1.73m^{2}이다.

3단계: 알부민뇨는 200mcg/min 이상이고 토리여과율은 30~59mL/min/1.73m^{2}이다.

4단계: 토리여과율은 15~29mL/min/1.73m^{2}로 감소하고, 단백뇨도 유의하게 증가한다. 이 단계에서 환자는 고혈압이 있으며 이 단계를 진전된 임상적 신질환이라 불린다.

5단계: 말기신장질환. 토리여과율은 15mL/min/1.73m^2 이하이다.

당뇨병성 콩팥병과 만성콩팥병의 예방

모든 당뇨 환자에서 당뇨병성 콩팥병이 발생하지는 않으며, 2형 당뇨보다 1형 당뇨에서 더 그러한 경향이 있다. 그러나 만성콩팥병에서 당뇨병성 콩팥병이 가장 흔한 원인이 되고 있다. 여러 연구에서 엄격한 혈당관리는 당뇨병성 콩팥병의 진행과 발병을 유의하게 줄일 수 있음이 보고되었다. 혈당 모니터링, 인슐린/경구용 혈당강하제 투여, 식이 프로그램, 운동 등의 집중적 관리로, 대부분의 환자는 정상 혈당 농도를 유지할 수 있다.

　당뇨병성 콩팥병은 안지오텐신 전환효소 억제제(Angiotensin-Converting Enzyme Inhibitor, ACEI)의 사용으로 진행을 지연시킬 수 있다. 이 약제군은 주로 고혈압 치료에 사용하나 당뇨병성 콩팥병 환자에게도 두 가지 목적으로 유용하게 사용된다. 1단계에서 과여과를 조절하기 위해 투여된다. 미국신장재단(National Kidney Foundation, NKF) KDOQI 2012 가이드라인에서는 당뇨병성 콩팥병(DKD)을 위해 매년 당뇨 환자에게 선별검사를 받도록 권장하고 있다. 선별검사에는 미세단백뇨 또는 알부민-크레아티닌 비율(A-C Ratio), 혈중 크레아티닌 농도, 토리여과율 측정이 포함되어야 한다.

　1형 및 2형의 선별검사 주기는 다음과 같다.

· 1형 당뇨: 진단 후 5년, 그 후 매년

· 2형 당뇨: 진단 시 그 후 매년

콩팥병이 있는 당뇨 환자의 투석

투석의 시작은 개인의 요구와 환자의 상태에 따라 다르나 확실한 지표는 부종과 함께 낮은 크레아티닌 청소율이다. 당뇨 환자는 비당뇨 환자에 비해 더 일찍 요독증으로 고통받는다. 이러한 이유로 보통 크레아티닌 청소율이 10~15mL/min 사이에서 투석을 시작하나 투석은 크레아티닌 청소율이 20mL/min 이상에서 시작하기도 한다. 고혈압은 크레아티닌 청소율이 10mL/min 이하인 환자에서 관리가 매우 힘들다. 당뇨성 망막병증은 물론 심혈관계 및 말초혈관질환의 관리에 있어 혈압의 조절은 매우 중요하다.

| 당뇨 환자에서 혈액투석요법과 복막투석요법 비교

두 가지 치료방법에는 장점과 단점이 있다. 치료팀과 환자는 동반질환 및 병력을 고려하여 개인의 생활방식에 가장 잘 맞는 치료를 선택해야 한다.

센터에서 받는 혈액투석의 장점으로는 빈번한 의학적 감시와 투석액으로 단백질 소실이 적다는 것이다. 단점으로는 혈관과 관련된 합병증, 투석 전 고칼륨혈증, 투석 동안 저혈압의 발생 등이 나타날 수 있다.

복막투석은 복강 내 인슐린을 주입할 수 있어 혈당조절이 용이할 수 있다. 또한 심혈관질환에 대한 내성, 칼륨조절, 투석 혈관이 필요 없다는 장점을 제공하기도 한다. 어떤 경우 복강 내 포도당의 흡수와 노출로 인하여 혈당조절이 어려울 수 있다. 복막투석의 금기사항은 감염에 대한 면역 저하로 복막염 발생 증가, 단백질 소실, 장폐색 같은 복강 내 압력 증가 등이 있다. 결론적으로, 시력이 약하거나 섬세한 운동 조절이 안 되는 경우 복막투석을 수행이 어렵고 이 경우 가정에서 조력자가 없는 한 센터에서 투석을 받아야 한다.

| 당뇨 환자의 신장이식

생체이식은 투석에 비해 높은 생존율을 제공하므로 당뇨 환자에서 선택할 수 있는 치료이다. 많은 젊은 1형 당뇨 환자가 정상 인슐린은 생산할 수 있는 추가적 장점을 제공하는 신췌장 이식을 받고 있다. 그러나 많은 환자는 고령 또는 동맥경화 등으로 이식 대상자로 고려되지 못하고 있다. 철저한 평가가 필요하고 때로 사체이식 대기자 명단에 올리기 전에 심장수술이 필요하기도 한다. 당뇨 이식 환자에서 일반 환자에 비해 사지 절단율이 높다. 스테로이드 사용으로 인해 감염과 말초혈관질환이 악화된다. 그러나 이러한 합병증의 증가는 당뇨 환자의 이식 후 생존율이 증가하는 원인으로 설명할 수 있다.

| 비당뇨 환자에 비해 당뇨 환자에게 투석이 더 필요한 이유

요독증과 같이 당뇨는 모든 세포, 조직, 장기에 영향을 미친다. 당뇨를 가진 만성콩팥병 환자는 특별한 도전을 받는다. 최근 사망률 자료에 따르면 투석을 시작한 환자의 1/5만이 5년 생존할 수 있다고 보고하고 있다. 자율신경계 질환을 동반하고 있는 당뇨 환자는 투석 첫 시간 동안 저혈압으로 인해 투석을 충분히 하지 못하는 경우도 있다. 심혈관계와 자율신경계 질환이 있는 경우 초여과로 초래되는 혈관 내 혈액량 부족에 대해 적절하게 반응하지 못한다. 이러한 저혈압은 투석 혈류속도를 낮추거나, 생리식염수 주입으로 치료한다. 때때로 증상을 동반한 저혈압으로 투석시간의 단축, 투석효율의 저하로 이어지고 환자 체액의 과다와 심혈관계 부담을 주게 된다. 말초혈관질환은 혈관 문제 때문에 투석 결과가 불충분할 수 있다. 스틸증후군, 동정맥루의 조기폐색 등으로 많은 당뇨 환자가 오로지 카테터를 통해 투석을 하게 된다.

| 일부 환자에서 투석을 시작한 후 더이상 당뇨가 없다고 말하는 이유

당뇨성 신부전에서 이용 가능한 인슐린은 분해되지 않고 효과적으로 배설되지 않기 때문에 오랫동안 유지된다. 요독증을 가진 환자는 자주 먹기 때문에 인슐린 필요량이 적어진다. 1형 당뇨 환자는 성공적 췌장이식이 되지 않는 한 인슐린이 항상 필요하다. 그러나 2형 당뇨에서는 추가 인슐린이나 경구용 약이 더 이상 필요하지 않는 경우가 종종 있다. 만일에 체중을 줄인다면 그들의 인슐린은 더 잘 사용될 것이다. 경구용 혈당강하제 – 특히 지속형 – 는 혈액투석 환자에서 심각한 저혈당증의 원인이 되기도 한다. 이러한 약물은 정상 콩팥에서 배설되고 투석에서는 제거되지 않는다.

| 혈액투석이 환자에게 미치는 영향

혈액투석액의 화학적 조성은 정상 혈액과 호환되도록 만들어졌다. 포도당 농도는 모든 환자에게 200mg/dL이 당뇨 환자의 투석 시 저혈당을 예방하고 고혈당을 완화할 수 있는 최적 농도이다.

| 투석 시 인슐린이나 경구용 혈당강하제의 제거

투석을 하지 않는 환자에서 인슐린은 가장 보편적인 혈당강하제이다. 인슐린과 경구용 혈당강하제는 투석으로 제거되지 않는다. 메트포민(Glucophage)와 글리브라이드(Diabeta)는 예외이며 말기신장질환 환자에서는 금기이다.

| 투석 동안 저혈당 관리

저혈당은 혈당농도 모니터링을 통해 확인되어야 한다. 저혈당의 증상과 징후는 저혈압과 혼돈될 수 있다. 투석치료에 적응하기 위해 환자의 스케줄을 바꾸는 것은 환자가 규칙적으로 먹거나 약물을 복용하는 것을 방해하여 저혈당을 나타낼 수도 있다. 어떤 환자는 스낵이나 사과주스가 필요하나 소화를 위해 복강 내로 혈액량이 이동하므로 저혈압 발생의 위험을 증가시킬 수도 있다. 심한 저혈당은 의사의 처방에 따라 정맥 내 포도당 주입이 필요하기도 하다.

| 투석 동안 고혈당 관리

고혈당이 혈당 모니터링을 통해 확인되었다면, 의사는 속효성 인슐린(Humalog, Novolog, or Apidra)을 처방할 것이다. 고혈당은 감염의 징후일 수도 있으며, 만약에 감염이 있다면 사정하고 치료해야 한다. 적극적인 고혈당 치료는 개인의 임상상황을 기반으로 하고, 말기신장질환 환자에서 저혈당의 위험 때문에 권장하지 않는다. 고혈당과 관련된 이례적인 혈액 응고가 있을 경우에는 헤파린 증량이 필요하다.

| 당뇨 환자의 건강 유지

투석을 받는 당뇨 환자의 경우 통계적으로 사망률이 높다. 심혈관계 질환은 패혈증, 자발적 투석 중단으로 이어져 사망의 주요 원인이 된다. 투석을 받는 당뇨 환자에서 동맥경화의 진행은 더욱 가속화되어 고혈압, 협심증, 괴사, 심근경색과 같은 심혈관계 합병증이 발생하는 경향이 있다. 요독증과 고혈당은 상처치유를 지연시키고 면역기능을 저하한다. 변비로 나타나는 위장계 신경증뿐 아니라, 갑작스러운 설사는 당뇨 환자에게 큰 고통이다. 위무력증은 역류 및 흡인의 원인이 될 수도 있다.

| 위무력증

위무력증(gastroparesis)은 위공복이 지연되는 상태로 음식이 위에서 작은창자로 가는 운동이 느려지거나 멎게 되는 기능부전이다. 당뇨는 위무력증의 주요 원인이 되며, 자율신경증의 결과이기도 하다. 위장 공복의 지연은 연하곤란, 속쓰림, 오심, 구토, 복통, 식후 팽만감, 불규칙한 혈당 등으로 나타난다. 치료는 소식, 저지방, 저섬유성 식이, 장운동을 증가시키는 메토클로프라마이드(Reglan)와 시사프라이드(propulsid)의 약제 사용, 혈당 조절 등이 있다.

| 당뇨 환자의 혈관 문제

말초혈관 동맥경화로 인한 혈관가지의 석회화는 혈관통로로 사용되는 혈관의 양과 질을 떨어뜨린다. 투석을 받는 당뇨 환자에서 혈관통로와 관련한 패혈증을 더 많이 경험하지는 않지만, 입원율이 더 높고 예후가 더 나쁘다. 당뇨 환자에서 동정맥혈관의 혈전증 발생률이 더 높다.

| 혈액투석을 받는 당뇨 환자의 식이 조절

당뇨 환자는 포도당 대사의 실패로 인해 식이조절이 필요하다고 알려져 왔다. 환자는 신부전과 혈액투석을 위한 식이조절이 더 필요하다. 어떤 환자는 신부전 식이의 제한점을 들으면 먹을 게 없다고 하기도 한다. 실제는 그렇지 않다. 환자가 고칼륨혈증이나 뼈질환의 위험을 피하기 위해 식이를 조정해야 하지만, 투석에서는 영양실조의 위험이 있기 때문에 잘 먹어야 하는 것은 필수 사항이다.

혈액투석에서는 치료 중 1~2g/hr 정도의 아미노산을 손실하게 된다. 투석기와 혈액라인으로 혈액 손실 또한 단백 손실의 원인이 된다. 식이로서 단백질은 최소한 일일 1.2g/kg으로 섭취해야 한다. 체내에서 에너지 저장을 위해 단백질을 태우는 것을 막기 위해 35kcal/kg의 칼로리 섭취가 필요하다. 일반적으로, 단백질은 식이의 20%, 지방 30%, 탄수화물은 50%로 구성되어 있어야 한다. 식단은 환자의 선호도에 맞게 짜여져야 한다. 식이의 목표는 영양 요구를 충족하면서 즐거운 식사를 하는 것이다. 캔디, 케이크, 파이 등과 같이 정제된 탄수화물 음식도 전체 식이계획 속에 포함된다면 당뇨성 신부전 식이로 일부 포함시킬 수 있다. 고열량, 저영양 식이는 제한되어야 하나 금지되지는 않는다. 목표는 좋은 혈당 조절이다. 혈당은 갈증을 증가시켜 수분 조절을 어렵게 만든다.

| 혈당조절을 위한 약제가 더 이상 필요 없는 당뇨 환자의 혈당 측정

매일 혈당을 측정하는 것은 혈당조절을 확인하기 위해 매우 중요하다. 환자의 상태가 좋지 않다면 더 자주 확인해야 한다. 혈당이 올라가는 것은 감염이 있음을 나타낼 수도 있다.

| 투석을 받는 당뇨 환자에서 중요한 사정내용

당뇨 환자는 미국 인구의 9.4%를 차지하지만, 하지절단 환자의 60%가 당뇨 환자이다. 투석을 받는 당뇨 환자의 다리와 발을 자주 세심하게 사정하는 것은 피부통합성이나 감염과 같이 잠재적 문제를 발견하기 위해 반드시 수행되어야 한다. 빠른 발견 및 즉각적 치료는 보다 심각한 합병증을 막을 수 있다.

| 당뇨발 문제의 예방

신장간호사는 잠재적인 문제에 주의를 기울이며 발톱, 티눈, 염증과 같은 문제에 대해 족부전문의에게 의뢰할 뿐 아니라 정기적인 시진을 해야 한다. 환자는 스스로 티눈이나 발가락 피부경결(calluses)을 제거하지 않도록 하고, 온열팩, 온수팩 등을 사용하지 않도록 한다. 환자와 보호자는 발 관리방법에 대한 교육을 받아야 한다. 외상으로부터 둔감한 발을 보호하기 위해 보조기 착용이 필수적이다. 발을 위한 보조기구는 의료보험에 포함되고 처방되어야 한다.

CHAPTER

17

Medication Problems and Dialysis

약물 문제와 투석

만성콩팥병(Chronic Kidney Disease, CKD) 환자는 복합약물, 동반질환, 약물의 역학과 약동학적 변화로 인해 약물부작용이 높아지고 있다(Sharif-Askari et al., 2014). 불이행에 대한 조사방법에 다소 차이가 있겠으나 만성콩팥병 환자의 약물투약 불이행은 17~74%로 다양하게 나타나며 혈액투석 환자의 경우 3~80%로 보고되었다(Nielsen et al., 2017). 최적의 약물효과를 위해서 건강관리자는 투약으로 발생할 수 있는 문제를 인식하고 다룰 수 있어야 한다.

이러한 문제들은 복잡하며 각각의 상황에 대한 다양한 요인, 즉 환자의 특성(예: 콩팥기능장애의 정도, 신부전의 급성기와 만성기, 동반질환, 나이, 영양상태), 약물의 특성(예: 약동학, 약역학, 용량, 투여경로), 그리고 투석과정(예: 종류, 장비, 기간) 등을 고려해야 한다. 만성콩팥병은 약물의 효과시간을 늘리고 약물배출을 늦추며, 혈장 농도를 올리는 데 영향을 준다. 이러한 이유로 약물로 인한 부작용과 독성의 위험성이 증가한다. 이 장에서 다루고자 하는 것은 이런 문제를 해결하는 데 필요한 약리학적 원리를 이해하고 각각의 문제 영역을 검토하는 것이다.

| 약물의 신장손상 유발

약물 원인의 급성신장손상의 발생빈도는 60%에 이르며, 콩팥손상 환자와 심혈관계 질환을 가진 경우 발생빈도가 더 올라간다(Shahrbaf & Assadi, 2015). 콩팥이 특히 약물에 의한 손상에 취약한 여러 가지 이유가 있다. 콩팥은 단지 체중의 0.4%(Naughton, 2008)를 차지하나, 총 액량의 20~25%를 공급받는다. 이러한 과도한 혈류로 인해 혈액 내 약물에 과도하게 노출된다. 또한 약물은 네프론을 통과하여, 요세관 여과를 통해 농축되고 수분이 재흡수된다. 요세관 운반 과정 중 여과를 통해 약물을 더욱 농축된다. 콩팥 내 효소에 의해 약물은 신독성 물질로 대사되기도 한다. 콩팥기능 저하 시 잔여 네프론은 신독소에 더 취약해진다.

약물로 인한 신독성의 원인으로 체액 감소, 울혈성 심부전, 만성콩팥병, 폐혈증, 당뇨성 만성콩팥병의 경우 위험성이 더 높아진다. 가장 흔한 신독성을 일으키는 약물로는 항생제(acyclovir, aminoglycosides, amphotericin B, cephalosporins, pentamidine, sulfonimides, tetracycline, vancomycin), 방사선 검사에 사용되는 조영제, 항암제와 면역억제제(cyclosporine, cisplastin, tacrolimus), 안지오텐신 전환효소 억제제(Angiotensin Converting Enzyme Inhibitors, ACEI), 비스테로이드성 소염제(NSAIDs) 등이다.

신독성을 일으키는 새로운 약제(예: 저삼투압 방사선 조영제)의 개발, 약물 사용형태의 변화(예:

표 17-1 약물에 대한 문제 영역

문제 영역	투석요원의 의무
약물은 콩팥을 손상시킬 수 있고, 신부전을 유발하거나 악화시킴	콩팥에 해를 줄 수 있는 약물 또는 약물 병합에 대한 환자의 콩팥기능을 평가한다. 약물로부터 신장손상의 고위험군 환자를 색출한다. 고위험군이거나 콩팥병 환자에서 신장손상을 줄 수 있는 약물 사용을 피하거나 극도로 주의하여 사용한다. 수분 섭취를 시키거나 신독성을 최소화하기 위한 문서화된 측정을 한다.
약물의 약물 활성은 신부전에 의해 변함	약동학이나 약역학의 변화에 따른 용량을 조절한다. 모든 약물에 대해 치료 실패, 부작용, 독성 등을 관찰한다. 콩팥장애 환자에서 더 많은 부작용을 예견한다.
투석 동안 체내에서 제거되는 약물의 양은 약물의 특성과 투석상태에 따라 다름	문헌과 공식을 사용하여 투석에 의해 약물이 얼마나 제거되는지 평가해야 한다. 투여용량과 투석 후 보충 용량을 계산한다. 환자의 반응을 잘 관찰한다.
과용된 어떤 약물이나 독극물은 전체 혹은 일부 투석에 의해 제거됨	어떤 독극물과 과용된 약물들이 다양한 투석방법에 의해 제거되는지 알아야 한다. 음독과 약물 남용에 대해 투석을 적용하고, 적절한 치료와 처치하는 동안 관찰을 해야 한다.
투석치료와 관련하여 약물은 위험을 증가시킬 수 있음	어떤 약물을 복용하였는지 알아야 한다. 약물에 대한 부작용을 관찰한다.

aminoglycosides 사용 감소), 입원치료에서 외래치료로의 전환으로 인해 비스테로이드성 소염제와 안지오텐신 전환효소 억제제 등의 약물이 급성신장손상의 주요 원인이 되고 있다.

외래에서 처방되는 진통제 복합처방이 만성콩팥병의 원인이 되며, 이는 아스피린(aspirin) 또는 NSAID뿐 아니라 acetaminophen, caffeine, codeine의 성분을 포함하고 있기 때문이다. 이러한 성분은 가장 흔한 신장손상의 원인 성분이며, 수많은 다양한 분류의 약물이 신장손상을 일으키는 원인이 된다. 이러한 약물은 신장 관류가 부족한 환자의 경우 가장 큰 위험이 된다. 환자에서 신장손상이 예상될 경우, 약물에 의한 잠재적 신장독성에 대해 분석과 처방이 이루어져야 한다. 신독성물질은 모든 단계의 만성콩팥병 환자에게 피해야 하며 적절한 사용량을 모니터링 해야 한다.

| 신장손상의 최소화 및 방지

신장손상의 원인 약물은 고위험 신장손상 환자에게 주의 깊게 사용하거나 또는 피해야 한다. 약물에 의한 신장손상의 발생의 원인은 복합적인 신독소의 사용, 염분과 수분의 감소, 기존의 콩팥병, 그리고 울혈성 심부전이나 경화, 노화, 당뇨로 인한 신혈류량 부족 등이 있다(Rosner&Okusa, 2008). 약물에 의한 신장손상은 약물의 사용을 중단하거나 영구적 손상 전에 보조적 치료를 시작한다면 회복이 가능하다. cyclosporine, cisplatin 등의 신독소는 생리식염수를 정맥주사하여 신뇨관에서 약물 농축을 희석시켜 신장손상을 감소시킬 수 있다.

Misoprostol, 프로스타글란딘 유사물질은 NSAID로 유발되는 콩팥손상을 예방할 수 있다. 신독성을 최소화할 수 있는 약물을 선택한다. 예를 들어 acetaminophen, aspirin, nonacetylated salicylates, sulindac, nabumetone 등은 다른 NSAIDs에 비해 신독성이 적다. 결론적으로, 약물은 가장 짧은 시간 동안 효과를 나타내는 가장 최소의 용량이 사용되어야 한다.

| 만성콩팥병으로 인한 약물반응 변화

만성콩팥병 질병에 의해 변화되는 약물반응은 약역학(pharmacodynamics)과 약동학(pharmacokinetics)이 있다. 약물은 화학적으로 세포막에 존재하는 수용체나 효소와 상호작용하여 약물효과에 영향을 준다. 이러한 상호작용은 약역학으로 설명할 수 있는데, 즉 약물이 인체에 무엇을 하는가를 의미한다. 부작용 (독작용)는 약물 또는 대사산물이 목표수용체를 제외한 다른 수용체에 작용하거나 목표수용체에 비해 과도한 약물을 사용할 때 발생한다. 신부전의 결과로 생긴 혈액 내 요독성 산물이나 전해질 농축은 약물수용체의 상호작용을 변화시키고, 약물의 효과를 변화시킨다. 수용체의 민감성을 변화시켜 특히 중추신경계에 마약, 안정제, 최면제에 대한 약물효과가 증가하게 되고 또한 에피네프린과 카테콜라민 등의 약효에 저항성이 나타나게 된다. 전해질과 산-염기의 변화는 약물작용에 영향을 주며, 이러한 약물에는 항부정맥제, 디곡신, 벤조시아진 (phenothiazines), 항우울제 등이 있다.

 약물 작용의 최대치와 지속성은 수용체와의 지속시간과 농도에 좌우된다. 시간과 약물 농도와의 관계를 약동학이라 하는데, 약물이 신체내에서 어떻게 작용하는가로 약물의 흡수, 분포, 대사, 배설 과정을 의미한다. 만성콩팥병이 약동학에 미치는 영향은 명확하지 않다. 그러나 혈액투석 환자의 경우 약동학적 변화로 인한 많은 반응이 나타날 수 있어 수학적 공식에 의한 약물의 용량계산법이 충분히 연구되어 왔다. 감소된 콩팥배설기능은 신부전의 가장 대표적인 약동학의 변화 원인이며, 다른 여러 가지 원인으로 약동학 과정이 변화할 수 있다.

만성콩팥병 환자의 약물 흡수에 영향을 주는 요소

요독증의 경우, 위장관 내 질소의 파괴는 pH를 상승시키고 아스피린, 철분제제, 이뇨제 같은 산성 약물의 흡수를 지연시킬 수 있다. 요독증으로 위장관 마비와 위장관 반응(오심, 구토, 설사)이 나타나 경구 약물의 흡수를 변화시키게 된다. 만성콩팥병 환자에의 인결합제로 사용되는 제산제는 디곡신, 철분제제, 몇 가지 항생제(tetracyclines, fluoroquinolones)와 혼합되면 비흡수성 혼합물을 형성하여 약물의 흡수를 감소시킨다. 위산 분비를 억제시키는 H2 차단제(예: cimetidine, ranitidine, famotidine), 제산제, 양자 펌프 억제약물 (omeprazole, lansoprazole)와 같은 약물은 일부 약물의 흡수에 영향을 미친다. 예를 들어, 흡수되려면 산성 환경이 필요한 ketokonazole은 위액의 산성을 막는 약물과 복용할 경우 생체이용률이 감소된다. 반면 위산에 의해 비활성화되는 경구 페니실린은 흡수가 증가된다.

신부전 환자의 약물 분포에 영향을 주는 요소

일단 약물이 혈액으로 흡수되면, 일부 분자는 혈장 단백과 결합한다. 혈액 내 혈장 단백과 결합이 높은 약물은 분포용량(volume of distribution, V_d)이 작아지는데, 이는 대부분의 약물이 혈장단백과 결합하여 배출하지 못하기 때문이다. 혈액 밖에 주로 존재하는 약물은 근육이나 말초의 용해성 지방조직에 결합하기 때문에 분포용량(V_d)이 커진다. 일반적으로 작은 분포용량(V_d)을 갖는 약물은 혈장단백과 결합된 상태로 간과 콩팥(혈액투석 기계)을 통해 배설되므로 짧은 반감기를 갖는다. 반대로 큰 분포용량(V_d)를 갖는 약물은 투석을 통해 제거되기 어렵기 때문에 긴 반감기를 가진다. 부종과 복수는 큰 분포용량(V_d)을 가지고, 일반적으로 적은 분포용량 약물의 약물 반감기가 증가한다. 알부민과 같은 혈장단백과 산성 약물의 결합도는 만성신부전에서 감소하는데 그 이유는 알부민 농도의 감소와 알부민의 약물 결합력이 감소하기 때문이다. 단백 결합의 변화는 분포용량(V_d)과 약물효과를 변화시키는데, 이는 비결합 약물만이 약효를 나타내기 때문이다. 요독증 상태에서 알부민과 결합의 감소는 산성 약물인 테오필린, 페니토인, 페니실린, 페노바비탈, 살리실레이트 등이 중추신경계 독성을 일으키는 것으로 생각된다. 당단백질과 결합하는 알칼리성 약물(lidocaine, phenothiazines, propranolol, quinidine, tricyclic antidepressants)은 콩팥병 시 결합이 감소하거나 증가하는데 이런 변화의 임상적 연구는 미흡한 실정이다.

| 만성콩팥병 환자 약물 배설의 영향 요소

특정 약물은 화학구조의 변화 없이 콩팥에서 그대로 배설되어 제거된다. 다른 약물은 효소에 의해 화학적 구조가 변화되는데, 이 과정을 생물학적 변화 또는 대사라고 한다. 대부분 약물은 간 대사와 콩팥을 통한 배설로 제거된다. 대사산물(대사에 의한 약물의 화학적 변형상태)은 원래 약물보다 수용성으로 바뀌어 콩팥을 통해 제거된다. 활성 대사산물은 수용체와 결합력이 남아 있기 때문에 원래 약물의 효과를 나타낸다. 비활성 대사산물은 목표수용체를 자극하지 못하므로 대부분 약물의 효과가 미미하다. 독성 대사산물은 목표수용체 이외에 작용하여 부작용의 원인이 된다.

　일반적으로 콩팥에 의해 제거되는 약물이 콩팥기능이 저하된 환자에게 반복적으로 처방될 경우 약물은 혈액에 축적되고 부작용이 나타날 수 있다. 축적된 약물은 폐, 담즙, 땀샘 또는 간의 대사 같은 변화된 경로로 배설된다. 콩팥기능이 저하된 환자의 경우 축적된 약물의 대사산물 또는 독성 대사산물은 부작용의 원인이 된다. 예를 들어 normeperidine (meperidin의 대사산물)이 축적될 경우 혼수 또는 발작을 일으킬 수 있다. 상자 17-1은 신부전 시 축적될 수 있는 활성 또는 독성 대사산물이 되는 약물을 나타낸다. 활성 또는 독성 대사산물이 되는 약물은 가능한 대안이 있다면 신부전 환자에게 투여하지 않는다. 이런 약물이 신부전 환자에게 투여될 때는 용량을 줄이거나 임상적 관찰이 반드시 필요하다. 예를 들어 통풍 때문에 알로퓨리놀 (allopurinol)을 복용 중이거나 콩팥기능장애가 있는 암 환자의 경우 알로퓨리놀의 활성 대사산물이 몸 안에 축적되어 지루성 피부염이 발생할 수 있으므로 정상적인 콩팥기능을 가진 환자에 비해 용량을 줄여 사용하게 된다. 비록 활성 대사산물보다 영향력은 적지만 비활성 대사산물 또한 유사한 결과를 가져올 수 있다. 예를 들어 비활성 대사산물의 축적은 임상검사 결과의 해석에 방해가 되기도 한다.

　콩팥기능장애는 간 대사에도 영향을 주어 morphine, clonidine의 배설을 감소시키고, phenobarbital과 phenytoin은 대사를 증가시킨다. 콩팥기능장애 시 요독 물질이 축적되기 때문에 약물의 효과를 느리게 하거나 촉진하는 데 관여하는 간 효소의 대사를 변화시킨다. 인슐린은 콩팥의 효소에 의해 대사되므로 콩팥병 환자의 경우 느리게 제거된다. 간 대사는 유전, 식습관, 환경오염 그리고 최근 투여한 약물에 따라 달라진다. 그러므로 콩팥기능 저하로 인한 약물의 효과는 사람마다 매우 다양하게 나타난다. 콩팥을 통한 배설은 예측하기 쉬우며, 약물 또는 활성 대사산물이 콩팥에 의해 배설되는 비율이 클수록, 콩팥기능장애와 투석요법을 받고 있는 환자에게 더 많은 용량 변화가 요구된다.

상자 17-1 활성 또는 독성 대사산물이 되는 약물의 예

• Acetaminophen	• Allopurinol	• Amiodarone
• Azathioprine	• Buspirone	• Cefotaxime
• Cimetidine	• Diazepam	• Enalapril
• Fluoxetine	• Glyburide	• Levodopa
• Meperidine	• Methyldopa	• Metronidazole
• Nitroprusside	• Procainamide	• Propoxyphene
• Quinidine	• Triamterene	• Verapamil

| 약물과 독성물질의 약동학이 투석에 미치는 영향

콩팥은 몇 가지 과정을 통해 약물을 배설한다. 투석이 모든 콩팥의 기능을 대체하지는 못하지만 일부 약물은 투석을 통해 제거된다. 투석은 다른 약동학 지표에 영향을 줄 수 있다. 예를 들어, 투석 전후의 전체 수분량 변화는 일부 약물에서 분포용량(V_d)에 영향을 미칠 수 있다. 투석을 통해 제거되는 약물의 특징은 다음과 같다. (1) 작은 분자 크기, (2) 작은 분포용량(V_d) (3) 수용성 (4) 낮은 단백질 결합이다. 만약 단백질 결합이 90%를 초과하면, 약물이 투석을 통해 배설되는 양은 극히 적다. 투석막의 투과성이 높고, 막 표면적이 크고, 혈류 속도 또는 투석액 속도가 높을수록 약물이 쉽게 제거된다. 복막투석은 분자크기가 큰 단백질이 소실되기 때문에 단백 결합 약물이 다량 제거되지만, 투석의 속도가 느리기 때문에 다른 투석방법에 비해 약물 제거율이 낮다. 지속적 혈액여과요법이나 중환자에게 시행하는 지속적 혈액투석은 약물의 상당 부분이 제거된다. 혈액여과를 통한 약물의 제거는 초여과와 단백질 결합 정도에 의해 결정된다. 이런 원리로 약물 과량 복용이나 독극물 중독을 치료한다. 제거하려는 약물성분은 다음의 기준을 충족해야 한다. 저분자량(500Da 이하), 낮은 단백결합, 수용성분, 낮은 약물분포((Mirrakhimov, Barbarya, Gray, et al., 2016) 유사하지만 단백질 결합력이 높거나 분포용량(V_d)이 큰 독극물은 투석으로 제거되지 않는다. 많은 약물은 투석 제거 여부에 따라 분류해 놓았지만, 투석으로 약물이 모두 제거되는 것은 아니다. 일부 약물은 투석에 의해 완전히 제거되는 반면, 어떤 약물은 거의 제거되지 않는다. 대부분의 약물은 일부 제거되기 때문에 투석장비의 종류와 투석시간에 영향을 받는다. 투석이 약물 제거에 효과적인가를 "예", "아니오"로 분류하는 것은 약물의 제거가 임상적으로 의의가 있는지 과용량을 제거하기에 충분한지 또는 환자가 약물의 보충이 필요한지 여부에 대한 전문가의 소견에 따라야 한다.

콩팥기능 저하나 만성콩팥병 환자의 약물과 용량 선택 기준

콩팥기능 저하 환자는 콩팥기능, 전해질 균형, 또는 요독증에 따른 약물 작용에 따라 약물 선택이 고려된다. 질병의 상태나 대사성 부담을 증가시키는 약제는 피하거나 주의하여 사용한다. 대사성 부담을 증가시키는 약물은 요소, 나트륨, 칼륨이나 산을 축적시켜 화학적인 신장손상을 일으킨다. 만성콩팥병 환자는 이런 물질이 투석에 의해 제거되어 상태가 호전되지 않으면 고칼륨혈증으로 심장의 부정맥 등의 심각한 부작용을 초래한다. 신독성을 가진 약물이나 대사 부담을 높이는 약물을 복용중인 콩팥기능 저하 환자의 경우 신중한 모니터링이 필요하다. 비약물요법으로 가능하다면 약물사용을 피해야 한다. 가능하다면 단일약제로 몇 가지 상태를 조절할 수 있는 것을 선택한다. 예를 들어, 콩팥혈관 협착과 같은 금기사항이 아니라면 고혈압과 울혈성 심부전을 모두 가진 환자에게 안지오텐신 전환효소 억제제를 신중하게 사용할 수 있다. 효과가 증명된 약물이 선호된다. 동일한 치료적 상황이라면 약물 농도에 대한 임상적인 관찰이 용이하며 증명된 약물을 사용하는 것이 유리하다.

 콩팥기능 저하 환자의 경우 약물의 요구량과 용량 조절은 질병의 과정과 중증도에 대한 병태생리학적 상황에 따라 달라진다. 대부분 약물의 적절한 용량에 대한 지침으로는 Physicians' Desk Reference, drug handbook, package insert 같은 참고문헌이 있다. 많은 신장학 교과서 및 관련 자료에서 만성콩팥병 약동학 지표(분포용량(V_d), 약물 제거율, 반감기), 콩팥기능 정도에 따른 약물권장량, 투석 후 보충해야 할 용량에 대한 지침을 찾아볼 수 있다. 의사는 필요시 이러한 지침을 사용할 수 있다. 용량결정을 위한 위한 다섯 단계는 다음과 같다.

 1. 환자와 관련된 변수의 사정
 2. 투여용량 결정
 3. 유지용량 결정
 4. 투석 후 대체용량 결정
 5. 약물농도와 임상적 반응 모니터링

| 만성콩팥병 시 약물용량과 관련된 사정요소

일반적으로 새로운 약물을 투약할 때 약물 알레르기, 과거력, 동반질환, 현재 복용하고 있는 약물, 임상검사와 임상결과 등에 대한 기본적인 사정이 이루어지고 만성콩팥병 환자의 콩팥기능과 이상적 체중에 대한 평가가 필요하다. 왜냐하면 투석으로 인해 체중이 변화되고, 비만이나 부종으로 환자의 1일 약물 요구치가 실제 체중보다는 제지방체중(lean body weight, LBW)에 맞춰야 하기 때문에, 이상적인 체중은 인터넷 검색을 통해 결정할 수 있다.

잔여 콩팥기능의 평가와 함께, 약물의 제거기전과 효율, 특히 간기능 평가가 중요하며 그 이유는 동반된 간기능 부전 시 약물의 용량을 감소해야 하기 때문이다.

| 약물이 투석과정에 미치는 영향

특정 약물 그룹은 투석과정에 영향을 줄 수 있다. 많은 투석 환자는 항고혈압 약물을 복용하는데, 이러한 약물 복용은 투석 시 저혈압을 발생시킬 수 있다. 에리트로포이에틴(Erythropoietin, EPO) 요법은 지연된 출혈시간(BT)을 감소시키며, 일부 환자의 경우 투석 시 헤파린 사용량을 증가시킬 수도 있다.

헤모글로빈 수치가 높은 집단(13~14g/dL), 헤모글로빈 수치가 낮은 집단(9~11.3g/dL)의 만성콩팥병 환자를 비교한 임상연구에서 Epogen 및 다른 조혈자극제(ESAs)가 혈관통로의 혈전증 발생의 위험을 증가시키며 헤모글로빈 수치가 높은 집단에서 기타 혈전색전증을 유발시키는 것으로 나타났다(Amgen, 2012). 항응고제 또는 혈전용해제를 투약 중인 환자는 혈액투석 시작 시와 투석 후 바늘을 제거할 때 출혈 여부나 지연된 출혈시간을 모니터링해야 한다.

▌조혈제| Antianemics

만성콩팥병 환자나 투석 환자는 빈혈과 심각한 헤마토크릿의 저하를 보인다. 원인은 다음과 같다. (1) 콩팥에서 만들어져 적혈구를 생산하도록 뼈속질을 자극하는 호르몬인 에리트로포이에틴의 생산 부전 또는 작용 억제 (2) 짧아진 적혈구 수명 (3) 철분흡수의 부전 (4) 혈소판 이상으로 코, 잇몸, 위장관 계통, 자궁이나 피부를 통한 출혈성 경향에 의한 혈액 손실 (5) 투석과정으로 인한 혈액 손실.

| 투석이 빈혈에 미치는 영향

만성콩팥병 진행과정에서 빈혈은 복잡한 문제이며, 3~5단계에서 가장 현저하다. 혈액투석을 받게 되면, 투석 후 불완전한 혈액학적 회복, 투석기를 통한 혈액누출, 잦은 혈액검사 등이 빈혈의 원인이 된다. 투석 환자는 적혈구의 양이 정상보다 상당히 적고, 호흡곤란과 피로를 더 쉽게 느낀다. 빈혈의 다른 증상으로 부족한 운동 내성, 허약, 성기능부전, 식욕부진과 명확한 사고를 하는 데 어려움이 있다.

| 조혈자극제

조혈자극제(Erythropoiesis-StimulatingAgent, ESA)는 체내에서 에리트로포이에틴의 생산을 자극하는 약물을 칭하는 넓은 개념의 용어이다. 조혈자극제로는 에포겐 알파(EPO; Epogen, Procrit), 다베포이에틴 알파(darbepoetin alfa; Aranesp) 등이 있다. 에리트로포이에틴은 정상의 건강한 콩팥에서 생산하는 에리트로포이에틴 호르몬의 재조합 형태이다. 에포겐은 1989년에 소개되었으며, 만성콩팥병 환자의 빈혈을 치료하는 데 중요한 작용을 한다. 다베포이에틴 알파 또한 조혈자극 단백질의 하나이다.

| 에포틴 알파 투여

에포틴 알파(Epietin Alfa)는 일반적으로 일주일에 3번, 정기투석의 마지막 단계에 혈관이나 피하주사로 투여한다. 다른 신대체요법을 받는 환자는 용량, 투여일정, 투여경로와 투여주기를 조정하게 된다.

| 에리트로포이에틴 치료에 대한 저반응성의 원인

2006 미국신장재단 KDOQI에서 제시하는 만성콩팥병 환자의 빈혈 임상 실무 가이드라인에는 EPO 치료에 대한 저반응성의 가장 흔한 원인으로 철분 부족을 들고 있다 . 일부 환자는 EPO 치료를 받는데도 목표 헤모글로빈 수치에 도달하지 못하기도 한다. 에리트로포이에틴 치료에 대한 무반응의 잠재적인 원인은 다음과 같다. 가장 흔한 5가지 일반적인 요인은 감염과 염증, 투석 부족, 만성 혈액 손실, 골 섬유증과 알루미늄 독성이다. 나머지 5가지는 일반적인 요인이 아니어서 위의 첫 다섯 가지 원인이 아닌 경우 고려한다. 이러한 원인으로 이상혈색소증(겸상적혈구 빈혈증 같은), 엽산/비타민 B_{12} 결핍증, 다발성 골수종, 영양실조와 용혈이 있다.

　2007년의 미국신장재단 KDOQI 빈혈 가이드라인에서는 헤모글로빈 수치를 11~12g/dL, 투석을 받지 않는 만성콩팥병 환자와 투석을 받으며 조혈자극제를 투여받는 만성콩팥병 환자에서 13g/dL를 넘지 않도록 권고하고 있다. 헤모글로빈이 KDOQI에서 제시하는 목표범위인 11~12g/dL 수준을 유지하는 것이 에너지/활동성 수준의 증가, 삶의 질 향상, 입원 위험성과 사망률의 감소 등과 관련이 있다. 미국식품의약국(U.S. Food and Drug Administration, FDA)에서는 만성콩팥병 환자의 빈혈치료와 조혈자극제의 사용에 관해 신중한 가이드라인을 제시하고 있다. FDA에서는 권고 변경의 이유로 뇌졸중, 심근경색, 혈전증, 사망 등 심혈관질환을 들고 있다. 새로운 가이드라인은 처음 조혈자극제 치료를 시작할 때 건강관리전문가가 신중하게 평가해야 하고 만성콩팥병 환자의 약용량 관찰에 대한 경고와 제안을 하고 있다. FDA는 현재 수혈의 필요성을 최소화하기 위해 조혈자극제의 최소용량을 사용할 것을 권고하고 있다.

| 투석을 받지 않는 만성콩팥병 환자의 빈혈에 대한 권고

- 헤모글로빈 수치가 10g/dL 미만일 경우, 대안치료를 고려할 때 조혈자극제를 투여한다.
- 헤모글로빈 수치가 10g/dL 이상이면 조혈자극제 용량을 감소시키거나 중단한다.

| 투석을 받는 만성콩팥병 환자의 빈혈에 대한 권고

- 헤모글로빈 수치가 10g/dL 미만이면 조혈자극제 치료를 시작한다.
- 헤모글로빈 수치가 11g/dL에 근접하거나 초과하면 조혈자극제 용량을 감소시키거나 중단한다(U. S. Food and Drug Administration, 2011).

| 에리트로포이에틴의 합병증

에리트로포이에틴(EPO)의 주된 합병증은 적혈구의 증가로 인해 이차적으로 혈액의 점성을 증가시켜 혈압이 상승하는 것이다. 고혈압은 치료 시작 후 헤마토크릿이 증가하는 첫 12주 안에 잘 발생하는데, 항고혈압 약물을 투여하고 투석으로 수분량을 제거하여 치료한다. 혈압이 면밀히 관찰되고 조절되어야 한다.

헤마토크릿이 상승할 때, 적혈구가 독성물질(예: 크레아티닌, 칼륨)을 방출하지 않기 때문에 투석의 효율이 다소 떨어진다. 투석기를 통과 시 빠르게 독소를 제거할 수 없기 때문에 에리트로포이에틴 치료를 받는 환자의 혈액 검사 결과의 모니터링은 중요하며, 투석처방 조정이 필요할 수도 있다.

| 수혈의 필요성

혈액투석 환자가 일반적으로 수혈을 받아야 하는 것은 아니다. 만약 투석기의 혈액누출이나 출혈로 혈액 손실이 크다면 수혈이 필요할 수 있다. 환자가 호흡이 가쁘거나 과도한 피로나 협심증을 가진 경우라면 수혈로 증상이 호전될 수 있다. 일반적으로 빈혈을 조절하기 위해 에리트로포이에틴의 용량을 증량하는 것은 수혈보다 더 바람직하다.

| 수혈의 부작용

수혈에 의한 일반적인 부작용은 다음과 같다.

- 혈액형 불일치로 인한 부적합성 반응이 일어날 수 있다. 가슴이나 허리 통증, 오한, 열 등이 수혈 시작 후 바로 나타난다. 이러한 증상이 나타나면, 수혈을 즉시 중단해야 한다. 용혈의 증거를 찾고, 혈액형과 적합도검사를 다시 확인하기 위해 환자에게서 채혈을 실시한다. 오한이나 열은 증상완화 치료를 한다. 증상이 심하면 정맥주사로 스테로이드를 투여할 수 있다.
- 헌혈자 혈액 내의 백혈구, 혈소판, 단백질로부터 알레르기 반응이 일어날 수 있다. 수혈을 시작하고 30~60분 후에 오한이나 열, 피부 발진 등의 증상이 나타날 수 있다. 이것은 주입속도를 늦춤으로써 치료한다. 증상이 심할 경우 Diphenhydramine (Benadryl)과 같은 항히스타민제를 20~50mg이나 스테로이드를 정맥주사할 수 있다.
- A, B, C형 간염; CMV; EBV; 또는 HIV 등이 혈액을 통해 감염될 수 있다. 수혈을 하고 1~4개월 후부터 증상이 나타난다.
- 미약한 부적합반응이나 알레르기 반응은 항체 형성의 원인이 된다. 이것은 실제로 신장이식을 계획 중인 환자에게는 매우 중요하다. 신장이식 시 조직적합도가 떨어질 확률이 높아지기 때문이다.
- 철분 축적은 장기 손상의 원인이 된다.
- 고칼륨혈증은 기존 세포의 흡수 여부나 용혈된 적혈구에서 방출된 칼륨이 원인이 된다.

| 빈혈을 최소화하기 위한 방법

만성콩팥병 빈혈의 가장 주요 원인은 철분 결핍이다. 만약 에리트로포이에틴을 시작하기 전에 환자의 저장철분이 낮다면 철분 섭취가 필수적이다. 저장철분과 에리트로포이에틴의 효과를 높이기 위해 철분 투약은 대부분의 환자에게 필요하다. 철분제의 경구 투약은 적절하지 않을 수 있다. 위장관계 문제, 오심, 구토, 가스팽만이나 식욕부진 등을 유발한다. 아이언 덱스트란(iron dextraniron dextran)과 같은 철분제제는 정맥주사로 투여되는데 저장철분량에 따라 조절한다. 에리트로포이에틴을 투여하는 환자의 경우, 철분이 적혈구 생산에 빠르게 사용되기 때문에 철분 결핍이 대부분 발생한다. 에리트로포이에틴 사용 환자는 비경구적으로 소량의 철분을 투여하는 것이 좋으며, 적혈구 생산에 중요한 역할을 하는 엽산과 비타민 B_{12}가 수용성이어서 투석으로 제거되기 때문에 일반적으로 보충을 한다. 양질의 단백질 섭취 또한 중요하다.

| 에리트로포이에틴 투여시기

에리트로포이에틴은 투석하는 동안에 적혈구 생산을 자극하기 위해 혈관으로 투여된다. 투석 전 헤마토크릿 수치는 빈혈을 모니터링하고 에리트로포이에틴 사용을 결정하는 데 사용된다. 투석실마다 문서화된 프로토콜에 따라 운영되는데, 에리트로포이에틴 사용량은 헤마토크릿, 헤모글로빈, 환자의 주관적 증상에 따라 결정된다. 에리트로포이에틴이 효과를 나타내기 위해서는 저장철(ferritin) [KDOQI 가이드라인에 의하면 혈액투석 환자의 경우 혈청 페리틴(serum ferritin)이 200~500ng/mL를 유지하도록 권고하고 있다]과 엽산이 필요하다. 일반적으로 에리트로포이에틴은 투석치료 시 정맥라인으로 주입하나, KDOQI는 피하주사 방법이 정맥주사보다 더 효과적이라고 제안하고 있다. The Anemia Work Group은 에리트로포이에틴의 피하주사를 더 추천한다. 피하주사로 투여할 때, 주사부위는 번갈아 사용해야 한다. 대부분의 투석 환자는 피하주사로 맞을 경우 불편감을 호소하기 때문에 정맥주사를 더 선호한다.

| 철분제 치료

철분제 치료 여부는 다음 2가지 요소를 통해 결정된다. 첫째로, 혈청 철분 수치를 총철결합능력(Total Iron Binding Capacity, TIBC)으로 나누고 100을 곱하여 계산된 철포화도(Transferrin Saturation, TSAT)를 구하여 조혈제에 사용되는 철분의 양을 계산한다(미국신장재단에서 발표한 KDOQI 가이드라인에 의하면 최적의 철포화도는 20% 이상이고, 20%보다 낮으면 절대적인 철 결핍을, 50%보다 높으면 철분과다의 위험을 의미한다).

| 철분제 투여

철분제는 경구, 정맥으로 동시에 투여하거나 따로 할 수 있다. 경구 철분제는 인결합제와 함께 복용할 경우 효과가 경감된다. 경구 철분제가 처방되면 환자는 위장관장애를 피하기 위해 약물을 항상 식사 중 복용해야 한다. 조혈작용을 위한 적절한 저장철 유지를 위해 경구 빈혈약과 정맥주사를 간격을 두고 투여하기도 하며, 정맥주사를 통한 철분은 투석 시 투여된다. 투여용량은 환자의 혈액검사수치를 고려하고 철분약제의 성분에 따라 결정한다. 만약 철포화도가 30%이거나 그보다 낮고, 혈청 페리틴이 500ng/dL이거나 보다 낮으면(KDIGO, 2012), 철분제를 정맥으로 투여하도록 권고하고 있다. 아이언 덱스트란(Iron dextran; infed)은 새로운 철분 생산물[Ferrlecit (sodium ferric gluconate)과 베노퍼(Venofer) (iron sucrose ingection)]이 유용해지기 전까지 가장 일반적으로 사용되어 왔다. 새로운 형태의 정맥용 철분제는 이전에 사용되던 정맥용 철분제제에 비해 아낙필락시스 발생률을 낮추었다. 다른 철분제는 사전검사 용량 사용이 필요 없으나, 아이언 덱스트란(Iron dextran)은 사용 전 검사 용량을 사용해 보도록 권고하고 있다. 정맥용 철분제 투여 시 저혈압(일반적으로 복용 횟수와 관련된), 근육경련, 오심, 두통, 과민 반응에 이르기까지 다양한 부작용이 발생한다. 정맥용 철분제는 항상 제조사의 사용설명서에 따라서 투여해야 한다.

| 과량의 철분제 투여

철분 축적이나 혈색소과다증은 반복되는 수혈, 과도한 철분 섭취나 약물복용, 철분 부족이 원인이 아닌 빈혈에 대한 철분제 사용, 또는 유전적 질환으로 인해 철분 과다가 나타나는 환자에게 발생한다. 이 경우 오심과 구토, 설사, 간효소 수치가 상승할 수 있다.

항고혈압제 | Antihypertensives

| 고혈압

혈압이 140/90mmHg보다 높은 것을 1단계 고혈압이라고 한다. 고혈압은 만성콩팥병 환자에서 흔히 나타나며, 다른 질병으로 인해 나타나기도 한다. 고혈압은 체액량 과다와 레닌 분비 증가, 요독소, 염분 섭취와 이차적인 부갑상샘기능항진증으로 인해 발생할 수 있다. 고혈압은 좌심실 비대의 원인으로 다른 심장 합병증을 발생시킨다. 만성콩팥병과 관련된 고혈압을 조절하기 위해 비약물학적 치료방법과 약물학적 치료방법이 모두 시도되어야 한다. 다양한 항고혈압 약물이 환자를 치료하는 데 처방된다. 흔히 고혈압 치료를 위해 두가지 이상의 항고혈압제를 사용하기도 한다.

The National Heart, Lung, and Blood Institute에서는 고혈압을 1단계와 2단계, 두 단계로 분류하였다(표 17-2).

항고혈압제는 약물작용이 다르기 때문에 다른 카테고리로 나뉜다. 대부분의 항고혈압제는 고혈압 조절을 위해 사용되지만, 그들 중 일부 약물은 심부전, 협심증, 심부정맥의 치료로도 사용되며, 투석을 받지 않는 만성콩팥병 환자의 질병과정을 지연시키기 위해서도 사용된다. 항고혈압 약물은 저혈압, 고칼륨혈증, 크레아티닌 수치를 상승시키는 부작용이 있기 때문에 주기적인 모니터링이 필요하다.

| 만성콩팥병 환자에서 항고혈압 치료목표

고혈압은 만성콩팥병 환자에서 흔하게 나타나며 심혈관질환을 악화시키고 콩팥손상을 가속화시킨다. KDOQI에서는 고혈압 유무와 관계없이 항고혈압 약물을 사용하여 혈압을 낮추고, 심혈관질환의 위험성을 감소시켜 콩팥손상 진행을 늦추도록 권고하고 있다.

| 항고혈압 약물의 종류

안지오텐신 전환효소 억제제(Angiotensin-Converting Enzyme Inhibitors)

안지오텐신 전환효소 억제제(ACE inhibitors)는 체내에서 안지오텐신 1이 2로 전환되는 것을 막는다. 안지오텐신 2는 혈관을 좁혀 혈관 수축을 일으키는 물질로 혈관이 이완될 때 혈압은 낮아진다. 안지오텐신 전환효

표 17-2 성인에서 고혈압의 분류*(mm/Hg)

분류		수축기(상한선)	이완기(하한선)
정상		120 미만	80 미만
전고혈압		120~139	80~89
고혈압	1단계	140~159	90~99
	2단계	160 또는 그 이상	100 또는 그 이상

수축기와 이완기 혈압이 각각 다른 단계에 속할 경우 위 단계의 고혈압으로 정의한다. 예를 들어 160/80mmHg일 경우 2단계 고혈압에 속한다. 예외사항으로 당뇨와 만성콩팥병을 가진 환자의 경우 130/80mmHg 이상일 경우 고혈압으로 간주한다.
*18세 이상, 혈압약을 복용하지 않는 경우, 단기간 심각한 질병이 없는 경우, 당뇨나 신장질환이 없는 경우
(출처: the National Heart, Lung, and Blood Institute: Diseases and conditions index, high blood pressure (website). Retrieved from: www.nhlbi.nih.gov/health/dci/Diseases/Hbp/HBP_WhatIs.html.)

소 억제제는 체내염분의 양을 낮추어 혈압을 낮추는 데 도움을 준다. 또한 콩팥을 보호하는 효과가 있어 중정도의 콩팥질환의 진행을 막는 것으로 알려졌다.

안지오텐신 전환효소 억제제는 지속적인 마른 기침, 혈중 크레아티닌 상승, 발적, 칼륨 수치 상승, 혈관부종 등의 부작용의 원인이 된다. 안지오텐신 전환효소 억제제로는 quinapril (Accupril), ramipril (Altace), captopril (Capoten), benazepril (Lotensin), trandolapril (Monopril), lisinopril (Prinivil and Zestril), enalapril (Vasotec)이 있다.

안지오텐신 수용체 차단제(Angiotensin Receptor Blockers)

안지오텐신 수용체 차단제(ARBs)는 안지오텐신 전환효소 억제제의 대체약물이다. 안지오텐신 수용체 차단제는 혈관 수축을 일으키는 안지오텐신 2 효소를 차단한다. 안지오텐신 수용체 차단제는 안지오텐신 전환효소 억제제만큼 효과가 있으면서 안지오텐신 전환효소 억제제에 의한 지속적인 마른기침을 유발하지 않는다. 이 약물에 의해 발생 가능한 부작용으로는 두통, 혈관 부종, 기립성 저혈압, 고칼륨혈증이 있다. 안지오텐신 수용체 차단제에는 losartan (Cozaar), valsartan (Diovan), irbesartan (Avapro), eprosartan (Teveten), candesartan (Atacand)이 있다.

베타차단제(Beta-Blockers)

베타차단제는 심장의 신경자극을 느리게 한다. 배타차단제를 투여하게 되면, 심장은 혈액과 산소요구량이 감소하고. 심장의 부하를 덜어 주어 혈압이 내려간다. 느린맥, 피로감, 손발에 땀이 차고 차가워지는 것, 허약감, 어지러움, 입마름, 천명음, 손발의 부종 등은 베타차단제의 사용으로 인해 발생할 수 있는 부작용이다.

베타차단제에는 carvedilol (Coreg), nadolol (Corgard), propranolol (Inderal), metoprolol (Lopressor, Toprol-XL), acebutolol (Sectral), atenolol (Tenormin), pindolol (Visken)이 있다.

칼슘통로 차단제(Calcium Channel Blockers)

칼슘통로 차단제는 심근과 혈관벽 안으로 유입되는 칼슘의 속도를 감소시킨다. 이로 인해 혈관이 이완되고 혈류흐름이 원활해져 혈압이 낮아진다. 칼슘차단제의 부작용은 두통, 하지와 발목 부종, 피로감, 예민증, 느린맥, 위장장애 등이 있다. 칼슘차단제로는 amlodipine (Norvasc), diltiazem (Cardizem, Cardizem CD, Cardizem SR, Dilacor XR, Tiamate, Tiazac), felodipine (Plendil), nifedipine(Procardia), verapamil (Calan SR, Covera-HS, Isoptin SR)이 있다.

이뇨제(Diuretics)

이뇨제는 고혈압 치료의 가장 우선적으로 사용되는 약물로 고혈압을 조절하는 최소한 두 가지 약물 중 하나로 권고된다. 이뇨제는 수분의 재흡수를 제한하고 이뇨를 활성화시키며, 몸속의 과다한 염분과 수분을 제거한다. 체내 수분이 감소하면서 혈압을 낮춘다. 이뇨제는 종류에 따라 콩팥의 여러 영역에서 작용한다.

부작용으로는 빈뇨, 허약감, 갈증, 혈중 전해질(칼륨, 나트륨, 마그네슘) 감소가 있다. 이뇨제 중 thiazide 이뇨제에는 hydrochlorothiazide (Hydrodiuril), chlorothiazide (Diuril)가 있으며, potassium-sparing 이뇨제에는 spironolactone (Aldactone), 루프 이뇨제로 furosemide (Lasix)와 ethacrynic acid (Edecrin), 그리고 기타 chlorthalidone (Hygroton, Thalitone)과 bumetanide (Bumex)가 있다. 토리여과율이 $30mL/min/1.73m^2$ 이하로 감소하면, 일반적으로 thiazide 이뇨제에서 루프 이뇨제로 전환한다. 이뇨제는 무뇨 환자(소변배출량이 없는 환자)에게는 처방하지 않는데, 잔여 콩팥기능이 남아 있지 않다면 효과가 없기 때문이다(Sinha & Agarwal, 2018).

| 혈압을 상승시키는 약물

미도드린(Midodrine)은 저혈압 치료에 쓰이는 약으로 혈액투석 시 나타나는 저혈압 환자에게 유용하다. 혈액투석 시작 전 15~30분 전에 투여하고 투석 중에도 필요시 투여할 수 있다(Reilly, 2014). 고혈압이 나타나는지 모니터링하며, 미도드린은 투석으로 제거될 뿐 아니라 콩팥에서 배설된다.

양이온 교환수지 Cation Exchange Resin

| 고칼륨혈증의 치료 약물

Sodium polystyrene sulfonate (Kayexalate)가 고칼륨혈증의 치료에 사용된다. Kayexalate는 대장에서 칼륨 이온을 나트륨 이온으로 대치하는 양이온 교환수지이다. 이것은 수 시간에서 수일 동안 혈중 칼륨을 교환시키거나 낮게 유지시켜 주지만 심각한 고칼륨혈증의 치료에는 효과적이지 않다. Kayexalate는 경구약을 복용하거나 보유(정체)관장을 시행한다. 만성콩팥병 환자의 고칼륨혈증을 치료하기 위해 주기적으로 Kayexalate를 쓴다. 이 약물의 부작용으로는 변비, 설사, 오심, 구토, 저칼륨혈증, 고마그네슘혈증 또는 저칼슘혈증이 나타나는데, 이유는 칼륨에만 선택적이지 않기 때문이다. Kayexalate는 심장부전 환자에게 사용 시 갑자기 나트륨 정체가 나타날 수 있기 때문에 주의하며 사용해야 한다. Patiromer는 또 다른 양이온 교환수지로 급성 또는 만성 고칼륨혈증 환자의 치료에 사용된다. Patiromer는 구강으로 하루 한 번 투약되며 나트륨을 포함되어 있지 않다. 저마그네슘혈증은 발생 가능한 투약부작용이며, 혈액 수치는 정기적으로 체크해야 하며 마그네슘 보충제를 처방해야 한다.

투석 중 비경구적 영양 Intradialytic Parenteral Nutrition

투석 중 비경구적 영양공급으로 저알부민혈증 환자를 위한 영양성분을 공급하며 아미노산, 지질, 데스트로스 유액이 있다. 이에 대한 설명은 제14장에서 자세히 다룬다.

인결합제 Phosphate Binder

칼슘과 인 대사장애는 만성콩팥병 진행 시 흔하게 발생하며, 투석치료가 요구되기 전 단계에서도 나타난다. 신부전이 진행되면서 인을 배설하는 능력이 감소한다. 인은 체액에 축적되고 혈중 칼슘을 감소시킨다. 체내 칼슘의 농도를 정상화시키기 위해 부갑상샘호르몬(PTH) 분비가 증가한다. 부갑상샘호르몬은 뼈로부터 칼슘을 유리시키고 그 결과 뼈조직의 밀도와 강도가 감소하게 된다. 또한, 활성형 비타민 D는 콩팥에서 분비되며 정상적인 뼈의 대사에 관여하는데, 만성콩팥병 환자의 경우 분비가 감소한다. 투석치료로는 칼슘-인 대사를 교정하지 못하며, 대부분의 만성콩팥병 환자에게 뼈형성장애는 심각한 문제가 된다(표 17-3). 만성콩팥병 3기에 해당하는 환자는 전해질과 뼈에 생기는 문제에 대해 주의깊게 관찰해야 한다(Uhlig et al., 2010).

표 17-3 말기신장질환 환자에게 사용되는 약물과 영양보충제

인결합제(Phosphate binders)
• 식품에 포함된 인의 흡수를 막기위해 식사 또는 간식과 함께 섭취한다.

Calcium carbonate	TUMS, Oscal
Calcium acetate	PhosLo, Phoslyra
Mg/Ca^{++} carbonate	MagneBind
Sevelamer hydrochloride	Renagel
Sevelamer carbonate	Renvela
Lanthanum carbonate	Fosrenol
Ferric citrate	Auryxia
Sucroferric oxyhydorxide	Velphoro
Aluminum hydroxide	AlternaGEL

비타민(Vitamins)

• 투석 동안의 손실을 고려하여 수용성 비타민의 용량을 늘려야 한다.
• 지용성 비타민인 비타민 A, K는 보충하지 않는다.
• 비타민 E의 보충이 필요할 수도 있다.

투석 권고사항

Vitamin C	60mg (하루에 200 mg을 초과하지 말 것)
Folic acid	1mg
Thiamin	1.5mg
Riboflavin	1.7mg
Niacin	20mg
Vitamin B_6	10mg
Vitamin B_{12}	6mcg
Pantothenic acid	10mg
Biotin	0.3mg

Nephrocap, NephroVite 등의 제품이 있다. 일반의약품으로는 비타민 B 복합제도 가능하다.

조혈자극제(Erythropoiesis-Stimulating Agents, ESA)
• 적혈구 생성을 위해 골수를 자극한다.

IV 혹은 IM	Epoietin alfa (Epogen), darbopoetin alfa (Aranesp)

Iron
• 조혈자극제 치료로 인해 철 요구량은 증가한다.

IV만 사용	Iron dextran (InFed), sodium ferric gluconate (Ferrlecit), iron sucrose (Venofer), ferric carboxymaltose (injectafer), ferumoxytol (Feraheme)

활성 비타민D(Activated Vitamin D)
• 부갑상샘 기능항진증의 관리를 위해 사용된다.

경구투여 혹은 IV	Calcitriol (Rocaltrol/Calcijex), doxercalciferol (Hectorol), paracalcitol (Zemplar)

칼슘유사체(Calcimimetics)
• 칼슘 유사체로 부갑상샘에 결합한다.

경구투여	Cinacalcet (Sensipar)

칼슘보충제(Calcium Supplements)

경구투여	TUMS, Oscal, CalciChew

(계속)

인보충제(Phosphorus Supplements)	
• 나트륨 또는 칼륨 혹은 둘 다를 포함하고 있을 수 있다.	
경구투여	KPhos Neutral, NeutraPhos, NeutraPhosK

양이온교환수지(Cation Exchange Resin)	
• 고칼륨혈증을 치료하기 위해 사용된다.	
경구투여 혹은 직장투여	Sodium polystyrene sulfonate (kayexalate)

Ca^{++},Calcium; EPO, epoetin; IM, intramuscular; IV, intravenous; OTC, over-the-counter; PO, oral; SPS, sodium polystyrene sulfonate.

출처: Fiona Wolf, RD, and Thomas Montemayor, RPh, Northwest Kidney Centers, Seattle, WA, 2010.

| 경구용 칼슘제의 인결합제 기능

식후 즉시 복용하는 칼슘(일반적으로 탄산칼슘)은 위에서 인과 결합하여 대변으로 배설시키기 때문에 혈중 인의 상승을 억제한다. 이것은 칼슘×인 조절에 도움이 된다. 반면 식사 후 시간이 많이 경과하였거나 공복상태에서 칼슘을 복용하면 고칼슘혈증이 유발된다. 고인혈증과 저칼슘혈증이 교정되지 않으면 부갑상샘 호르몬이 분비되고 뼈에서 칼슘이 유리된다.

▎인결합제의 섭취 HOW ARE PHOSPHATE BINDERS TAKEN?

인결합제는 단백질이 함유된 식사나 간식을 먹을 때는 복용한다. 경구용 철분제나 항생제 사용 시 약효를 방해하는 인결합제를 함께 사용하지 않는다. 인결합제는 규칙적으로 복용하는 것이 중요하며, 인결합제의 처방을 지키지 않는 가장 중요한 원인은 말기신장질환 환자가 복용하는 약물이 많기 때문이다. 인결합제는 식사 직후 섭취해야 하고 알약이 크기 때문에 복용이 어렵다. 몇몇 인결합제는 분필 맛이 나며 변비가 생기기도 하기 때문에 처방된 약물의 투약 이행도가 낮은 원인이 되기도 한다.

| 다른 형태의 인결합제

혈중 인을 조절하기 위한 다양한 인결합제가 사용된다. 알루미늄 성분의 인결합제(aluminum hydroxide [Alu-Cap])는 만성콩팥병 환자에게 사용된 최초의 약물로 인결합능력이 높기 때문에 혈중 인 수치를 낮게 유지하는 데 매우 효과적이나 혈중 알루미늄 수치를 높여 독성의 원인이 되므로 거의 사용하지 않는다. Calcium acetate (PhosLo, Phosex), calcium carbonate (Titralac, Calci-Chew) 등 칼슘결합제는 저칼슘혈증 환자에게 칼슘을 공급하고 혈중 인을 감소시키는 두 가지 역할을 한다. 이 경우 고칼슘혈증이 되지 않도록 매달 검사결과에 따라 사용한다.

최근 사용되는 인결합제인 sevelamer hydrochloride (Renagel)는 칼슘과 알루미늄 성분이 함유되어 있지 않다. 위장관에서 작용하며, 음식물로부터 양이온인 하이드로겔(hydrogel)과 음이온인 인산염(phosphate)과 결합을 한다. 이러한 복합체는 위장관을 통과해 대변으로 배설된다.

칼슘을 함유하고 있지 않기 때문에 칼슘×인을 적정한 수치로 유지하며 인 조절을 하며, 매 식사와 함께 복용해야 한다.

비타민과 비타민 유도체 VITAMINS AND VITAMIN ANALOGS

비타민 D 유도체 (Vitamin D Analog)와 1,25-Dihydroxyvitamin D_3의 적응증

칼시트리올(calcitriol)은 투석 환자의 저칼슘혈증 치료와 2차성 부갑상샘기능항진증을 조절하는 활성 비타민 D_3이다. 칼슘을 증가시키고 이차적 부갑상샘호르몬 수치를 감소시켜 콩팥뼈형성장애 예방에 도움이 된다.

칼시트리올의 투여

칼시트리올(Calcitriol)은 혈액투석 치료 시 정맥으로 주입되며(Calcijex), 경구약으로는 로칼트롤(Rocaltrol)이 사용된다.

칼시트리올 치료의 부작용

칼시트리올의 치료로 고칼슘혈증이 나타날 수 있다. 일반적으로 고칼슘혈증의 결과로 혈관과 연조직(눈, 피부, 심장)에 칼슘침착(석회화)가 나타날 수 있어 혈중 칼슘과 인은 반드시 정기적으로 모니터링 해야 한다.

　고칼슘혈증을 예방하는 것인 중요하며 증상이 있는 경우 재평가되어야 한다. 혈중 칼슘 농도가 9.5~11.4mg/dL인 경우 사망률을 높이는 위험도가 상대적으로 증가한다. 특정 시점에서 시행되는 혈액검사 수치보다는 의사는 약물치료에 대한 반응의 추이를 관찰하여 약물의 용량과 약물중단을 결정하게 된다.

파리칼시톨 주사

파리칼시톨(Paricalcitol, Zemplar)은 2차성 부갑상샘기능항진증의 치료제로, 합성 비타민 D 제제(synthetic vitamin D analog)이다. 파리칼시톨은 만성콩팥병 환자에게 경구 또는 정맥으로 투여하며, 칼슘과 인의 최소한 영향을 주면서 부갑상샘호르몬 분비를 감소시킨다. 이 경우 칼슘×인의 값이 증가하는지 지속적으로 모니터링해야 한다. 고칼슘혈증은 디지털리스 독성을 유발할 수 있다. 따라서 디지털리스를 사용하는 환자의 임상검사를 관찰해야 한다. 파리칼시톨은 비타민 D 독성이 있는 환자나 고칼슘혈증 환자에게 사용하지 않는다. 이 약물은 2차성 부갑상샘기능항진증의 효과적 치료방법이다.

덱서칼시페롤

덱서칼시페롤(Doxercalciferol, Hectrol)은 합성 비타민 D 제제로 부갑상샘호르몬을 억제하고 2차적 부갑상샘기능항진증을 조절한다. 덱서칼시페롤은 정맥주사나 경구로 사용되며, 부작용으로 고칼슘혈증, 고인혈증, 부갑상샘의 과잉억제 등이 있다. 용량은 혈중 칼슘과 인을 관찰하면서 부갑상샘호르몬 수치를 기초로 조절한다.

칼시미멘틱

칼시미멘틱(Calcimimentic)은 혈중 인과 칼슘뿐 아니라 부갑상샘호르몬을 감소시키는 약물계열이다. 칼시미멘틱은 세포외액의 칼슘에 부갑상샘 세포막의 칼슘수용체가 민감하게 반응하도록 하여 부갑상샘호르몬 분비를 억제한다. 혈중 칼슘, 인, 부갑상샘호르몬 수치는 신중하게 모니터하면서 저리거나 콕콕 찌르는 감각, 입 주변 감각 둔화, 초조, 근육수축, 간질, 저혈압, 느린맥 등의 저칼슘혈증 증상이 나타날 수 있다. 센시파

[Sensipar(cinacalcet)]는 알약으로 매일 투여되며 파사비프[Parsabiv(etelcalcetide)]는 혈액투석치료 중 정맥으로 투여할 수 있다.

| 데스페랄

데스페랄(Deferoxamine mesylate, Desferal)은 혈중의 과도한 금속성 물질을 제거하는 데 사용되는 킬레이트 약물이다. 데스페랄은 체내에 과잉축적된 철을 제거하는 데 사용한다. 디페록사민(deferoxamine)은 투석 환자에게 알루미늄 킬레이트 약제로 사용되어 왔으며, 조직으로부터 알루미늄을 제거한 후 투석치료로 제거되거나 특수한 카트리지에 흡착되어 제거된다. 디페록사민의 용량은 환자의 체중에 따라 다르게 처방된다. 디페록사민은 투석 시 주 3회, 투석치료 남은 2시간 동안 생리식염수 200mL에 혼합하여 투여된다. 디페록사민은 정맥내 철분을 주입한 후 2주간은 사용하지 않는다. 디페록사민은 고용량으로 장기간 투여 시 시력과 청력의 기능상실이 유발될 수 있다. 홍조, 담마진, 저혈압, 빠른맥, 쇼크 등이 정맥투여 시 발생할 수 있으므로 투약하는 동안 환자를 주의 깊게 관찰해야 한다.

CHAPTER 18

Acute Kidney Injury and Dialysis
급성신장손상과 투석

급성신장손상(Acute Kidney Injury, AKI)은 기존에 급성신부전(Acute Renal Failure, ARF)이라 부르던 질병의 최신 명칭이다. 이러한 신용어는 콩팥의 급성기 손상과정을 더욱 명확하게 설명해 준다. 신기능 손상의 분류법으로 알려진 RIFLE는 다음과 같다. 신기능 손상의 위험(risk of renal dysfunction), 신장손상(injury to the kidney), 신기능 부전(failure of kidney function), 신기능 손실(loss of function), 말기신장질환(End-Stage Renal Disease, ESRD)(표 18-1). 투석은 급성신장손상의 치료방법 중 하나이다. 투석의 일반적인 적응증은 요소혈증(uremia), 고칼륨혈증(hyperkalemia), 산증(acidosis), 수분과다(fluid overload), 약물중독(drug overdose)이다.

급성신장손상

급성신장손상이란 갑작스러운 콩팥기능 저하를 말한다. 일반적으로 조기진단되어 치료를 받으면 회복 가능한 질병이다. 급성신장손상의 증상과 징후는 핍뇨, 즉 소변배출량이 400mL/day 미만(oliguria), 또는 성인의 경우 20mL/hr 미만일 때 나타나며 임상증상으로 혈중요소질소(BUN)와 크레아티닌의 증가, 고칼륨혈증, 산혈증 등이 동반된다.

급성신장손상의 유형

급성신장손상은 신전성(prerenal), 신성(intrarenal), 신후성(postrenal)의 3가지 분류로 나눈다(상자 18-1)(제4장 참조). 이는 설명하기에 쉽도록 구분한 것으로 어떤 질병은 이 세 시기가 모두 나타나기도 한다. 예를 들어 전신성 및 신후성 손상의 원인이 장기화되면 신성 손상을 일으킨다. 그러므로 만성콩팥병이 진행 중인 환자의 경우 급성신장손상의 진행을 예측할 수 있다.

신전성(prerenal)
급성신장손상 중 70%는 신전성 신장부전의 원인으로 일어난다. 신전성 원인으로 콩팥으로 유입되는 혈류감소를 들 수 있다. 울혈성 심부전, 순환혈액량 감소, 패혈증, 심근경색증, 만성 저혈압, 콩팥동맥이나 콩팥정맥의 혈관장애 등이 원인이 된다.

표 18-1 위험(risk), 손상(injury), 부전(failure), 상실(loss), 말기신장질환(endstage renal disease) 분류(RIFLE classification)

분류	토리여과율(GRF) 기준	소변량 기준
위험(Risk)	혈청 크레아티닌 × 1.5(GFR 감소 > 25%)	< 0.5mL/kg/h × 6hr
손상(Injury)	혈청 크레아티닌 × 2(GFR 감소 > 50%)	<0.5mL/kg/h × 12hr
부전(Failure)	혈청 크레아티닌 × 3(GFR 감소 > 75%)	<0.5mL/kg/h × 24hr or anuria × 12hr
상실(Loss)	지속적 급성신부전 = 신기능 완전한 상실 신대체요법 치료 필요 > 4주	
말기신장질환 (End-stage renal disease)	말기신장질환으로 투석치료 필요 > 3개월	

전통적인 단위로 표현된 크레아틴을 SI 단위로 변환하려면 88.4를 곱한다. RIFLE class는 토리여과율 기준 또는 소변량 기준에 의해 분류. 토리여과율의 분류는 혈청 크레아티닌 수치의 증가로 계산됨.
출처: Cameron JL, Cameron AMN; Current surgical therapy; multiple organ dysfunction and failure, ed. 12, philadilphia, 2017, Elsevier.

상자 18-1 급성신장손상의 원인

신전성(감소된 신 관류)
- 저혈량
- 출혈
- 쇼크
- 제3공간의 체액분포(부종, 복수)
- 화상
- 탈수(소화기기계의 체액손실, 이뇨제의 과다사용)
- 감소된 심박출량
- 심인성 쇼크
- 부정맥
- 심장눌림증
- 울혈성 심부전
- 심근경색
- 신혈관의 혈전색전증으로 인한 협착

신성(네프론의 손상)
- 급성 세뇨관 괴사
- 허혈
  - 진행성 전신성 급성신장손상
  - 수혈반응
  - 횡문근융해증(rhabdomyolysis)
- 신독성
  - 진행성 신후성 급성신장손상
  - 항생제(aminoglycosides, carbenicillin, amphotericin B)
  - 조영제
  - 중금속(납, 수은)
  - carbon tetrachloride
  - 살충제, 항진균제
  - 세포독성 약물들(특정 항암제)
  - 용혈성 요독 증상
- 염증반응
  - 급성 토리콩팥염
  - 급성 깔때기콩팥염

신후성(협착)
- 양성 전립성 비대증
- 석회화(결석)
- 요도감염
- 종양
- 협착
  - 방광수축력 변화(약물이나 손상/질병에 의한 신경성 방광증)

출처: Banasik JL; Pathophysiology, ed. 6, St. Louis, 2019, Elsevier.

신성(intrarenal)

급성신장손상 중 25%는 신성 요인에 의해 일어난다. 다양한 원인에 의해 신장 조직, 구조, 기능의 손상이 발생하는 것을 신성 급성신장손상으로 분류한다. 토리나 요세관, 양쪽 모두가 손상되는 경우 콩팥은 정상적이 기능 수행이 어려워진다. 신성 급성신장손상의 가장 흔한 원인은 요세관의 손상을 들 수 있다. 이를 급성요세관괴사(Acute Tubular Necrosis, ATN)라 부르며 심각한 혈류 감소로 허혈상태가 지속되거나 독성물질에 의한 세뇨관의 직접적 손상에 의해 나타난다. 핍뇨성 급성신장손상의 경우 소변량은 20mL/hr가량으로 감소하며, 혈중요소질소(BUN), 혈청 크레아티닌, 인, 칼륨이 상승한다. 비핍뇨성 급성신장손상의 경우, 환자의 수분균형은 유지되나 노폐물 배설에 문제가 발생한다. 평균동맥압(Mean Arterial Pressure, MAP)이 60mmHg 이하로 30분 이상 감소하게 될 경우 허혈성 신손상이 발생할 수 있다. 출혈과다, 수혈 반응, 패혈증, 심혈관계의 허탈, 그리고 심한 외상 등이 허혈성 신손상의 원인이다.

콩팥에 손상을 입히는 물질을 신독성물질이라 한다. 대표적 약물로 항생제나 비스테로이드성 소염제(NSAIDs) 등이 있다. 마취제와 항암제 등도 포함되며 흔히 사용되는 약물도 그 정도의 차이가 있지만 신독성을 가지고 있다. 신우조영술, 심혈관조영술, 컴퓨터 단층촬영(CT)에 사용되는 방사선 조영제 또한 잠재적 신독성이 있다. 또 다른 신독성 물질로는 (적혈구 용혈 시 방출된) 헤모글로빈과 횡문근융해증(rhabdomyolysis) 시 발생하는 미오글로빈(myoglobin)이 있는데, 이는 분쇄상처, 화상, 간질로 인해 생성된다.

신후성(postrenal)

급성신장손상의 원인 중 신후성(postrenal) 원인은 대략 5% 정도 차지한다. 일반적으로 신후성 급성신장손상은 콩팥에서 요관으로 가는 소변 흐름의 장애로 발생한다. 기능적·물리적 원인으로 폐색이 발생한다. 당뇨성 신부전, 비뇨기계를 관장하는 자율신경계에 영향을 미치는 신경절 차단 약제(ganglionic blocking agents) 사용, 척수손상이나 뇌혈관성 질환(CVA)으로 인한 신경성 방광(neurogenic bladder) 등의 기능적 원인이 포함된다. 종양, 결석, 전립샘 비대증, 요도의 협착 등은 물리적 원인이 된다.

| 급성신장손상 환자의 소변 배출량

일부 급성신장손상 환자는 특징적인 소변 배출양상을 보이며, 이를 비핍뇨성 신부전이라 한다. 대부분의 환자는 급성신장손상의 진행 단계에 따라 핍뇨기, 무뇨기, 다뇨기로의 단계를 거친다(표 18-2).

전구기(prodromal phase)

이 시기는 소변배출량이 정상이거나 약간 감소된 증상과 함께 BUN과 크레아티닌이 상승하기 시작한다. 원인으로 신장손상, 독성물질의 섭취, 저혈압 등이 전구기의 지속기간을 결정하게 된다. 이 시기에는 매일의 정확한 체중을 측정하며 섭취량과 배출량을 정확하게 기록해야 한다.

핍뇨기(Oliguric phase)

핍뇨기는 소변배출량 400mL/day 미만으로 정의한다. 핍뇨는 이 시기의 주증상으로 무뇨가 나타나기도 한

표 18-2 급성신장손상 단계

Definition	진행기간	임상양상
전구기(prodromal phase)		
소변량이 정상이거나 감소	손상의 진행단계에 따라 다름	BUN 과 크레아티닌 상승
핍뇨기(Oliguric phase)		
<400 ml/day	10일 - 8주	저혈량증 고칼륨혈증 요독증 대사성 산증
후 핍뇨기(Postoliguric phase)		
1-5L/day	1주-12개월	다뇨증 체액결핍

Modified from Banasik JL; Pathophysiology, ed. 6, St. Louis, 2019, Elsevier.

다. 무뇨는 소변량이 50mL/day 미만으로 정의하며 심각한 손상을 의미한다. 핍뇨/무뇨가 그 이상 지속되면, 정상 소변 배출상태로 회복될 가능성이 줄어든다. 과량의 체액과다가 생길 수 있기 때문에 체액량을 관리하는 것이 필수이다. 환자는 목정맥 확장, 체중 증가, 고혈압 등과 같은 체액량 과다에 대해 모니터링해야 한다. 토리여과율과 요독증상이 심해지는지 관찰해야 한다.

후 핍뇨기(Postoliguric phase)

이 시기에는 소변량이 1L/day가 된다. 콩팥 지표들은 거의 안정화되고 콩팥기능은 서서히 정상으로 돌아오기 시작한다. 24시간 소변량은 계속 증가하여 4~5L에 이른다. 콩팥의 저관류로 이어질 수 있는 탈수를 예방하는 것이 중요하며 정확한 환자상태 평가가 중요하다. 콩팥기능이 정상적으로 돌아올 것이라는 기대감과 함께 검사 수치들은 집중적으로 모니터된다.

이 시기에는 생화학검사 수치들은 안정화되기 시작하며 정상 콩팥기능으로 서서히 돌아온다. 이 기간은 3~6개월 동안 지속되기도 한다. 정상 토리여과율(GFR)로 돌아오며, 경우에 따라 1년이 걸리기도 한다.

| 급성신장손상의 임상 증상

급성신장손상의 임상증상은 빠르게 진행되는 요독증의 모든 증상, 징후, 결과를 포함한다(제5장 참조). 콩팥 손상의 원인과 심각도, 동반되는 질병에 따라 구분된다. 증상은 무기력감, 혼돈, 피로, 식욕부진, 구토, 체중 감소 또는 부종 등이 나타날 수 있다.

| 급성신장손상의 생화학적 변화

손상된 콩팥은 정상적인 신체 대사물질을 배설할 수 없다. 이로 인해 혈청 요소와 크레아티닌이 상승하고, 전해질 수치가 변화한다. 수소 이온 농도 상승은 산혈증의 원인이 되고 pH를 낮게 만든다. 고칼륨혈증 또는 저칼륨혈증, 저칼슘혈증, 고인혈증, 고마그네슘혈증, 그리고 낮은 중탄산염이 나타난다.

| 급성신장손상의 치료

신부전의 원인, 증상의 정도, 환자의 상태 여부에 따라 다양한 치료방법이 선택된다. 혈액투석, 단순 초여과, 복막투석, 지속적 신대체요법(CRRT) 및 활성탄을 사용한 혈액관류(charcoal hemoperfusion) 등이 치료방법으로 선택된다.

| 급성신장손상 환자 사정 시 급성과 만성의 차이

• 기존의 토리여과율과 크레아티닌을 비교한다. 기존에 문제가 없었다면 급성신장손상을 시사하는 것이다.
• 몇 달간의 증상을 평가하기 위해 철저한 과거력을 통해 콩팥기능 저하에 대해 우선적인 병원치료를 제안한다.
• 콩팥의 크기와 상태를 보여 주는 콩팥초음파와 콩팥스캔(scan)을 통해 평가한다.
• 빈혈은 만성콩팥병의 징후이다.
• 만성적인 뼈질환은 만성콩팥병을 시사한다.

| 치료

응급투석의 가장 일반적인 치료는 다음과 같다.

요독증(Uremia)

응급투석은 BUN이나 크레아티닌의 수치와 관계 없이 환자에게 요독증세가 나타나면 시작한다(제5장 참조). 환자에게 요독증 증상이 없거나 경미하여도 BUN이 100mg/dL에 이르게 되면 바로 시작한다.

폐부종(Pulmonary edema)

급성 폐부종은 생명을 위협하는 합병증이며 응급투석이 필요하다. 급성 폐부종은 급성신장손상의 직접적인 영향에 의한 수분 과다가 원인이며, 지나친 수분 공급, 급성 심근경색으로도 발생한다. 또한 폐부종은 낮은 심박출량에 의해서도 발생할 수 있으므로 가능하다면 이러한 수치를 신중히 측정해야 한다.

고칼륨혈증(hyperkalemia)

고칼륨혈증은 칼륨을 배설하는 콩팥의 능력이 손상되고, 세포내액의 칼륨이 방출(산혈증이나 조직의 파괴로 인한)되어 나타난다. 혈장 칼륨의 신속한 제거를 위해 혈액투석을 시행하며, 투석은 칼륨을 낮추는 데 효과적이다. 복막투석은 혈액투석보다는 효과가 느리나 선택적으로 시행할 수 있는 치료방법이다. 고칼륨혈증은 응급상황이며, 혈액투석을 준비하는 동안 포도당과 인슐린 혼합제를 중탄산염과 함께 정맥으로 주입한다. 이로 인해 세포외액의 칼륨이 세포 내로 유입되고, 심장 부정맥을 완화시킬 수 있다. 칼슘 글루코네이트(calcium gluconate)가 심장 불안정 상태를 감소시키기 위해 정맥으로 주입된다. 경구나 관장을 통해 투여되는 양이온 교환수지(Kayexalate)에 의해 서서히 칼륨이 교정되며, 고칼륨혈증의 초기 치료방법으로 사용된다.

산혈증(Acidosis)

대사성 산증은 수소 이온의 배출과 중탄산(bicarbonate)을 흡수하는 콩팥기능이 저하될 때 나타난다. 산혈증은 중탄산의 정맥 주입으로 일시적으로 치료된다. 혈액투석은 수분량 과다의 위험성을 증가시키는 염분의 축적 때문에 시행한다.

신경학적 변화(Neurologic change)

요독의 독성은 중추신경계 변화에 영향을 미친다. 두통, 수면장애, 졸림은 초기에 나타나며 정신착란, 경련, 혼수 등의 증상은 후기에 나타난다. 투석은 이러한 심각한 증상이 나타날 경우 시행하며 그 이전에 시행하는 것이 더 효과적이다.

약물 과다와 중독(Drug overdoses and poisonings)

투석은 일부 약물 중독 치료에 사용된다. 일반적으로 약물은 콩팥으로 배설되나, 저분자량을 가진 수용성 약물은 셀룰로오스 투석막을 통해 빠르게 확산된다. 이러한 약물은 혈액투석으로 빠르게 제거된다. 에탄올, 리튬, 메탄올, 살리실산(salicylate) 등의 약물을 예로 들 수 있다. 반코마이신(vancomycin), 암포테리신 B(amphotericin B)와 같은 고분자 수용성 약물은 셀룰로오스막을 통해 서서히 확산되나 잘 제거되지 않는다. 그러나 단백질 결합물질(예: digoxin, acetylsalicylic acid) 또는 지용성 물질(예: glutethimide)의 제거에는 적합하지 않다. 이 두 물질에 중독된 경우 활성탄 카트리지(charcoal cartridge)나 혈장막 필터(plasma membrane filter)를 사용하여 혈액관류(hemoperfusion)를 시행하여 제거한다.

복합장기부전(multiple organ failure)

복합장기부전을 동반한 급성신장손상의 유병률이 증가되었다. 검사를 통해 신체기능부전을 동반한 급성신장손상의 증가 정도를 알 수 있다.

응급투석 시 혈관 접근방법

응급투석의 혈관접근을 위한 방법으로 두 개의 내강으로 이루어진 이중내강 정맥카테터(double-lumen venous catheter)가 사용된다. 이중내강 카테터는 빗장밑정맥(subclavian), 속목정맥(internal jugular), 넙다리정맥(femoral) 등에 위치한다. 빗장밑정맥이나 속목정맥에 카테터가 위치하게 되면 X-ray 검사를 통해 정확한 위치를 판단한 후 사용해야 하며 기흉(pneumothorax)이나 혈흉(hemothorax)이 있는지를 검사해야 한다(제12장 참조). 다수의 환자가 오랜 시간 동안 급성기에 머물러 있기 때문에 패혈증을 예방하기 위해 터널형 카테터가 요구되기도 한다(제12장 참조).

응급투석에 동정맥루나 이식혈관이 사용될 수 있는가?

동정맥루(AV fistula)나 이식혈관을 가지고 있는 환자가 응급투석이 필요한 경우, 개방성 검사 후에 사용될 수 있다(제12장 참조).

환자는 얼마나 자주 투석을 받아야 하는가?

투석횟수는 환자의 투석 반응에 따라 결정한다. 환자는 처음 며칠 동안은 매일 투석을 받게 되며 이는 혈중요소질소, 크레아티닌, 칼륨, 산혈증이 안정적으로 교정될 때까지 시행한다. 매일 시행하는 투석은 수분과다일 때와 환자가 비경구적 영양을 공급받고 있을 때 필요하다.

급성신장손상에서 나타날 수 있는 합병증

심장 및 폐(Cardiac and Pulmonary)
울혈성 심부전이 흔히 발생하는데 고혈압, 수분과다, 빈혈이 흔한 원인이다. 폐부종과 호흡부전이 급성신장손상에서 흔히 나타난다. 심박출량, 중심정맥압, 매일의 체중 측정, 섭취 및 배설량, 활력징후, 산소포화도, 크릿-라인(Crit-Line) 사용의 모니터링이 필수적이다.

고혈압(Hypertensio)
투석으로 수분을 제거하여 고혈압을 교정한다. 항고혈압제가 필요한 경우도 있다.

저혈압(Hypotension)
저혈압은 혈액 손실, 엄격한 수분 제한, 패혈증, 심근경색증 또는 심내막염 등으로 발생한다. 콩팥의 추가 손상을 예방하기 위해 저혈압의 원인은 교정되어야 하며, 적정한 콩팥관류 유지가 중요하다. 경우에 따라 도파민과 같은 혈관수축제의 사용이 필요하다.

빈혈(Anemia)
급성신장손상에서 에리트로포이에틴 분비가 감소한다. 일반적으로 재조합 에리트로포이에틴이나 에포틴(EPO)의 반응은 3~4주 정도 걸린다. 그러므로 빈혈이 즉각적으로 교정되지 않는다. 요독증이 있는 환자의 적혈구 수명이 짧아지고, 혈액투석 절차에 의한 혈액 손실과 출혈경향이 증가하기 때문에 이로 인한 혈액 손실이 자주 발생한다(제5장 참조).

감염(Infection)
감염은 심각한 합병증의 하나이다. 투석관 패혈증, 혈액배양 결과, 체온상승, 혹은 다른 감염의 증상을 잘 관찰해야 한다. 카테터를 통한 패혈증은 가장 중요하게 다루어져야 한다.

전해질 불균형(Electrolyte imbalance)

고칼륨혈증과 저칼륨혈증이 급성신장손상에서 흔하게 나타나며 즉시 보고하여 심장 합병증을 예방해야 한다. 고칼륨혈증은 조직에서 방출되는 칼륨과 관련된다. 또 다른 합병증은 저칼륨혈증이다. 이는 흔하지 않지만 심장 합병증을 예방하기 위해 관찰되어야 한다.

| 급성신장손상의 가장 심각한 합병증

감염은 급성신장손상 환자의 주요 사망원인이다. 요독증은 면역 저하를 일으키고, 이로 인해 패혈증(sepsis)이 나타난다. 투석의 시작과 종료, 정맥라인을 통한 수액주입 행위, 삽입된 요관을 다룰 때 등 모든 침습적인 시술에는 엄격한 무균술을 적용하여야 한다. 급성신부전은 병원환경에서 유병률과 사망률을 상승시키는 주된 요인이다. 지난 수십 년간 신대체요법(RRT)이 발전되어 왔음에도 불구하고 급성신장손상은 호흡기계 합병증, 심혈관계 합병증과 함께 말기신장질환 발생의 위험도를 높이고 있다. 급성신장손상 심각도는 환자의 유병율과 사망률에 양의 상관관계가 있다(Brown et al., 2016).

| 첫 투석 시 주의사항

드물지만 "첫 회 사용 증후군"은 새 투석기에 대한 알레르기 반응의 결과로 가려움증, 저혈압, 가슴과 등의 통증, 호흡곤란 발생이 특징이다. 심한 경우 심폐정지가 발생할 수 있다. 투석 시작 후 첫 15~30분 동안 증상이 발생한다. 큐프로판 투석기가 주로 원인이 된다. 셀룰로오스 아세테이트 투석기나 변형된 셀룰로오스와 합성막(polysulfone, polyamide, and polyacrlonitrile) 투석기를 사용할 경우 드물게 발생한다.

| 첫 회 사용 증후군의 치료

증상이 심각할 경우 투석기와 라인에 있는 혈액을 환자에게 다시 주입하지 않아야 하며, 투석기는 폐기해야 한다. 이 경우 의사에게 보고하며, 철저한 환자 사정이 이루어져야 한다. 특히 심폐 상태의 사정은 반드시 이루어져야 한다. 생체 적합한 막의 사용이 필요하다. 증상이 심하지 않다면, 증상치료[예: 캐뉼라를 이용한 산소공급, 베나드릴(diphenhydramine, benadryl)의 경구투여]가 적합하다. 이러한 경우 한 시간 정도 경과하면서 증상은 완화되기 때문에 투석치료를 유지할 수 있다.

| 급성신장손상 환자의 투석 시 주의사항

응급투석이 필요한 경우는 대부분 복합적인 기능부전 상태로 위독한 상황이다. 투석 전 환자상태 사정을 철저하게 시행해야 한다(제13장 참조). 투석간호사는 변화 인식능력이 뛰어나야 하며 환자의 활력징후의 세심한 모니터링, 적절한 대처능력이 필요하다.

평균동맥압(MAP)을 60mmHg 이하로 유지하는 것은 손상된 콩팥의 관류를 유지하는 데 부정적 영향을 준다. 크릿-라인을 이용하여 혈액량을 모니터할 수 있다.

투석기의 혈액응고를 최소화하기 위해 항응고요법의 조절이 필요하며, 이 경우 투석은 헤파린을 거의 쓰지 않거나 전혀 사용하지 않고 시행된다. 응고시간(clotting time)에 대한 모니터링으로 투석 중 헤파린 사용으로 일어날 수 있는 증상에 대한 예방이 필요하다. 흔히, 헤파린 사용은 헤모글로빈 수치, 헤마토크릿, 혈소판 수, 프로트롬빈 시간/INR (PTT/INR), 환자의 전반적인 상태와 사정에 기반한다.

의사는 출혈 위험이 높은 경우 항응고요법을 "최소량" 또는 "무헤파린" 요법을 사용할지를 결정해야 한다. "No heparin", 즉 무헤파린 투석은 혈류속도를 250~300mL/min으로 유지해야 하지만, 육안으로 보이는 응고가 투석기에 나타나기도 한다. 투석기는 100mL의 식염수를 사용하여 20~30분마다 세척(flushing)하면서 육안으로 응고를 관찰하고 동시에 단백질 성분이나 응고물질 등을 투석기 막으로부터 제거해야 한다. 투석을 시작하기 전 이러한 세척량은 목표 수분 제거량에 포함되어 계산된다. 투석기가 응고될 경우 150mL 정도의 혈액손실이 발생하므로, 고위험 환자에서 항응고제 투여와 무헤파린 투석과의 장단점을 비교평가하여야 한다.

중환자실 환자는 종종 심장 모니터를 부착하고 있다. 투석 중 부정맥은 투석 자체와 관련 있기 때문에 매우 주의 깊게 관찰해야 한다. 부정맥이나 심실조기수축이 투석 중 발생하는 것은 비정상적이다.

크릿-라인(crit-line)

크릿라인(crit-line) 모니터는 적혈구 용량과 혈장 용량 간 관계를 측정한다. 크릿-라인은 의료진에게 투석 동안 혈장의 증감을 고려한 환자의 혈액량에 대한 정보를 실시간으로 제공한다. 이는 비침습적으로 혈관 내의 혈장량을 결정하는 데 도움을 준다. 크릿은 투석기의 동맥부분 끝에 부착되어 SaO_2 모니터와 유사한 기술로 측정값을 도출해 낸다. 또한 모니터는 지속적으로 헤모글로빈 수치, 헤마토크릿, 산소포화도, 혈액량을 측정하여 보여 준다. 크릿-라인은 비침습적인 도구로 신체사정 결과와 함께 사용되어 담당의사가 수분 제거 속도를 결정하는 데도 도움을 줄 수 있다.

투석 중 저혈압 예방법

간호사는 저혈압 증상을 조기에 인지하고 가능한 한 빠르게 교정해야 한다. 이러한 저혈압 증상은 혈관 내 순환량, 심박출량, 혈관수축능력에 영향을 미친다. 수분이 정체되거나 부종 환자에서도 혈관 내 순환량 저하로 저혈압이 발생하기도 하는데, 이 경우 식염수나 포도당 수액의 공급이 필요하다. 생리식염수 주입에 반응하지 않는 경우 콜로이드(colloid)나 알부민과 같은 고장성 수액을 공급한다. 콜로이드는 삼투압을 증가시켜 세포외 공간의 수분을 혈관 내로 끌어당긴다. 출혈이나 다른 원인으로 인해 적혈구의 양이 감소되어 나타나는 저혈압의 경우는 수혈이 필요하다. 저혈압 원인이 심박출량의 저하라면 강심제, 혈관 수축제(dopamine), 항부정맥 약제(amiodarone, cardizem) 등이 도움이 된다. 현격한 심박출량의 감소 때문에 혈류속도를 150~200mL/min으로 낮추는 것이 적합하다. 의사는 혈액투석 데이터, 혈류속도, 초여과량(또는 체중), 혈압기록, 그리고 모든 시작에서 종료까지의 투약을 통하여 가장 적절한 방법을 판단하여야 한다. 혈류속도를 줄이면 투석효율성은 감소한다. 즉 요소 제거율(urea reduction), Kt/V 크레아티닌 제거율이 감소한다. 만일 저혈압의 원인이 혈관 수축력 감소라면 혈관 내 혈류량 보유와 정상 혈압 유지를 위해 환자의 건체중은 이상 체중보다 높게 설정된다. 크릿-라인을 사용하면 혈관 내 혈액량을 결정하는 데 도움을 받을 수 있으며 다른 중환자 간호도구를 사용하여 저혈압을 교정해야 한다.

고혈압의 적절한 치료방법

대부분 응급투석 환자의 고혈압은 수분 과다와 초여과 반응에 관련이 있다. 만일 수분 제거로 조절되지 않는다면 의사는 항고혈압제를 처방해야 한다. 항고혈압제를 사용하는 환자는 주관적인 저혈압 증상을 경험하게 된다. 일반적으로 투석 전 항고혈압제의 복용은 의사의 처방에 따라 보류되기도 한다.

투석불균형 증후군

투석불균형증후군(disequilibrium syndrome)이란 두통, 안절부절못하는 상태, 혼란으로 인한 집중력장애, 근육경련, 뒤틀림, 대발작 등의 다양한 증상을 포함하는 복잡한 증상과 징후를 의미한다. 또한 투석 시작 직후나 투석 중에 발생한다.

| 투석불균형증후군의 원인

투석불균형증후군은 대뇌의 부종과 관련 있다고 설명하고 있다. 뇌혈관장벽(blood brain barrier, BBB)은 혈관과 대뇌 사이의 물질과 수분을 선택적으로 투과시킨다. 투석 중에는 혈장 농도가 대뇌액보다 빠르게 낮아져 수분은 혈장에서 대뇌로 이동하게 된다.

| 투석불균형증후군의 발생

투석으로 인한 불균형 증상은 심한 이화(catabolic) 현상이 있는 환자나 심한 요독증이 있는 환자(BUN 200mg/100mL 이상)에게 흔하게 나타난다.

| 투석불균형증후군을 최소화하거나 예방하는 방법

예방이 최선이며 투석 시 요소가 급격히 낮아지지 않도록 해야 한다. 초기 투석기간 동안은 24시간 간격의 짧은 투석(2~3시간)이 바람직하다. 혈류속도를 150~200mL/min으로 감소시켜 용질 제거율을 낮추어 투석불균형 발생을 감소시킨다. 요독 제거율이 낮은 작은 투석기의 사용이 도움이 된다. 혈액 흐름과 투석액의 방향을 역방향이 아닌 동일한 방향으로 유지하면 투석 동안 제거율을 낮추어 요독의 빠른 제거를 막는다. 투석액 속도를 낮추는 것도 요소 제거속도를 감소시킬 수 있다. 의사는 25% 만니톨(mannitol)과 같은 고장성 용액을 투석 시작 시 정맥주입으로 처방할 수 있다. 혼수증상을 일으키는 불균형 증상은 잦은 투석과 소극적 투석을 시행할 경우 발생 확률이 적다. 심한 신경계의 변화를 초래할 수 있는 불균형 증상 초기 발견은 즉시 의사에게 보고해야 한다.

과정 Procedures

독립 초여과(isolated ultrafiltration)란 혈액 용질 농도 변화 없이 과도한 수분만 제거하는 것을 의미한다. 크기가 작은 요소와 크레아틴이 초여과에 의해 수동적으로 제거된다. 수분 제거율과 제거량은 과도한 세포외액량에 따라 조절해야 하며, 환자 혈관 내부의 혈액량과 심혈관계의 안정성에 따라 조절된다.

| 독립 초여과를 할 때 사용되는 지표

독립 초여과는 용질의 제거가 우선이 아니며 수분 제거를 목적으로 한다. 독립 초여과는 투석 전후로 즉시 시행 가능하며 투석과는 독립적으로 시행된다.

| 초여과에 필요한 장비

독립 초여과는 혈액투석처럼 투석기와 혈액라인을 사용하여 이루어진다. 투석액의 흐름은 멈춰진 상태에서 우회모드(bypass mode)로 설정된다. 투석기 막은 투석액과 접촉하지 않는다. 압력장비를 사용하여, 투석액 부분의 음압과 정맥압이 합쳐져서 총 투석막압을 형성하며 이는 총 여과량을 결정한다. 정량적(volumetric)

장비에서 초여과의 설정값은 수분 제거량에 의해 결정된다. 혈액펌프, 공기감지기, 혈액누출감지기, 압력모니터는 안전하게 과정을 수행하는 기본 장치이다.

| 독립 초여과의 합병증

빠른 수분 제거로 저혈압(hypotension)과 근육경련(muscle cramps)이 발생할 수 있다.

| 지속적 신대체요법

지속적 신대체요법(Continuous Renal Replacement Therapy, CRRT)은 급성신장손상 환자의 치료방법으로, 특히 여러 장기의 기능부전 시 유용하다. 이러한 급성신장손상 환자는 혈액역동학적으로 불안정하고, 심부전이 있어 혈액투석을 잘 견디지 못한다. 섬관형 투석기나 평판형 투석기 형태의 다양한 혈액여과기가 사용될 수 있으며, 작은 혈액 보유량과 혈류 흐름에 대한 저항이 작은 것을 사용한다. 급성신장손상 환자의 생존율을 증가시키는 데 지속적 신대체요법이 중요한 역할을 하는 것으로 알려져 있다.

| 급성신장손상 시 혈액투석 이외에 유용한 치료방법

기존의 혈액투석 방법에 여러 가지 대안이 있다. 지속적 신대체요법은 포괄적인 약어로 이러한 치료에 다섯 가지 방법이 있으며, 저속 지속적 초여과(Slow Continuous Ultrafiltration, SCUF), 지속적 동정맥 혈액여과(Continuous Arteriovenous Hemofiltration, CAVH), 지속적 동정맥 혈액투석(Continuous Arteriovenous Hemodialysis, CAVHD), 지속적 정정맥 혈액여과(Continuous Venovenous Hemofiltration, CVVH), 지속적 정정맥 혈액투석(Continuous Venovenous Hemodialysis, CVVHD) 등이 있다. 기본적으로 저속 지속적 초여과, 지속적 동정맥 혈액여과(SCUF), 지속적 동정맥 혈액투석(CAVHD)이 일반적으로 시행되고 있고 특별한 장비나 투석요원의 지속적 주의가 필요하지 않다. 최근에는 지속적 정정맥 혈액여과(CVVH), 지속적 정정맥 혈액투석(CVVHD)이 더 처방되고 있다. 지속적 신대체요법의 원리는 같으나 지속적 정정맥 혈액여과(CVVH), 지속적 정정맥 혈액투석(CVVHD)에서는 특수 장비가 필요하다. 이런 이유로 급성신장손상 치료 선택 시 제한받게 된다. 특수부서(critical care)와 신장전문가들의 협동적인 치료적 접근을 적극 추천한다.

지속적 동정맥 혈액여과는 동맥과 정맥 혈관통로가 필요하며, 혈액펌프 사용은 필요하지 않다. 만일 용질이 대류작용에 의해 제거되는 것이 충분치 않다면, 혈액투석을 이용하여 확산을 유도할 수 있다. 지속적 정정맥 혈액여과(CVVH), 지속적 정정맥 혈액투석(CVVHD)은 이러한 점에서 동맥통로가 필요하지 않고, 이중 카테터를 주요 정맥에 삽입하여 시행한다. 혈류는 혈액펌프에 의해 조절된다(그림 18-1).

| 지속적 신대체요법(CRRT) 적용 시 발생 가능한 문제

지속적 동정맥 혈액여과(CAVH)와 지속적 동정맥 혈액투석(CAVHD)은 동맥통로가 필요하며, 이는 카테터 삽입으로 인한 동맥의 손상과 혈액순환 시 누출이나 연결부위의 오류 등으로 출혈의 위험성이 있다. 환자 상태가 좋지 않은 경우, 저혈압으로 인해 낮은 혈류속도로 여과가 충분하지 못하다. 또한 전해질 불균형과 수분과다의 교정은 기대보다 느리게 일어난다. 응고문제도 빈번히 발생한다.

정맥과 정맥의 흐름을 사용하기 위해서는 혈액펌프가 필요하다. 혈액회로 속으로 공기주입을 방지하기 위해 모니터링이 필요하며 연결부위가 느슨해지면 혈액의 손실도 일어날 수 있다. 이 치료를 수행하는 직원은 반드시 교육을 받아야 하며 시스템은 집중적으로 모니터링되어야 한다.

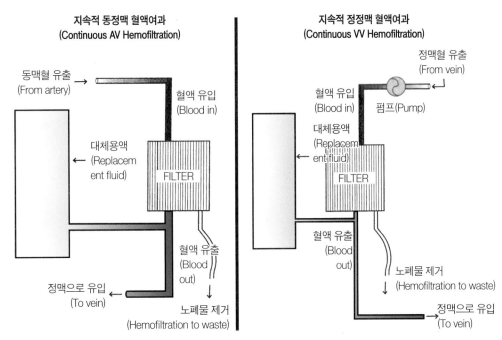

그림 18-1 혈액여과를 사용한 지속적 신대체요법(CRRT). A, 지속적 동정맥 혈액여과(CAVH). B, 지속적 정정맥 혈액여과(CVVH).

| 저속 지속적 초여과(SCUF)

저속 지속적 초여과(Slow Continuous Ultrafiltration, SCUF)란 점진적 수분 제거의 방법이다. 독립 초여과 시 용질 제거가 거의 일어나지 않으며 질소혈증(azotemia)과 전해질 균형을 교정하기 위해 혈액투석이 필요하다. 수분 제거량은 일반적으로 24시간 동안 2~6L이다.

| 저속 지속적 초여과(SCUF)의 적응증

급성신장손상 환자는 단백질 이화율이 높으며 대량의 총비경구영양(TPN)이 필요하다. 특히 저혈압과 혈액 역동적으로 불안정한 경우 혈액투석 시간 동안 많은 수분을 제거하기가 어렵다. 저속 지속적 초여과는 저속으로 지속적인 수분 제거와 많은 양의 수액공급이 가능하다.

| 저속 지속적 초여과에 사용되는 기구

투석기와 유사한 고투과력 혈액여과기가 사용된다. 저속 지속적 초여과(SCUF)는 혈액펌프가 없이도 시행이 가능하며 환자의 심박출과 평균 동맥압으로 여과기로 혈액이 흐르게 된다. 혈액의 정수압이 막을 통해서 초여과를 일어나게 하며 일회용 배수백에 모이게 된다(그림 18-2). 혈액여과기에서 배수백까지의 라인 길이에서 음압이 발생하여 초여과를 돕게 된다. 저속 지속적 초여과는 프리즈마 기계로부터 혈액펌프만 사용하여 수행되기도 한다.

| 투석 시 헤파린의 필요성

일반적으로 초기 주입량은 500~2,000units이고, 유지용량으로 시간당 250~500units나 5~10units/kg/h가

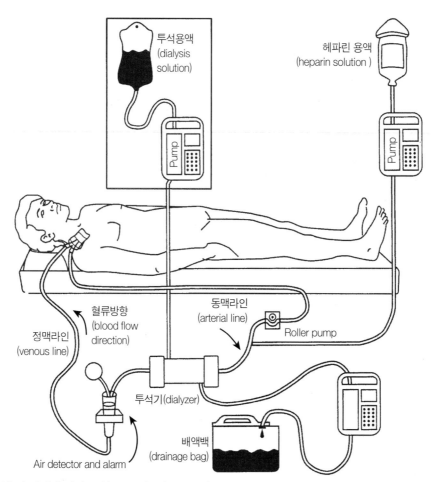

투석용액
(dialysis
solution)

헤파린 용액
(heparin solution)

Pump

Pump

혈류방향
(blood flow
direction)

동맥라인
(arterial line)

Roller pump

정맥라인
(venous line)

투석기(dialyzer)

배액백
(drainage bag)

Air detector and alarm

그림 18-2 **지속적 정정맥 혈액투석(CVVHD)와 (W-SCUF)의 장비. 박스로 표시된 곳이 CVVHD의 추가장비이며, 동맥**
라인은 정상적으로 압력이 변환되며, 혈액펌프와 투석기 사이의 여과압이다. (출처: Lanken P, Lanken PN, Manaker S,
Kohl BA, Hanson CW; intensive care unit manual, philadelphia, 2014. Elsevier.)

필요하다. 응고시간을 모니터해야 한다. 저속 지속적 초여과는 헤파린 없이 생리식염수 세척과정만으로 진행
할 수 있으나 혈액여과기의 응고가 빈번히 발생한다.

| 저속 지속적 초여과(SCUF)와 관련된 문제

가장 흔한 문제는 기대되는 초여과량에 미치지 못하는 것이다. 일반적으로 초여과기의 응고나 회로 내의 혈
액 흐름 감소가 원인이다. 환자 혈관통로의 문제, 줄의 꼬임 또는 환자의 동맥혈압 저하 등이 초여과량을 저
하시키는 원인이다.

| 지속적 정정맥 혈액여과(CVVH)

지속적 정정맥 혈액여과(Continuous Venovenous Hemofiltration, CVVH)(그림 18-3)는 지속적 동정맥 혈액
여과(CAVH)의 방법과 유사하다. 지속적 정정맥 혈액여과(CVVH)는 혈액여과기를 통해 혈액 흐름을 조절
하기 위해 혈액펌프가 사용된다. 지속적 정정맥 혈액여과(CVVH)는 정맥을 이용하는 방법으로 혈관통로는
빗장밑, 속목정맥 또는 넙다리정맥을 사용한다. 대류작용으로 용질이 제거되고, 수분 제거는 대체용액을 주

입함과 동시에 초여과를 사용하여 이루어진다. 대체용액 성분은 다양하며 여과기의 전후에서 주입되어 혈관계 순환 혈류량을 유지한다.

지속적 정정맥 혈액여과(CVVH)의 목적

지속적 정정맥 혈액여과(CVVH)의 목적은 지속적 신대체요법을 통해 용질 제거와 전해질과 수분의 균형을 맞추고 질소혈증을 안정화하는 것이다. 지속적 정정맥 혈액여과(CVVH)는 시간의 경과에 따라 진행되기 때문에, 혈액투석 시 급속한 수분 제거나 용질 제거를 견디지 못하는 환자에게 선택되는 요법이다.

지속적 정정맥 혈액여과(CVVH)의 적응증

지속적 정정맥 혈액여과(CVVH)는 혈액역동적으로 불안정한 환자의 다량의 수분을 제거할 때 사용된다. 지속적 정정맥 혈액여과(CVVH)는 심혈관계가 불안정한 급성신장손상 환자의 치료에 권장되는 방법이다. 다른 적응증으로 수분 제거(발암성 쇼크), 두개내압의 상승[지주막하 출혈, 간신성증후군(hepatorenal syndrome)], 쇼크(패혈증, 성인 호흡곤란증후군), 영양(화상) 등이 있다. 지속적 정정맥 혈액여과는 여러 장기 기능부전증에 사용되며, 많은 정맥수액을 주입해야 하는 비핍뇨성 환자에게 적용된다. 지속적 정정맥 혈액여과(CVVH)는 종종 심각한 질병상태와 불안정한 소아환자의 치료를 위해 사용된다.

지속적 정정맥 혈액여과(CVVH) 시 사용되는 장비

혈액펌프에는 동맥압 모니터, 정맥압 모니터, 정맥챔버와 공기감지기가 포함된다. 혈액펌프의 사용은 체외회로의 추진력이 되며 환자의 평균동맥압을 대신할 수 있어 혈압이 떨어지는 환자의 치료에 적합하다.

지속적 정정맥 혈액여과(CVVH)의 또 다른 장점

이 방법에는 혈액펌프가 사용되기 때문에 높은 혈류속도로 이루어지며 많은 초여과와 높은 요소제거율이 가능하다. 높은 혈류속도로 혈액여과기의 응고를 줄일 수 있다. 더 큰 세공(pores)을 가진 혈액여과기를 사용하면 큰 분자량의 용질도 제거할 수 있다.

지속적 정정맥 혈액투석(CVVHD)

지속적 정정맥 혈액투석(Continuous Vonovenous Hemodialysis, CVVHD)(그림 18-3)은 지속적 동정맥 혈액투석(CAVHD)과 유사한 원리로, 혈액펌프가 혈류속도를 조절하는 것이 다르다. 지속적 정정맥 혈액여과(CVVH)와 달리, 지속적 정정맥 혈액투석(CVVHD)은 투석액이 혈류방향과 반대방향으로 흐른다. 지속적 정정맥 혈액투석(CVVHD)의 적응증은 지속적 동정맥 혈액투석과 같다. 간헐적인 혈액투석이 불충분할 경우, 집중적인 혈액투석을 견디지 못하는 환자에게 시행한다.

지속적동정맥 혈액여과(CAVH), 지속적 동정맥 혈액투석(CAVHD)와 지속적 정정맥 혈액여과(CVVH), 지속적 정정맥 혈액투석(CVVHD)의 항응고요법

정정맥 체외순환은 동맥을 사용하지 않으며, 이중내강 카테터(double-double lumen)가 사용된다. 빗장밑정맥, 속목정맥이 주로 사용된다. 혈액여과기를 통과한 혈류는 100~200mL/min의 속도로 일정하게 된다. 동정맥 체외순환 시 동맥에 삽관이 장기적으로 유지된다. 이는 혈류 흐름의 장애, 감염, 환자의 이동 시 어려움

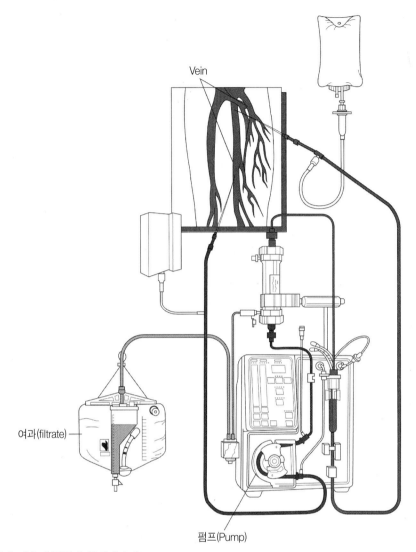

Vein

여과(filtrate)

펌프(Pump)

그림 18-3 **지속적 정정맥 혈액여과.** (Courtesy Baxter Healthcare, Renal Division, McGraw Park, IL)

이 발생한다.

| 정정맥 통로의 단점

지속적 정정맥 혈액여과(CVVH)와 지속적 정정맥 혈액투석(CVVHD)은 간호사에 의해 관찰되어야 하는 장비가 필요하다. 이 장비는 중요한 간호의 수행을 원활하게 해 주며, 이 시스템의 적응을 위해 간호사의 교육이 필요하다.

| CAVH, CAVHD 와 CVVH, CVVHD의 항응고요법

전체 시스템의 압력 변화, 회로내부 응고, 투석기 필터의 문제 등은 지속적으로 모니터링하여야 한다. 시스템과 혈액펌프 알람은 응고와 관련된 문제가 발생했음을 말해 준다. 헤파린은 지속적 신대체요법에 사용되는 일차적인 항응고요법이다. 일반적으로 500~2,000units가 시행 초기에 혈액회로에 주입되며 이후 헤파린 주입펌프로 5~10units/kg/h를 유지한다. 이에 대한 대안으로 혈액여과기와 혈액회로는 생리식염수로 세척되며, 이는 혈액여과기를 오래 사용할 수 있도록 해준다. 삼나트륨구연산(Trisodium citrate) 항응고요법은 성공적으로 사용되어 왔으나 혈청 나트륨, 칼슘, 중탄산염의 모니터링이 필요하며, 환자에게 나타나는 합병증을 예방하여야 한다. 시트르산(citrate)은 헤파린에 알레르기가 있는 환자에서 사용될 수 있다. 정정맥 회로는 일정한 혈류속도 때문에 응고의 문제가 적다.

| 지속적 신대체요법(CRRT)과 관련된 합병증

저혈압, 심장 부정맥, 탈수, 전해질 불균형, 혈액손실, 감염, 공기색전증과 같은 합병증이 나타날 수 있다. 기술적 합병증에는 혈액누출, 막의 손상, 혈액여과기 응고, 동맥이나 정맥라인의 연결 불량, 기계의 오작동, 줄의 꼬임, 경험이 부족한 요원으로 인한 합병증 등이 있다.

| 저효율 유지 투석요법(SLED)

저효율 유지 투석요법(Sustained Low Efficiency Dialysis, SLED)은 급성신장손상 환자치료에 흔히 사용되고 있으며 특히 중환자실 환경에서 행해진다. 간헐적인 혈액투석부터 지속적 신대체요법까지 상황에 맞게 수행할 수 있다. 또한 연장된 종일 투석(Extended Daily Dialysis, EDD)으로도 알려져 있다. 이러한 치료형태는 긴 시간(8~12시간) 동안 투석하는 방법으로 혈류속도와 투석액 속도를 변형시켜 시행한다(혈류속도 200mL/min 이하, 투석액 속도 100~300mL/min 사이 유지). 기존의 혈액투석 기계가 있는 상태에서 새로운 지속적 신대체요법 기계의 도입문제, 새로운 여과기와 관 사용에 대한 비용 측면이 언급된다. 혈액학적으로 안정된 환자인 경우 저효율 유지 투석요법이 더 유용하며, 목표되는 초여과량도 수행할 수 있다. 저효율 유지 투석요법은 임상적으로 결과가 나쁘거나 간헐적 혈액투석을 하기 어려운 중환자에게 대체방법으로 사용된다. 저효율 유지 투석요법은 느리고 점진적인 치료방법으로 체액과 전해질 및 용질의 제거를 돕는다.

▌그 밖의 체외순환 치료 Other Extracorporeal Treatment Modalities

대사산물, 독성 물질과 초과된 수분을 제거하는 투석 이외의 다른 방법이 있다. 일부는 복합적인 문제와 여러 기관의 기능부전이 있는 중환자실 환자에게 매우 유용하다.

| 기타 방법

임상적으로 사용되는 3가지 기본 방법이 있다.
1. 혈액여과(hemofiltration)
2. 혈액흡착(hemoperfusion)
3. 분리반출법(apheresis)

혈액여과 Hemofiltration

| 혈액여과의 정의

기존의 혈액투석에서는 막을 통한 확산이나 대류현상에 의해 물질이 이동한다. 정상 콩팥은 토리 여과과정에서 실제적으로 초여과나 대류현상에 의해 물질이 이동하게 된다. 합성막을 통한 대류 작용으로 요소성 노폐물이 혈액에서 제거된다. 이러한 과정을 혈액여과 또는 투석여과라 한다.

| 혈액여과의 효과

Polyacrylonitrile (PAN), polyamide, polysulfone 또는 polycarbonate 성분의 투석 막과 섬유를 사용할 때, 혈류속도가 200~350mL/min으로 유지될 때 100mL/min 이상의 초여과가 생긴다. 만일 혈중요소질소가 50mg/dL라면, 1분 안에 제거되는 혈중요소질소dml 양도 계산할 수 있다. 크레아티닌, 마이크로글로불린 같은 중분자 또는 고분자 물질의 제거는 전통적인 혈액투석으로는 아직 한계가 있다.

| 혈액여과 시 발생하는 문제

다음과 같은 문제가 혈액여과 시 발생한다.
- 대체 수액 주입은 지속적 관찰을 통해 탈수나 수분과다 증상을 방지한다.
- 음압이 여과기 백에서 발생하여 초여과를 증가시킬 때 혈액누출이 발생하는 것은 심각한 문제이다.
- 다양한 사용 약물(항생제, 심장계 약물, 항경련제)들의 사용으로 혈청 수치가 심각하게 변하게 된다.
- 대체 수액은 고비용이다.

| 혈액여과의 임상적 이점

저속의 혈액여과 방법은 임상적으로 질병상태가 위중하여 복잡한 처치가 필요한 환자에게 유용하다. 혈액여과에는 다음과 같은 장점이 있다.
- 혈액투석에 비해 저혈압의 빈도가 낮아 더 많은 양의 수분을 제거할 수 있다.
- 불균형 증상과 삼투적 이동에 의한 증상은 거의 없다.
- 다량의 비경구적 영양제가 주입 가능하며, 안정된 상태에서 수분의 균형을 유지할 수 있다.
- 치료 동안 고혈압 환자에게서는 나트륨과 수분조절, 자율적 안정상태 호전 등으로 혈압 조절에 유리하다.
- 혈액여과는 고분자 물질, 심근 부전 요인(Myocardial Depressant Factor, MDF) 등 유해물질을 제거한다.

혈액흡착(혈액관류) Hemoperfusion

혈액흡착은 혈액이 직접적으로 카트리지로 접촉하여 흡착시키는 방법이다. 대부분은 70~300g의 폴리머(polymer) 막으로 코팅된 활성탄(activated charchoal)으로 미세 탄소입자가 색전을 감소시키고 혈소판과 세포 기본구조의 추가 형성을 감소시킨다.

| 혈액흡착의 적응증

혈액흡착은 기본적으로 약물 과다복용이나 위험한 독극물에 노출되었을 때 사용된다. 활성탄은 대부분의 100~20,000Da 크기의 화학물과 결합한다. 대부분의 약물은 크기가 500~2,000Da 이다. 혈액흡착은 진정제, 테오필린(theophylline), 디곡신 및 제초제나 한약 등의 제거 시 혈액투석보다 효과적이다.

디페록사민 킬레이트 화합물(deferoxamine, DFO chelation)과 관련해서, 활성탄은 과도한 알루미늄이나 철분성분을 신체조직으로부터 제거하는 데 사용된다.

| 혈액흡착의 유해작용

일시적인 혈소판 감소가 흔하게 나타나는데, 이는 24시간 안에 교정된다. 일부 환자에서 백혈구 감소가 나타난다. 적혈구 파괴에 의한 혈액용혈은 흔하지 않다. 저혈압은 빈번히 발생하는데, 중독된 환자의 상태가 위독하기 때문이다. 과량의 항응고요법이 필요하며 이로 인해 출혈이 지속되기도 한다.

| 카트리지의 용량 제한

흡착 용량은 제한적이어서 증량 여부의 결정이 어렵다. 흡착의 역학적 원리는 복잡하다. 전반적인 흡착량은 수분의 이동과 미세관의 크기, 용질의 확산에 따른 내입자 이동률(intraparticle transfer)과 관련이 있다. 일부 용질청소율은 시간이 경과하고 흡착제가 채워지면서 감소한다. 일부 물질은 흡착제의 용적이 충분하게 남아 있는데도 청소율이 급격히 저하된다.

분리반출법 Apheresis

분리반출이란 말은 그리스 언어로 "어떤 것을 제거하다"란 표현이다. 혈장분리반출(plasmapheresis)은 특수 원심분리기로 혈장 단백질을 분리하는 방법으로 수년 동안 시행되어 왔다. 합성섬관형 섬유기술의 발달로 선택적 투과 여과기가 만들어졌으며 특정 혈액 내의 성분, 항생제나 면역글로불린 등을 제거할 수 있게 되었다.

혈장분리반출법은 이식 거부의 상황에서 항체를 제거하는 등 다양한경우에서 사용된다. 혈장분리반출에서는 항체를 포함하고 있는 혈액의 혈장성분을 제거한다. 혈액과 알부민은 환자에게 주입되고 정상적인 면역시스템이 유지된다. 이 방법은 고점성 증후군(hyperviscosity syndrome), 한성글로불린 혈증(cryoglobulinemia), 혈전성 혈전결핍적 자반(thrombotic thrombocytopenic purpura), 중증 근무력증, 길랭-바레증후군(Guillian-Barre syndrome), 난치성 특발성 또는 자가면역 용혈성 빈혈(idiopathic or autoimmune hemolytic anemia), 다발골수종(multiple myeloma) 환자의 신부전, 굿파스처증후군(Goodpasture syndrome) 등에 사용된다.

| 사용되는 분리반출법

원인이 되는 물질에 따라 여러 가지 유형의 분리반출이 사용된다.

혈장반출술(Plasmapheresis)
혈액 내 유해물질을 제거하기 위해 혈장을 제거하는 것으로 혈장반출술은 오래전부터 혈장 단백질을 분리하기 위해 고안된 원심분리기를 사용해왔다.

LDL 혈장교환

유전으로 인한 고콜레스테롤혈증(hypercholesterolemia) 환자의 저비중 지단백(low-density lipoprotein)을 제거하는 데 사용하는 치료방법이다.

광반출술(Photopheresis)

이 방법은 이식편 대 숙주질환, 피부 T세포 림프종, 그리고 심장이식 환자 거부반응의 치료에 사용된다.

Immunoadsorption with staphylococcal protein A-agarose column

이 치료법은 동종항체와 자가항체를 제거하기 위해 사용된다.

백혈구 혈장교환(leukocytapheresis)

백혈구 과다증, 류마티스 관절염 환자에서 악성 백혈구를 제거하는 치료법이다.

혈소판 혈장교환(Thrombocytapheresis)

혈소판 과다증에서 혈소판을 제거하는 치료법이다.

적혈구 혈장교환(Erythrocytapheresis)

적혈구 교환술로 알려진 방법으로, 겸상적혈구증을 가진 환자의 겸상적혈구를 정상 적혈구로 교환하는 치료법이다. 미국에서는 치료의 효과를 제시하는 차트와 함께 질병과 치료법의 순위를 제시하고 있다.

| 투석과 혈액흡착에 의해 제거되는 물질

일반적으로 정상 콩팥에 의해 대부분 배출되거나 제거되는 물질은 투석에 의해 제거된다. 간에서 대사된 물질, 또는 생성물은 혈액투석으로 제거하지 못한다. 약물 대사나 약물의 배출이 필요한 경우 카트리지 설명서나 약리학 자료를 참조한다. 또한 병동의 전문의 참고자료(PDR)를 통해 정보를 얻는다. 약물 과용이나 중독에 대한 치료 선택 시 인터넷을 통해 다양한 사이트를 접속할 수 있으며, CDC ATSDR's 독성물질표 등이 있다. 이러한 정보는 매우 유용하며 정기적으로 수정 보완되고 있다. 지역중독센터는 약과 독극물에 대한 정보를 가지고 있어야 한다. 중독물질에 대해서는 최대한 빨리 확인해야 한다. 대부분 경우가 응급상황이므로 시간이 지체될수록 좋은 결과를 예상하기가 어렵다.

| 규명되지 않았거나 알려지지 않은 약물

치료를 하느냐 하지 않느냐의 결정, 그리고 사망 가능성이 있는가의 문제는 의사의 임상결정 시 중요 문제가 된다. 만일 환자의 상태가 위중하고 하나 또는 그 이상의 물질을 섭취한 경우에는 혈액흡착이나 혈액투석을 시작한다. 이는 혼수상태 기간, 이환율, 사망률이 초기 치료 시작에 의해 결정되기 때문이다.

| 투석치료가 필요한 독극물

메틸알코올(methyl alcohol)과 에틸렌(ethylene), 또는 프로필렌 글라이콜(propylene glycol, antifreeze) 등의 알코올 물질, 살리실산(아스피린), 리튬 탄산염(lithium carbonate), 아미노필린 또한 쉽게 투석된다. 특정 버섯류(*Amanita phalloides*)는 응급투석을 시행한다. 독물질의 초기 제거는 시력장애, 간경화, 신부전이나 독극물로 인한 사망을 예방할 수 있다. 치료과정 중 사고로 테오필린, 항생제 및 만니톨(mannitol) 등이 과량 정맥주입된 경우는 응급투석을 시행하여 심각한 합병증의 위험성을 낮추어야 한다.

| 독극물 중독 시 더 유용한 투석기

중독 시 가능한 한 유해물질의 주입량만큼 제거하는 것이 중요하다. 환자가 견뎌내는 한도 내에서 표면적이 큰 투석기를 사용해야 한다. 고분자 물질(500~20,000Da)의 제거능력을 가진 투석기가 선택된다.

| 활성탄 혈액흡착(charcoal hemoperfusion)에 의해 제거되는 독성물질

바르비투르염(barbiturates)과 같은 진정제, 에스클로비놀(ethcholrvynol), 글루탐산(glutethimide), 많은 살충제나 한약제 등이 혈액투석보다 혈액흡착으로 더 잘 제거된다.

| 중독 시 투석을 위한 혈액통로

만일 환자가 영구적인 혈관통로가 없는 경우는 일시적인 카테터를 넙다리정맥, 빗장밑 또는 속목정맥 등 중심정맥에 삽입한다. 혈액속도가 높을수록 독성물질의 제거가 원활히 이루어진다.

| 중독 시 복막투석 사용

대부분은 적합지 않으나 혈액투석이 불가능하거나 지연되었을 때 시행한다. 복막투석은 혈액투석이나 혈액흡착에 비해 청소율이 낮고 약물의 제거시간이 오래 걸린다. 만일 혈액투석 준비단계가 지연되는 경우 복막투석이 즉시 시행될 수 있고 이는 일시적인 치료방법이다.

| 독극물 중독, 약물 과다복용으로 투석이나 혈액흡착을 시행받는 환자의 특수문제

이러한 경우 대부분이 임상적으로 위중한 상태이며, 복합적인 기능부전이 동반된다. 대부분은 혈액역동학적으로 불안정한 상태이다. 특수 문제는 다음과 같다.

저혈압(hypotension)
수액주입에 반응하지 않는 경우 도파민 같은 혈압 유지 약물 사용이 필요하다. 그러나 혈압 상승 약물은 투석이나 혈액흡착 시 효과가 감소한다.

호흡곤란이나 무호흡(Respiratory depression or Apnea)
환자는 기관 내 삽관이나 기관지 절개술을 시행받고 인공호흡기가 필요한 상황일 수 있다.

증증 산-염기 불균형(Severe Acid-Base imbalance)
약물 중독에 의해 알칼리증을 가진 환자는 투석치료로 상태가 악화되는 것을 볼 수 있다. 이러한 현상은 투석액의 중탄산염 작용으로 발생한다. 종종 기존에 사용되던 아세테이트 투석액으로의 교체가 필요하다.

이식과 관련된 투석 Dialysis in Relation to Transplantation

많은 환자는 신장이식을 계획하는 단계에서 투석을 받게 된다(제20장 참조). 투석은 이식 수술을 준비하는 단계에서 시작하게 되며, 수술 중 또는 이식 후에도 받게 되는데 기술적 합병증이나 거부반응으로 인한 합병증을 예방한다. 이식 후 기능 저하나 급성 거부반응 시 투석이 필요하며 이러한 환자에게는 특별한 치료를 고려하게 된다.

| 이식 후 신기능부전

이식 후 신기능부전(posttransplant kidney dysfunction)은 급성신장손상의 형태로, 생체 제공자로부터 콩팥을 기증받는 경우보다 사체 기증자로부터 받은 경우 나타날 수 있다. 일반적으로 "열과 냉의 허혈시간(warm and cold ischemia time)"과 관련이 있다. 이는 떼어낸 콩팥을 이식받는 환자의 혈관과 연결할 때까지 경과한 시간을 의미한다. 손상기전은 급성요세관괴사와 유사하다. 콩팥은 일반적으로 10일 정도 지나 기능을 하게 되며, 충분한 소변을 만들어 내기까지 3~4주 정도의 시간이 소요되기도 한다(제20장 참조).

신이식 거부반응 환자의 투석 Dialysis Patients With Transplant Rejection

| 이식을 받았던 환자의 투석 시 특별한 문제점

수분 균형 유지가 이식받은 콩팥기능 유지에 가장 중요하다. 수분 제거를 과도하게 하지 않는다. 저혈압은 새로 이식된 장기의 관류를 저하시켜 신부전을 일으킨다. 수술 직후 수술 환자에게 나타나는 주요 문제가 발생할 수 있다. 수술부위의 출혈을 예방하기 위해 "무헤파린 투석"이 시행된다. 스테로이드를 사용하는 환자는 이화작용이 심해져 혈중요소질소가 혈청 크레아티닌보다 상승한다. 고혈압은 스테로이드 치료로 인해 심해지기도 한다. 상처 치유는 느리며, 배액관이 삽입된다. 거부반응이 심한 환자는 스테로이드 치료를 한다. 이 경우 조직이 약해져 있고 부종이 발생한다. 감염과 거부반응의 환자는 이화작용이 심하며, 부종이 있고 저단백혈증이 나타난다. 심폐나 심혈관계가 불안정하여 저혈압이나 심장 부정맥, 폐울혈 등이 예상된다.

CHAPTER
19

Peritoneal Dialysis and Home Dialysis Therapy

복막투석과 가정투석

복막투석은 만성콩팥병 환자를 위한 신대체요법 중 하나이다. 미국신장정보시스템(US Renal Data System, USRDS, 2011)은 8%의 만성콩팥병 환자가 복막투석을 받고 있고 투석 환자의 10% 이하가 가정투석을 받고 있다고 보고하였다(Golper et al., 2011). 복막투석은 안전하고 효과적인 치료임에도 불구하고 1990년대 중반부터 감소하고 있다. 복막투석은 만성콩팥병 5단계에 속하는 환자를 위한 가정투석 방법이며, 병원에서 시행되는 급성신장손상 환자를 위한 치료방법이기도 하다. 만성콩팥병 환자를 위한 가정치료에는 복막투석과 가정혈액투석이 있다. 가정치료에서는 환자가 자신의 치료를 어느 정도 독자적으로 수행할 수 있고 일정을 조절할 수 있어 복막투석이 가장 많이 사용된다. 가정투석은 투석실의 수용능력의 한계점을 극복하고 인력을 최대한 효율적으로 사용할 수 있게 한다.

| 복막투석의 정의와 원리

복막투석이란 복강을 투석액 저장소로 이용하여 반투과성 막인 복막을 이용하여 과도한 체액과 요독과 같은 물질을 제거하는 치료과정을 말한다. 복막의 표면적은 신체 표면적($1.73m^2$)과 거의 같다. 복막은 횡격막(벽측 복막)과 복부 장기 외피(장측 복막)를 포함하여 복벽과 골반벽의 안쪽 표면을 덮고 있다. 남성의 복막은 폐쇄된 형태인 반면 여성의 경우는 난소와 나팔관이 복강 안으로 위치한다(그림 19-1).

복막은 풍부한 혈액이 공급되는 복부기관이다. 복막투석액은 카테터를 통해 복강 안으로 주입되고 일정 시간 동안 저류된 후 배액된다. 이러한 과정을 복막투석액 교환이라고 한다. 투석액으로 사용되는 포도당은 삼투를 일으키는 물질로 과잉의 수분을 복강 안으로 이동시키고 배액과정에서 제거한다. 전해질과 요독은 고농도 상태인 혈액에서 저농도 상태인 복강 내의 투석액 쪽으로 확산되어 제거된다. 고농도의 투석액을 사용하면 전해질과 요독은 "용질 끌기"에 의해 더 많이 제거되며 초여과가 증가되고 추가적으로 저분자 용질이 대류이동에 의해 초여과와 함께 빠져 나온다.

| 복막투석액

복막투석액은 반드시 생체적합적이고 복막의 구조와 기능을 가능한 한 보존할 수 있는 용액이어야 한다. 기존의 복막투석액은 포도당이 삼투성 물질로 사용되고 젖산이 완충염기로 사용되었다. 많은 환자가 고칼륨혈증이 있기 때문에 상품화된 복막투석액은 칼륨을 제외하고는 세포외액의 구성과 유사하다. 만약 저칼륨

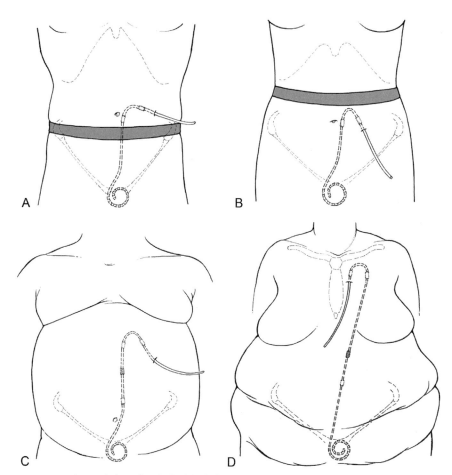

그림 19-1 Tenchhoff 도관. A. 아래쪽 벨트라인 가측에 출구가 있는 Tenchhoff 도관, B. 상측 벨트라인 아래로 출구가 위치한 스완넥 도관, C. 복부비만, 복부피부가 접힌 경우, 요실금이 있는 경우 상복부에 출구가 위치한 확장형 도관, D. 고도비만 환자, 복부피부가 여러 겹으로 접힌 경우, 장루 환자, 요실금이 있는 경우 영구적 도관. (출처: Crabtree JH, Chow KM: Peritoneal dialysis catheter insertion. *Seminars in Nephrology* 37(1):17-29, 2017.)

혈증의 교정이 필요한 경우 2~4mEq/L의 칼륨을 추가하거나 경구 칼륨보충제 또한 처방이 가능하다. 포도당은 혈장과 투석액 사이에 삼투압 경사를 만들어 수분과 용질 제거를 유도한다. 고농도 투석액(예를 들어 2.5~4.5% 포도당 농도)일수록 초여과가 크다. 1.5% 투석액 2L를 4시간 동안 저류시키면 평균 200mL의 초여과를 얻어낼 수 있고 4.25% 투석인 경우 600~1,000mL의 초여과가 일어난다. 일반적으로 사용되는 투석액의 성분은 표 19-1에 제시하였다.

| 아이코텍스트린

아이코텍스트린(Icodextrin)은 새로운 복막투석액으로 포도당을 포함하지 않는 점이 표준투석액과 다른 점이다. 일반적으로 복막투석액에는 포도당이 삼투물질로 사용된다. 그러나 아이코텍스트린의 삼투물질은 녹말에서 추출한 포도당 중합체이다. 아이코텍스트린은 복막투석 동안 혈류로부터 수분 제거를 증가시키고 동시에 복막으로 재흡수되는 수분량을 감소시키며 작은 용질의 청소율을 증가시킨다. 아이코텍스트린은 하루에 한 번 사용하도록 고안되었으며 8~16시간 정도의 장시간 저류시킨 후 교환한다. 아이코텍스트린은 글리코겐 저장장애 또는 녹말에 대한 알레르기를 가진 환자에서는 사용을 금한다. 아이코텍스트린의 사용으로 발생하

표 19-1 복막투석액의 구성성분

	포도당 투석액			아이코텍스트린	Low GDP 젖산완충제	Low GDP 중탄산 완충제
	1.5%	2.5%	4.25%			
Na (mEq/L)	132	132	132	132	132	132
Cl (mEq/L)	96	96	96	96	96	96
Ca (mEq/L)	3.5*	3.5*	3.5*	3.5*	3.5*	3.5*
Mg (mEq/L)	0.5	0.5	0.5	0.5	0.5	0.5
젖산(mEq/L)	40	40	40	40	40	40
중탄산(mEq/L)	—	—	—	—	—	25
포도당(mg/dL)	1360	2270	3860	-	1360~3860	1360~3860
pH	5.2	5.2	5.2	5.2	7.3	7.3
삼투성(osmol/kg)	345	395	484	282	345~484	345~484
GDPs					아주 낮음	아주 낮음

약어: GDPs Glucose degradation products(포도당 분해산물)
*저칼슘 용액은 2.5 mEq/L (1.23 mmol)
출처: Clarkson MR, Magee CN, Brenner BM: , ed. 8, Philadelphia, 2010, Elsevier

는 일반적인 부작용은 피부발진이다. 무균성 복막염, 고혈압, 감기, 두통, 독감 증상(유행성 감기증상), 복통 등이 부작용으로 나타난다.

| 복막투석의 다른 유형

복막투석은 수동 또는 사이클러를 사용하여 자동으로 행해질 수 있다. 수동 복막투석의 형태로는 지속성 외래복막투석(Continuous Ambulatory Peritoneal Dialysis, CAPD)이 있다. 지속성 외래복막투석은 매일 4번 또는 그 이상 교환을 시행하고 매 교환 시 약 30분이 소요된다. 환자는 복막카테터를 통해 배액을 하고 새로운 투석액을 주입하여 대개 4~6시간 동안 복강에 저류시킨다. 하루의 투석액 교환이 끝나면 아침에 백시스템을 분리하고 짧은 길이의 주입관 끝에 캡을 씌운다. 대부분의 지속성 외래복막투석시스템은 'Y'자 형태로 투석액 교환 시 오염물에 노출되었다 할지라도 세척하게 하여 이전의 "스파이크" 시스템을 사용할 때보다 오염률이 50% 이상 감소되었다.

| 자동복막투석

자동복막투석(Automated Peritoneal Dialysis, APD)은 환자가 자는 밤 동안에 사이클러(cycler)에 의해 수행된다. 사이클러는 의사의 처방에 따라 다음 기능이 자동 프로그램된다. (1) 주입 투석액의 양 측정, (2) 주입 전 투석액 온도를 체온과 같게 데우기, (3) 교환주기 시간, (4) 교환횟수, (5) 초여과량 측정. 사이클러는 매 교환당 50~3000mL의 양으로 프로그램되며 낮 시간 동안의 저류양(양, 비율, 첨가물)을 조정하는 "마지막 백 선택(last bag option)"이 있어 낮 시간 동안 한 번 또는 그 이상 교환을 할 수 있다. 모든 기계는 조류성 복막투석(tidal PD)도 프로그램할 수 있다. 자동복막투석은 환자가 원하는 초여과를 달성하기 위해 원하는 포도당의 농도를 조절할 수 있는데 예를 들어 2.5%에 4.25%를 섞어서 3.3%를 얻을 수 있다.

| 다른 형태의 자동복막투석

지속적 자동복막투석(Continuous Cycling Peritoneal Dialysis, CCPD)

지속적 자동복막투석은 주간에 지속적인 저류를 유지하며 야간에 3~5번 교환을 수행한다. 낮 시간 동안의 저류는 중분자 물질의 청소율을 향상시킨다.

간헐적 야간복막투석(Noctural Intermittent Peritoneal Dialysis, NIPD)

간헐적 야간복막투석은 야간에 3~5회 교환하고 낮 시간 동안에는 저류를 하지 않거나 최소로 한다. 간헐적 야간복막투석은 낮 시간 동안의 저류를 견디지 못하는 환자(예: 복막이 포도당에 과투과성을 보이는 환자의 경우 주간 저류 투석액이 흡수되어 버림)와 탈장, 요통, 심폐손상 등 복강내압 증가로 악화될 수 있는 문제를 가진 환자에게 사용된다.

간헐적 복막투석(Intermittent Peritoneal Dialysis, IPD)

간헐적 복막투석은 일주일에 3~4회의 빈도로 투석액 교환을 여러 번 시행하고 다음 투석액 주입까지 투석액을 저류시키지 않는다. 간헐적 복막투석은 콩팥기능이 남아 있는 환자나 시설 내의 환자를 위해 사용된다. 간헐적 복막투석은 매일 복막투석비가 절감되므로 미개발 경제성장 국가에서 많이 사용한다.

조류성 복막투석(Tidal Peritoneal Dialysis, TPD)

조류성 복막투석은 투석액 배액 시 보존량을 남기고 부분적으로 배액한 후 새로운 투석액으로 "조류(tidal)" 용량을 주입한다. 조류성 복막투석은 투석액과 복막의 접촉을 유지시켜 청소율을 높이고 투석액과 혈장 사이의 농도차를 유지시키기 위해 고안되었다. 조류성 복막투석은 청소율을 20% 정도 향상시킨다. 그러나 추가 투석액이 필요하므로 비용이 증가한다.

조류성 복막투석은 배액 시 카테터 끝의 위치로 인해 "불편감"을 느끼는 환자나 배액통을 경험하는 환자를 위해 사용된다. 항상 일정량의 투석액이 남게 되므로 카테터 끝의 자극에 민감한 환자의 불편감이 완화된다.

응급초기투석(Urgent-Start Dialysis)

응급초기투석은 48시간에서 14일 내에 갑작스럽고 예기치 않게 투석을 해야 하는 환자에게 선택할 수 있는 치료방법 중 하나이다. 만성콩팥병의 갑작스러운 진행 환자나 투석 전 지식이 부족하거나 신장내과의 전원이 늦어지는 경우 시행하는 경우가 있다. 블레이크(Blake)와 자인(Jain)(2018)은 요독증과 체내에 수분과다를 보이는 진행성 콩팥병환자를 대상으로 혈액투석보다 복막투석치료가 필요한 환자에게 시행할 수 있는 방법이라 설명하였다. 응급초기투석은 복막투석 도관을 삽입한 후 48시간 후부터 시작이 가능하다. 숙련된 간호사에 의해 누워 있는 자세로 1~2주 가량 적은 용량이지만 투석치료를 받게 된다. 환자의 적응력에 따라 투석센터에서 6~8시간가량 치료를 늘리게 된다. 치료를 받는 동안 환자는 복막투석에 대한 교육과 훈련을 받게 되고, 가정에서 독립적으로 투석을 할 수 있도록 교육을 받는다. 응급초기투석의 장점은 중심정맥도관 삽입을 피할 수 있고 잔여콩팥기능을 유지할 수 있다는 것이다. 투석센터의 훈련된 간호사에 의해 환자 상태 관찰, 교육, 환자 훈련 등이 이루어진다.

| 복막투석을 위해 사용되는 카테터의 종류

급 · 만성 복막투석을 위한 카테터는 생체에 적합해야 함은 물론이고 카테터 출구부위 조직이 기능과 구조를 유지할 수 있어야 하며 복강 안팎으로 투석액을 신속하게 이동시켜야 한다. 카테터는 급 · 만성 복막투석을 위해 만들어졌으며 신생아에서 성인까지 그 크기가 다양하다.

급성 복막투석의 카테터는 환자의 침상에서 삽입되며 단단한 카테터와 부드러운 실리콘 카테터가 있다. 환자는 카테터 삽입 시 장 천공 위험을 최소화하기 위해 방광과 직장을 비워야 한다. 트로카(trocar)나 가이드와이어(guide-wire) 또는 복강내시경을 사용하여 직접 삽입한다. 투석은 삽입 후 바로 시작한다. 단단한 카테터는 장이나 장기의 천공 및 투석액 누출, 복막염, 불편함, 부주의로 인한 카테터 기능소실 등의 위험이 있다. 급성 복막투석에 사용되는 실리콘 카테터는 편안하여 만성 투석에도 사용할 수 있다. 급성 복막투석카테터를 삽입 후 즉시 사용하는 경우 복강 내의 투석액이 카테터 주위로 누출되는 것을 최소화하기 위해 환자는 앙와위를 유지하여야 한다.

만성 복막투석의 카테터는 개복술이나 복강경을 통해 외과적으로 삽입한다. 출구부위는 아래 방향이나 외측 방향으로 위치하며 벨트라인, 흉터, 피부 접힘을 피해서 오른쪽 또는 좌측 복부중간 사분면 지점에 위치한다. 그림 19-2는 환자 상태에 따라 다양한 출구부위를 조정한 모습을 보여 준다. 카테터는 방사선 비투과 줄무늬가 있는 실리콘이나 폴리우레탄으로 만들어져 X-ray 검사 시 육안 관찰이 쉽도록 고안되었다. 카테터는 직선 또는 고리 모양이며 하나 또는 두 개의 커프(cuff)가 있다. 고리 모양 카테터(coiled catheter)는 골반으로부터 카테터의 이동을 최소화하며 직선형 카테터(straight catheter)에 비해 빠짐 문제가 더 적다. 고리 모양 카테터는 카테터의 끝부분이 복막에 직접적인 접촉을 막아 환자에게 편안함을 준다. 그림 19-3은 카테터 커프와 코일이 골반부위에 위치하는 것을 보여 준다.

커프는 다크론폴리에스터 또는 벨벳으로 만들어지며 조직 내 증식이 일어나 카테터가 고정된다. 커프는 피하터널을 따라 세균이 복막으로 이동하는 것을 막기 위해 고안되었다. 이중 커프 카테터의 내부 커프는 직근(rectus muscle), 외부 커프는 출구부위의 피하조직 내부에 자리하게 된다. 카테터의 측면에는 작은 구멍들이 뚫려 있고 투석액 흐름을 위해 끝부분은 열려 있으며 내측 복막구역(복막, 근육)과 피하조직을 통과하는 피하구역, 그리고 외부 커프로부터 출구로 이어지는 외부구역으로 구성된다(그림 19-4). 만성 카테터는 텐코프(Tenckhoff), 기둥디스크(column disk), 토론토 웨스턴(Toronto Western), 스완넥(Swan neck), 크루즈(Cruz), 몬크리프(Moncrief) 카테터 등 여러 가지 형태가 있다(그림 19-5). 이러한 카테터들은 투석액 흐름을 향상시키고 카테터로 발생되는 합병증을 최소화하기 위해 고안되었다.

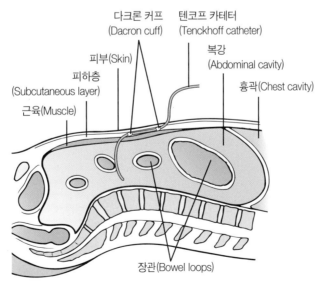

그림 19-2 환자 특성에 따른 카테터 출구 위치를 위해 고안된 텐코프(Tenckhoff) 카테터. (출처: Crabtree JH: Selected best practices in peritoneal dialysis access. *Kid Internat* 103(Suppl): S27-S37, 2006.)

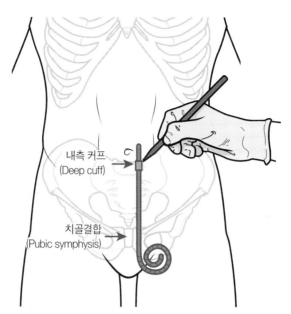

그림 19-3 **코일형 카테터의 적절한 골반위치를 위한 카테터 삽입부위와 내측 커프의 위치선정.** (출처: Crabtree JH: Selected best practices in peritoneal dialysis access. *Kid Internat* 103 (Suppl): S27-S37, 2006.)

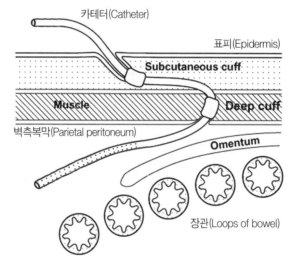

그림 19-4 **이중커프 텐코프 카테터의 위치**(From Crabtree JH, Chow KM: Peritoneal Dialysis catheter insertion. Seminars in Nephrology 37(1):17-29, 2017.)

| 카테터 길들이기

카테터 길들이기(catheter break-in)란 만성 카테터 삽입 후 상처가 치유되고 커프 안으로 조직 증식이 일어나는 기간이다. 이 기간의 목표는 회복 증진과 투석액 누출과 감염, 카테터 폐쇄와 같은 합병증 예방이다. 회복은 약 6주가 걸리며 딱지 형성과 출구부위 육아조직화, 누관의 상피화 과정을 포함한다. 특히 지속성 외래복막투석의 경우 카테터 삽입 후 적어도 10~14일은 투석액 전량을 주입하지 말아야 한다. 만약 이 기간 동안 심한 요독증이나 수분 과다로 투석이 필요하면 일시적으로 혈액투석을 시행할 수 있다. 수술 후 환자는 가능한 한 활동을 피하고 앙와위를 유지하여야 하며 대변을 볼 때 힘을 주거나 과도한 기침, 물건을 드는 행동 등

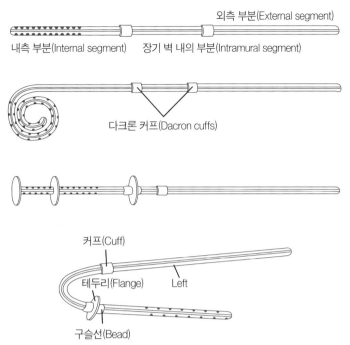

그림 19-5 **만성카테터.** A, 직선형 텐코프 카테터. B, 코일형 텐코프 카테터. C, 토론토 웨스턴 카테터. D, 스완넥(swan neck) 카테터. (*From Smith T: Renal nursing, Philadelphia, 1998, Harcourt Brace & Co. Ltd. Bailliere Tindall.*)

복압을 상승시키는 행동을 피해야 한다. 수술 후 이 기간 동안의 치료방법은 다음과 같다.

• 수술 후 1~3일 동안 헤파린이 첨가된 식염수(식염수 1mL당 1~10units 헤파린) 25~100mL를 4~8시간마다 주입한다. 이 방법으로는 카테터 위치 불량과 배액 문제를 감지할 수 없다.

• 헤파린 첨가 식염수나 투석액을 소량 주입하고 배출하는 교환을 하루 여러 차례 시행하여 배액에 더 이상 혈액성분이 보이지 않을 때까지 시행하고 이후 몇 주 동안은 시행하지 않는다. 소량의 헤파린 첨가 용액은 복강에 남아 섬유소(출혈, 염증, 또는 감염 반응 시 형성되는 백색 단백질) 형성을 억제하고 유착 진행을 방지한다. 저용량 헤파린의 복강 주입으로 인해 전신적 항응고 작용은 일어나지 않는다.

• 응급투석이 필요한 환자에서 혈액투석 진행이 불가능할 때 저용량 투석이 시행된다. 저용량(500~1,000mL) 투석 교환은 환자가 앙와위를 취한 상태에서 사이클러에 의해 수행된다. 투석액의 용량은 요독증 증상과 징후를 감소시키기 위해 점전적으로 증량시킨다.

| 출구부위 간호

수술 직후의 목표는 카테터의 안정화, 회복 증진, 감염예방이다. 출구부위 드레싱은 혈액, 삼출물, 투석액 등으로 과도하게 배액되지 않는 한 수술 후 5~7일 동안은 교환하지 않는다. 첫 드레싱 교체는 훈련된 투석요원에 의해 시행되며 이때 환자교육이 이루어진다. 드레싱 교체 시 입과 코의 균주로부터 오염을 막기 위해 마스크를 착용한다. 출구 주위 피부는 분홍색을 띠며 흉터와 유사하고 갈색이나 자주색을 띠기도 한다. 드레싱을 교체하는 동안 출구부위에 감염의 징후(홍반, 삼출물, 경화, 압통)가 있는지 평가한다. 피하터널은 압통 여부를 촉진으로 사정하며 카테터와 연결부위의 통합성을 점검하여야 한다. 출구부위는 항균성 비누와 물로 깨끗이 씻은 후 거즈나 테이프, 무균적 공기투과성 드레싱으로 덮는다. 1% 포비돈, 3% 과산화수소, 0.5% 차아염소산염 나트륨과 같은 세포독성 소독제는 상처부위의 상피화를 막으므로 수술 직후에는 사용하지 않고 출구가 완전히 아물었을 때 사용한다. 카테터는 테이프로 고정하여 카테터 당김으로 인한 위치이탈과 출구부위 외상을 방지하도록 한다.

출구 간호의 목적은 감염예방이다. 항균비누로 샤워하면서 출구부위를 조심스럽게 씻어 말린 후 매일 소독한다. 항균용액(예: 1% 포비돈 용액, 3% 과산화수소, 0.5% 차아염소산염 나트륨)을 출구부위 주변 피부에 원을 그리듯 바른다. 출구부위에 뜨거운 욕조목욕은 하지 않는다. 많은 복막투석 프로그램은 염소처리 수영장이나 바다 수영을 허용한다. 그러나 국내에서는 권고하지 않고 있다. 회복기간(4~6주)이 지나면 드레싱은 환자나 기관의 판단에 따라 시행된다. 카테터를 테이프로 고정하는 것은 매우 중요하며 카테터의 이탈로 인한 외상과 감염뿐 아니라 당겨지는 사고를 예방하기 위함이다.

| 복막투석 적절성 평가

환자 상태는 복막투석의 적절도를 평가하는 데 매우 중요하다. 평가의 중요한 요소는 요독증 증상(검사수치, 체액과다)과 잠재된 증상(수면과 집중의 장애, 식욕부진, 영양지수)에 대한 세심한 관찰이 필요하다. 왜냐하면 복막투석은 일차적으로 가정치료이고 치료처방에 대한 환자의 이행도가 투석 적절도로 이어지게 되므로 반드시 사정되어야 한다.

복막투석의 효율성은 복막이 체액과 용질을 초여과하는 능력에 의해 결정된다. 복막의 용질청소율은 투석액과 혈장 사이의 농도기울기에 의한 확산과 고장성 투석액으로 인해 발생하는 "용질 끌기"에 의해 결정된다. 용질과 체액은 혈관에서 복강으로 또는 복강에서 혈관으로 움직인다. 단백질(8.8~12.9g/day)과 아미노산, 수용성 비타민, 극소의 미네랄 및 몇몇 호르몬과 같은 물질은 배액으로 소실된다.

복막투석의 초여과와 용질청소율은 다음과 같은 요인에 의해 영향을 받는다. (1) 복막의 투과성 (2) 교환량 (3) 투석액의 포도당 농도 (4) 저류시간 (5) 용질의 분자량. 용질청소율은 투석액 대 혈장의 비율(D/P)로 표현된다. 평형은 투석액 대 혈장의 비율이 1일 때 얻어진다. 요소(분자량 60Da)와 같이 작은 용질은 확산이 잘 일어나 4시간이면 평형에 이르고 크레아티닌(분자량 113Da)은 천천히 이동하므로 일반적으로 4시간의 CAPD 교환시간 동안에는 결코 평형에 이를 수 없다.

복막평형검사(Peritoneal Equilibration Test, PET)는 복막투과성에 대한 표준화된 검사로 용질이동의 특성과 포도당의 흡수, 수분 제거량 결정에 이용되며, 투석량 처방과 복막의 특성에 근거한 교환이 이루어지도록 도와준다. 복막평형검사의 검사방법은 환자에게 2.5% 투석액을 주입한 후 2시간에 혈청을 채취하고 0, 2, 4시간에 투석액을 각각 채취하여 요소와 크레아티닌, 포도당을 검사한다. 또한 복막평형검사 시행 전날 저녁에 주입하여 12시간 이상 복강에 저류시킨 투석액에서 요소와 크레아티닌을 검사한다.

투석액 대 혈장 비율(D/P ratio)은 그림 19-6과 같이 계산한다. 환자의 용질 이동 특성을 토대로 표 19-2에 투석에 대한 평가기준을 제시하였다. 크레아티닌은 투석액 대 혈장비율이 높고, 작은 크기의 물질은 더 신속히 이동한다. 크레아티닌의 투석액 대 혈장비율은 환자의 투석에 대한 평가를 결정한다. PET 점수가 높으면 빠르게 노폐물이 제거되는 것을 말하며 수분 제거율이 낮고 포도당의 재흡수가 높으며 단백질 손실이 높음을 의미한다. 반면 낮은 PET 점수는 노폐물 제거가 느리나, 수분 제거율이 높고 단백질 손실이 상대적으로 낮음을 의미한다.

비록 복막평형검사가 복막의 물질이동 특성을 결정하는 데 도움을 준다고 하더라도 적절도 목표에 도달하였는지를 평가하기 위하여 반드시 24시간 소변 수집(잔여 콩팥기능)과 배액 수집(투석청소율)이 정기적으로 시행되어야 한다. 이 검체로 요소와 크레아티닌을 검사하여 주당 Kt/V와 크레아티닌 청소율이 계산된다. 2006년도 KDOQI에 의해 제시되는 적절도의 목표적절도의 목표치는 표 19-3에 정리하였다.

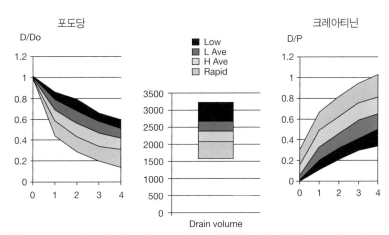

그림 19-6 **복막평형검사.** D/Do, 측정시점 투석액 포도당 농도/투석시작시 투석액 포도당 농도; D/P 투석액에서 혈정으로 이동 (출처: Modified from Teitlbaum I, Burkhart J; Peritoneal dialysis. *American journal of Kidney Disease* 42(5); 1082-1096, 2003; Elsevier)

표 19-2 **복막평형검사의 진단적 가치**

물질 이동	CAPD를 시행할 경우			권장투석 유형
	초여과	투석		
빠름(고)	나쁨	적절		NIPD*, DAPD
중간	좋음	적절		표준 복막투석[†]
		부적절[‡]		고용량 복막투석[§]
느림(저)	아주 좋음	부적절[‡]		고용량 복막투석 또는 혈액투석[∥]

약어: Continuous ambulatory peritoneal dialysis(지속적 외래복막투석), Nocturnal intermittent peritoneal dialysis (간헐적 야간복막투석), Day ambulatory peritoneal dialysis(주간 운동성 복막투석)
*NIPD: 매일 밤 8~12시간 동안 10~20L의 투석액으로 시행하는 복막투석
 DAPD: 낮 시간에만 3~4교환을 시행하는 복막투석
[†]표준복막투석: 24시간 동안 7.5~9L의 투석액으로 지속적 외래복막투석을 시행 또는 밤 동안은 사이클러를 이용하여 6~8L의 투석액을 교환하고 낮에는 2L로 투석하는 것
[§]고용량 복막투석: 9L 이상의 투석액으로 24시간 동안 지속적 외래복막투석을 시행 또는 밤 동안은 사이클러를 이용하여 8L 이상의 투석액을 교환하고 낮에는 2L 이상으로 투석하는 것
[∥]체표면적이 2.00m^2 이상인 환자는 혈액투석이 요구됨.
출처: Twardowski ZJ: CAPD 환자에서의 표준 평형검사의 임상적 가치. 7: 95-108, 1989

표 19-3 **KDOQI에 의한 복막투석 적절도 목표치**

	주당 Kt/V	주당 크레아티닌 청소율(L/1.73m^2)
CAPD	1.7	60
CCPD	1.7	63
NIPD	1.7	66

약어: , Kidney Disease Outcome Quality Initiative, , continuous ambulatory peritoneal dialysis, , Continuous cycling peritoneal dialysis, , Nocturnal intermittent peritoneal dialysis
출처: Twardowski ZJ: Clinical value of standardized equilibration tests in CAPD patients. Blood Purification Journal 7:95-108, 1989. S. Karger AG, Basel.

| 복막투석의 합병증

표 19-4에 복막투석 시 경험하게 되는 흔한 합병증의 원인, 증상, 징후와 중재를 정리하였다.

표 19-4 복막투석의 합병증

합병증	원인	증상/징후	중재
복막염 복강의 감염	폐쇄시스템에 미생물이 침투하여 복강으로 전이되거나 카테터를 통해 감염	혼탁한 배출액: 복통, 오심, 구토: 투석액 백혈구 수 > 100: 호중구 > 50%	신속한 진단과 치료: 1.5% 투석액으로 세척: 복강 내 항생제 투여는 정맥 내 투여만큼 효과적임. 원인균이 확인될 때까지 그람 양성, 그람 음성 모두에 효과적인 항생제를 투여, 헤파린 첨가 (0.5~1.0unit/mL 투석액) 섬유소와 유착을 제거하기 위해 사용
출구감염 피부를 통한 카테터 출구 부위의 홍반과 화농성 분비물은 복막염을 유발하며 재발될 경우 카테터를 제거하게 한다.	피부주위 미생물: 외상이나 비강의 황색과 관련 • 원인균: *표피/포도상구균, 황색포도상구균, 녹농균*	카테터 주위의 화농성 분비물 (홍반이 있거나 없을 수 있음): 배양검사 양성: 경화, 통증	경구/정맥 내/복강 내 항생제 투여: 출구간호를 하루 두 번으로 증가: 치료기간은 정할 수 없다.
터널 감염 피하의 터널 카테터로에 생기는 염증	터널을 따라 미생물이 이동	홍반 또는 터널 주위 조직 비후—"소시지" 같은 외관: 통증: 분비물은 있거나 없음	정맥 내/복강 내 항생제: 복막염 발생 및 카테터 제거
섬유소 형성	섬유소원의 분해 감소로 인한 염증반응으로 생성, 복막염 동안 증가	카테터 또는 분비물에서 흰색 부유물 또는 가닥 관찰: 치료하지 않으면 카테터의 폐쇄로 이어짐	섬유소의 형성과 유착 형성 방지를 위해 투석액에 헤파린 첨가 (500~1,000units/L).
혈액성 복막	생리 중인 여성(역행하는 월경); 외상; 난소낭종; 배란; 복막염; 후결장경 또는 부종	혈액성 배액: 2mL/L의 혈액은 혈액성 배액의 결과. 분비물의 헤마토크릿 > 5% 출혈 암시: 자발적으로 없어짐	실온 투석액으로 세척(혈관수축), 폐색의 예방을 위해 헤파린 첨가
유입/유출 문제	섬유소, 혈액, 장막이 카테터 폐색: 골반 밖으로 카테터 이동: 변비, 유착으로 인한 복강에서의 체액의 국소화	투석액의 유입불능 또는 유출 불능: 카테터 세척 시 저항	변비 경감: 카테터의 위치, 내부의 꼬임을 보기 위한 X-ray 촬영: 외부의 꼬임 확인 위한 카테터의 관찰: 헤파린을 섞은 식염수로 카테터 세척: 혈전을 용해하기 위한 세척/카테터 재조정: 위치 확인을 위해서 조영제를 사용하여 복강촬영 시행
복강 내 공기 유입	느슨한 연결: 시스템 내의 공기가 복강으로 유입	견갑통: 복막 내 호산구 증가	배액: knee-chest 또는 trendelenburg 자세: 시간이 지나면 호전됨, 연결부위 확인

(계속)

합병증	원인	증상/징후	중재
투석액 누출 　카테터 출구 부위 또는 　피하조직 안으로	복압의 증가: 카테터 삽입 후 치유지연	출구부위의 맑은 분비물: 복부, 음경, 음낭의 부종	급성 카테터의 출구 재봉합: 치유를 위한 2주 또는 그 이상의 복막투석 중단: 복막투석을 중단할 수 없으면 앙와위로 투석액의 양을 감소시켜 자동복막투석 시행: 카테터 재삽입
탈장	복강 안에 있는 투석액에 의해 복막내압이 증가: 선천적으로 또는 이전의 복부수술로 결함이 있는 환자에서 나타남	서혜부, 배쪽, 절개부위, 제대하부의 부종: 무통증성, 환원성	최소 또는 주간저류를 하지 않는 APD: 교환량의 감소: 외과적 조정
유입 시 통증	카테터의 위치이동: 골반벽에 대한 카테터의자극: 투석액의 빠른 주입: 투석액에서의 고삼투압혈중: 투석액의 산도	투석액 유입 시 통증	투석액의 느린 주입: $NaHCO_3$를 추가하여 pH 증가: 국소마취제(2% 리도카인 3~5mL/L) 복강 내 주입: 외과적인 교정술/카테터의 위치교정

약어: *APD* ,Automated peritoneal dialysis(자동복막투석); *IP*, intraperitoneal(복강내); *IV* , intravenous(정맥내); , *NaHCO₃*, sodium bicarbonate(탄산 수소 나트륨); *PD* , peritoneal dialysis(복막투석); *WBC*, white blood cells(백혈구)

| 당뇨 환자의 복막투석

복막투석은 당뇨 환자에게 많은 장점을 제공한다. 복막투석은 심혈관이 불안정하거나 자율신경계 장애를 가진 당뇨 환자에게 혈액투석 시 나타나는 급격한 생화학적 변화나 체액 변동 없이 안정된 생리학적 상태를 보인다. 또한 혈관 접근이 필요 없다. 혈당은 레귤러 인슐린(Regular Insulin, RI)의 복강 내 주입을 통해 조절되는데, 이는 인슐린을 담고 있는 복강이 안정적, 점진적으로 천천히 인슐린을 말초순환으로 유출시키기 때문이다. 하루 총 복강 내 인슐린 투여량은 다음과 같은 요인 때문에 피하 투여량보다 더 많이 필요할 수 있다. (1) 복강으로부터의 인슐린의 느린 흡수, (2) 투석액의 인슐린 희석효과, (3) 투석액 포도당으로 인한 추가적 인슐린 필요, (4) 인슐린과 플라스틱 백과 혈액라인과의 결합(10%), (5) 간에서의 인슐린 분해. 그러나 인슐린을 매일 투석액 백에 추가하지만 당뇨 복막투석 환자의 복막염 발생빈도는 다른 복막투석 환자에 비해 높지 않다.

가정투석치료: 복막투석 Home Dialysis Therapy: Peritoneal Dialysis

| 복막투석의 선택

신장 전문의에 의한 투석 전 교육, 신장간호사, 사례관리자, 일반적인 의료종사자에 의해 치료방법이 결정된다. 환자가 사실과 정보에 의해 선택할 수 있도록 객관적인 교육이 이루어져야 하며 환자의 고유 생활습관이나 건강요구도에 따라 결정하게 된다(표 19-5).

| 가정복막투석의 선정기준

가정복막투석 결정 전 반드시 다학제간 투석팀에 의한 평가를 받아야 한다. 평가항목은 다음과 같다.

1. 복막투석의 전반적인 금기사항은 다음과 같다.

표 19-5 복막투석 선택 시 고려사항

환자 측면의 고려사항
여행을 즐기거나 직업상 생활의 독립성
혈액이나 바늘천자에 대한 두려움
심혈관계 불안전한 상태
동정맥루 개존의 어려움
비안정적인 생활방식

삶의 질 측면의 이점
식이제한 용이
의학적 문제발생 시 해결 용이
혈압조절 용이
혈액검사수치의 안정적 유지
잔여 콩팥기능의 유지

- 복부유착
- 종양 등의 진행된 복부질환
- 게실 천공의 과거력
- 탈장 재발의 과거력
- 복막평형검사 시 복막의 용질 여과 및 확산 능력이 없는 자
- 복강과 흉곽 사이의 열공
- 잔여 콩팥기능이 없는 70kg 이상의 환자
- 심각한 간질환이나 다낭신장병 환자

2. 정신사회적 평가내용은 다음과 같다.
- 자가간호에 대한 환자의 동기유발
- 생활방식(직업, 학교)
- 교육적 배경
- 건강 신념
- 가족과 사회의 지지 시스템
- 환자의 의사결정능력
- 의료 치료에 대한 과거 이행도
- 투석시설과의 거리
- 주거환경의 특성(청결도, 물, 전기, 전화 이용 가능 여부, 기기 보관공간)
- 치료조력자의 유용성(배우자, 형제, 부모, 친구 등)

3. 환자의 신체적 특성과 한계는 다음과 같다.
- 시력
- 근력
- 손놀림
- 미세운동조정 능력

| 인지기능(Cognitive functioning)

환자가 가정치료방법을 결정할 경우 어려움이 있는지 판단하는 것은 중요하다. 환자는 가정치료에 참여할 능력이 있어야 하며 특정 동거인이 자가치료 파트너가 될수 있는지 확인해야 한다. 복막투석은 의학적으로는 심혈관계 장애가 있는 환자에게 처방될 경우가 있고, 가정 복막투석은 특히 소아환자에게 적합한데, 이는 아동과 가족의 생활을 "정상화"할 수 있기 때문이다(학교 등교, 식이조절이 혈액투석에 비해 쉬우며, 바늘천자에 대한 스트레스가 적고 수분 섭취와 전해질 조절이 안정적이고 독립적 생활이 가능을 맞추는 데 적합하다).

| 가정투석에서 치료선택의 평가를 위한 Match-D 방법

Match-D는 신장전문의나 투석 관련 직원이 복막투석과 혈액투석치료 중 어떤 치료가 적절한지 환자를 사정하고 확인하는 데 도움을 주기 위해 고안된 도구이다. 이 도구는 의료인이 잘 파악하여 환자가 가정치료방법을 잘 수행할 수 있도록 하기 위해 만들어졌다. 이 도구로 환자가 가정투석을 수행하기에 적절한지, 위험한지, 또는 금해야 하는지에 대한 범주를 평가한다. 이 결과로 치료를 결정하게 될 환자와 가족과 상의한다. Match-D 도구의 사용으로 가정투석을 선택하는 환자가 증가하게 된다.

| 가정복막투석을 위한 환자교육

가능하다면 교육은 카테터 삽입 후 최소한 2주가 지난 후에 시작한다. 왜냐하면 카테터 삽입 후 상처가 아물고 환자가 신체적·정신적으로 회복할 수 있도록 시간이 필요하기 때문이다. 가족도 환자를 지지하고 참여하기 위해 함께 교육받아야 한다. 환자 및 가족과 신뢰관계가 형성된 간호사에 의해 환자교육이 이루어지는 것이 중요하고, 이후 환자와 투석팀을 연결하는 역할을 하게 된다. 교육은 외래환경에서 시행하는 것이 좋다.

교육내용과 방법은 환자의 학습능력에 따라 개별화되어야 한다. 교육내용에는 정상 콩팥의 기능, 신부전이 신체 항상성에 미치는 영향, 복막투석의 기전, 무균 처치의 수행, 카테터와 출구 간호, 체중과 혈압의 측정, 지속성 외래복막투석 교환절차, 자동복막투석의 경우 사이클러 사용법, 건체중을 유지하고 혈압을 정상화시키기 위한 투석액 조절 원칙, 감염의 증상과 징후의 인식(예: 출구감염, 터널감염, 복막염), 복막염이 있을 때 처치의 중요성, 약물, 식이섭취, 투석용의품 주문, 합병증의 처치 등이 포함된다. 환자가 가정에서 복막투석을 독립적으로 수행하기까지 투석과정의 반복적 시범과 모든 교육과정의 습득을 위한 충분한 시간이 필요하다. 교육 종료 시점에서 간호사에 의한 가정방문이 이루어져야 한다. 복막투석 당직 간호사는 근무 외의 시간 동안 환자에게 일어나는 문제를 해결하도록 하여야 한다.

| 복막투석에서 간호의 질 평가

Joint Commission on the Accreditation of Healthcare Organization (JACHO)과 메디케어 & 메디케이드 서비스센터(CMS)에 의해 질 보장 프로그램이 선정되었다(제26장 참조). 질 보장의 초점은 환자가 받는 간호의 질을 지속적으로 향상시키는 데 있다.

다음은 질 보장 지침의 예이다.
- 복막염이나 출구, 터널감염과 같은 감염의 발생빈도
- 카테터 주위 누출, 이동, 카테터 교체가 필요한 폐색, 카테터 내 구멍이나 틈과 같은 카테터 관련 문제의 발생빈도
- 환자 이환율(연간 입원일수와 입원 원인)과 사망률

- 적절도 목표의 달성
- 환자간호 향상을 위한 정책이나 과정의 개정

복막투석은 급성과 만성 환자 모두에게 실용적인 투석방식이다. 급성 복막투석은 혈액투석이 불가능한 환자에게 적절하다. 치료가 성공적으로 되기 위하여 지속적 가정복막투석 환자의 선정 시 주의를 기울여야 한다. 치료에 대한 환자 만족도와 이행도, 합병증 발생빈도, 요독과 과잉 체액 제거에 복막투석 적절도 평가가 반드시 시행되어야 하며 간호의 질 향상을 위한 조정이 필요하다.

| 복막투석의 단점

최근 복막투석 환자에서 빈번한 영양실조와 부적절한 투석에 대한 우려가 점차 커지고 있다. 단백질 영양실조는 투석액으로 아미노산과 단백질이 소실되는 것과 부적절한 투석 그리고 투석액으로부터 흡수되는 포도당으로 인한 식욕부진에 의해 흔히 발생한다. 또한 투석 시작 시 과체중인 환자에서 고중성지방혈증과 칼로리 과잉섭취로 인한 체중 증가가 발생할 수 있다. 또 다른 우려는 투석적절도이다. 과거 대부분의 지속성 외래복막투석 환자는 매일 2~2.5L의 양으로 4번 교환을 했었는데 잔여 콩팥기능을 잃은 후에는 많은 복막투석 환자에서 복막투석으로는 부족한 것으로 밝혀졌다.

| 가장 흔한 복막투석의 합병증

혈액투석과 복막투석 환자의 입원일수는 11.2일로 2007년부터 2016년까지 감소하였으며, 복막투석 환자의 연 입원일수는 15.5일에서 12.2일로 감소하였다(USRDS, 2018). 장기간의 복막투석과 복막염은 복막투석의 주된 합병증으로 구조적인 변화인 복막 섬유화를 일으킨다. 반복적인 복막염은 복막의 투과성을 변화시키고 이는 초여과율을 감소시킨다. 나이, 성별, 교육 정도, 당뇨, 저알부민혈증 등이 복막염의 예측인자로 확인되었다(Tian et al., 2016). 복막염은 복막투석의 주요 합병증으로 ISPD 2016년 가이드라인에 의하면 매년 0.5회 이상의 이러한 복막염 발생이 있다고 보고하고 있다(Li et al., 2016). ISPD는 매년 복막투석 관련 감염과 치료를 권고하는데, 복막염 치료결정은 그람 양성균과 그람 음성균의 감염방지의 알고리즘과 치료기간을 제시하고 있다. 환자의 투석액이 혼탁한 색을 띠고 복부통증을 경험할 때 복막염으로 간주해야 한다.

| 복막투석 적절도 지침

복막투석 적절도에 대한 임상지침은 KDOQI에 의해 제시되었고 2006년 마지막으로 수정되었다. 적절한 복막투석을 위해서 주당 Kt/V가 1.7이 되어야 하고 주당 크레아티닌 청소율은 적어도 $60L/1.73m^2$가 되어야 한다. 영양실조 환자는 더 많은 투석이 필요하다고 제시하고 있다. 투석량을 늘려야 하는 다른 경우는 다음과 같다.

- 요독성 신경병증
- 요독성 심낭염
- 오심 또는 원인을 알 수 없는 구토
- 수면장애
- 하지불안증
- 소양증
- 조절이 되지 않는 고인산혈증

- 체액과다 증상
- 고칼륨혈증
- 경구 중탄산염 치료에 반응이 없는 대사성산증
- 빈혈

결과적으로 많은 지속성 외래복막투석 환자가 현재 1일 5회 교환을 하고 있고 때로는 3L 이상의 많은 양을 사용하며 밤 동안 사이클러를 사용하는 투석을 추가로 하고 있다. 이는 복막투석 교환시간과 교환절차로 불편감을 줄 수 있다.

| 가정투석치료: 혈액투석

가정혈액투석(Home Dialysis Therapy: Hemodialysis)은 많은 만성콩팥병 환자에게 아주 좋은 치료이지만 많이 이용되지 못하고 있다. 2016년 신대체요법을 시작한 환자 중 2%만이 가정혈액투석을 시행하고 있다 (USRDS, 2018). 이는 미국 가정투석의 역사에서 가정혈액투석과 복막투석의 장점을 비교하며 논의되고 있다.

| 가정혈액투석의 역사

1963년 가정혈액투석 프로그램이 보스턴, 런던, 시애틀에서 시작되었는데 이는 경제적 이유 때문이었다. 그 당시 장기간의 투석에 대해 보험이나 정부의 지원이 없었고 이런 고비용의 치료를 환자 자신이 부담하거나 기부를 통해 치료비를 지불하였다. 잘 교육되고 훈련된 환자는 병원이나 투석시설에서 의료진 도움하에 투석을 받는 것보다 저렴한 비용으로 가정에서 안전한 혈액투석을 수행할 수 있음이 알려지게 되었다. 더욱이 이런 환자들이 투석시설에서 외래환자로 치료받는 사람들보다 더 높은 삶의 질과 더 나은 사회복귀를 보였다. 1973년 메디케어 말기신장질환 프로그램이 도입되기 전 10년 동안 투석에 대한 지원은 매우 미미한 상황이었고 그 결과 1973년 약 만 명 중 42%의 투석 환자가 가정투석을 받게 되었고 가정혈액투석 환자는 일주일에 3회 6~8시간의 투석을 시행하게 되었다.

| 메디케어 말기신장질환 프로그램이 가정투석에 미친 영향

1973년 시작된 메디케어 말기신장질환 프로그램은 만성콩팥병 환자를 위해 투석과 이식에 대해 전반적인 자격을 행사하였으며 큰 결과를 나타냈다. 자금지원으로 외래 혈액투석이 가능해졌고, 그 결과 미국 전역에서 투석실이 빠르게 증가하였다. 가정투석은 이윤추구를 하는 시설에서 선택치료로서 마지못해 선택하는 것으로, 대부분 가정혈액투석에 대한 경험이 부족한 투석 전문의에 의해 운영되었다. 동시에 당뇨 환자와 소수민족, 노인 환자가 빠르게 증가하였고, 그 결과 지원프로그램이 여전히 존재하였음에도 불구하고 1995년 1% 미만의 환자만이 가정혈액투석을 받았다. 대조적으로 호주의 경우 1995년에 14%의 환자가 가정혈액투석을 받았다.

1970년대 후반 Moncrief와 Popovich에 의해 지속성 외래복막투석이 발전하면서 가정투석에 혁명이 일어났다. 가정혈액투석은 빠르게 사라졌고 동시에 새롭고 간단한 기술로 더 많은 환자에게 가정에서의 자가간호 이점을 경험할 기회가 주어지게 되었다. 지속성 외래복막투석의 성공과 함께 다양한 복막투석이 개발되었고 미국의 경우 15%의 환자가 복막투석을 시행하고 있다. 지속적 가정복막투석은 밤 동안 사이클러를 사용하면서 낮 동안 1~2회의 추가교환을 하는 것을 말하고 NIPD는 밤 동안 사이클러를 사용하여 복막투석을 하는 것을 말한다.

| 매일 야간혈액투석(DNHD)

매일 야간혈액투석(Daily Nocturnal Hemodialysis, DNHD)은 밤 시간 동안 수면 중에 가정에서 투석하는 가정투석이다. 환자는 주당 6~7회, 7~10시간 야간투석을 시행한다. 매일 야간투석은 장시간 더 잦은 투석을 하게 되므로 혈류속도는 분당 200mL, 투석액 속도는 분당 300mL로 유지하게 된다. 일부 환자는 원격으로 조정되는 인터넷 시스템과 훈련된 요원에 의해 가정에서 모니터된다. 알람이 발생하면 인터넷을 통한 조정이 가능하며 만일 환자가 정해진 시간 동안 반응을 하지 않을 경우 요원이 환자의 집에 전화를 한다. 만일 반응이 없는 경우 요원은 응급의료서비스에 연락하게 된다. 이러한 훈련된 요원의 모니터링의 장점은 환자와 간호제공자에게 야간투석 시 편안함과 신뢰감을 제공하는 것이다. 보고에 의하면 매일 투석을 하는 환자는 안녕감이 증진되고 입원율이 낮으며 투약도 적게 하는 것으로 나타났다. 모든 치료방법 중 야간투석이 큰 분자량 물질의 제거에 가장 좋다. 이는 세포 내 공간에서 혈장으로 큰 분자물질의 이동에 긴 시간이 걸리는 것과 관련이 있다(Curtis, 2004). 투석과 투석 간의 시간이 짧기 때문에 체액과 노폐물 제거가 정상 콩팥기능과 좀 더 유사하다고 할 수 있다.

| 매일 단기투석

매일 단기투석(short daily dialysis)이란 주당 6~7회, 2시간 고효율 투석을 시행하는 것을 말한다. 이는 센터에서 시행되는 혈액투석 방법과 유사하며 집중적이고 빠르다. 환자는 센터의 환자에 비해 투약이 덜 필요하여 기분이 향상되는 양상을 보인다. 매일의 단기투석으로 식이와 수분섭취 제한이 완화되며 먹어야 하는 약물의 수를 줄이는 데 도움이 된다.

| 투석횟수 증가가 바람직한 이유

체액과 생화학적 변화는 변화 정도와 변화율에 따라 모든 신체기능에 영향을 준다. 노폐물과 수분의 축적은 환자의 상태를 악화시킨다. 그러나 세포 내외의 물질 이동 때문에 빠른 제거 또한 환자의 상태를 악화시킨다. 잦은 혈액투석은 대사산물과 수분의 축적 간격을 줄여 전체적인 축적과 투석 중 감소율이 적어진다.

| 투석을 매일 시행하지 않는 이유

장비와 시설에 대한 비용이 많이 들기 때문이다. 투석은 환자가 다른 곳에서 보내고 싶어 하는 시간을 사용하기 때문에 투석의 시간과 횟수 처방은 무엇이 환자의 건강에 최선인가라는 점과 비용과 시간의 실질적인 제한 사이의 절충이라고 할 수 있다.

| 간헐적 야간투석

간헐적 야간투석(intermittent nocturnal dialysis)은 만성콩팥병 환자의 또 다른 선택방법이다. 센터에서 시행되는 야간투석은 주 3회의 투석을 야간에 센터에서 받게 된다. 환자는 매 투석 시 혈류속도와 투석액 속도를 낮춘 채 거의 8시간의 투석을 받는다. 저혈압 발생 및 투석합병증의 빈도가 낮으며 편안한 투석이 이루어진다. 이 방법은 일부 환자에게 낮 동안 정상적인 사회활동을 수행하고 밤에 수면이 가능하기 때문에 대중적인 방법이 되고 있다. 높은 청소율과 집중치료를 피할 수 있기 때문에 환자의 안녕감 증진이 보고되고 있다.

| 가정혈액투석을 위한 환자 선정

적합한 교육을 받고 지원을 받는 환자는 남녀노소를 불문하고 가정에서 혈액투석을 할 수 있다. 투석 시의 심각한 심혈관계 문제, 혈관통로의 문제, 비순응의 문제, 보조자의 부재, 적합한 공간 부족, 학습능력 결여, 환자나 가족의 과도한 불안, 집에서의 치료에 대한 환자의 의지 부족 등이 금기사항에 포함된다. 그 외의 모든 다른 환자는 자가간호에 대한 잠재적 지원자로서 인식되어야 하고 가정혈액투석과 복막투석의 장점에 대한 정보가 주어져야 한다. 환자와 가족, 신장전문의와 함께 일하는 다학제팀은 가정혈액투석에 대한 환자의 적합성과 치료방법의 선택에 영향을 주는 의학적, 심리사회적, 직업 요인에 대한 사정을 수행해야 한다.

집에 대한 점검 또한 중요하다. 알맞은 수도관과 전기배선, 장비와 시설을 보관할 공간이 반드시 있어야 한다. 많은 가정과 아파트는 가정혈액투석을 위해 약간의 부분적 변경이 필요하다.

| 가정혈액투석 환자에게 필요한 교육

가정혈액투석 교육은 전문 치료진이 각자의 전문영역을 교육하는 것이 최선이며 이런 전문적인 특성 때문에 지역교육시설의 설립을 고려하여야 한다. 일단 환자가 가정에서 치료받기를 결정하면 교육이 가능한 한 빨리 시작되어야 하고 충분한 정보를 갖도록 하여야 한다. 대부분의 환자에서 가장 어려운 일은 바늘천자로, 환자가 최선을 다해 익혀야 한다. 교육이 시작되는 시점에서 가정혈액투석은 간단하며 안전하다고 환자를 안심시켜야 하며, 가정에서 문제가 발생하면 언제든지 전화로 조언과 지원을 받을 수 있음을 알려 준다. 환자는 투석의 기술뿐만 아니라 식이, 질병과 합병증, 의료요법에 대하여 학습해야 한다.

교육은 환자가 동정맥루 천자에 숙달된 후 보통 3~8주간 시행하고 진행과정을 정기적으로 사정하여야 하며 교육일정을 최대한 조정하여 환자가 일을 계속할 수 있게 하거나 직업을 찾거나 다른 재활서비스에 접촉할 수 있게 하여야 한다.

| 가정혈액투석 교육요원의 자격

가정혈액투석 교육요원의 선택은 매우 중요하다. 투석에 대한 경험이 있어야 하고 좋은 교육기술을 가지고 있어야 하며 독립성과 자가간호를 격려하는 데 헌신적이어야 하고 환자가 실수를 통해서 배우는 것을 허용해야 한다. 자료집, 동영상, 영화, 포스터와 기타 교육적인 도움이 교육을 촉진할 수 있다. CMS에서는 가정투석훈련 간호사의 자격으로 최소한 1년간의 임상 경험과 투석분야에서 3개월의 경험을 가지고 있을 것을 제시하고 있다.

| 환자지원 서비스

가정혈액투석 환자를 위한 지원 서비스의 규정은 매우 중요하다. 이 지원 서비스 내용에는 최소한 한 달에 한 번 내과를 방문할 것과 매달 정기적인 검사 시행, 투석기록의 검토, 시설의 규정, 장비 유지 및 수리, 교육간호사의 24시간 전화 지원 가능 여부, 교육간호사에 의한 정기적인 가정방문, 사회적으로 영양적으로 기타 서비스가 요구될 때 접촉할 수 있는 방법이 포함되어야 한다. 환자는 검사를 위해 자신의 혈액을 채취할 수 있고 이것을 우편을 통해 검사실로 보낸다. 검사 결과는 신장전문의와 환자, 가정투석 교육 프로그램으로 공유된다.

환자에게 가정에서 투석을 하기 어려운 의료적·기술적·사회적 문제가 발생하였을 때 시설에 의한 백업투석의 이용이 가능하여야 한다. 환자가 휴가를 가는 경우 다른 센터에서 투석을 받도록 조치받거나 이동장비를 사용할 수 있어야 한다. 백업투석은 가족이나 조력자의 휴가 시에도 제공되어야 한다.

| 가정혈액투석의 장점

가정혈액투석이 처음에는 경제적 이유로 도입되었지만 환자 독립성의 증가, 성취감, 일상에 맞는 투석일정, 삶의 질 향상, 더 많은 재활기회, 간염과 다른 감염에의 노출 감소와 같은 장점이 있다. 대조적으로 투석실에서 치료받는 환자는 고정된 일정을 지켜야 하며 간호사와 전문투석요원에게 의존적이 된다. 흥미로운 것은 매우 유사한 장점이 가정에서 시행되는 다른 치료에서도 보고되는 것이다. Scribner는 어떤 종류의 만성질환을 가졌든 간에 환자가 자신의 병을 더 많이 이해하고 더 많은 책임감을 갖고 자가간호를 조절한다면 적응과 재활의 기회가 더 커진다고 보고하였다. 만성콩팥병 환자치료의 주요 목표는 삶의 질을 최대화하고 최대한의 재활을 격려하는 것이다. 연구에 따르면 가정혈액투석 환자의 삶의 질이 CAPD 환자보다 더 나으며 CAPD 환자의 삶의 질이 투석실에서 투석을 받는 환자보다 더 나았다.

　최근에 잦은 횟수의 혈액투석에 대한 관심이 다시 증가되면서 가정혈액투석으로 일주일에 6번 투석하는 것이 센터에 가서 그만큼 투석을 받는 것보다 수월하다는 점이 부각되고 있다. 캐나다, 이탈리아 등의 연구에서 상기 요법을 통해 혈액검사 수치, 환자의 안녕감과 삶의 질, 재활에 관한 괄목할 만한 호전이 관찰되었다. 결론적으로 미래에는 박식한 환자들은 가정투석을 원하게 될 것이다.

CHAPTER
20

Transplantation

신이식

투석을 받고 있는 환자에게 일차적 간호를 제공하는 투석 간호사는 이식에 관련하여 여러 가지 역할을 수행해야 한다. 간호사는 이식 선택에 관하여 환자를 교육하고 상담하며, 이식 전 평가 과정에 있는 환자를 도와준다. 또한 이식 수혜자의 급성요세관괴사(Acute Tubular Necrosis, ATN)로 인한 일시적 기능손실, 거부반응, 또는 영구적인 기능손실이 있는 환자에게는 혈액투석을 제공해야 한다. 투석간호사와 테크니션은 또한 급성신장손상(Acute Kidney Injury, AKI) 또는 만성콩팥병(Chronic Kidney Disease, CKD)을 경험하는 타 장기이식 환자(간 또는 심장과 같은)에게도 투석을 제공해야 한다. 현재 대략 10만 2,718명의 환자가 이식 대기자 명단에 있다(USRDS, 2017).

한국의 장기 등 기증 이식 현황에 대한 통계자료는 표 20-1~표 20-6과 같다.

표 20-1 전체 장기이식 현황

구분	2013	2014	2015	2016	2017	2018	2019	2020	2021
콩팥	1,762	1,809	1,892	2,236	2,164	2,108	2,299	2,281	2,192
간장	1,188	1,267	1,400	1,473	1,482	1,476	1,580	1,543	1,483
췌장	61	55	59	74	63	58	75	32	37
심장	127	118	145	156	184	176	194	173	168
폐	46	55	64	89	93	92	157	150	167
췌도	3	-	4	2	1	-	1	-	-
소장	5	5	1	1	-	1	-	1	1
골수	86	94	67	66	45	37	29	16	12
말초혈	-	-	-	-	-	465	1,233	1,322	1,286
안구	543	522	492	624	390	349	334	347	328
전체	3,192	3,309	3,565	4,031	3,987	3,911	4,306	4,180	4,048

출처: 보건복지부

표 20-2 이식대기자 현황

(2021년 12월 현재, 단위: 명)

계	콩팥	간장	췌장	심장	폐	췌도	소장	골수	안구
45,855	29,631	6,513	1,702	910	451	32	22	4,496	2,073

출처: 보건복지부

표 20-3 기증희망자 등록현황

(2021년 12월 현재, 단위: 명)

계	장기	인체조직	골수
175,434	88,865	70,068	16,501

출처: 보건복지부

| 신이식 환자의 대기기간

신이식 대기명단은 첫 이식 대기자에 한해 전년 대비 2.3% 감소했다(USRDS, 2017). 2016년 미국 전역에서 2만 161건의 신이식이 이루어졌는데, 그중 1만 9,301건이 신장 단독 이식이었다는 사실은(USRDS, 2017) 신이식 대기자의 수요가 신기증 공급보다 훨씬 많다는 것이다. 장기 할당의 첫 번째 단계는 이식 대기자 명단에서 혈액형, 키, 체중, 기타 의학적 요소가 불합치하는 대기자를 제외하는 것에서 시작한다. 그 다음 컴퓨터 프로그램이 장기기증을 받을 대기자의 순서를 정한다. 적합성을 결정하는 요인은 다음과 같다.

- 혈액형(어떤 혈액형은 다른 혈액형보다 희귀하다)
- 조직형(tissue type)
- 이식 후보의 키와 체중
- 기증 장기의 크기
- 의학적 위급성
- 대기명단에 있었던 기간
- 소아과 상태(pediatric status)
- 기증자의 병원과 이식 수혜자 병원 간의 거리
- 일정 기간 동안 한 지역에서 나오는 기증자의 수
- 장기이식센터의 기증을 받는 정책

| 신이식의 장점

신이식의 가장 중요한 장점은 삶의 질 향상이다. 신이식에 성공한 환자는 다른 형태의 신대체요법을 받고 있는 환자보다 더 나은 삶의 질을 갖는다고 보고되었다. 성공적으로 이식을 받은 환자는 투석이 필요 없어지고 요독증세의 완전한 해결로 가족, 사회, 다양한 활동을 포함하는 생활방식의 "정상화"를 경험할 수 있다. 또 다른 장점은 비용이다. 신이식 이후 1년간의 비용은 1년간의 투석치료 비용보다 크지만, 그 이후의 연간 비용은 훨씬 적다. 마지막으로, 투석치료를 받는 환자의 장기 생존률이 크게 향상되었음에도 불구하고, 이식은 환자에게 더 긴 생존의 기회를 제공할 수 있다. 사이클로스포린(cyclosporine) 약제의 도입 이래로 신이식 수혜자의 생존율은 투석 환자보다 더 길어졌다. 이런 차이는 당뇨병 환자에게서 분명히 나타난다.

표 20-4 뇌사 이식 추이(주요 장기별) : 2007 ~ 2021

(단위: 건)

	2007	2008	2009	2010	2011	2012	2013	2014	2015	2016	2017	2018	2019	2020	2021
콩팥	278	479	488	491	680	768	750	808	901	1059	903	807	794	848	747
간장	128	233	236	242	313	363	367	404	456	508	450	369	391	395	357
췌장	18	22	22	25	43	34	57	55	57	74	62	58	75	32	37
심장	50	84	65	73	98	107	127	118	145	156	184	176	194	173	168
폐장	9	7	8	18	35	37	46	55	64	89	93	92	157	150	167
계	483	825	819	849	1,169	1,309	1,347	1,440	1623	1886	1692	1502	1611	1598	1476

출처: 보건복지부

표 20-5 생존 시 이식 추이(주요 장기별) : 2007 ~ 2021

(단위: 건)

	2007	2008	2009	2010	2011	2012	2013	2014	2015	2016	2017	2018	2019	2020	2021
콩팥	646	663	750	796	959	1,020	1,011	1,000	991	1177	1261	1301	1505	1433	1445
간장	621	717	783	824	897	920	819	858	944	965	1032	1107	1189	1148	1124
골수	198	150	155	158	141	103	86	94	67	66	45	37	29	16	12
계	1,465	1,530	1,688	1,778	1,997	2,043	1,916	1,952	2002	2208	2338	2445	2723	2597	2581

출처: 보건복지부

표 20-6 장기등이식대기자 추이(장기별) : 2007 ~ 2021

(단위 : 명)

	2007	2008	2009	2010	2011	2012	2013	2014	2015	2016	2017	2018	2019	2020	2021
콩팥	6,695	7,641	8,488	9,622	10,964	12,463	14,181	14,477	16011	17959	20283	22620	34786	27062	29631
간장	2,108	2,596	3,501	4,279	4,895	5,671	6,334	4,422	4774	4969	5411	5649	5804	6125	6513
췌장	257	314	373	435	532	603	715	766	890	1082	1210	1334	1365	1510	1702
심장	99	127	138	202	257	343	433	342	400	431	577	642	694	774	910
폐	28	31	20	39	88	123	194	99	120	119	168	245	282	323	451
췌도	-	4	4	6	18	23	23	25	28	32	33	34	35	36	32
소장	1	2	8	12	10	17	21	20	18	19	19	20	24	22	22
골수	3,168	3,073	3,426	2,390	3,746	1,941	2,448	2,761	3323	3702	4364	4497	4996	5030	5030
안구	3,542	3,630	1,097	1,204	1,351	1,511	1,687	1,695	1800	1973	2122	2176	2267	2300	2300
계	15,898	17,418	17,055	18,189	21,861	22,695	26,036	24,607	27444	30286	34187	37217	10253	43182	45855

출처: 보건복지부

표 20-7 이식의 고려점

장점	위험
• 삶의 질 향상 • 투석으로부터의 자유 • 보다 정상적인 생활방식 • 더 긴 생존율 • 투석보다 저렴함 • 정상적인 삶을 유지하기 위한 능력의 증대: 일, 가정, 학교 • 요독증의 보다 완전한 해결 • 정상 칼슘/인 • 심기능 향상 • 식욕 개선 • 덜 제한적인 식이요법 • 성기능 향상 • 안녕감의 증가 • 정신적인 지각력 증가	• 면역억제제 평생 복용 • 매일 복용해야 하는 약물 • 감염의 위험 증가 • 악성 종양의 위험 증가 • 비싼 약물비용의 부담 • 스테로이드성 뼈질환 • 잠재적인 약물 부작용 • 고혈압 • 궤양, 소화불량, 기타 위장관계 영향 • 고칼륨혈증, 고지혈증, 비만 • 신체상의 변화(다모증, 잇몸증식증 등) • 당뇨, 통풍, 백내장, 경련 • 심리적인 스트레스

| 신이식의 단점

신이식의 단점은 거부반응을 막기 위해 평생 면역억제제를 복용하여야 한다는 것이다. 투약 이행의 필요성은 어떤 환자에게는 불편함이고 다른 환자에게는 극복할 수 없는 장애이다. 가족 지지는 특히 수술 후 초기 기간에 벅차게 느껴지는 약물요법을 고수하는 데 매우 중요하다.

가장 중요한 신이식의 단점은 면역억제제의 잠재적인 합병증이다. 직접적인 면역억제 결과로 감염과 악성 종양의 발생위험이 증가한다. 또한 약물치료는 비면역성 합병증, 즉 뼈질환, 백내장, 당뇨, 고지질혈증, 고혈압, 궤양 같은 위장관계 합병증, 고요산혈증, 고칼륨혈증 등을 유발 수 있다. 다모증, 잇몸증식증 등의 미용적 부작용과 함께 비만 또한 발생할 수 있다.

많은 환자에서 또 다른 주요 장애물은 비싼 면역억제제 약물비용 부담의 어려움이다. 메디케어는 혈액투석을 받는 개인당 연간 약 9만 1,000달러, 신이식 환자당 연간 11만 달러를 지출한다. 그러나 이식 첫 해가 지난 이후에는 메디케어가 신이식 환자를 위해 지출하는 비용이 3만 5,000달러가 되면서 이식이 투석보다 비용절감효과를 가지게 된다(USRDS, 2018). 미국의 메디케어 & 메디케이드 서비스센터(CMS)에서 이식 이후 첫 36개월간 비용의 80%를 보장함에도 불구하고 많은 환자는 다른 보장보험을 가지고 있지 않다. 메디케어는 메디케어 혜택을 받는 고령자나 장애자의 신장이식 후 면역억제제 약물 보장범위를 3년에서 평생으로 확대했다. 65세 이하의 비장애 이식 환자는 여전히 이식 후 3년간만 보장을 받는다. 이식 분야에서 일하는 신장전문간호사는 사회복지사와 함께 이러한 문제를 가진 이식 수혜자가 해결방안을 찾을 수 있도록 돕는다.

신이식 과정평가부터, 기증자의 장기를 기다리는 것과 외과 입원, 초급성 또는 급성 거부반응 등의 상황은 환자와 가족 모두에게 커다란 스트레스를 준다. 사회적 지지체계는 신이식의 스트레스에 성공적으로 대처할 수 있도록 해 준다. 표 20-7은 신이식의 위험과와 장점을 제시한다.

| 콩팥-췌장 동시이식의 장단점

2018년 미국에서는 총 835건의 콩팥-췌장 동시이식이 이루어졌다(OPTN, 2018). 당뇨성 혈액투석 환자의 경우 콩팥-췌장 동시이식을 원하게 된다. 저혈당으로 인한 의식저하를 경험한 환자에게 이러한 동시이식은 생명을 구하는 방법으로 생각된다. 이 과정의 주요한 장점은 다음과 같다.

상자 20.1 신이식의 절대적, 상대적인 금기요건

절대적 금기요건
• 활동성 만성병증/패혈증
• 활동성 악성 종양
• 진행 중인 약물 남용
• 심각한 심혈관질환 또는 호흡기 질환
• 약물요법을 수행할 수 없는 상태

상대적 금기요건
• 연령 : 너무 어리거나 너무 고령인 경우(생물학적 또는 실제 연령)
• 심각한 합병증
• 가족 지지의 부족
• 정신/심리적 문제
• 비만: BMI 40kg/m² 이상(이식센터에 따라 기준이 다양할 수 있음)

• 정상 혈당 유지로 당뇨의 합병증을 지연시키거나 정지시킨다.
• 주기적인 인슐린 주사와 혈당측정에서 벗어난다. 콩팥–췌장 동시이식 과정은 복잡하며 단독 신장이식에 비해 위험하다. 이러한 위험은 다음과 같다.
  • 더 긴 수술시간
  • 췌장 외분비 배액법: 많은 이식외과 의사는 기증자의 십이지장 일부분을 도관으로 사용하여 췌장에서 만들어진 소화효소인 아밀라아제를 방광으로 배출하는 방법을 사용한다. 배뇨 시 아밀라아제를 측정함으로써 췌장기능을 사정할 수 있다는 장점이 있지만, 아밀라아제는 급성 또는 만성 방광염이나 요도염의 원인이 될 수 있다. 또한, 환자는 중탄산염과 많은 양의 체액 손실로 산증과 탈수증이 발생하기도 한다.
  • 면역억제제와 관련된 위험 증가: 췌장 이식은 신이식보다 신체 면역계통을 더 자극시키기 쉬우므로 더 많은 양의 면역억제제가 필요하다.

| 이식 대상자 선정

일반적으로 모든 환자는 이식에 대한 적합성을 결정하기 위해 이식팀과 상담한다. 고령, 비만, 기타 동반된 조건은 신이식의 절대적 금기요건에서 제외되었다. 상자 20-1에서 신이식의 절대적, 상대적 금기요건을 요약했다. 하지만 요건의 제외와 포함은 이식센터마다 상당히 다를 수 있으며, 환자의 특별한 상태에 따라서 개별적 조정이 필요하다. 예를 들어, 활동성 악성 종양이 절대적 금기요건임에도 불구하고 병의 차도나 치료제에 따라 이식 적합 환자로 판단될 수도 있다. 그동안 환자가 귀중한 대기시간을 낭비하지 않도록 최대한 빨리 의뢰해야 한다. 환자의 GFR (Glomerular filtration rate)이 30mL/min 이하인 경우 의사의 판단하에 의학적으

표 20-8 메디케어의 이식서비스 보장

Part A 보장	Part B 보조적 보장
• 승인된 병원에서의 입원 서비스 • 신장등록 비용 • 수혜자와 기증자 평가를 위한 병리학적 검사 • 적합 신장을 찾는 비용 • 신장 기증자 치료의 모든 비용 • 필요한 경우 수혈	• 이식수술을 위한 외과적 서비스 비용 • 입원기간 중 신장 기증자의 외과적 서비스 비용 • 면역억제제 약물 (제한적인 기간 동안) • 필요한 경우 수혈

로 적합한 경우 곧바로 이식센터에 연락을 취해야 한다.

| 신이식 비용의 지불

메디케어는 메디케어에서 승인한 병원에서 시행하는 신이식수술의 비용을 지원한다. 표 20-8에 이식 수혜자의 보장서비스를 요약하였다.

| 인간면역결핍바이러스 감염 환자의 신이식

과거에는 신이식 후 면역억제제가 인간면역결핍바이러스(Human Immunodeficiency Virus, HIV) 감염을 악화시킬 수 있는 위험 때문에 인간면역결핍바이러스는 신이식의 절대적 금기요건이었다. 이식장기가 부족하다는 점과, 인간면역결핍바이러스 감염 환자의 예상수명이 짧은 것 또한 금기의 다른 이유였다. 하지만 이제 잘 관리된 인간면역결핍바이러스는 신이식의 금기가 아니며, 또한 미국의 여러 이식 센터에서 신중하게 선택된 인간면역결핍바이러스 양성 환자에게 신이식을 수행하고 있다. 인간면역결핍바이러스 양성 환자는 신이식의 모든 기준에 부합해야 하며 추가적인 선별과정을 거친다. B형 간염과 C형 간염 환자 또한 잘 관리된 인간면역결핍바이러스 양성 환자와 같이 많은 이식센터에서 이식을 고려할 수 있다.

| 이식에서 면역의 기본

면역체계는 외부 침입자를 인식하고 파괴하여 신체를 보호한다. 이러한 반응을 일으키는 표지자를 항원이라 한다. 이식 면역의 기본은 신체가 어떻게 외부항원을 인식하는지를 파악하는 것이다. 이식 면역학자는 이식된 장기나 조직의 순응과 거부에 영향을 주는 2개의 주요 항원체계를 식별했다. 그 두 가지 체계는 혈액형과 백혈구 항원(Human Leukocyte Antigen, HLA)이다. 혈액형은 고형장기 이식 적합성의 첫 번째 결정인자이다. 일반적으로 장기는 이식을 받은 수혜자에 적합한 ABO 유형일 경우에만 이식을 시행한다. 이런 이유로 이식 대기자 명단은 ABO그룹 유형에 의해 배열된다. Rh인자(Rh factor)는 고형 장기 이식에서는 적용하지 않는다. 네 가지 혈액형 ABO그룹은 O, A, B, AB이다. O형은 만능 기증자(universal doner)이며, AB형은 만능 수혜자(universal recipient)가 된다. 즉, O형은 오로지 O형에게만 장기를 기증받을 수 있다. A형은 A형과 O형에게서, B형은 B형과 O형에게서, 그리고 AB형은 A, B, AB, O형 모두에게서 장기를 기증받을 수 있다.

백혈구 항원은 여섯 번째 염색체(chromosome)에서 발견된 유전자 그룹으로, 세 개의 주요 위치(loci) A, B, DR는 외부 조직을 인식하는 데 영향을 준다고 여겨진다. 모든 사람은 각 부모로부터 하나씩의 염색체를 받아 2개 한 쌍의 염색체를 가지므로, 총 6개 위치가 백혈구 항원을 결정하는 것이다. 다른 백혈구 항원 유전자를 가진 조직이 신체 내에 들어오면 면역체계가 자극되고 거부반응 과정이 시작된다.

이식에서 가장 중요한 면역체계의 구성요소는 T와 B세포 림프구이다. T세포 림프구는 외부조직을 인식하고 거부반응 과정을 촉발한다. B세포 림프구는 외부항원을 인식하고 항체를 생성하여 침입자를 파괴하는 역할을 한다. 한 번 촉발된 이상 T와 B세포 림프구는 외부 항원을 기억하게 되고 다음번 침입 시 더 빠르게 공격한다. 인간은 수혈, 임신, 이식 등과 같은 노출을 통해 백혈구 항원을 기억하는 면역체계를 발전시킨다.

| 조직형 검사

조직형 검사(tissue typing)는 백혈구 항원 유전자 표지를 인식하는 혈액 검사이다. 백혈구 항원 적합성, 조직형 검사 일치 여부가 장기의 공정한 분배에 이용되고는 있으나, 현재의 면역억제제 약물은 백혈구 항원 적합성과 무관하게 이식 결과를 성공적으로 만들고 있다. 많은 이식센터에서 백혈구 항원 유사성이 없거나 완전히 일치하지 않는 장기일지라도 교차시험(cross-matching) 결과가 음성이면 장기이식을 진행하고 있으며, 결과는 성공적이다. 신체가 하나의 백혈구 항원을 인식하고 면역을 형성하면 신체 내에 소개된 적 없는 유사한 항원에도 면역을 획득하기도 한다. 이러한 교차면역은 교차반응 항원그룹(Cross-Reactive Antigen Group, CREG) 테스트가 개발되면서 인식된 것이다. CREG 검사는 소수 유형의 결과를 향상시키는 데 도움이 된다. 백혈구 항원이 면역억제제 약물의 발전으로 중요성이 덜해지고 있는 것이 사실이지만, 백혈구 항원이 더 잘 맞을수록 이식 결과도 더 성공적이라고 믿어진다(NKF, 2017b).

| 교차검사

잠재적 수혜자의 교차검사(cross-matching)를 위해 혈청이 매달 채취된다. 교차검사는 혈액 검사로, 기증자 장기조직에 획득된 면역작용이 있는지를 확인하기 위한 것이다. 검사는 기증 장기가 생겼을 때 시행된다. 기증된 림프세포를 대상으로 모든 잠재적 수혜자의 혈청을 검사한다. 교차검사 양성 결과는 수혜자가 기증자에 대해 면역학적 기억이나 획득된 면역을 가지고 있다는 뜻으로, 장기이식 시 즉각적인 거부반응을 일으킬 것이기에 그 장기를 기증받을 수 없다. 기본적으로 시행되는 검사는 아모스(amos) 항글로불린 검사로 총 6시간이 소요된다. 더 섬세하고 시간이 더 많이 소요되는 유속 세포분석 교차검사(flow cytometry crossmatch)를 하는 경우도 있다. 생체 기증자 신이식에서는 혼합 백혈구 반응검사(mixed leukocyte reactio)가 추가로 시행될 수도 있는데, 검사 완료까지 수 일이 소요되는데 비해 크게 밝혀진 장점은 없다. 때로 교차검사이 양성일 경우에도, 전문가의 매우 각별한 주의와 함께 이식이 시행되기도 한다. 이 경우 항체를 제거하고 거부반응을 최소화하기 위해 혈장분리교환술(plasmapheresis)이나 면역글로불린 치료(immunoglobulin therapy)를 시행할 수 있다.

| 핵분율반응항체 수치

또 다른 중요한 교차검사로 핵분율반응항체(PRA)가 있다. 이는 면역체계가 외부 항원에 노출되었을 때 생성되는 항체이다. 예상 수혜자의 혈청을 불특정 기증자 패널에 대해 검사하여, 양성 반응이 나오는 숫자를 퍼센트로 표시한 것이다. 이 퍼센트는 양성 교차적합의 위험, 불특정 다수의 기증자와의 혈청 부적합을 나타내므로 높을수록 거부 반응의 위험이 큰 것이다. 그러므로 수혜자의 핵분율반응항체 수치가 높을수록 적합한 장기를 찾기 어려울 수 있다. 이러한 이유로 핵분율반응항체 수치(percent reactive antibody levels)가 높은 환자일수록 사체 기증자의 장기 분배 시 우선권을 준다. 핵분율반응항체 수치가 80% 이상인 환자는 매우 민감한 것으로 간주한다. 환자가 외부 백혈구 항원(HLA)에 노출되는 것은 수혈, 바이러스, 임신, 장기이식을 통해서일 수 있다. 때로 혈장을 혈구로부터 분리하는 혈장분리교환술(plasmapheresis)이 혈액 속 항체 수를 낮추는 데 도움이 될 수 있다. 미리 형성된 항체의 퍼센트는 시간에 따라 달라질 수 있으므로, 자주 검사를 시행해야 한다.

| 매달 시행되는 혈청샘플의 목적

특정 항원에 감작된 림프구 수는 시간이 경과하면서 증가하거나 소실된다. 핵분율반응항체가 감소하며 이러한 림프구 수가 서서히 낮아지기도 한다. 이러한 현상 때문에 과거에 시행된 교차검사가 양성이었을지라도 새로 시행한 교차반응 검사는 음성일 수 있다. 면역억제제가 면역 기억 반응을 방해하므로 잠재적 수혜자가 새로운 교차반응 음성 결과로 이식의 기회를 받기도 한다. 한편 최근의 교차반응이 음성이었을지라도 수혈로 면역을 획득했을 경우, 이전의 검사는 위음성(false negative)이 될 수 있다. 이렇게 면역상태가 쉽게 변할 수 있기 때문에 잠재적 수혜자를 대상으로 매달 혈청을 채취하는 것이 필요하다.

| 수혜자의 정밀(신체)검사

콩팥이나 다른 장기이식의 평가과정은 이식센터로 환자를 의뢰하는 것에서 시작된다. 잠재적 수혜자와 가족은 이식팀을 만나는데, 보통 이식 코디네이터 간호사, 이식외과 의사, 이식 신장내과 전문의와 사회복지사로 구성된다. 이식팀이 후보자의 초기 적합성을 판단한 후, 이식 코디네이터 간호사는 평가를 돕기 위해 환자, 투석팀, 일차의료제공자와 협업한다. 비록 평가 결과가 일부 수혜자에게 불가능한 선택이 될지라도, 이식 전 정밀검사의 최종 목표는 성공적인 이식을 위해서 가능한 한 환자에 대해 많은 것을 찾아내는 데 있다.

평가는 일반적으로 혈액, 소변, 흉부 X-ray 검사와 심전도 등과 같은 진단적 검사와 환자의 기록의 세심한 관찰로 이루어진다. 다음과 같은 특별한 주의가 요구된다.
- 심혈관조영술, 심장초음파, 스트레스 테스트를 포함하는 심혈관 평가
- 치과검진을 포함하는 감염
- 악성 종양 발견
- 비뇨생식기관 사정
- 불법 약물의 선별을 포함하는 정신사회적 평가

| 가능한 장기 제공원

두 가지 신이식의 제공원은 생체 기증자(living donor) 또는 사체 기증자(deceased donor)이다. 생체 기증자는 수혜자와 혈연관계에 있는 부모, 형제이거나 감정적으로 가까운 배우자, 가까운 친구, 양자 등이 있다. 생체 기증자에게 요구되는 점은 정보 제공에 의한 자발적 동의와 완전하게 건강하여야 하는 것이다. 적합한 기증자를 판별하기 위해 검사실 혈액검사 수치, 면역학 검사, 심전도, 의학적 정보조사, 정신적 평가, 신장기능 검사, 경제적 상담 등이 이루어져야 한다.

사체 기증자는 회복 불가능한 뇌사자로, 인공 환기와 약물요법으로 신체기능을 유지하고 있다. 가까운 친인척의 동의를 얻은 후, 장기와 조직은 장기 회복팀에 의해 조달되고 국가 지침에 따라 지역 장기조직은행에 의해 분배된다. 기증 가족에게는 비용이 들지 않으며, 장기와 조직 기증으로 인한 장례의식의 지장은 없도록 한다. 현재 미국에서는 사체 기증자의 장기 제공이 부족한 실정이다.

| 미국에서 기증된 장기의 제공과 분배

미국장기이식센터(the Unitied Network for Organ Sharing, UNOS)는 연방정부와의 계약하에 있는 비영리 사설기관이다. 미국장기이식센터는 또한 장기조달 및 이식네트워크(OPTN)를 운영하며, 모든 이식에 관한 정보 및 이식 대기자 명단을 관리한다. 또한 공정한 장기의 할당이 이루어지기 위한 정책을 설정하고 장기를 매칭하고 분배한다.

| 신장 분배의 가이드라인

공정한 신장 분배를 위해 기증자와 수혜자의 특성 모두가 고려되어야 한다. 분배과정에서 다음을 포함한 다양한 요인이 고려된다.

- 대기명단에 있었던 기간
- 장기 수혜자가 아동인지
- 기증자와 수혜자의 신체 크기
- 기증자와 수혜자 간 조직적합성
- 혈액형
- 혈중 항체 수치

| 신장교환이식

신장교환이식은 환자와 부적합한 생체 기증자가 있을 때 선택할 수 있는 방법이다. 이 절차는 기증자가 가족 혹은 특정 환자에게 신장기증을 원하지만 혈액형이 맞지 않거나 다른 부적합요인이 존재할 때 고려된다. 신장교환이식에서 부적합한 기증자와 수혜자는 다른 부적합 기증자, 수혜자와 짝지어지고 신이식이 쌍 안에서 교차되어 이루어진다. 이 과정을 통해 기증을 원하는 사람은 기증자가 되고 수혜자는 모두 장기를 이식받을 수 있게 된다(그림 20-1). 또한 이 절차는 두 쌍뿐만 아니라 그 이상의 기증자–수혜자 쌍에서도 이루어질 수 있다. 신장교환이식은 2005년 이후 크게 증가하여, 2016년 미국에서는 642건이 이루어졌다(USRDS).

| 사체 기증자 대기명단에 있는 환자

후보자가 이식에 적합하고 생체 기증자가 없을 경우, 이식센터는 지원자의 이름을 사체 기증자 대기명단에 올린다. 콩팥은 적립 시스템(point system)에 의해 분배된다. 적립(point)은 대기시간과 HLA 적합 정도, 생체 장기기증 경험, 기증자 병원과의 거리, 생존율, 소아과적 상태에 따라 주어지게 된다. PRA가 높은 환자는 적합한 콩팥을 찾기가 어렵기 때문에 부가점수가 주어진다. 일반적으로, 하나의 혈액형 그룹의 사체 기증자의 콩팥은 같은 혈액형 내의 수혜자에게 제공된다. 따라서 대기명단은 혈액형에 따라 나뉜다. 2014년에 OPTN은 장기를 더 적합하게 할당하고 폐기율을 줄이며, 요구조건을 더 잘 만족하는 이에게 이식을 제공하

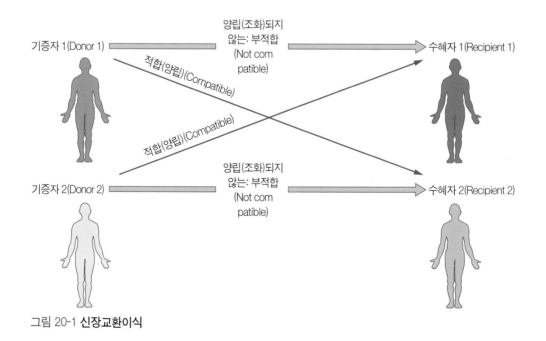

그림 20-1 **신장교환이식**

기 위해 콩팥분배시스템(Kidney Allocation System, KAS)을 개정했다. 새로운 시스템은 기증자를 위한 콩팥기증 프로필 인덱스(Kidney Donor Profile Index, KDPI)와 수혜자를 위한 이식 후 예상생존(Expected Post Transplant Survival, EPTS) 점수를 사용한다. 콩팥기증 프로필 인덱스는 사체 기증 이후 이식 거부반응을 일으킬 만한 기증자 요소를 합산한다. KDPI가 낮을수록, 이식 콩팥이 기능할 예상기간이 긴 것이다. KDPI는 EPTS와 함께 사용된다. EPTS는 나이, 투석을 받은 기간, 당뇨 여부, 고형 장기 이식 과거력의 네 가지 의학적 요소에 따른다. EPTS는 0%에서 100%까지로, 낮을수록 이식 후 콩팥이 기능할 예상연수가 길어진다. 20% 이하의 EPTS 점수가 낮은 환자가 KDPI 20% 이하의 콩팥을 먼저 가져가게 된다.

| 이식 콩팥의 위치 및 수술시간

일반적으로 이식 콩팥과 요관은 수혜자의 복막외부(extraperitoneal)의 오른쪽이나 왼쪽에 위치 하게 된다. 엉덩뼈능선(iliac crest) 위에서 치골결합 위로 절개를 하게 된다. 일반적으로 오른쪽 엉덩뼈오목(장골와) 이식을 선호하나 경우에 따라 반대쪽에 하기도 한다. 만약 수혜자가 이식 경험이 있다면 이식외과 의사는 이전에 사용되지 않은 쪽을 선택한다. 기증자 콩팥동맥은 수혜자의 안쪽엉덩뼈(internal iliac) 동맥과 끝과 끝(end-to-end) 문합이나 가쪽엉덩뼈(external iliac) 동맥의 끝-측방(end-to-side) 문합을 하게 된다. 일반적으로 정맥은 수혜자의 가쪽엉덩뼈 정맥과 끝-측방 방법으로 문합하게 된다. 기증자의 요관은 수혜자의 방광이나, 드물게는 수혜자의 요관으로 연결한다(그림 20-2). 만약 췌장과 동시이식의 경우 이자는 반대쪽 엉덩뼈능선에 위치시키게 된다(그림 20-3). 신이식과정은 2시간 반에서 4시간 정도 소요된다.

엉덩뼈능선은 환자가 둘 또는 그 이상의 이식을 받을 때에도 우선적으로 선호되는 위치이다. 때때로 수차례의 이식이나 다른 외과적 수술로 인한 유착(adhesion)이나 흉터, 혹은 심각한 죽상경화증으로 인해 이러한 위치 사용이 제한된다. 매우 드문 경우지만 외과의사는 콩팥을 복강 내에 위치시키고 복부대동맥을 포함하는 다른 혈관구조를 사용하기도 한다.

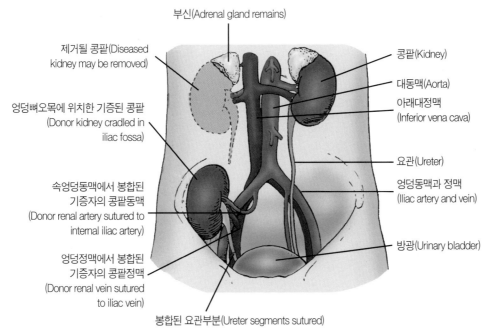

그림 20-2 **오른쪽 엉덩뼈오목에 이식된 콩팥의 위치.** (출처: *Black JM, Hawks JH, Keene AM: Medical-surgical nursing: Clinical management for positive outcomes, ed. 8, Philadelphia, 2009, Saunders.*)

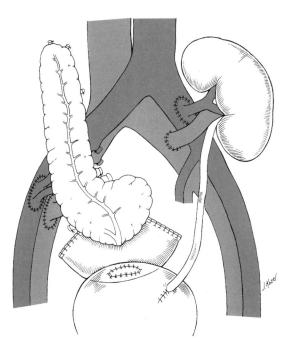

그림 20-3 **콩팥-췌장 동시이식과 십이지장 부분 방광 배액기술이 결합된 기술.** (출처: *Sollinger HW, Stratta RJ, D'Alessandro AM, et al: Experience with simultaneous pancreas-kidney transplantation, Ann Surg 208(4):475-483, 1988.*)

| 이식 후 환자의 입원기간

이식 수혜자는 이식 절차 후 3~5일 정도에 퇴원한다. 물론 외과적 또는 내과적 합병증으로 퇴원이 지연될 수 있다. 이식 팀이 판단하기에 환자나 가족의 수술 후 돌봄 제공 능력이 염려될 경우에도 입원기간이 연장될 수 있다.

| 이식 수혜자의 투석

다른 사람들과 마찬가지로 장기이식 수혜자 또한 수분 제거, 전해질 불균형, 요독증 등의 복합적인 이유로 투석이 필요할 수 있다. 신장뿐 아니라 비 신장(간이나 심장 등) 이식 수혜자는 종종 수술 중 혈액학적 안정을 위해 사용된 다량의 수액으로 인해서 수술 후 혈액여과(Hemofiltration) 또는 초미세여과(Ultrafiltration)가 필요하다. 환자의 이식 콩팥은 이러한 체액부하에 느리게 반응한다. 신이식 수혜자는 급성요세관괴사나 급성 거부반응으로 일시적인 투석이 필요해진다. 콩팥 이외의 장기를 이식받은 수혜자에게도 동반 콩팥병이나 급성신부전이 발생하기도 한다. 이러한 환자에게 요독증이나 전해질 불균형이 발생한다. 고식적 혈액투석, 복막투석, 지속적 초여과(Slow Continuous Ultrafiltragion, SCUF)나 지속적인 정정맥 혈액여과(Continuous Venovenous Hemofiltration, CVVH) 등의 방법을 통해 체액과 용질을 제거할 수 있다.

| 이식신장기능 지연

이식신장기능 지연(Delayed Graft Function, DGF)은 이식된 콩팥이 즉각적으로 기능하지 못하는 부전상태를 의미하며, 보통 신이식 후 첫 주 안에 혈액투석이 필요하다. 이식신장기능 지연은 사체 기증자 신이식의 최대 31%에서 발생하지만 생체 기증자 신이식에서는 거의 영향을 주지 않는다. 이식신장기능 지연은 거부반응 발생률과 함께 단기, 장기 결과에도 연관되어 있다(Mannon, 2018). 이식신장기능 지연은 핍뇨(하지만 소변이 많이 나오는 이식신장기능 지연도 때로 보고된다)와 함께 기술적으로 성공적인 신이식 이후에도 감소하지 않는 혈청 크레아티닌이 특징이다. 이것의 원인은 잘 설명되지 않지만, 기증자와 수혜자 원인의 복합일 것으로 추정된다. 기증자 원인으로는 고령자, 복합적 만성질환, 여성 기증자, 고혈청 크레아티닌, BMI(Body Mass Index), 고혈압의 병력, 보존상태에서의 손상, 냉장보관시간의 지연, 장기 적출이나 이식 과정 중의 혈관 불안정성, 재관류 중의 손상 등이 있다. 수혜자 원인으로는 남성일 때, BMI, 이식 경험, 당뇨, 투석의 기간과 종류, 심기능이 있다(Nashan, Abbud-Filho, & Citterio, 2016). 칼시뉴린 억제제(CNI, Calcineurin Inhibitor) 사용은 이식신장기능 지연을 악화 혹은 연장시킬 수 있으므로, 이식신장기능 지연을 보이는 수혜자에게는 사이크로스포린(cyclosporine)이나 타크로리무스(tacrolimus) 처방이 연기되기도 한다. 이러한 경우 콩팥기능이 회복될 때까지 투석이 필요한데, 보통 수 일에서 2주 정도가 걸린다. 이식신장기능 지연은 몇 개월 동안 지속되기도 하지만 결과는 좋게 나타난다. 그러나 2주가 경과한 핍뇨와 요독증은 거부반응이거나 신독성 약물로 인한 것일 수도 있다. 진단을 위해 보통 경피적 콩팥생검이 시행된다. 이식신장기능 지연이 발생한 환자는 돌봄제공자로부터 확신과 지지가 필요하다. 투석이 계속 필요한 것에 대한 환자의 감정을 표현하도록 돕고, 이식 신장의 지연된 기능이 대부분 회복해서 좋아진다는 정보를 제공할 필요가 있다.

| 이식 수혜자의 투석 시 주의사항

다음과 같은 주의사항이 요구된다.
- 수술 후 초기 24시간 동안, 내출혈은 중요한 문제로 저혈압을 주의 깊게 관찰하여야 하고 의사의 관심이 필요하다.
- 이식 콩팥은 허혈에 취약하므로, 체액을 덜 제거하더라도 저혈압은 피해야 한다.
- 외과적 절개부위의 통합성이 유지되어야 한다.
- 항응고는 이식 수혜자에게는 중요한 문제이다. 수술 직후 기간 동안이나 진단적 경피 콩팥생검이 시행될 경우에는 헤파린을 사용하지 않거나 항응고를 최소화하여야 한다.
- 전해질 불균형은 이식 후 흔히 발생한다. 대부분은 고칼륨혈증이다. 고칼륨혈증은 이식 후 콩팥기능이 감소된 환자에서 주로 나타나지만 사이클로스포린과 타크로리무스(tacrolimus) 같은 약물로 인해 생기기도 한다. 다른 전해질 불균형은 표 20-9에 요약하였다.

| 이식 후 감염 위험

감염 위험의 증가는 면역억제의 불가피한 결과이다. 수술 직후에는 상처, 요관, 폐(lung)로의 세균 감염이 대부분이며, 이후 몇 주 간은 거대세포바이러스(cytomegalovirus, CMV), 단순 헤르페스, 대상포진 같은 바이러스 감염이 흔하게 발생한다. 거대세포바이러스는 이식 수혜자의 질병 이환율과 사망률의 주된 원인이다. 수술 후 1년 동안 감염으로 입원하는 예는 요로감염이 가장 흔하고, 그 다음으로 패혈증과 수술 직후 감염이 있었다(USRDS, 2014).

많은 센터에서는 거대세포바이러스 감염과 재활성화를 예방하기 위해 과다면역 감마글로불린과 간시클로버(ganciclovir)와 같은 예방적 약물치료를 사용한다. 표준예방의 엄격한 수행은 이러한 환자의 감염성 합병증의 빈도를 감소시킨다. 격리는 드물게 필요하며 이식 수혜자는 다른 환자나 의료제공자에게 특별한 위험이 되지는 않는다.

표 20-9 이식 후 전해질 이상

이상	영향 요인	치료
고칼륨혈증	급성 세뇨관 괴사(ATN) 사이클로스포린(Cyclosporine) 타크로리무스(Tacrolimus) 트리메토프림(Trimethoprim) 설파메톡사졸(Sulfanethoxazole) 수혈	투석 50% 포도당/인슐린의 정맥 주입 Kayexalate 이뇨제 식이
저칼륨혈증	빠른 치료 후 이뇨 이뇨제	K 보충 식이
저칼슘혈증 (종종 고인산혈증 수반)	부갑상샘 절제술 부갑상샘기능항진증 급성 세뇨관 괴사	칼슘 보충 투석액의 칼슘 농도 증가(Rocaltrol) 인결합제
고칼슘혈증 (종종 저인산혈증 수반)	부갑상샘기능항진증 기능하는 콩팥	식이 인 보충 칼시트리올(Calcitriol)로 부갑상샘호 　르몬(PTH) 억제(혈중 칼슘이 11mg/dL 이 　하일 경우)
저마그네슘혈증	이뇨 사이클로스포린(Cyclosporine)	마그네슘 보충
산증	급성요세관괴사(ATN) 거부반응 사이클로스포린(Cyclosporine) 방광 배액을 동반한 췌장 이식	중탄산나트륨(Sodium Bicarbonate) 투석 구연산나트륨(Sodium Citrate)

ATN, Acute tubular necrosis; *IV*, intravenous; *PTH*, parathyroid hormone.

| 면역억제제로 인한 악성 종양 발생위험 증가

암은 신이식 1년 후 정상 기능을 회복한 환자의 주요 사망요인이다. 이식 수혜자는 결장, 폐, 간, 림프종, 흑색종, 비흑색종 피부암과 같은 특성 악성 종양에 대한 위험률이 일반인보다 두 배, 혹은 세 배 높다(Sprangers et al., 2017). 어떤 특정 면역억제제가 이 위험을 증가시킨다고 밝혀진 바는 없고 면역억제제의 총량이 증가할수록 암의 위험이 증가한다고 볼 수 있다. 신이식 후 증가된 악성 종양 위험률과 관련된 요인으로는 성별, 햇빛 노출, 이전의 암 병력, 수반되는 바이러스성 감염, 면역억제제의 총량, 면역억제제 종류, 이식 전 투석 기간이 있다(Sprangers et al., 2017). 조기에 발견될 경우 많은 종류의 암은 치료에 잘 반응한다. 이식 수혜자는 악성 종양에 대한 증가된 위험에 대해 잘 숙지하고 권장 가이드라인을 따라야 한다. 이식 수혜자는 피부암을 예방하기 위해 햇빛 노출을 삼가야 하고, 금연해야 한다. 검진은 이식센터와 암 종류에 따른 환자의 개인 위험도에 따라 다르게 권장된다. 보통은 일반인과 같은 주기로 검진받을 것을 추천한다.

| 가장 보편적으로 사용되는 면역억제제

면역억제제 유지치료 약물은 스테로이드, 칼시뉴린 억제제(CNI), 대사길항물질, mTOR(Mamalian Target of Rapamycin) 억제제의 네 가지로 구분된다. 대부분의 이식센터는 스테로이드, CNI, 대사길항물질의 세 가지로 구성된 면역억제 유지치료를 사용한다. 항림프구 준비약물은 거부반응 예방이나 치료로써 짧은 기간 동안 사용된다. 모든 면역억제 약물은 감염과 악성 종양 위험을 수반한다.

스테로이드(Steroids)

경구 프레드니손(prednisone)과 정맥 내 메틸 프레드니솔론 나트륨(solu-medrol)이 가장 흔하게 사용되는 스테로이드 제제이다. 프레드니손은 인터루킨-1(interleukin-1) 분비 억제제로 작용하여 세포독성 T세포(cytotoxic T cell)의 복제를 억제한다. 스테로이드는 사용하기 편리하고 가격이 저렴한 장점이 있지만 광범위한 부작용을 일으킬 수 있기 때문에, 최소한의 용량만을 사용해야 한다. 흔한 부작용으로는 여드름, 불안, 우울, 쉽게 멍듦, 두통, 불면, 월상안(moon face)이 있다(UNOS, 2016).

칼시뉴린 억제제(Calcineurin Inhibitors)

사이클로스포린(Sandimmune, Neoral)과 타크로리무스(Prograf)는 곰팡이로부터 추출한 면역억제제이다. 화학적 신호인 칼시뉴린을 차단함으로써 T림프구 활동을 막는 약물이다. 사이클로스포린과 타크로리무스는 부작용이 유사하다. 이 두 약물의 주요 문제로 신독성을 들 수 있는데, 이는 거부반응 감별을 어렵게 한다. 타크로리무스는 사이클로스포린 사용 시 나타나는 다모증, 잇몸증식증의 증상이 나타나지 않는다는 장점이 있다. 또한 혈청 지질에 미치는 영향이 사이클로스포린 사용 시보다 적으나 당뇨병과 소화기계 증상을 일으킬 확률은 더 높다. 타크로리무스는 사이클로스포린보다 더 강력한 면역억제제이며, 적은 용량을 사용하게 된다. 두 약물의 용량은 최종 약물투여 12시간 후 얻어진 혈액 수치에 근거한다. 대부분의 경우 이러한 약물은 같이 사용되지 않고 교대로 사용된다. 약물은 거부반응이나 한 약물에 대한 심각한 부작용이 나타나면 변경하게 된다. 산디문(Sandimmune)이든 더 쉽게 흡수되는 마이크로 에멀전 형태의 네오랄(Neoral)이든 모두 사이클로스포린으로써 신장이나 심장 이식의 일차 약물로 사용된다. 많은 센터에서 타크로리무스는 췌장, 간, 소장 이식의 일차 약물로 선택된다.

대사길항물질(Antiproliferative)

Azathioprine (Imuran)과 mycophenolate mofetil (CellCept, Myfortic)은 모두 대사길항물질이다. Mycophenolate mofetil은 B림프구 대항을 포함하여 더 효과적인 면역억제 작용을 가진 것으로 밝혀져서 azathioprine보다 더 많이 사용되는 추세이다. 그러므로 Mycophenolate mofetil을 만성 거부반응을 치료하는 유일한 면역억제제라고 할 수 있다.

항림프구 제제(Antilymphocyte preparations)

Atgam과 OKT3 (Orthoclone)는 거부반응을 치료하거나 예방으로 사용되는 일차 항림프구 제제이다. 이 제제의 강력한 면역억제는 인간의 림프구로 동물을 면역화시켜 얻어낸 항체를 사용한다. 이러한 항체는 수혜자의 T림프구의 기능을 차단한다. Atgam은 다클론제제인데, 이는 혈소판과 적혈구 등의 인간 혈액세포 숙주에 대항하는 항체를 가졌다는 뜻이다. 이것은 다른 혈청 제제와 유사한 방법으로 중심정맥관으로 투여된다. OKT3는 유전공학의 산물로 CD3 세포로 알려진 특정 T림프구의 기능만을 차단하는 특이적 항체이다. 이런 단일클론 제제는 정맥주입 약물(intravenous push medication)로 말초혈관을 통해 주입된다. OKT3는 첫 번째나 두 번째 투여 후 폐부종과 감염과 같은 심각한 부작용을 초래할 수 있으므로 수분 과다에 대한 관찰을 포함한 특별한 주의가 요구된다.

단일클론 항체(Monoclonal Antibodies)

몇몇의 새로운 단일클론 항체는 신이식에서 사용되면서 발전되어 왔다. Basiliximab (Simulect)과 daclizumab (Zenapax)은 서로 비슷한 약물로 이식거부반응을 예방하기 위해 발전되었다. 두 약물 모두 인간화(humanized) 또는 키메라 항체로, 이는 항체 분자의 대다수는 부분 인간 면역글로빈(human immunoglobin)이고 매우 일부분만 쥐의 항체 분자에서 추출되었음을 뜻한다. 이러한 인간화(hummanization)는 신체가 항체를 이종 단백질로 인식할 가능성을 줄여서 첫 용량 부작용을 최소화하고 반감기가 더 길어지게 한다. 두 약물 모두 인터류킨-2가 림프구와 결합하는 것을 방해함으로써 거부반응을 예방한다. 약물은 이식 후 정맥주입한다. 두 약물 모두 비슷한 효과와 안정성을 보인다.

MTOR(Mammalian Target of Rapamycin)
Sirolimus (Rapamune)은 2000년에 미국식품의약청(FDA)에 의해 신이식 환자의 장기 거부반응 예방을 위한 사용이 승인되었다. Sirolimus가 특별한 이유는 T림프구의 활성화, 증식과 항체 생성 모두를 억제한다는 점이다. 처음에 약물을 시작할 때는 사이클로스포린과 스테로이드도 함께 사용한다. 하지만 Sirolimus의 용량을 증대하게 되면 사이클로스포린을 처방에서 뺄 수 있다. 약물 부작용으로는 혈청 콜레스테롤 증가, 중성 지방산 증가, 고혈압, 여드름, 발열, 설사, 발진 등이 있다. 크레아티닌 수치가 상승할 수도 있다. 이 약물은 만성 거부반응에 사용될 수 있으며 신독성이 없다.

| 이식 후 환자의 예방접종

이식한 환자의 면역계통은 거부반응을 막기 위해 투여받은 면역억제제에 의해 적절하게 기능하지 못한다. 이런 환자에게 예방접종이 모두 안전하지는 않다. 백신은 사백신이거나 생백신이다. 사백신은 안전한 것으로 간주되고 생백신 접종은 피해야 한다. 미국신장재단에서는 이식 환자가 다음 백신접종을 피할 것을 권고하고 있다.

- 급성 감염성 호흡기질환(Influenza nasal; Flu Mist)
- 수두(Varicella; Varicax, Zostavax, "Shingles vaccine", "chickenpox vaccine")
- 홍역, 볼거리, 풍진(Measles, Mumps, Rubella, MMR)
- 황열(Yellow fever)
- 천연두(Smallpox)
- 장티푸스(live oral typhoid)
- 결핵(BCG; Bacillus Calmette-Guerin)
- 독감백신(influenza; 주사형태의 사백신)
- 폐렴구균백신(Pneumonia vaccine)-Pneumovax

| 거부반응

신체 면역계통은 이식 장기를 이종물질로 인식하게 되면 그것을 파괴하려 한다. 이런 현상을 거부반응이라 한다. 거부반응은 세포성이나 체액성의 두 가지 방법으로 나타난다. 세포성 거부반응은 T림프구에 의해 이루어지며 체액성 거부반응은 특별한 항체에 의한 이식 장기의 파괴로 이어진다.

| 다른 종류의 이식거부반응

거부반응의 과정은 기본적으로 3가지 형태로 나타난다: 초급성 거부반응, 급성 거부반응, 만성 거부반응이다. 거부반응은 환자와 가족에게 커다란 스트레스로 표현된다.

초급성 거부반응(Hyperacute Rejection)
초급성 거부반응은 이식 조직의 백혈구 항원 또는 ABO의 항원에 항체가 생성되는 일차적인 체액성 거부반응 과정이다. 이러한 형태의 거부반응은 이식 후 수십 분에서 수 시간 이내에 발생한다. 특이 항체의 맹렬한 공격으로 대량의 혈관 내 응고나 세포 파괴가 나타난다. 초급성 거부반응에 대한 치료방법은 없다. 주의 깊은 교차검사에 의해 예방해야 한다.

급성 거부반응(Acute Rejection)

조력 T림프구(helper T lymphocytes)가 이종물질로 조직세포를 인식하게 되면 급성 거부반응으로 알려진 연속과정이 시작된다. 급성 거부반응은 보통 이식 후 수 주에서 수개월에 발생한다. 이러한 세포 거부반응의 형태는 일반적으로 처음 면역체계에 특이성 외부 조직세포나 항원에 의해 발현된다. 급성 거부반응을 예방하고 치료하기 위해 주요 면역억제제가 처방된다.

만성 거부반응(Chronic Rejection)

체액성 거부반응에서 베타세포는 비자기 항원(nonself-antigens)에 의해 이식 장기를 파괴하는 항체생성이 자극되게 된다. 만성 거부반응은 느린 체액성 거부반응 과정으로 이식 후 수개월이나 수년 사이에 발생한다. 만성 거부반응의 특징은 장기의 혈관 섬유화로 인한 느리고 단계적인 기능저하이다. 콩팥의 만성 거부반응은 만성 사이클로스포린 독성과 구별하는 데 어려움이 있다.

| 거부반응의 진단 및 치료

특정한 원인이 없이 나타나는 혈청 크레아티닌의 증가는 대부분 거부반응의 진단적 지표로써 사용된다. 경피 생검은 확진에 사용된다.

초급성 거부반응(Hyperacute Rejection)

초급성 거부반응은 혈관의 문합 후 겸자를 풀자마자 진단할 수 있다. 이식 콩팥은 빠르게 검게 변하고 소변이 생성되지 않고, 이식과정 후 수혜자는 핍뇨, 열, 통증 등의 증상을 겪게 된다. 치료법은 없으며 이식된 장기는 외과적으로 제거된다.

급성 거부반응(Acute Rejection)

핍뇨, 발열, 부종, 체중 증가, 이식부위의 압통은 급성 거부반응의 중요한 신체적 증상이다. 그러나 현대의 면역억제제는 이러한 증상을 차단하여 이식 전문의는 생화학적 표지자에 의존하게 된다. 신체적 증상이 동반되든 동반되지 않든, 수 일에 걸친 혈청 크레아티닌의 빠른 증가는 급성 거부반응을 의미한다. 약물 수치가 높은 경우 신독성이 문제일 수도 있다.

많은 거부반응은 스테로이드 사용량의 증가로 치료를 시도한다. 스테로이드는 정맥으로 주입되며, 메틸프레드니솔론(methylprednisolone)의 "펄스(pulses)" 주입이나 경구 프레드니손(prednisone)의 증량으로 시도된다. 만약 거부반응이 심하고 스테로이드에 반응이 없다면, 항림프구제제(Atgam, OKT3)를 사용한다. 대부분의 급성 세포성 거부반응은 성공적으로 치료된다.

만성 거부반응(Chronic Rejection)

만성 거부반응 환자는 거부반응이 진행되어 심각한 신장손상이 될 때까지 증상이 나타나지 않는 경우가 많다. 혈청 크레아티닌은 신장기능이 다할 때까지 수개월에서 수년에 걸쳐 서서히 증가한다. 최종진단은 생검에 의해 이루어진다. 원래는 만성 거부반응에 대한 치료방법이 없었으나, 항체 생성 베타세포에 대항하는 mycophenolate mofetil(CellCept) 치료에 약간의 효능이 있는 것으로 밝혀졌다. 만성 거부반응은 경미한 급성 거부반응에서 시작되기 때문에, 적절한 면역억제제와 정기검사로 가장 잘 예방된다.

| 회복 불가능한 신이식의 실패

이식된 콩팥이 불가역적으로 손상되어 더 이상의 치료가 성공적이지 못할 것이라 판단되었을 때, 환자는 정규투석치료로 돌아간다. 초급성 거부반응, 조기 혈관 변재 또는 치료되지 않은 급성 거부반응의 경우를 제외하고 일반적으로 이식 콩팥은 기능이 저하됨에 따라 흉터와 주름이 느리게 생긴다. 따라서 외과적인 제거는 필요하지 않다. 이식 콩팥의 실패는 심각한 혈뇨, 감염 또는 악성 고혈압의 경우에 제거한다. 면역억제제는 점차적으로 중단하게 하여 이중 급성 거부반응을 예방하고 부신의 기능을 회복시킨다.

　이러한 환자는 특수한 간호가 필요하다. 여러 달 남게 되는 면역억제제의 잔여효과와 더불어, 실패한 이식은 환자와 가족에게 중대한 위기이다. 이식 콩팥의 기능상실은 우울, 절망, 분노, 무기력감을 불러일으킨다. 환자는 사망과 죽어가는 과정의 경험과 유사한 슬픔 과정(grieving process)을 겪는다. 이러한 환자에게는 정서적 지지가 중요하다. 환자가 이식에 실패할 경우 재이식을 선택한다. 환자는 이미 받은 이식으로 인해 여러 가지 어려움을 겪는다. 환자가 실패한 이식에 대해 얼마나 자가간호를 수행하는가를 평가하는 것도 중요하며, 동시에 약물투여를 잘하는가를 사정해야 한다. 투석간호사는 환자가 가능할 경우 다른 이식기회를 찾도록 격려해 주어야 한다.

CHAPTER
21

Pediatric Dialysis
소아 혈액투석

오랫동안 투석받은 환아는 임상적인 문제 이외에도 다양한 사회적·인지적·영양학적 요구도가 있다. 성장 발달 중인 혈액투석 환아도 만성콩팥병이 정상 성장발달을 저해한다는 점에서 치료가 복잡하다. 따라서 소아 신장간호사는 소아간호에 대한 지식과 환아의 성장발달에 대한 이해가 필요하다. 토리여과율(사구체여과율; GFR) < 15mL/min/1.73m²인 경우 투석을 고려해야 한다(NKF, 2006). 만성콩팥병 환아는 1,500명 정도 로 매우 드문 질환이었으나 매년 유병률이 증가하여 8,500명까지 많아졌다(Deepa, 2017).

| 소아의 만성콩팥병 원인

소아의 만성콩팥병(CKD) 원인은 성인과 다르다. 말기신장질환의 원인으로 토리질환 22.3%, 콩팥과 요로 계의 선천적 기형 21.9%, 낭종, 유전, 선천적 질환인 경우 11.7%, 혈관염을 비롯한 이차성 토리질환인 경 우가 10.7%이다. 가장 일반적인 진단으로 국소 토리굳음증, 콩팥형성부전 혹은 콩팥 이형성, 선천성 폐쇄성 요로병증, 전신 루프스 홍반, 상세불명의 신부전 등이 포함된다(미국 신장 데이터센터, 2017).

| 소아 급성신장손상의 원인

소아의 급성신장손상(Acute Kidney Injury, AKI)은 보통 패혈증 쇼크, 저혈압, 외과수술이나 사고로 인한 급 성 혈액 손실, 위장관 염증으로 인한 심한 탈수 등으로 인한 콩팥관류 저하의 결과이다. 병리적으로 급성요세 관괴사가 일어난다. 급성요세관괴사는 신독성 약물인 아미노글리코사이드 항생제와 암포테리신 B에 의해 특 히 잘 발생한다. 북미에서 가장 흔한 소아 급성신장손상의 원인은 용혈성 요독증후군이다. 사슬알균 감염 후 급성 토리콩팥염은 소아에서 흔하나 투석이 필요할 정도로 심각한 급성신장손상을 유발하는 경우는 드물다.

| 소아 대상의 다학제팀

소아 대상의 다학제팀은 성인과 다르며, 전문 분야와 소아과 경험이 있는 신장전문의, 투석간호사, 사회복지 사, 영양사, 아동생활전문가, 교사, 심리학자, 비뇨기과의사, 외과의사 및 혈관 접근 외과의사 등으로 구성 된다. 또한 환자 치료결정에 필수적인 가족도 포함된다.

| 소아 혈액투석을 위한 고려사항

소아투석시설의 하이브리드서비스는 환자간호 활동 부담에 따라 자원을 매칭하는 좋은 방법을 필요로 한다. 발달 나이와 실제 나이를 고려한 간호요구도에 맞게 의료진의 적정인원을 확보해야 한다. 환아는 간호요구도와 의존성이 높기 때문에 복잡한 매트릭스와 기술 수준에 따라 담당간호사를 정할 수 있어야 한다. 간호 의존도가 높을수록 돌봄제공자의 질 높은 기술이 필요하다. 환자 분류시스템은 환자의 개별적 간호요구에 따라 하루 단위 계획으로 필요한 치료진과 기술이 고려된다. 동일 연령과 동일 체중의 환아가 매일 같은 수준의 간호가 필요한 것은 아니므로, 환아의 나이나 체중에 따라 간호제공자 대 환자 비율을 정하는 것은 적절하지 못하다. 환아 대 직원의 비율은 다양한 인증기관에서 요구한다. 테크니션은 35kg 미만의 소아 투석환자를 간호할 수 없다. 환자의 체중이 10kg 미만이거나 격리되어 있는 경우 간호사 대 환아 비율은 1:1이다. 10~20kg 환아의 경우 1:2, 20kg 이상은 간호사 : 환아 비율은 1:3까지 허용된다. 소아 투석은 자주 주의 깊은 혈역학적 모니터링이 필요하다. 투석중 합병증이 발생할 경우, 말을 하지 못하거나 요구사항 표현이 어려울 수 있으므로 면밀한 활력징후 모니터링이 필요하다.

| 유지투석이 필요한 소아에서 선택 가능한 치료법

대부분 소아의 말기신장질환(End-Stage Renal Disease, ESRD) 치료법은 신장이식이다. 환아와 가족의 생활방식과 건강요구도에 따라 최적의 선택을 하게 된다. 유지투석을 선택할 때 신체 크기나 동반질환도 고려해야 한다. 51%가 혈액투석으로 치료를 시작하나, 유지투석을 해야 하는 성인에서 25.7%는 복막투석을 시행하고 있다. 지속투석이 필요한 경우 가정 복막투석이 선택되지만 가족 상황에 따라 불가능할 수도 있다. 어떤 환아는 이전의 복막수술이나 복막염으로 복막기능이 상실된 경우도 있다. 2016년 기준으로 신장이식을 받은 경우 72%, 혈액투석을 하는 경우 17.2%, 복막투석의 경우 10.6%(USRDS, 2017). 복막투석은 잔여 콩팥기능 유지, 식이제한 감소, 혈관접근로 회피, 학교와 가정에서의 활동제한이 적은 장점이 있다. 혈액투석은 기술적인 요구사항 없이 장기간 치료법으로 적합하며, 아주 단기간 치료법 선택 시에도 유용하다(Warady, Neu, & Schaefer, 2014). 장비와 혈관접근술의 발달로 소아에서도 혈액투석이 가능해졌다. 몇몇 청소년도 신체상이나 매일의 치료, 지속적 복막투석의 이행 수준을 고려하여 혈액투석을 선택하기도 한다.

| 소아의 신체표면적이 콩팥기능에 미치는 중요성

정상 혈청 크레아티닌 농도는 나이와 체질량에 비례하여 증가한다. 정상 혈청 크레아티닌 수치는 2세에서 0.4mg/dL이고 어른의 경우는 1.0mg/dL이다. 만약 2세에 크레아티닌 수치가 1.0mg/dL이라면 이 환아의 콩팥기능이 60% 정도 감소한 것으로 신부전이 의심된다. 신체 크기가 다른 환아의 경우 콩팥기능의 매개변수를 비교하기 위해 크레아티닌 청소율과 토리여과율을 일반 성인의 신체 표면적인 $1.73m^2$로 환산하여 표준화한다. 2세 이상 환아의 정상 크레아티닌 청소율은 $100\sim200mL/min/1.73m^2$이다. 크레아티닌 청소율이 $10mL/min/1.73m^2$ 이하로 감소된 경우 만성콩팥병 5단계로 진단한다.

| 혈액투석과 복막투석의 처방

복막투석(Peritoneal Dialysis)

복막투석의 목표량은 체표면을 기준으로 하며, 목표량은 2세 이상 환자의 경우 $1000\sim2000 mL/m^2$이다. 2세 미만인 경우 $600\sim800mL/m^2$ 이다. 어린이가 청소년이 될 때까지 목표량은 내성과 복강내압 정도를 고

표 21-1 연령에 따른 추정 혈액량

나이	총 혈액량(ml/K)
미숙아	90~105mL/kg
신생아	78~86mL/kg
1개월~1세	78ml/kg
1세~성인	74~82mL/kg
성인	68~78mL/kg

려하여 야간 저류시간 동안 1,200~1,000mL/m²까지 점진적으로 증가시킬 수 있다. 표준 자동복막 투석처방은 밤 동안 5~10주기, 9~12시간 동안 진행된다. KDOQI 지침상 Kt/V urea는 주당 1.8 복막유레아 청소율이 되도록 최소 목표량을 정하였다.

혈액투석(Hemodialysis)

체외순환량은 영유아 투석 시 고려할 사항이다. 혈역학적 안정성을 유지하기위해 환자 전체 혈액량의 10% 미만으로 유지해야 한다. KDOQI 지침상 주 3회 sp Kt/V 1.2를 권장하고 있다(Warady, Neu, & Schaefer, 2014).

| 소아의 체외순환량 안전 한계치

소아 혈액투석 시 체외순환량(extracoporeal volume)의 안전한 한계치는 혈액량의 10% 이하이다(표 21-1). 체외순환량은 검사가 필요한 경우를 제외하고는 치료 종료 시 환자에게 다시 주입된다. 검사를 위한 경우에도 일당 체외순환량의 3~5% 이상을 채취해서는 안 된다. 소아환자의 과도한 혈액손실을 방지하기 위해 유아용 혈액 채취용 튜브를 가지고 있거나 검사를 위해 최소한의 혈액량을 사용해야 한다.

| 체외순환량의 계산

체외순환량은 투석기 볼륨과 혈액라인의 총량을 합한 것이다. 제조사에 따라 특별한 값을 사용한다.

| 소아의 혈관접근로 고려사항

환자가 어릴수록 혈액투석을 위한 적절한 혈관접근로를 확보하기 어렵다. 10kg 이하 환아의 경우 적정 직경의 반영구 카테터(indwelling catheter)를 주 혈관에 위치시키는 것이 유일한 선택일 것이다. 카테터가 혈관 크기보다 크지 않은 것을 사용하는 것이 중요한데, 이는 정상적인 정맥 흐름을 방해할 수 있기 때문이다. 체중이 5~10kg의 소아는 이중과 단일 내경 커프 카테터(double and single-lumen cuffed catheter)를 사용할 수 있다. 외과 기술이 발전함에 따라 20kg 이상에서 동정맥루, 10kg 이상의 환자에서 허벅지의 루프형 동정맥루 인조혈관 수술이 가능해졌고 15kg 이상의 환아에게는 아래팔에 동정맥루 수술도 가능해졌다. 일반적으로 20kg 이하의 환아에서는 사지에 영구적 혈관접근로 확보가 어렵다. 하지만 예외적으로 20kg 미만이면서 2년 이내 신장이식이 예정된 경우이거나 복막투석 전 혈액투석을 일시적으로 시행해야 하는 경우 시술 경험이 있는 외과 의사나 소아 신장전문의에 의해 시행된다.

| 특수 투석기

소아 혈액투석의 투석기 선택에 있어 투석기 표면적이 아동의 체표면적과 근사치가 사용된다. 약 0.22m²만큼 작은 투석기가 사용된다. 이런 선택은 혈액량, 투석 적절도, 초여과상수 처방에 근거한다. 낮은 순응도로 인해 섬관형 투석기(hollow-fiber dialyzers)를 선호하는데, 크기에 따라 충전량은 28~100mL 정도이다.

| 특수 혈액라인

대부분의 제조업체는 신생아 또는 소아 사이즈의 혈액라인을 성인 제품에 비해 소량으로 제공한다. 이런 특수 혈액라인은 짧고 환자의 투석 연결지점에 긴장이 가해지지 않도록 라인을 안전하게 유지해야 한다. 성인 혈액라인 140mL과 비교하면, 신생아 29mL, 소아 73mL로 혈액라인도 짧기 때문에 우발적 사고나 혈관접근로에 긴장감이 전달되지 않도록 라인 고정 시 당겨지지 않아야 한다.

| 소아를 위한 특수 혈액투석장비

성인에게 사용되는 정량적 혈액투석장비는 아동에게도 안전하게 사용될 수 있다. 정량적 혈액투석장비는 체액 제거 오류 한계가 적다. 모든 혈액투석시스템은 목표 체액보다 10% 변화에 대해 경보가 울리도록 고안되었다. 특히 체구가 작은 환아는 총 체액량과 비교하여 10%가 상당한 양이므로 중요하다.

| 투석 관련 통증

동정맥루 천자 시 불편감 때문에 국소마취제(예: 엠라크림) 또는 1% 리도카인 피하주사가 사용된다. 학령기 이전의 아동은 종종 국소마취제가 효용이 없고 1% 리도카인 피하주사도 단지 "또 다른 주사"일 뿐이다. 이런 소아에게 마취제 없이 천자하는 것이 가장 좋은 선택일 수 있다. 통증을 완화시키기 위한 기술로는 심호흡, 주의전환(예: 거품을 날리거나 반짝이는 막대 사용), 부드러운 조명과 같은 시각적인 방법이 포함된다. 통증이나 두려움으로 우는 것은 정상적인 반응임을 기억해야 한다. 통증을 성공적으로 다룰 수 있는 중요 포인트는 일관된 처치와 환자 및 가족과의 의사소통기술이 포함된다. 팀 접근으로 통증 관리방법을 알려주고 참았을 때 긍정적인 강화를 주어 불안을 진정시킬 수 있어야 한다.

성공적인 천자를 위해 움직임을 억제하는 사람은 소아의 부동자세 유지를 위해 최소화해야 한다. 10kg 이하의 소아에서는 단단히 싸는 것이 최선이다. 억제대가 필요하다면 아주 짧은 시간에만 적용해야 한다. 억제대가 필요할 때는 매 투석 시 의사 처방을 다시 받아야 한다.

| 소아 투석 시 순차적 초여과법 사용

초여과법은 비교적 나이 많은 아동이나 청소년에서 사용한다. 5% 알부민이나 전혈 프라이밍이 필요한 어린 유아에서는 순차적인 초여과법이 불가능하다. 작은 소아에서도 장기간의 초여과법은 투석액에 의해 혈액부분이 데워지지 않기 때문에 저체온증을 유발할 수 있다.

| 혈액투석 시 소아의 목표 체중 결정

환아가 성장함에 따라 체중도 점차적으로 증가한다. 목표 체중은 적절한 Kt/V를 갖는 환아에서 정상 혈압과 정상 체액량을 보이는 체중을 말한다. 크릿-라인(Crit-Line)과 같은 비침습적 내부라인 모니터 장비는 투석 동안 목표 체중의 결정에 도움을 준다. 성장기 아동의 경우 목표 체중은 적어도 한 달마다 재평가되어야 하며 고혈압을 보일 경우에는 더 자주 재평가해야 한다. 소아에서는 식이 섭취의 변화, 수분 제한의 순응, 구토나 설사에 따라 체중의 기복이 흔하게 나타난다. 소아에서 만성 체액 과부하는 경험 많은 간호사도 체중 증가로 오인할 가능성이 있으므로 주의해야 한다.

| 소아 혈액투석 환자의 최적 혈류속도비율

최적 혈류속도비율(optimal blood flow rate)은 환자의 신체 크기뿐 아니라 혈관접근로가 허용하는 기능에 따라 달라진다. 투석 중 심장 안정성 유지를 위해 혈류속도 관찰에 주의해야 한다. 대개 최적 혈류속도는 단위 혈액량의 10% 이상 초과하지 않도록 한다(Skorecki et al., 2016).

| 소아의 투석 중 모니터링

정량적 혈액투석장비의 사용은 소아에게 안전한 투석과정을 제공한다. 혈압 모니터링 간격은 환아 개개인의 요구에 따라 조절한다. 혈액투석을 시작하면 즉시 혈압을 측정해야 하고 그 이후에는 30분에 한 번씩 측정하는데, 만일 환자가 불안정해 보이면 측정간격을 줄여야 한다. 환자가 소아라는 이유만으로 15분 또는 30분마다 혈압을 측정해야 할 필요는 없다. 소아는 쉽게 흥분하거나 비협조적이기 때문에 신뢰할 만한 측정치를 얻는 데 기술적 어려움이 있다. 비침습적이고 자동화된 혈압 모니터가 환아에게 유용하다. 이것은 임상적 응급 상황 동안에 다른 간접적인 측정방법이 실패할 경우에도 계속 모니터할 수 있다. 불안정한 환아에 대한 급성 혈액투석치료 시에는 지속적 동맥 혈압 모니터링이 필요하다.

　20kg 이하의 환아의 경우 급성 수분 제거로 인한 상태 악화를 발견하기 위해 혈압측정 외에도 심박동수와 산소포화도를 지속적으로 모니터링해야 한다. 또한 자극과민, 하품, 안절부절못하는 움직임 등과 같은 저혈압을 암시하는 미세한 변화 감지를 위해 지속적 간호평가가 요구된다. 이러한 미세 신호는 환아마다 다양한 형태로 나타나므로 이런 것을 환아 개인별 치료계획에 포함시키고 전체 치료 팀과 공유해야 한다.

| 격리

수두와 같은 감염병이 유년기에 흔히 발생한다. 혈행성 병원균에 노출될 위험이 있거나 감염성 위험이 있을 때는 격리가 필요하다. 각 시설은 수두와 같은 감염병에 걸린 환아를 격리하여 취약한 성인 환자에게 노출되지 않도록 예방 차원의 지침이 만들어져야 한다.

| 고혈압

2차성 고혈압의 34~76%는 신장실질질환 및 구조적 이상으로, 12~13%는 콩팥의 혈관질환으로 인해 발생한다. 만성콩팥병의 소아 및 청소년은 다음과 같이 혈압을 관리해야 한다.
• 진료 시마다 혈압에 대해 평가해야 한다.
• 24시간 활동 중 혈압 모니터링으로 평균동맥 혈압이 50백분위수 이하로 치료해야 한다.
• 마스킹된 고혈압 선별을 위해 매년 활동 중 혈압 모니터링 검사로 혈압을 사정해야 한다. 병원 방문만으로도 관리가 가능하다.

　위원회에서는 1~18세 아동은 높은 혈압의 범위를 90백분위수 이상의 혈압으로 정의한다(표 21-2). 혈압은 성별에 따라 다르고 연령과 신체 크기에 따라 증가하므로 성인과는 다르다. 여성과 아동은 남성과 더 큰 아동

표 21-2 최신 혈압 범주와 단계 정의

1~13세 소아	13세 이상의 소아
정상 혈압 : < 90백분위수	정상 혈압: < 120/80mmHg
혈압상승 : ≥ 90백분위수 부터 < 95백분위수까지 혹은 120/80mmHg부터 < 95백분위수(낮을 때도 있음)	혈압 상승 : < 120~129/80mmHg
1단계 고혈압 : ≥ 95백분위수 부터 > 95백분위수+12mmHg 혹은 130/80~139/89mmHg(낮을때도 있음)	1단계 고혈압 : 130/80~139/89mmHg
2단계 고혈압 : 95백분위수 + 12mmHg 혹은 ≥ 140/90mmHg(낮을때도 있음)	2단계 고혈압 ≥ 140/90mmHg

Reprinted with permission from Flynn JT, Kaelver DC, Baker-Smith CM, et al : Clinical practice guideline for screening and management of high blood pressure in children and adolescents[published cerrection appears in Pedicatrics 140(6): e 20173035, 2017]. Pediatrics 140(3): e20171904, 2017.

보다 낮은 혈압을 보인다. 혈압은 적정 크기의 커프를 사용하여 측정해야 하며 팔 둘레의 40% 너비의 커프에 공기를 채워 측정하게 된다. 팔꿈치와 어깨뼈 사이의 정중앙에서 측정하고 최소한 팔 둘레의 80%를 둘러싸기에 충분한 길이여야 한다. 커프 크기는 제품별로 표준화되어 있지 않기 때문에 "영아", "소아", "작은 성인"으로 구분한다. 커프가 너무 작으면 혈압이 높게 측정된다. 비만 청소년에게는 특대 성인 크기 혹은 대퇴용 커프가 필요하다.

| 라텍스 알레르기

특정 환아는 라텍스 알레르기에 대해 높은 위험성을 보인다. 척추이분증 환아의 10~60% 정도에서 라텍스 알레르기를 보인다. 간헐적 요로삽관이 필요한 환아에서도 위험성이 매우 높다. 라텍스 제품에 반복적으로 노출되는 것은 접촉성 두드러기나 아나필락틱 반응을 유발할 충분한 위험성이 있다. 라텍스에 노출되는 경로로 직접 점막접촉과 부유 라텍스 입자에 노출되는 것이 있다. 라텍스 알레르기의 치료는 라텍스를 포함하는 장갑이나 카테터 같은 물질에 대한 노출을 예방하는 것이다. 덧붙여 환아 치료 시 각 시설은 라텍스 주의사항과 사용지침을 만들어야 한다.

| 소아의 빈혈치료

두 기관 연구에서 5세 이하의 환아는 더 나이 많은 소아나 성인보다 고농도의 재조합 적혈구 생성인자 치료가 필요하다는 연구 결과가 나왔다. 적혈구 생성에 필수적인 철분 목표치를 달성하기 위해 경구 또는 철분 주사제(만성콩팥병 투석 환자)를 통한 철분공급이 필요하다. KDOQI 가이드라인에서 트렌스페린 포화도가 20% 이하이거나, 적혈구 생성 촉진제 요법을 받지 않고 빈혈 있는 환아의 경우 페리틴이 100ng/mL 이하에서 경구 철이나 철분 주사제(만성콩팥병 투석환자)를 권고한다. 적혈구 생성 촉진제 요법을 받는 소아에서는 트렌스페린 포화도는 20% 이상, 페리틴은 100 ng/mL가 유지되도록 권고한다(Klinger et al., 2013). 철분 주사제를 주입할 때 체중이 10kg 미만인 경우와 10~20kg인 환아에 대한 용량의 차이, 체중에 따른 주의 깊은 용량 조절이 필요하다. 2006년 미국신장재단 KDOQI 임상진료지침서는 소아의 빈혈 치료의 차이에 대해 기술하고 있어 환아 치료에 좋은 가이드라인이 된다. 적혈구 생성 촉진제 요법의 용량은 환아의 투석방법, 투여 경로 및 연령에 따라 다르다. 가이드라인에서 헤모글로빈 수치가 나이와 성별에 따라 5% 이하로 떨어질 때 평가해야 하며 여아가 초경 시작 전까지는 성별 구분은 최소화된다. 환아의 헤모글로빈 목표치는 성인(11~12g/dL)과 동일하며 13.0g/dL를 초과해서는 안 된다.

만성콩팥병을 가진 환아의 성장

만성콩팥병으로 성장지연이 발생한다. 따라서 영양상태를 자주 모니터링하여 발달목표에 도달하고 있는지 확인이 꼭 필요하다. KDOQI에서는 건강한 아동보다 2배 이상 더 자주 모니터링하도록 권고한다. 다뇨, 성장지연, 체질량지수가 너무 높거나 낮은 경우, 동반질환이 있는 경우, 최근 급격하게 의학적 변화가 있는 경우 더 자주 모니터링하도록 권고한다(NKF, 2009). 발병 연령은 성장에 영향을 미치는 중요한 변수이고, 어릴 때 발병할수록 성장지연의 가능성은 더 커진다. 만성 대사성 산증, 나트륨 소모, 만성 탈수, 만성 체액 과부하, 조절되지 않는 뼈형성장애, 식욕부진 및 영양실조, 열량 섭취 부족, 기저 콩팥병 조절을 위한 스테로이드요법, 성장호르몬 조절장애 등 많은 요인이 성장부진에 영향을 미친다. 정상 성장발달을 위해서는 만성 투석이 필요한 시점보다 먼저 이러한 비정상 요인을 수정하려고 노력해야 한다.

혈액투석 환아의 성장

유지혈액투석을 받으며 성장을 최대화하기 위해서는 산증을 교정하고 체액 과부하를 최소화하며 콩팥뼈형성장애를 조절하고 최적의 영양상태를 증진시켜 최적의 투석 적절도를 유지하는 것이다. 각 환아의 키와 목표 체중은 성장판이 닫힐 때까지 엄격하게 모니터링되어야 한다(적어도 3달에 한 번). 키, 목표 체중, 머리둘레 역시 3세 이하의 환아에서 반드시 측정되어야 한다. 성별에 따른 성장 차트가 분기별로 작성되어야 하고 환아의 성장 차트 기록 시 성장지연이 보인다면 더 자주 작성해야 한다. 2세 이상 아동의 키가 동일 나이에 비해 평균 5% 이하인 경우 성장호르몬 치료를 고려해야 한다.

만성콩팥병과 말기신장질환을 가진 아동은 성장호르몬에 대한 반응이 상대적으로 떨어지므로 성장호르몬 치료를 고려해야 성장호르몬의 보충이 성장을 정상화하고 근육량을 증가시키는 데 도움을 줄 수 있다. 미국 신장재단 KDOQI 가이드라인에서는 만성콩팥병 환아에서 나트륨, 칼륨, 칼슘, 인, 지방을 포함한 영양 섭취에 대한 권장사항을 제안하였다. 또 다른 주제에서는 영양 사정을 포함해 역동학 모델을 이용한 산-염기 균형 관리, 에너지와 단백질 섭취, 비타민과 미네랄 요구 등도 포함하고 있다(NKF, 2008). 섭취량 모니터링은 매우 중요하며 부모 또는 보호자는 3일 동안의 식단일지에 대해 상담을 받아야 한다. 만성콩팥병 2~5단계의 환아와 투석 중인 환아는 영양 결핍 치료나 대사성 이상 치료에도 불구하고 성장장애가 3개월 이상 지속되면 선형 성장부진 가능성이 있으므로 재조합 성장호르몬 치료를 고려해야 한다(NKF, 2009)

혈액투석 환아의 학업

대부분의 혈액투석을 받는 학령기 아동은 일반 학교를 다니는 데 어려움이 없다. 입원이나 투석치료 일정에 학교 결석에 영향을 미치므로 간호사는 최대한의 학교 출석을 위해 투석일정을 조정해 주어야 한다. 학교는 규율과 규칙, 기술을 도입하여 일상 행동의 기반을 구성해야 하며 이는 성인에게서 독립하고 궁극적으로 사회에 진출하는 근원이 된다.

소아기능상태의 측정도구

덴버2 발달 선별검사(Denver II developmtal screening test)가 비교적 쉬워서 6세 이하 소아 평가 도구로 추천된다. 만성질환을 가진 환아의 발달지연은 흔하게 관찰된다. 좀 더 큰 아동을 위한 기능 상태 평가도구로는 Short Form 36의 소아용 질문 도구가 있다.

| 말기신장질환 환아의 삶의 질 평가

사회복지사는 환아의 삶의 질을 평가하고 가족과 협력하는 것이 매우 중요하다. 소아 투석 환아의 특별한 요구가 충족되고 있는지 확인하고, 투석시작 이후 6개월마다, 그 다음에는 매년 평가가 필요하다. 평가에 사용되는 두 가지 모델로는 소아 삶의 질 목록 도구와 유아에서 청년까지 연령에 따른 다양한 버전의 PedsQL 3.0 ESRD module이 있다.

| 성인 투석으로의 전환

후기 청소년기(17~21세)에 준비를 시작하는 것이 이상적이며, 이 시기에는 미래의 목표를 결정하는 능력이 발달하고 친밀한 관계를 형성할 수 있으며 부모나 다른 권위적 어른과의 좋은 관계가 가능해지는 시기이다. 중기 청소년기(14~17세) 동안은 위험 추구 행동의 빈도가 높고 동료와 동일시, 미래에 대한 불확실성, 부모와의 갈등으로 인해 성인과 같은 책임을 지우기에는 상당한 어려움이 있다. 발달이 지연된 환아의 경우 17세에 아직 준비가 되어 있지 않을 수 있다. 성인 투석으로의 전환을 위한 준비는 약물계획에 책임감을 갖는 것, 병원 방문일정 조정, 그리고 제시간에 치료를 받는 등의 자가간호 이행을 가르치는 것이 포함된다. 준비가 늦은 경우에는 신뢰할 만한 간호사나 사회복지사와 동행하여 성인 투석실에 방문해야 한다. 실제적인 성인 투석으로의 전환은 환자의 준비, 질병치료, 서비스 이용 가능성에 따라 18~21세 사이에 이루어진다. 소아와 성인 간호시설이 혼합된 곳에서는 환자가 준비가 되었을 경우 전환 준비 프로그램에 참여할 수 있다.

Chronic Kidney Disease in the Elderly

노인의 만성콩팥병

미국에서 말기신장질환(ESRD) 유병률은 65세 이상 노인에서 가장 높다. 발생률은 75세 이상의 그룹에서 가장 높으나, 유병률은 최고령 환자에서 사망률이 높기 때문에 약간 낮은 편이다(그림 22-1).

치료방식이 선택되었음에도 불구하고 노인 환자의 특수한 치료요구에 부응하기 위해 변화가 필요해진다. 모든 만성콩팥병 환자의 치료방법이 노인 환자에게 이용될 수 있으나 적절한 혈관통로나 복막 유지와 같은 일반적인 문제가 고려되어야 한다.

| 노인의 만성콩팥병 원인

대부분의 원인은 고혈압과 당뇨로 인한 이차성 토리굳음증(사구체경화증)이다. 대부분의 경우 노인의 만성콩팥병은 "원인불명"이며 만성 토리콩팥염이나 깔때기콩팥염 등은 일반적으로 젊은 환자에 비해 노인에서 더 나타난다(원인이 확인되지 않은 신부전 노인 환자에서는 거의 생검을 실시하지 않는다).

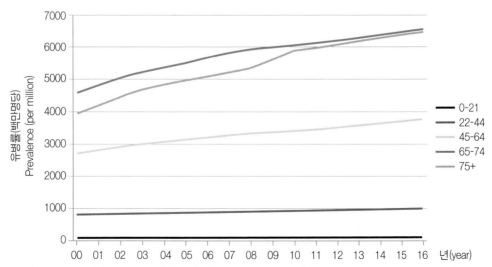

그림 22-1 **연령에 따른 말기신장질환 이환율(미국) 2000~2016년.** *(출처: United States Renal Data System. 2018 USRDS 연간보고 : 당뇨병, 소화기계질병, 신장질병 이환율. 미국 국립보건기구, Bethesda, MD, 2018.)*

| 노인과 젊은 만성콩팥병 환자의 차이

노인은 동반질환이 더 많아 만성콩팥병의 치료를 복잡하게 한다. 심각한 동반질환으로 심혈관 손상, 뼈엉성증, 제2형 당뇨, 단백질 합성 지연/단백 섭취 부족, 폐기능 손상, 인지기능 손상, 낮은 시력, 운동능력 저하, 조정능력 저하 등이 있다.

비록 이러한 것들이 신체적 요인이 아니라도 어려운 사회심리적 · 사회경제적 요인은 젊은 환자에 비해 많은 부분에서 치료를 복잡하게 한다.

| 노인에서의 신대체요법

신대체요법(renal replacement)은 대부분의 노인에게 만성콩팥병이 없는 같은 연령의 사람과 동등한 수준이거나 최소한 수용 가능한 수준의 삶의 질과 신체적 기능을 회복할 수 있게 한다. 일부 노인의 경우 삶의 질이 개선되지 못하고 투석으로 인한 심각한 고통이나 장애를 경험할 수 있다.

노인이 아니어도 다른 연령의 환자의 경우도 투석의 이득을 얻지 못할 수도 있다. 예를 들어, 비가역성 치매, 극도의 쇠약감, 암, 진행성 울혈성 심부전과 같은 절박한 동반질환이 있을 수 있다. 그러나 치료 보류에 대한 확실한 의학적 · 사회적 지침은 거의 없고 치료 시작에 대한 의사결정은 의사에 따라 또는 가족구성원에 따라 달라진다. 고령 환자와 그들의 주변 사람은 종종 투석과 동반한 높은 이환율과 사망률에 대해 정보를 얻지 못하는 경우가 있다. 또한 의사나 사회복지사는 새로 만성콩팥병으로 진단받은 환자의 임종 문제에 대해 항상 논의하는 것은 아니다.

| 노인의 이식

이식은 유지투석이 필요한 만성콩팥병 노인의 선택적 치료방법이다. 이식은 투석에 비해 노인 환자의 생존율을 높이고 삶의 질을 향상시킨다(Scherer & Bitzer, 2015). 이식 가능한 노인 만성콩팥병 환자는 젊은 환자만큼 많지는 않지만 이식받은 콩팥의 생존율은 젊은 환자와 거의 동일하다. 일부 이식외과 의사는 노인으로부터 공여받은 콩팥은 노인 환자에게 이식되어야 한다고 믿기 때문에 이러한 콩팥은 노인 환자에게 더 많이 사용되고 있다. 신체 허약, 심혈관질환, 감염의 위험 및 악성 종양 등은 부정적 치료결과를 나타낼 수 있으므로 추가적인 고려가 필요하다. 노인은 노화로 인해 이미 면역기능이 손상되었기 때문에 집중적인 면역억제제가 덜 필요한 경우도 있다.

노인인구가 증가하고 있고 합병증의 심각도가 높아 젊은 환자에 비해 생존율이 좋지 않으나, 통계적으로 노인 환자에 대한 이식은 안전한 것으로 나타난다. 이와 같은 이유로 투석은 노인 환자에게 보다 안전한 방법이지만 치료의 방식을 결정하는 것은 간단한 문제는 아니다.

| 노인의 복막투석

복막투석은 혈액투석과 다르게 가정에서 하는 투석이다. 환자가 가정에서 투석을 하는 것은 여러 가지 장점이 있다. 한 가지 장점으로 시간과 노력, 투석실로 이동하는 데 드는 비용을 절약할 수 있다는 것이다. 이동은 그 자체만으로도 노인을 지치게 만든다. 다른 하나는 가정투석 환자가 자신의 치료에 대해 책임이 있다는 것이다. 이것은 환자에게 독립심을 길러 줄 뿐만 아니라, 고정된 투석실 일정에 맞추는 것보다 편하게 교환할 수 있으므로 유용한 생활양식을 유지할 수 있다.

많은 노인은 말초혈관의 기능저하가 있는데 복막투석의 경우 혈관통로가 필요하지 않다(비록 그들이 복막투석카테터로 수반되는 문제를 가지고 있음에도 불구하고). 복막투석은 유지요법이므로 혈액검사나 수분상태가 안정된 상태를 유지하게 된다. 그러므로 복막투석 환자는 혈액투석에서 나타나는 혈액의 화학적 성분과 수분의 급속한 변화로 인한 고통을 받지 않게 된다. 노인 환자는 이러한 변화에 대해 부작용을 더 많이 경험하기 때문에 이것은 상당한 장점으로 작용한다. 예를 들면 심장 저류를 감소시킨 복막투석 환자에서는 수분 제거로 인한 심혈관 증상이나 기립성 저혈압을 덜 경험하게 된다. 느리고 지속적인 투석으로 뇌의 전기생리적·인지적 기능장애가 교정되고 이는 노인 환자의 의식상태를 불안정하게 하는 위험을 줄인다.

　매일 시행하는 복막투석의 다른 장점은 식이와 수분의 제한이 적은 것인데, 이것은 식욕이 감퇴되거나 식이제한을 힘들어하는 환자에게 아주 중요할 수 있다. 이러한 복막투석의 장점에도 불구하고 65세 이상 환자 중 6%만이 이 투석방법을 사용한다(USRDS, 2016).

| 복막투석 과정에 대한 노인의 학습능력

많은 사람이 스스로 할 수 있고 일부에서는 가족구성원의 도움을 받아 복막투석을 할 수 있다. 복막투석은 기능적 또는 인지적 손상으로 인해 환자가 투석액 교환을 할 수 없는 상황이 오기 때문에 노인에서 적게 사용하기도 한다. 또한 시각장애가 있거나 손 사용에 제한이 있어 스스로 투석액 교환이 힘든 환자를 위한 여러 가지 보조기구가 있다. 자동화된 야간 투석시스템은 연결과정과 연결 제거과정을 제외한 전 과정이 자동화되어 있다.

| 노인 복막투석의 단점

노인 복막투석의 경우 젊은 복막투석 환자에 비해 합병증(치매, 탈장, 복막염, 복부 유출, 카테터 유출) 발생률이 높다.

　환자가 많은 양의 초여과를 해야 한다면 고농도 포도당 투석액을 사용해야 하는데 이 경우 식욕을 저하시키고 영양 부족을 일으킨다. 이것은 초기에는 진단이 어렵기 때문에 건체중이 안정되거나 심지어 증가하기도 한다(포도당은 높은 열량을 제공하나 영양가는 적다). 이 경우 영양결핍의 위험이 높은 노인 환자에게는 중대한 문제일 수 있다. 신부전은 노인 환자에서 영양결핍을 심화시키고 복막투석은 투석액으로의 단백질 손실을 유발한다. 노인환자의 경우 식욕이 감소하고 단백질 손실이 있기 때문에 영양불량에 대한 모니터링이 실시되어야 한다.

　노인의 경우 게실 증가, 장천공, 변비 등의 가능성과 함께 노화로 인해 복막이 변화한다. 또한 노인의 경우 협착의 위험을 높이고 복벽 유출을 증가시키는 기타 복부수술을 받았을 수도 있다(Sakaci et al., 2015). 투석 동안 사회화의 기회상실 역시 어려움 점이며 많은 노인 환자가 사회적으로 고립되어 있기 때문이다.

| 만성콩팥병 노인 환자에게서 혈액투석의 장점

대부분 혈액투석은 센터에서 제공된다. 앞에서 언급하였듯이 노인은 사람들과의 상호작용이 심리사회적 장점이 될 수 있다. 다른 장점은 전문가에 의해 자주 관찰되는 것이다. 노인 만성콩팥병 환자는 투석치료과정에서 더 많은 합병증을 경험한다. 노인 환자는 합병증이 발생하였을 때 상대적으로 증상이 적게 나타난다. 투석센터에서 이러한 합병증에 대해 초기 사정과 중재(결과로 환자의 불편감을 줄이고 건강비용을 줄인다)가 이루어진다.

　정교한 모니터링 장비와 초여과 조절시스템을 갖춘 최신 혈액투석기계는 생화학적으로 또한 수분을 원활이 제거하기 때문에 이전보다 노인 환자에게 안전하고 편안한 치료를 제공할 수 있다. 일부 환자는 계속해야 하는 복막투석보다 단기간 주 3회 실시하는 혈액투석을 선호하기도 한다. 또한 많은 노인 환자는 환자 자신이 아닌 의사나 간호사가 건강관리를 해 주기를 기대한다. 투석실이나 가정에서 노인 환자가 스스로 하는 자기관리는 환자에게 부담이 된다.

| 노인의 혈액투석

일부 전문가의 의견으로는 노인은 수분 축적이 적고 크레아티닌이 낮고 요소생성률이 낮기 때문에 투석 중 합병증의 위험을 높일 수 있는 적극적인 투석치료가 필요하지 않기 때문에 투석치료가 용이할 수도 있다. 또한 노인은 치료적인 면에서 순응적이고 젊은 환자에 비해 삶의 만족도가 더 높은 것으로 나타났다.

투석 중 합병증의 빈도와 특성은 젊은 혈액투석 환자와 비슷하다. 한 가지 예외는 혈역동학적 불안정인데, 이것은 노인 환자에서 더 많이 발생한다. 따라서 투석 중 부정맥과 저혈압 빈도가 높은 편이다. 대부분의 경우 투석간호사는 이러한 문제에 대해 준비되어 있고 혈역동학적 불안정을 최소화하고 예방할 수 있다.

저혈압 발생을 막기 위해서는 가능한 한 최대로 적은 프라임 용적을 가진 체외순환회로와 초여과 조절장치, 초여과 중 혈압을 유지하는 데 도움을 줄 수 있는 높은 나트륨, 칼슘, 포도당을 포함한 중탄산염 투석액을 사용한다. 투석중 음식물 섭취는 말초혈관(여기에서 혈압을 유지함)의 혈액을 위장으로 이동시켜 저혈압을 유발하므로(특히 노인에서) 투석 중에 음식을 복용해서는 안 된다. 특히 투석의 마지막 시간에 단시간의 간단한 운동은 혈압을 유지하는 효과적인 방법이고 근육경련을 최소화한다. 식사의 염분, 단백질, 수분 섭취, 항고혈압제 등은 투석치료 시 재평가되어야 한다.

부정맥은 혈액투석 노인 환자에게 흔히 발생한다. 이것은 빈혈, 저칼륨혈증, 고칼륨혈증, 산증, 저산소증, 저혈압, 고혈압, 디곡신, 전이성 석회화, 아밀로이드 이상, 심비대 등에 의한 심장이상 등과 관련하여 발생한다. 부정맥의 증상으로 허약감이나 저산소증 등이 나타나면 의사에게 보고해야 하며, 의사는 이를 통해 환자 식이, 투석액 내용물, 투약처방을 결정한다. 저산소증의 증상 조절을 위해서는 비강 내로 산소가 투여될 수 있다. 가능하다면 복막투석으로 전환이 필요하다.

| 노인의 혈액투석의 단점

심각한 심혈관 질병을 가진 환자는 혈액투석 시 발생하는 빠른 생화학적, 혈역동학적 변화를 견디지 못하여 투석 중 합병증의 고위험군이며 허약한 노인은 주 3회 투석실을 내원하는 것에 상당한 신체적, 정신적 스트레스를 받는다. 이러한 경우 가능하다면 매일 가정 혈액투석을 하거나 복막투석이 더 선호된다. 노인의 경우 많은 혈관 문제를 가지고 있으나 노인 환자의 동반질환은 젊은 환자에 비해 심각하지 않을 수 있다.

| 노인의 영양 모니터링과 관련된 특별한 주의사항

혈액투석과 복막투석 모두 치료과정에서 영양소가 소실된다. 일반 투석 환자에 비해 노인 환자는 치료과정에서 식욕상실이 흔히 발생하고 이로 인해 영양실조의 고위험군으로 분류된다. 이러한 이유로 투석간호사는 불량한 영양상태에 대한 환자 사정에 주의를 기울여야 한다.

노인의 경우 영양상태를 유지하기 위한 능력이 저하되어 있는데, 즉 치아문제로 인해 음식 섭취가 어렵고, 미각과 후각 기능의 저하, 음식을 준비하거나 재료를 구입하기 위한 운동기능이나 신체적 기능의 상실을 가지고 있다.

식사란 배우자, 동료, 지역사회와의 사회적 상호작용의 기회가 되는데, 노인의 경우 이러한 상호작용에 장애가 발생할 수 있다. 치매, 우울증, 지남력 장애와 같은 정신적 문제를 가진 경우 식욕에 문제가 발생한다.

일부 노인의 경우 재정적인 문제로 난방이나 식료품 구입에 문제를 가지고 있다. 식욕부진, 변비, 약물 작용 등과 같은 의학적 요인도 음식 섭취에 문제가 될 수 있다. 적절한 식사를 하였다 할지라도 구토, 설사, 상처나 욕창으로 부터 지속적 삼출물로 인해 단백질 손실로 인한 영양문제는 여전히 남아 있으므로 만약 좋은 영양상태를 방해하는 요인이 확인되었다면 교정되어야 한다.

투석환자의 경우 투석 중 저혈압 또는 울혈성 심부전의 증가, 우울증과 치매의 진행, 저혈당(혈당강하제를 복용하고 있지 않은 상태에서), 건체중의 지속적 감소, 성장실패(adult-failure-to-thrive syndrome)가 확인되었다면 영양실조를 의심해야 한다.

투석 전 낮은 혈중요소(blood urea nitrogen, BUN)는 투석량이 많아서라기보다 불량한 영양상태로 보아야 한다. 따라서 이런 경우 투석량을 줄이기보다 오히려 투석량을 증가시킬 필요가 있다. 같은 이유로 투석 동안 불안정한 환자는 투석을 일찍 끝내서는 안 된다. 이것은 투석의 효과를 낮춰 식욕을 감퇴시키고 혈중 단백질의 저하, 투석 중 불안정성을 더 높게 만든다.

이 장에서 논의된 상황이 환자에게 나타나면, 의사 및 영양사에게 의뢰해야 한다.

| 만성콩팥병 노인 환자의 약물과 관련된 문제점

투석을 받는 노인은 많은 양의 약물을 복용하는 경향이 있다. 노인의 경우 약물의 작용이나 상호작용에 대해서 더 민감하다. 따라서 노인에게 일반적으로 나타나는 장흡수 저하, 간해독의 손상, 약의 분포공간의 변화와 같은 많은 요소를 고려하여 약물용량을 더 주의 깊게 조정하여야 한다. 다양한 요소가 처방된 약의 용량이나 혼합사용에 대한 반응을 변화시키므로 설명하기 어려운 신체적·정신적 상태의 변화는 의사에게 보고해야 한다.

그러나 혈액투석 간호사가 주지해야 할 주요 문제는 일반적 상황에서 환자가 처방된 약을 모두 복용하는 것에 문제가 있는지, 과잉투여의 가능성이 있는지를 확인해야 한다. 이것은 노인환자중에 담당의도 모르게 다른 의사에게 상담받고, 그 의사에게 여러 가지 처방을 받는 다중처방의 가능성이 있기 때문이다.

| 노인 환자의 다양한 만성콩팥병 치료방법에 대한 결과

최근 연구(USRDS, 2018)에서 치료방법에 따른 결과(2011년 통계자료)를 살펴보면 미국의 65세 이상 환자의 73%가 센터에서 혈액투석을 받고 있으며, 1% 이하가 가정 혈액투석을, 6%가 복막투석을, 20%가 신이식을 한 것으로 나타났다.

65세 이상 투석 환자 사망률은 일반인의 7배 이상으로 나타났다. 이 비율은 지난 5년 동안 꾸준히 감소하는 추세이다. 65세 이상 투석 환자의 사망률은 당뇨, 암, 심장질환, 뇌질환사고/허혈성뇌질환(CVA/TIA), 급성심근경색(AMI)의 질환을 가진 환자에 비해 2배 정도 높은 것으로 나타났다. 말기신장질환 환자의 사망률은 나이가 들수록 증가한다. 80세 이하의 투석 환자는 말기신장질환이 없는 환자보다 생존율이 1/3 미만이다. 85세 이상의 투석 환자의 생존율은 말기신장질환이 없는 환자의 절반 정도로 예상된다. 75세 이상 남성 투석 환자의 사망률은 3.7배 높았고, 여성 투석 환자의 사망률은 3.8배 높다(USRDS, 2018). 65세 이상 투석 환자의 사망률이 개선되고 있는 것은 노인 만성콩팥병 환자 치료의 경험과 개선, 투석치료의 결과로 예상된다.

Case Management of the Chronic Kidney Disease Patient

만성콩팥병 환자의 사례관리

만성콩팥병을 진단받은 환자와 가족은 질병과 관련된 복잡한 문제들을 반드시 해결해야 하기 때문에 많은 어려움을 겪게 된다. 만성콩팥병 치료는 많은 비용과 시간이 필요하며, 환자, 가족, 의료보험에 부담이 된다. 유지투석 환자는 당뇨, 고혈압, 뼈질환, 빈혈, 심혈관질환, 영양불량 등 각종 질병에 노출된다. 말기신장질환과 진행된 만성콩팥병은 의사 및 다양한 의료제공자의 돌봄을 받는다. 환자와 돌봄제공자 사이에 거의 또는 전혀 조정이 발생하지 않는 경우가 많다. 이러한 비연계된 환자의 돌봄으로 혼란이 초래되고 서비스가 중복되기도 하며 건강관리비용이 증가한다. 또 다른 부작용은 여러 명의 건강관리제공자가 동일 약물을 중복되게 처방함으로써 약물의 부작용이 발생하는 것이다. 투석센터 치료팀은 투석치료를 받는 말기신장질환 환자와 주당 15시간 이상 만난다. 이러한 시간은 돌봄을 받는 환자에게 활기를 불어넣고, 정신건강, 건강의 사회적 결정요인 등 투석 및 비투석 관련 이슈와 요구를 해결하는 좋은 기회가 될 수 있다. 투석과 콩팥관련 문제뿐 아니라 환자의 전반적인 건강과 복지에 영향을 미치는 정신적 · 사회적 요인도 치료계획에서 다루어야 한다.

메디케어 대상자 중 메디케어의 지원하에 투석 및 콩팥 관련 서비스를 받는 환자는 1% 미만이 지만, 이들이 지원받는 금액은 354억 달러 이상으로 메디케어 총 비용에서 최소 7.2%를 차지한다(USRDS, 2017). 콩팥병 관리는 환자 중심으로 기타 건강관리제공자와의 돌봄 조정 및 의사소통을 강조하는 대상자 중재와 자가관리 활동을 바탕으로 하는 치료계획을 제공한다. 치료조정은 치료의 질, 임상 경과 개선, 환자 만족도 상승, 응급실 이용 감소, 입원 및 재입원 감소 등의 장점이 있고, 이러한 장점은 전반적인 의료비용을 감소시키고 환자의 건강과 관련된 삶의 질(QoL)을 향상시킨다.

대부분의 콩팥병 관리는 만성콩팥병 중기와 후기 환자 또는 신대체요법을 받고 있는 환자에 초점을 두고 있다. 이번 장에서는 유지투석 중인 환자와 투석치료를 아직 시작하지 않은 환자를 위한 콩팥병 관리의 목표를 살펴본다.

| 사례관리

사례관리는 고객이 건강 및 인적 서비스 요구를 충족하는 데 필요한 옵션과 서비스를 사정, 계획, 적용, 조정, 모니터, 평가하는 공동 협력과정이다. 우수하고 비용 효율적인 중재와 결과를 촉진하기 위한 옹호, 의사 소통 및 자원 관리를 특징으로 한다(https://ccmcertification.org/about-ccmc/about-case-management/definition-and-philosophy-case-management).

의사소통과 다른 자원의 사용을 통해 우수하고 비용 효과적인 결과를 나타내는 환자 옹호(patient advocacy)을 장려한다(Case Management Society of America, 2016, p.8). 성공적인 사례관리에는 환자와 건강관리제공자의 협업, 자가관리에 대한 환자 참여, 건강지도 및 환자에게 권한 이양·분산이 포함된다. 사례관리는 환자의 의학적, 사회심리적, 행동 및 영적 요구를 다루는 동시에, 자가관리 활동 및 의사결정에 환자가 가능한 한 참여하도록 동기를 부여한다는 측면에서 통합적 관리이다. 사례관리는 전체 의료진의 개입과 협업을 통한 통합적 돌봄을 추구한다. 환자를 최적 수준의 건강과 삶의 질 개선을 위해 약물투약과 치료이행뿐만 아니라 케어 전환(transitions of care)에 중점을 둔다.

| 신장 사례관리자의 역할

만성콩팥병 환자의 사례관리는 복잡하고 다양한 수준과 상황에서 진행된다. 대부분의 질병관리 프로그램에서는 건강보험 청구와 연구정보를 바탕으로 환자를 고위험, 중위험, 저위험, 위험 상승으로 구분하여 분류하고 있다. 동반질환의 수와 형태, 심리사회적 어려움, 흡연, 비만 등 생활습관 위험요인은 일부 모델에 영향을 미칠 수 있다. 환자를 분류한 후 환자 중심의 자원 제공과 중재를 통해 적절한 수준의 돌봄이 제공될 수 있다. 만성콩팥병 사례관리자는 환자이동 혹은 외래 환자 치료를 통신기술을 활용하여 원격으로 진행할 수 있다. 다른 만성콩팥병 사례관리자는 특정 의료보험 계약사항에 따라 환자의 가정을 방문한다. 콩팥병 사례관리자는 모든 만성콩팥병 단계에서, 신대체요법을 받을 때 환자를 관리한다. 콩팥병 관리 프로그램에 등록된 환자에게는 콩팥병 단계에 따라 전담 간호사가 배정된다. 만성콩팥병 사례관리자는 등록 환자와 협력할 것이며, 철저한 환자 사정을 거쳐 치료계획을 수립한다. 환자요구도에 대한 철저한 사정은 다음과 같이 시행된다

• 일상생활활동(Activities of daily living, ADLs)

환자가 가정에서 독립생활에 필요한 활동을 수행할 수 있는지 결정하기 위한 사정이 시행된다. ADL의 독립성을 측정하는 Katz 지수는 환자의 기능적 지위를 사정하는 데 쓸 수 있는 도구 중 하나이다(Wallace & Shelkey, 2008). 사정 대상 범주에는 개인위생, 옷 입기, 식사, 용변 조절, 이동동작이 포함된다. 환자는 가족 또는 돌봄제공자의 도움이 필요할 수 있다. 일상생활활동 선별 결과는 환자의 인지, 운동성, 지각 관련 기술 및 능력을 반영한다. 만성콩팥병 사례관리자는 만약 가정간호의 필요성을 시사하는 징후가 있다면 의뢰할 수 있다.

• 혈관통로 관리(Access management)

유지투석을 시작한 모든 환자는 장기적인 혈관통로를 확보하는 것이 목표가 된다. 이를 위해서는 투석 이전에 환자 지도를 통해 혈액투석과 복막투석 중 적합한 유형을 선택하고, 선택 이후에는 적절한 장기적인 투석 혈관통로를 만들어야 한다. 이를 통해 환자는 만성콩팥병에서 유지투석으로 원활하게 전환할 수 있다.

• 사전관리 계획(Advance care planning)

사전관리 계획은 미래 건강관리 결정 그리고 필요한 경우 생명연장 치료에 대한 선호도를 고민하고 결정하는 과정이다. 건강관리대리인 혹은 의료위임장 파악은 사전관리 계획의 일부분이다. 환자는 더 이상 자신의 의사를 표현할 수 없을 때 자신의 의사가 존중되도록 보장해 줄 적절한 대리인을 선택하는 데 있어 지도가 필요한 경우가 종종 있다. 콩팥병을 앓는 환자는 기대수명이 짧고 증상의 부담이 크기 때문에 만성콩팥병의 모든 단계에 사전관리 계획이 포함되어야 한다(Moran, 2018). 환자 건강상태에 변화가 있을 경우 사망선택 유언(living wills)은 재검토해야 하며 케어 전환(transitions of care)을 최소화해야 한다. 사례관리자는 환자가 스스로 의학적 결정을 내릴 수 없을 때 향후 치료에 대한 생각과 바람을 논하는 대화에 환자를 참여시킬 수 있는 가장 중요한 위치에 있다. 환자와 만성콩팥병 사례관리자의 긍정적인 관계는 사전관리 계획을 도입하고 논

의하는 데 필요한 동반자 관계를 촉진한다. 사망선택 유언과 사전관리 계획에 필요한 구비 서류와 절차가 주(州)마다 다르기 때문에 환자가 거주하는 주에서 요구하는 구비서류를 잘 파악하는 것이 중요하다.

● 돌봄제공자 지원(caregiver support)

치료 지원 및 관리를 가족과 친구에 의존하는 만성콩팥병 환자가 많다. 친구나 가족이 만성질환을 앓고 있을 때 가족 역학이 바뀌는 경우가 종종 있다. 만성콩팥병으로 인한 생리적·심리적·기능적 변화는 돌봄제공자의 부담, 고립, 때때로 분노로 이어질 수 있다. 돌봄제공자 부담이란 돌봄을 제공하는 과정에서 경험하게 되는 정서적·신체적 스트레스를 총칭하는 용어이다(Mashayekhi, 2015). 돌봄제공자의 강점과 스트레스 영역을 파악하기 위해 지원역할을 수행하는 사람을 대상으로 돌봄제공자 부담 설문을 실시할 수 있다. 만성콩팥병 사례관리자는 돌봄제공자의 기술과 능력이 부족한 영역에서 자원을 구하는 일을 도울 수 있다. 돌봄제공자가 경험할 수 있는 특정한 영역의 부담을 대상으로 다양한 돌봄제공자 사정도구와 지표가 사용될 수 있다.

● 인지기능(cognitive function)

만성콩팥병 환자는 인지기능이 손상되는 경우가 흔하고 만성콩밭병이 심해질수록 인지기능 손상 유병률도 증가한다. 인지장애는 환자의 치료계획 준수에 영향을 미치고 전반적인 삶의 질을 저하시킬 수 있다(Weiner & Seliger, 2014). 인지장애는 기억력 감퇴, 집중력 저하, 주의 지속시간 감소, 혼란, 지남력장애 등으로 나타난다. 조기검진을 통해 기준선을 설정함으로써 이탈이 발생할 경우 즉시 파악하고 중재를 개시하여 환자의 일상생활활동과 삶의 질에 미치는 영향을 최소화할 수 있다.

● 동반질환 관리(comorbid management)

만성콩팥병 환자는 만성콩팥병을 초래하거나 전반적인 건강 관련 삶의 질에 영향을 미치는 다른 질환을 얻는다. 만성콩팥병이 진행할수록 동반질환의 유병률과 중증도가 증가한다. 동반질환의 증가는 약 부담 증가 및 생존율 저하와 관련이 있다(Fraser, 2015). 동반질환의 치료는 만성콩팥병 진행을 늦추고 모든 환자의 심혈관계 문제를 줄이는 데 도움을 줄 수 있다. 영양불량, 당뇨병, 고혈압, 빈혈, 심혈관계 질환, 우울증, 뼈엉성증 등이 만성콩팥병 관련 동반질환이다. 조기 발견과 주요 혹은 기타 전문 건강관리제공자와의 협업을 통한 돌봄은 콩팥 및 심혈관계 결과를 개선하는 데 도움이 될 수 있다.

● 우울증과 행동건강depression and behavior health)

우울증과 기타 행동건강 상태는 삶의 질 저하와 관련이 있고 만성콩팥병 인구의 사망률을 상승시킬 수 있다. 우울증은 매우 흔하며, 질병과정과 신대체요법에 동반하는 심리사회적·생물학적인 변화에 기인할 수 있다. 만성콩팥병이나 말기신장질환 환자에게 흔히 사용하는 두 가지 우울증 검사도구는 Patient Health Questionnaire (PHQ-9)와 Beck Depression Inventory (BDI)이다. 만성콩팥병 생활의 심리사회적 측면에 대한 더 많은 정보는 제24장을 참고한다.

● 당뇨병 관리(diabetes management)

만성콩팥병 환자 중 절반가량이 당뇨병이 있다(National Institutes of Health, 2016). 만성콩팥병 사례관리자는 환자가 당뇨병을 자가관리하여 심장마비, 뇌졸중, 실명, 사지절단 등 합병증을 예방하도록 지원한다. 주요 자가관리 행동은 혈당 측정, 당화혈색소 측정, 혈압 측정, 발과 눈 관찰, 복약 순응, 신체활동 등이다.

● 가정환경과 안전 그리고 낙상 위험(environment, home safety, and fall risk)

낙상은 만성질환자뿐만 아니라 노인에게도 중요한 문제이다. 2014년 미국에서 노인 4명 중 1명꼴로 낙상한 것으로 보고될 정도로 65세 이상 인구에서 낙상은 주요 상해요인이다(Centers for Disease Control and Prevention, 2016). 낙상은 환자뿐만 아니라 돌봄제공자에게도 사회적·심리적·경제적으로 큰 부담을 부과하며(Paliwal, 2017), 더 큰 우려는 병원 입원 위험이다. 낙상 위험요인은 노화관련 변화, 인지와 감각 손상, 걸음 또는 근력 손상, 정신약물 같은 특정 약물, 보조기구 사용 그리고 가정 내 환경요인을 포함한다.

조명이 잘된 복도와 통로, 잡동사니 없이 잘 정돈된 생활공간, 계단의 난간, 변기 및 욕조 근처의 가로대, 잘 맞는 신발 등 가정 내 안전을 사정하는 것은 중요하다. 여타 주요 사정 영역으로는 실내외 계단, 화재 · 연기 감지기, 이용 가능 전화기, 응급전화번호, 휠체어, 보행보조기 등 기능적이고 안전하며 내구성 있는 의료 장비를 들 수 있다. 약을 열, 빛, 공기, 습기 등 부적절한 상태로 보관할 경우 약효가 변화할 수 있어 약물보관은 안전 사정의 일부가 될 수 있다. 낙상한 환자는 뚜렷한 부상이 없더라도 담당 의료전문가에게 낙상 발생을 알리도록 권고해야 한다. 낙상 위험을 사정할 수 있는 다양한 도구가 존재하지만, 어느 도구를 사용하든 환자, 가족, 학제간 팀의 참여가 중요하다.

- 수분 관리(fluid management)

수분 관련 입원은 투석 환자에서 심혈관계 관련 입원율의 주요 동인으로 대표되며 연간 비용은 2억 5,000만 달러로 추측된다(Assimon, 2016). 수분관리는 수분 관련 입원을 막기 위한 중재가 필요함을 시사하는 상태를 나타내는 환자를 파악하기 위한 사례관리자의 사정에 있어 중요한 부분이다. 사례관리자는 수분 관리전략을 바탕으로 회원을 지원할 수 있으며, 환자를 자가관리에 참여시킴으로써 수분 섭취 조절과 치료 준수에 도움을 줄 수 있다. 예방 가능한 수분 관련 입원을 막기 위해서는 환자가 전체 혈액투석 치료시간이나 복막투석 치료를 완료하도록 지도하는 것이 필수적이다.

- 약 관리(medication management)

약 문제는 만성콩팥병 환자에게 흔하다. 만성콩팥병 환자는 불이행이 높고 약물 복용, 용량, 관찰이 필요한 이유에 대한 지식이 부족하다(Galura & Pai, 2017). 약 실수와 관련된 위험요소로는 연령, 다중 동반질환, 다약제 복용, 복용빈도 등을 들 수 있다. 만성콩팥병 사례관리자는 환자에 대한 약 관련 종합면담을 정기적으로 실시한다. 환자의 의학적 상태 변화가 있을 때 혹은 입원 이후에도 약 면담을 실시해야 한다.

환자 요구사항 사정 완료 이후 사례관리자는 환자가 건강 및 삶의 질 최적화 혹은 유지로 이어질 수 있는 적절한 목표를 파악하고 돌봄계획을 수립하도록 도울 것이다. 돌봄계획에는 환자 혹은 신뢰할 수 있는 관리팀원과 합리적으로 달성 가능한 중재나 시행이 포함된다.

| 만성콩팥병 사례관리자의 중재

사례관리자는 만성콩팥병 진행을 늦추고 심혈관계 질환 등 합병증을 예방하기 위해 돌봄계획을 시행한다. 이러한 돌봄계획에는 혈압, 혈당, 단백뇨 조절 중재뿐만 아니라 영양 및 생활습관 조절도 포함될 수 있다. 만성콩팥병 사례관리자는 건강관리팀과의 협업을 통해 이상지질혈증, 빈혈, 영양불량, 무기질 및 뼈 이상 등 동반질환을 관찰한다. 환자는 혈압조절을 위해 나트륨 제한과 같은 식이조절 교육을 받을 필요가 있을 수 있다. 일부 환자는 만성콩팥병 진행을 늦추는 데 도움이 될 수 있는 단백뇨 감소를 위한 저단백 식이를 처방받는다. 저단백 식이를 처방받은 경우, 토리여과율(사구체여과율)이 하락할 경우 영양불량을 관찰하는 것이 매우 중요하다. 만성콩팥병 사례관리자는 환자의 토리여과율을 관찰해야 하고, 의사 처방 시, 칼륨 함량이 높은 식품뿐만 아니라 인을 함유한 식품의 섭취를 제한하도록 환자를 도와야 한다.

만성콩팥병 진행을 늦추는 데 도움이 되는 생활습관 조절에는 환자의 금연을 지원하고, 혈압 조절 목적으로 허용되는 정도의 신체활동을 장려하는 것 등이 포함된다. 사례관리자는 환자의 혈당 관찰을 지도하고 식이 및 약물복용 준수를 통한 혈당 조절을 장려한다.

마지막으로, 사례관리자는 투석 충돌(crash into dialysis)을 방지하기 위해, 환자가 유지치료가 필요한 상황에 처하기 전에 만성콩팥병 교육을 받을 수 있도록 여타 제공자와 협업하고 조율한다. 투석 충돌이란 환자가 사전 계획이나 교육 없이 투석을 받게 되는 것을 말한다. 만성콩팥병, 투석 유형, 혈관통로에 대해 공식적 · 비공식적으로 교육을 받지 못한 경우, 환자 돌봄에 참여할 신장 전문의가 지정되지 않은 경우가 포함될 수 있다. 이들 환자는 동정맥루, 인조혈관 등 장기적 혈관통로 대신 일시적인 중심정맥관을 사용하는 긴급한 치료 환경에서 첫 투석치료를 받는 경우가 대부분이다. '투석 충돌' 환자는 치료 예후가 좋지 않고 사망률이 높은 경우가 많다(Molnar et al., 2016). 이러한 것을 방지하기 위해 필수지침은 투석유형이 선택되었을 때 치료와 혈관통로 교육을 제공하고 만약 해당된다면 신장이식 정밀검사를 의뢰하는 것이다.

환자는 토리여과율이 하락하고 투석 시작이 필요한 요독 증상이 나타났을 때, 자신의 치료에 준비가 되어 있어야 한다.

| 특별 요구 플랜

특별 요구 플랜(Special Needs Plan, SNP)은 말기신장질환, HIV, 암, 치매, 당뇨병, 약물중독 등 특정 유형의 질병이나 만성질환을 앓고 있는 환자로 회원 자격을 제한하는 메디케어 어드밴티지 플랜(Medicare Advantage Plan)이다.

참여자는 반드시 메디케어 A와 B가 있어야 하고, 해당 플랜의 서비스 지역에 살아야 하며, 다른 자격요건을 충족해야 한다. 세 가지 유형의 SNP가 있다.

1. 만성질환 SNP(Chronic Condition SNP, C-SNP): 환자가 반드시 하나 이상의 심하거나 장애를 초래하는 질환을 앓아야 한다.
2. 기관 SNP(Institutional SNP, I-SNP). 환자가 반드시 의료기관에서 생활하거나 집에서 방문간호를 받아야 한다.
3. 이중자격 SNP(Dual Eligible SNP, D-SNP). 환자는 반드시 메디케어와 메디케이드 수혜 자격을 모두 갖춰야 한다.

SNP는 해당 모델에 속하는 그룹의 요구에 맞게 혜택, 제공자, 약처방전을 수정한다. 만성콩팥병 SNP는 수분 관리, 투석혈관통로 관리, 동반질환 관리, 감염예방, 발 관리 등 콩팥병 환자의 임상적 요구를 충족하는 특수 도구를 사용한다. 치료 및 약복용 준수를 강화하고, 복잡하고 다중적인 동반질환의 관리를 지원하며, 입원을 줄이거나 막기 위해 환자교육을 제공한다.

메디케어 SNP는 민간 보험회사를 통해 가입할 수 있고, 환자의 동반질환 관리를 도와주는 돌봄 코디네이션 서비스가 포함될 수 있다.

종합 돌봄팀은 환자관리와 통합돌봄을 제공할 수 있고, 종합 돌봄팀에는 사례관리 간호사, 영양사, 사회복지사, 신장내과 의사, 약사, 투석센터 직원이 포함될 수 있다. 위험 환자의 입원 여부 결정에 있어 위험계층화를 사용함으로써, 건강관리팀과의 협업을 통해 입원을 피할 수 있다. SNP는 환자가 참여 희망 여부를 결정하는 사전동의 프로그램이다.

| 말기신장질환 원활관리기구

말기신장질환 원활관리기구(End-Stage Kidney Disease Seamless Care Organization, ESCO)는 메디케어 & 메디케이드 서비스센터(CMS)가 2015년에 도입한 종합 말기신장질환 관리(Comprehensive ESRD Care, CES) 모델이다. 이 모델의 목적은 결과를 향상시키고 환자의 삶의 질을 증가시키au, 메디케어의 말기신장질환 인구를 위한 통합돌봄을 통해 치료비용을 감소시키는 것이다. 말기신장질환 원활관리기구는 말기신장질환 수혜자에게 제공하는 투석서비스와 관련된 모든 지출 등 재무 성과와 임상 품질을 책임진다. 투석시설, 신장내과 의사, 메디케어 등록 건강관리제공자에게, 돌봄을 조정하고 모든 제공자의 관리비용을 줄이도록 장려하는 재무 인센티브가 제공된다. 참여를 희망하는 말기신장질환 원활관리기구는 하나 이상의 투석시설과 한 명의 신장내과 의사 혹은 수련의를 반드시 포함해야 한다. 말기신장질환 원활관리기구 모델은 회원의 복잡한 돌봄요구를 해결함으로써 만성콩팥병 관리를 개선할 수 있다. 요구를 지원하는 방식으로 투석 환자가 받는 돌봄을 보충한다. 이러한 통합 돌봄 모델은 투석클리닉, 신장내과 의사 등 건강관리제공자와의 협력을 통해 환자의 의학적 · 사회적 · 행동적 요구를 충족하는 데 기여한다.

말기신장질환 원활관리기구 모델은 사전동의 프로그램이 아니라는 점에서 SNP 모델과 다르다. 말기신장질환 원활관리기구 인증기관에서 투석을 받는 모든 환자는 이 프로그램에 반드시 참여해야 한다.

| 효과적 사례관리

효과적 사례관리는 환자를 입원 위험에 처하게 만드는 큰 사건이 발생하기 전에 실제적 · 잠재적 건강문제를 사정하고 파악하는 적극적 접근법이 필요하다. 만성콩팥병 사례관리자는 핵심 이슈를 해결하기 위해 조기에 빈번하게 개입해야 할 것이다. 투석 환자는 다른 동반질환 문제뿐만 아니라 투석혈관통로, 수분, 당뇨병 관리와 관련된 지속적인 문제를 경험할 것으로 예상된다. 사정 및 관찰의 목표는 임상 성과를 개선하고 이들 환자군의 전반적인 삶의 질을 제고하는 것이다.

| 케어 전환

케어 전환(Transition of Care)이란 환자를 한 건강관리 전문가나 환경에서 다른 건강관리 전문가나 환경으로 이동시키는 것을 말한다. 케어 전환은 환자 상태나 돌봄의 변화가 필요할 때 발생한다. 집에서 병원으로, 응급관리 환경에서 숙련 요양 · 재활기관으로, 응급실에서 중환자실로 환자를 이동시키거나, 어떤 환경에서든 집으로 퇴원시키는 것이 케어 전환의 사례가 될 수 있다. USRDS(2017)에 따르면, 만성콩팥병 환자 중 35%는 퇴원 후 30일 이내 재입원하는 것으로 추정된다. 전화 혹은 방문을 통한 전환 후 환자 추적은 환자의 걱정을 덜어 주고, 약물 및 치료 준수를 강화하며, 환자의 퇴원지침 준수를 보장함으로써 불필요한 재입원을 줄이고 합병증 예방에 도움이 될 수 있다.

| 케어 전환 시 고려사항

환자가 여러 장소로 케어 전환되는 과정에서 정보 공백이 발생하는 일이 흔하다. 케어 전환은 약 관리, 임상검사 추적, 장치 유지, 가정간호서비스, 의료기기 내구성 관련 요구, 다음 진료예약 등의 정보가 제대로 전달되지 않을 경우 위태로울 수 있다. 케어 전환이 적절히 관리되지 못하면 재입원으로 이어질 수 있다. 케어 전환 계획의 목표는 최적의 전환을 보장하고 합병증이나 재입원을 예방하는 것이다.

만성콩팥병 환자의 케어 전환 시 전달해야 할 주요 세부사항은 다음과 같다.
- 건체중 검토
- 약 조정
- 헤파린 투여 변화
- 항생제 처방
- 임상검사
- 일차관리 의사와의 진료예약

- 심장내과의, 호흡기내과의, 내분비내과의 등 전문의 진료 의뢰
- 내구성 있는 의료기기 처방
- 가정의료 의뢰
- 사전의료 의향서 갱신

| 만성콩팥병 환자의 사례관리 효과

만성콩팥병 환자 사례관리의 최우선 목표는 환자의 삶의 질 향상이다. 환자는 성공적인 사례관리 이행과 동기부여 인터뷰(제25장 참조)를 통해 입원, 재입원, 응급실 방문 감소; 동반질환 관리 및 치료를 통한 의학적 합병증 감소; 환자의 참여, 권한 부여, 교육이라는 수혜를 받을 수 있다. 이는 복잡한 돌봄 조율과 환자 지지를 통해서 달성할 수 있다. 만성콩팥병을 조기진단하면 질병의 진행을 막고 신대체요법의 시행을 미룰 수 있는 방법을 환자에게 교육할 시간을 벌 수 있다.

유지투석 환자는 수분 관리와 약물 및 치료 준수에 대해 지도를 받는 등 수혜를 볼 수 있다. 당뇨병 감시와 혈당 관찰은 신경 및 혈관 손상, 감염, 절단과 관련된 합병증을 줄이는 데 도움이 된다. 환자의 동반질환, 사회심리적 상태, 약물처방을 면밀히 관찰함으로써 입원 및 응급실 방문을 줄일 수 있을 것이다. 만성콩팥병 사례관리자는 회원의 자가관리를 독려할 필요가 있다. 자가관리에 적극적인 환자가 덜 열심인 환자보다 약물투약이행과 같은 여타 자기관리 영역에서 더 성공적이고, 더 나은 삶의 질을 보여 주며, 입원도 더 적게 한다는 것은 주지의 사실이다(Schober et al., 2017).

CHAPTER
24

Psychosocial Aspects of Dialysis Therapy
투석의 심리사회적 측면

1973년 7월 1일 미국의 메디케어 말기신장질환 프로그램(Public Law 92-603, Section 2991)에 따라 투석은 삶을 연장수단으로서 새로운 심리사회적 의미를 가지게 되었다. 메디케어 법안은 연령이나 합병증과 관계없이 콩팥병 환자의 90%에게 경제적 지원을 보장하는 것이었다.

　의료계와 정신건강 전문가들은 메디케어 법안이 투석치료를 보장하기 오래 전부터 만성콩팥병 환자의 심리사회적 문제에 대한 적응이나 삶의 질에 방해물로서 인식했다. 이는 연방정부가 콩팥병을 가진 사람에게 투석치료를 보장해야 할 권리로서 지지하면서 더 부각되었다. 투석치료에 관계된 심리사회적 요소는 개인의 직장이나 가족 환경의 변화, 경제적인 문제, 기타 삶을 뒤흔드는 병에 대한 스트레스와 관련된 것이다. 만성콩팥병 환자나 말기신장질환 환자가 우울에 이환될 확률은 다른 만성질환 환자에 비해 4배 이상 높다 (Shirazian, 2016).

| 장기 투석이 정신상태에 미치는 결과

투석은 환자의 정신적 상태에 중요한 영향을 미칠 수 있다. 어떤 환자는 점진적인 삶의 질 저하를 경험하는데, 특히 의학적 합병증이 심해질 때 더욱 그러하다. 이는 우울과 자살 위험 증가로 이어질 수 있다. 반면 어떤 환자는 월등한 삶의 질과 높은 회복력, 생산력을 보인다. 이와 같이 두 그룹으로 나뉘는 이유는 확실하지 않다. 환자가 투석을 받는 동안 삶의 질을 극대화하는 것을 돕기 위해서는 정신적 중재와 상담 등을 통한 심리사회적 적응에 세심한 주의 관찰이 필요하다.

| 만성콩팥병 환자에게 우울이 미치는 영향

만성콩팥병 환자의 우울증 진단은 어려운데, 이는 피로, 식욕부진, 불면, 주의집중 부족 등의 증상이 우울보다는 요독증으로 인한 것으로 잘못 인식되기 때문이다. 우울은 만성콩팥병 환자에서 매우 만연하지만 잘 치료되지 않고 질병 이환율이나 사망률, 기능부전, 삶의 질 저하와 연관된다(Hedayati et al., 2012). 질병 자체에 대한 부담, 또한 치료에 대한 부담은 모두 우울에 이환될 확률을 높이는 것으로 나타났다. 투석치료의 빈도, 병원 방문횟수, 약물 복용에 대한 부담감, 입원치료, 자가 모니터링은 매우 부담스러워서 우울의 발병에 영향을 준다(Shirazian, 2016). 우울의 진단 이후 치료는 약물과 인식 행동 치료가 반드시 포함되어야 한다.

환자의 정규 혈액투석 반응 예측

건강관리전문가가 투석 환자의 삶에 있어서 스트레스나 다중적인 변화를 예측하는 데 도움을 줄 수 있는 연구는 매우 부족하다. 대부분의 연구가 소규모의 환자를 대상으로 한 것이었고 예측 지표는 일관적이지 않았다. 다만 투석 환자의 일상생활 적응능력에 가장 영향력 있는 지표는 삶의 스트레스 대처기전이었다. 욕구불만 내성, 공격성, 질병에의 부정, 강박적인 성격 등은 측정할 수 있는 특징으로서 투석 환자의 적응을 예측하는 잠재적 지표로 사용되었다.

대처방법 측정의 일부는 투석팀의 정신건강전문가(주로 임상 사회복지사)에 의해 이루어진다. 투석치료 기관의 사회복지사가 환자와 가족을 대상으로 한 인터뷰 등을 포함하여 깊이 있는 심리사회 평가를 진행한다. 이 평가를 바탕으로 제시된 치료계획은 심리사회적 상담과 환자 대처능력을 향상시킬 수 있도록 지역사회 자원을 활용하는 것이다. 사회복지사는 환자와 가족에 대한 지속적 지지와 확신을 제공할 뿐 아니라 경제적 문제, 보험 문제 등의 부정적 자원의 압박을 완화시키는 데에도 도움을 준다.

만성콩팥병 환자의 투석 적응 단계

만성콩팥병 발생이 점진적일 때 환자는 투석에 대해 생각할 시간을 가지고 치료계획을 잘 세울 수 있다. 투석에 대한 첫 번째 반응은 안도(relief)일 수 있는데, 이는 환자가 오래 아파 왔던 경우 특히 그러하다. 그러나 불행하게도 어떤 환자는 심하게 아파질 때까지 투석을 미루다가 응급 입원을 통해 투석을 시작하는 상황이 벌어지기도 한다.

만성콩팥병 발병이 급격할 때 급성 혼란 적응 단계로서 때로 쇼크나 불안, 절망, 우울 등의 감정이 유발된다. 이러한 경우에서 훈련된 정신건강전문가에 의한 위기대처 중재가 필요하다. 투석 환자의 적응 단계에는 다음과 같은 3가지가 있다.

- 신혼여행(Honeymoon)은 투석의 첫 번째 대응 단계로 몇 주에서 6개월 혹은 그 이상 지속된다. 주로 이 단계는 신체적·심리적 개선의 단계이고 희망이나 자신감을 동반한다. 이 "신혼여행" 단계 동안 환자는 의료진에게 긍정적이고 감사한 태도로 대한다. 이는 환자가 불안이나 우울을 경험하지 않는다는 것이 아니라 투석 전보다 나아진 상태 때문에 투석을 긍정적으로 인식한다는 것이다.
- 환멸과 낙심 단계(the period of disenchantment and discouragement)는 자신감이나 희망의 부족이 특징적이며 3개월에서 12개월까지 지속된다. 이 단계는 주로 환자가 투석 때문에 이전의 일상이나 직장에의 복귀에 한계를 느낄 때 시작된다. 이 시기 동안 슬픔과 좌절감을 느낀다.
- 장기 적응 단계(the period of long-term adaptation)는 환자가 한계나 단점, 합병증 등을 받아들일 때 시작된다. 환자는 우울감을 장기적 만족으로 바꾸는데, 이 적응은 의미 있는 일을 하거나 혹은 아예 아무 일을 하지 않는 데서 관찰될 수 있다. 식이나 활동 제한에 협조하는 것과 투석 절차를 일상생활로 받아들이는 것이 장기간 적응 단계에서 일어난다.

이 적응 단계는 일반적 가이드라인에 제시된 것이고 모든 연구자나 임상가가 동의하는 것은 아니다. 단계별로 순서가 있는 것은 아니며 환자별로 거치는 시간도 매우 다르다. 또한 여러 가지 이유로 단계 사이를 여러 번 왔다 갔다 할 수도 있다.

투석 환자의 삶의 질 측정

삶의 질은 삶에 대한 만족, 안위, 도덕성 등과 함께 사용되기도 한다. 주로 삶의 질은 신체적·정신적·사회적 영역에서의 기능을 아우르는 것으로 정의된다. 또한 개인의 인식에 따라서 감정이 달라지기 때문에 삶의 질을 측정하는 것은 반드시 주관적 인식에 대한 중요성을 함께 고려해야 한다. 어떤 환자에게 견딜 수 없는 상황이 다른 환자에게는 수용할 수 있는 상황으로 인식될 수도 있기 때문이다.

삶의 질을 측정하는 여러 도구가 임상적 사정에도 사용될 수 있다. 개발된 도구를 사용하는 것 외에도 투석 간호사는 환자에게 개인의 감정이나 삶의 질에 대해 이야기할 수 있는 기회를 주어야 한다.

| 투석 환자가 겪는 스트레스의 일반적 원인

투석 환자는 자신과 가족에게 가해지는 심각한 한계와 요구에 직면한다. 역할 전환이나 성적 관계의 악화 등과 같은 가족 관계의 변화나 죄책감, 우울, 상실감과 같은 감정 등이 대표적이다. 투석 환자의 20~30%가 중요 우울증상을 보인다는 연구결과가 있었다(Shirazian et al., 2017). 우울은 만성질환자의 전반적인 건강과 안위에 깊은 영향을 미친다. 직장에서의 책임 감소나 실직과 같은 위협이 무력감이나 자아존중감의 상실과 같은 감정에 영향을 준다. 많은 환자가 기계나 타인에 의존적이 되거나 독립심의 열망 사이에 충돌을 겪는다. 그들은 투석팀에게 자신의 삶에 대한 통제력을 내주었다는 감정을 가질 수도 있다. 이러한 감정의 기저에는 죽음에 대한 기본적 공포이다. 투석기계에 대한 의존은 환자에게 죽음으로부터 구해졌다는 것을 지속적으로 상기시키는 것이기도 하다.

| 투석이 필요한 환자와 가족을 위한 도움

신부전과 투석 필요성을 상실로 받아들이는 투석 환자와 가족은 슬픔을 느낄 수 있다. 투석팀은 상실감과 슬픔에 친숙하게 대처하도록 적절한 중재를 제공하거나 정신과 간호사, 사회복지사, 심리학자, 정신과 의사 등의 전문가를 연결해 줄 수 있다. 만약 투석팀이 스트레스 단계를 인식하고 적절한 위기대처 접근을 사용할 수 있다면 환자가 그러한 단계에 대처하고 주요 적응장애를 예방할 수 있도록 도울 수 있다.

투석에 의해 주어지는 제한사항을 받아들이지 못하는 환자는 우울해하거나 그 투석방법에 적응할 수 없는 혹은 적응하고 싶어 하지 않을 수 있다. 이때 저하된 삶의 질과 증가된 사망 가능성은 즉각적인 인식과 사회적 지지 혹은 심리치료적 중재가 필요한 것이다.

| 투석 유지 환자의 심리적 반응과 주요 대처기전

대부분의 환자와 가족이 투석과 관련된 삶에서 가장 먼저 나타내는 것은 불안이다. 이러한 불안은 정상적이므로 투석팀은 환자에게 확신을 줄 수 있어야 한다.

우울은 초기 치료 단계에서 나타날 수 있다. 이는 전의 계획에서 완전히 벗어나는 목적과 한계, 위험에 대처하는 단계에서 나타나는 이성적 반응이다. 적대감과 분노는 투석 환자에게 빈번한 반응이다. 투석팀이나 의학적 요법에 대한 적대감은 질병으로 인한 한계에 대한 반응이지만 분노는 투석팀이나 절차에 대한 직접적 반응이다.

투석에 안정화된 환자가 부정반응을 나타낼 때 두 가지 방법이 있다. 일차 치료를 담당하는 투석팀이 볼 때, 부정은 흔한 방어기제로서 환자가 실제가 아니라고 느끼는 상황에 적응하는 데 도움을 준다. 이때 부정은 환자에게 질병의 부정적 측면을 차단하기 때문에 매우 유용할 수 있으나 부정이 극단으로 치달아 치료행위를 전복시킬 만큼 되면 결과는 위험할 수 있다.

| 불이행이 환자의 신체상태에 미치는 영향

불이행은 다음과 같이 나타날 수 있다.

- 처방된 식이를 지키지 않는 것은 심리적 불이행의 위험도를 보여 주는 것이다. 이는 병적 상태나 사망률의 증가에 영향을 미친다.
- 과도한 수분 섭취는 신부전에 대한 부정으로 위험한 결과를 초래할 수 있다.
- 혈관이나 복막의 부적절한 관리는 때로 문제가 된다. 막히거나 감염된 혈관은 다음번 투석치료까지 발견되지 않을 수 있다. 부적절한 복막투석술은 감염을 초래할 수 있다.
- 투석시간을 조종하는 것은 또 다른 불이행이다. 치료를 거르거나 치료시간을 줄이는 것이 그 예이다.

이러한 행동들은 영양 불균형, 신경병, 뼈질환, 심부전 등의 문제를 초래할 수 있다. 만약 이러한 행동이 지속된다면 신체적 질환뿐 아니라 사망까지-수동적 자살의 형태로- 이를 수 있다.

| 적응 행동 유도

환자는 때로 정신과 의사와의 상담에 분개한다. 이러한 경우에 환자는 문제나 그 문제가 감정적 기초를 가지고 있다는 사실을 인정하고 싶지 않은 방어적 기전이다. 정신과 의사가 투석팀의 일부라는 것을 알고 있는 경우에도 이러한 상담을 거부하려는 경향이 있다. 환자를 가족과 함께 참여시키는 그룹 프로그램이나 능력 있고 수용적인 사회복지사, 정신과 간호사의 지도를 받는 것이 방법이 될 수 있다. 이를 통해 환기, 문제의 공유, 동료와의 토론은 문제를 해결하는 데 도움이 된다. 정신과 의사, 정신과 간호사나 사회복지사는 의학적인 문제뿐 아니라 환자의 저항적 행동과 관련된 개인적 문제에 도움을 줄 수 있다. 이러한 전문가들은 투석과 관련된 변화를 받아들이는 환자와 그의 투석팀 멤버들에게 접근방법을 제시하고 재확신을 줄 수 있다.

| 가족구성원에게 흔히 보이는 감정적 문제

환자가 투석을 처음 시작할 때 불안은 가족구성원이 가지는 가장 흔하고 정상적인 반응이다. 시간이 흐름에 따라 증가되는 스트레스가 다른 반응을 불러올 수 있다. 재정적 문제나 가족 내 역할 변화는 분노나 다른 반응을 일으킨다. 때로 투석 환자가 지나치게 의존적이거나 요구사항이 많거나 화를 잘 낼 때도 있다. 자아존중감이나 긍정적 자기 이미지를 상실할 때 그것이 실제이거나 그렇지 않든 간에 환자는 가족구성원에게 적대적이 된다. 그때 가족구성원 또한 환자에게 적대적이 되고 죄책감을 느낀다.

간호사와 투석팀 구성원은 적극적 경청 기술을 통해 가족구성원이 적대감이나 분노를 표출할 수 있도록 기회를 제공할 수 있다. 투석팀은 이것이 정상적 반응이라는 재확신을 시켜야 한다. 또한 다른 팀 구성원이 환자와 가족이 문제를 해결하기 위한 실제적 계획을 세우는 데 있어서 정신과 의사나 사회복지사 등과 연락을 주고받는 담당자 역할을 할 수 있다.

| 투석 환자의 심리사회적 적응에 영향을 미치는 신체적 증상

불면증, 만성 소양증, 신경증적 증상, 근육경련, 뼈와 관절통 등이 투석 환자의 삶의 질을 저하시키는 가장 대표적인 신체증상이다. 만성콩팥병 환자와 투석 환자에게 현재 나타난 신체증상을 사정하는 것이 필수적이다. 많은 경우에서 의학적 중재는 신체증상을 완화하고 환자의 심리적 적응과 삶의 질을 향상시키는 데 도움을 줄 수 있다. 어떤 환자는 신체적 증상에 대해 방법이 없다고 생각할 수 있으므로 적극적으로 신체증상을 표현할 수 있도록 격려해야 한다.

| 투석과정이 환자의 심리사회적 적응에 미치는 영향

투석치료에 소요되는 시간은 환자의 치료에 대한 적응에 가장 큰 영향을 미치는 요소이다. 시간적 요구는 환자의 일상생활 수행능력과 관련이 있으며, 독립감의 상실과 궁극적으로 낮은 자아존중감, 우울을 초래한다. 투석팀은 환자와 함께 제한을 가장 덜 받는 치료법을 구상해야 한다. 환자의 자가간호 활동을 격려하고 일정 수준의 독립성을 유지할 수 있도록 하는 것이 긍정적 심리사회적 적응에 도움을 준다.

| 환자가 배울 수 있는 자가간호 종류

자신의 치료에 참여할 수 있는 환자는 자신의 삶과 건강에 통제력을 가질 수 있다. 환자는 가정에서 복막투석 뿐 아니라 혈액투석을 하는 훈련을 받을 수 있다. 또한 투석실에서도 환자가 책임감을 가지고 자가간호를 할 수 있는 대안적 방법이 있다. 어떤 투석센터는 센터 내에서 할 수 있는 자가간호 프로그램을 운영하며 환자가 투석 팀과 책임감을 공유하고 투석치료를 행할 수 있도록 한다. 환자가 배울 수 있는 활동은 다음과 같다.

- 투석 전후 체중을 측정하는 방법
- 혈관 준비
- 활력징후 측정
- 약물복용법
- 투석기계의 프로그램 및 설정
- 검체물 회수
- 혈관통로 천자

센터 내에서 자가간호를 수행하는 환자는 먼저 파악한 장점을 바탕으로 다른 환자에게 참여를 권하기도 한다. 이 방법은 환자가 자신의 능력과 기술에 자신감을 가질 수 있도록 하고 치료를 집에서도 행하는 데 도움을 준다.

| 투석 환자와 투석인력 간의 관계유지

투석 인력과 환자 간에는 의존성이 생기기 쉽다. 이런 관계는 간호사나 투석기술자에게 매우 만족감을 주면서, 필요한 존재가 되고자 하는 요구를 만족시켜 주기도 한다. 그러나 과도하게 가까운 관계는 건강전문가가 그릇된 판단을 하게 해서 환자에게 해를 끼칠 수 있으므로 환자는 가능할 때마다 독립성을 가지고 스스로 행동할 수 있도록 격려해야 한다.

한 명의 투석인력이 한 환자와 그의 가족을 전담하는 것이 가장 좋은 방법이다. 이는 일관성이 없는 대응을 방지할 수 있다. 환자와 가족은 불안으로 인해 조금씩 다른 버전의 질문들을 늘어놓곤 하는데, 이는 혼란과 모순을 가중시킬 수 있다. 질문에는 일관성 있고 정확하고 정직하게 대답하여야 하며, 이는 한 명의 구성원이 일차적 정보 제공을 할 때 가장 성공적으로 수행될 수 있다.

| 전문성 경계

전문성 경계(professional boundaries)는 의료서비스 제공자가 안전과 편안한 치료적 관계를 형성하기 위해 스스로에게 가하는 제한이다. 미국간호사연맹(The National Council of State Boards of Nursing, 2018)은 전문성 경계를 "간호사의 권한과 고객의 취약점 사이의 영역"이라고 규정한다. 간호사나 투석인력은 환자가 생존에 필요한 연장치료를 행하는 능력이 있다는 점에서 권한(power)을 가진다. 투석인력은 다년간 한 주에 3일씩 환자의 치료에 관여한다. 이러한 환경으로 인해 환자와 간호사 혹은 환자와 투석인력 간에 개인적인 관계가 형성될 수 있다. 대부분의 관계가 치료적이지만 의료서비스 제공자는 때로 환자의 요구에 과도하게 관여하게 된다. 이러한 경계 침범은 미국간호사연맹이나 고용자에 의해 위반으로 해석될 수 있다.

환자와 치료적 관계 이상을 갖는 것은 매우 부적절하다. 투석인력과 환자 간의 경제적인 관계나 개인적인 관계 모두 그러하다. 건강관리전문가는 근무지 이외의 장소에서 환자와 시간을 보내거나 사회적으로 어울리지 말아야 한다. 환자와의 친밀한 관계 또한 적절하지 않다. 환자와의 성적인 관계는 "간호법(Nurse Practice Acts)"에 심각하게 위배되는 것이다. 전문성 경계를 유지하는 것은 간호사와 투석인력의 책임이다. 부적절한 관계로 인해 소송이 제기될 경우 환자는 항상 취약자에 속한다. 선물, 현금 등을 환자나 환자 가족에게 받아서는 안 된다.

건강제공전문가는 전문성 경계를 유지해야 할 책임이 있다. 관계의 적절성을 결정하는 좋은 방법은 센터 내의 다른 환자와 같은 관계 혹은 같은 활동을 할 수 있는지 물어보는 것이다. 그 답이 "아니오"라면 그 관계나 활동이나 행동은 전문성 경계를 벗어나는 것이다.

| 투석치료에 대한 환자의 비현실적인 기대

환자는 투석이 실제로 제공할 수 있는 것보다 더 큰 치료적 효과를 기대하고 있는 경우도 있다. 투석은 삶을 영위하는 치료이지만 질병을 치료하는 것은 아니다. 환자나 가족은 삶을 유지하고 만성질환에 대처해야 한다.

| 만성콩팥병 환자의 투석 전 교육 목적

교육 프로그램은 만성콩팥병 환자가 질병의 모든 단계를 쉽게 적응할 수 있도록 도움을 주므로 필수적인 것이다. 투석 전 교육은 환자와 가족의 스트레스를 경감시키고 질병이환율과 사망률을 낮추며 자가간호와 결정능력, 고용을 유지하는 역할에 도움을 주며 대체요법이 시작되어야 할 때 사전동의에 도움을 준다. 2006년 콩팥병 질 관리기관(Kidney Disease Outcomes Quality Initiative)의 혈액투석 적절성을 위한 임상 가이드라인은 환자가 4단계의 만성콩팥병에 도달했을 때 신부전에 대한 계획을 세울 것을 권한다. 이때 신부전과 치료 선택에 대한 교육이 환자에게 제공되어야 한다. 조기교육은 환자와 가족이 치료 선택사항을 생각하고 투석이 급하게 시작되는 응급상황 전에 결정을 할 수 있도록 돕는다. 어떤 교육 프로그램은 초기 3단계의 만성콩팥병 환자에게 제공되기도 한다.

미국신장환자협회는 만성콩팥병 환자를 위한 자료를 인터넷에 읽기 쉬운 환자 중심 교육물로 제공하고 있다. 미국의 투석센터를 운영하는 DaVita 주식회사는 만성콩팥병 환자를 위해 "Kidney Smart"라는 포괄적 교육 프로그램을 제공한다. 이 프로그램은 지역사회나 온라인에 교육자 중심 수업을 제공한다. Fresenius Medical Care North America는 교실에서 이루어지는 교육에서 모든 가능한 치료방법의 위험과 장점을 알려준다. 만성콩팥병의 단계와 증상, 치료 선택사항과 양상 리뷰, 영양, 대처기전 등의 주제를 다룬다.

신장 교실(Kidney school)은 온라인 자가교육 프로그램으로 3~5단계의 만성콩팥병 환자를 위해 제공된다. 교육자료는 7학년에서 9학년 수준의 읽기 자료와 그래픽, 애니메이션으로 이루어져 있다.

메디케어 & 메디케이드 가이드라인은 환자가 치료의 모든 측면에 대해 교육받고 또 원하는 경우 참여할 권리를 가진다고 명시했다. 환자는 식이, 혈액 검사, 가능한 선택지, 약물, 권리, 책임감, 재활 등에 관한 모든 측면과 치료 양상에 대해 사전에 교육받아야 한다. 대부분의 교육 프로그램은 이러한 주제들을 전달하고 환자가 추가 자료에 접근할 수 있도록 돕는다.

| 투석 환자의 성기능부전

투석 환자의 성기능부전은 감정적인 것이기도 하고 육체적인 것이기도 하다. 육체적 요소는 심각한 빈혈, 테스토스테론이나 다른 호르몬의 감소, 부갑상샘호르몬의 증가 등을 포함한다. 이러한 상태는 성기능과 욕구를 감소시킨다. 약물, 특히 항고혈압 약제들도 성기능부전을 유발할 수 있다. 이러한 신체적 원인 외에도 우울은 투석 환자의 성기능부전에 주요한 원인으로 보인다. 에리트로포이에틴으로 빈혈을 교정한 뒤에도 성기능부전은 주요 문제로 남아 있다.

환자와 그의 파트너에게 성기능부전의 가능성에 대해 알리고 성에 대해 이야기할 기회를 제공해야 한다. 많은 경우에서 신장전문의나 정신건강전문가는 환자가 스스로 이야기하기 전에 먼저 성에 관한 논의를 시작해야 한다. 의사와 사회복지사가 함께 논의를 해야 한다. 상담이 효과적일 수 있는데, 가능한 대안을 찾기 위해 부부가 함께 해야 한다.

| 사전의료 의향서

사전의료 의향서(advance directive)란 환자가 결정할 수 없는 상태를 대비해서 개인적으로 원하거나 원하지 않는 치료법에 대한 결정을 사전에 작성한 문서이다. 1991년 "환자 자기결정법(Danforth Bill)"이 발효되었는데 미국 내 대부분의 건강관리 기관이나 제공자에게 해당되는 것이다. 이는 환자가 앞으로 받게 될 의학적 치료에 대한 법적 결정권에 대한 정보를 사전에 제공받아야 한다는 것이다. 사전의료 의향서는 건강관리나 사망 선택 유언(Living Will), 혹은 그 둘 모두에 대한 대리인 지정을 포함한다. 건강관리에서의 대리인 지정은 그 대리인이나 대리기관이 환자가 스스로 결정을 내릴 수 없는 상황에서 대신 결정을 내릴 것이라는 뜻이다. 사전의료 의향서나 사망 선택 유언은 환자가 스스로 말을 할 수 없을 때 받을 의학적 치료에 대해서 구체적인 절차나 바람을 명시하는 것이다.

사전의료 의향서에 관한 법과 필요한 서류는 주마다 매우 다르다. 어떤 주는 서류를 공증받아야 하지만 어떤 주는 그렇지 않다. 전국 호스피스와 완화의료 기관(The national hospice and palliative care organization)은 50개 주에서 필요한 각각의 서류양식 링크를 온라인으로 제공한다. 환자와 의료인을 위한 호스피스와 완화의료에 대한 교육자료 또한 웹사이트에 있다. 사전의료 의향서는 18세 이상 누구나를 위한 것이고, 개인의 가치와 선호에 따라 결정을 할 수 있게끔 허용된다. 사전의료 의향서를 사전에 작성하는 것은 결정에 대한 가족의 부담을 줄여 주고, 삶의 마지막 순간에서 환자와 가족 모두의 의료 질을 향상시킨다.

사전의료 의향서를 준비한 이후에는 그것을 의사, 가족, 성직자, 투석센터와 공유하는 것이 중요하다. 작성된 사전의료 의향서를 주기적으로 점검하는 것도 중요한데, 특히 건강상태에 변화가 있을 때 더 그러하다. 이는 누구와도 의논하기 어려운 주제지만, 특히 삶을 위협하는 질병에 마주하고 있는 누군가와는 더욱 어렵다. 사전의료 의향서에 대한 정보를 환자와 가족에게 제공하는 것은 보통 사회복지사의 역할이지만, 그 밖의 투석인력 또한 관련된 법과 현안들에 익숙할 필요가 있다.

| 투석 중단을 결정한 환자

치료방법을 계획할 때 투석인력은 환자가 선택 가능한 치료방법에 대해 포괄적이고 개방적인 논의를 거쳐야 한다. 투석을 시작하지 않을 권리와 투석을 그만둘 권리가 선택될 수 있어야 한다. 이러한 결정은 환자 개인의 희망이나 필요, 의학적 상태를 고려하여야 한다. 투석을 중단하거나 시작하지 않는 결정은 주로 가족구성원이나 의사, 기타 투석팀의 구성원, 목사나 심리학자 등을 포함하여 이루어진다. 주로 기저질환이나 합병증을 가진 노인은 젊은 사람보다 투석을 그만둘 확률이 높다. 환자가 투석을 중단하기로 결정했을 때 투석팀은 신체적 · 정서적 편안함에 중점을 두고 지지적 중재를 제공해야 한다. 환자는 의학적 치료를 중단하는 것에 대한 결과를 미리 제공받아야 한다.

| 호스피스와 완화의료의 차이점

호스피스와 완화의료가 공통점이 있기는 하지만, 엄밀히 말해서 다르다. 완화의료(Palliative care)는 심각하든 아니든, 어떤 단계든 질병을 가지고 있는 사람을 대상으로 하는 것이다. 완화의료는 증상을 조절하면서 환자의 삶의 질을 향상시키는 데 의미가 있다. 따라서 완화의료는 치료와 더불어 제공되기는 하지만 환자의 진단명에만 의존하는 것이 아니라, 의학적 · 사회적 · 정서적 지지를 포함하는 것이다. 완화의료는 질병의 초기단계 치료와 호스피스 사이의 다리 같은 역할이다. 질병을 치료하는 동안 환자의 필요를 사정하고, 변화를 주며, 필요한 경우에는 호스피스가 시작된다. 호스피스와 완화의료의 핵심적인 믿음은 환자가 고통 없이, 존엄을 유지한 채로 사망할 권리가 있다는 것이다. 더 이상 완화의료가 도움이 되지 않는다고 판단될 때, 호스피스 치료를 결정한다. 메디케어 보험 가입자는 환자가 6개월 이상 살지 못할 것이라고 의사가 판단할 때 호스피스 케어를 받을 수 있다. 물론 환자가 6개월 이상 살 때에도 의사의 확인이 있으면 호스피스 케어를 계속해서 받을 수 있다. 환자가 사망한 이후 가족에 대한 지지도 제공된다(National Institute of Aging, 2019).

지속적 투석이 필요한 환자가 투석치료나 이식을 거부한다면 호스피스를 의논해야 한다. 투석이 중지될 경우에도 수분과다 등의 증상을 완화하기 위해 초여과 형태로 투석을 제공할 수 있다.

| 만성콩팥병 환자가 자신의 환경에 통제력을 가질 수 있게 하는 방법

이전에 의존적인 삶을 살았던 경험이 있는 환자는 투석치료 시작부터 더 높은 심리사회적 위험에 처해 있을 수 있다. 이러한 환자가 자신의 치료계획에 가능한 한 많이 참여할 수 있도록 기회를 제공하는 것이 특히 중요하다. 환자는 혈액투석기관이나 가정에서 투석을 진행하는 동안 자가간호 수행을 지지받을 때 더 큰 통제력을 느낄 수 있다. 복막투석은 투석일정으로부터 자유를 원하는 환자에게 긍정적인 선택이 될 수 있다. 자가간호는 통제력 상실을 경험하는 대부분의 환자에게 좋은 선택이 되며 점점 더 늘어나는 추세이다. 환자는 기계나 투석기 설정, 연결, 치료과정과 알람을 모니터링하는 것 등의 다양한 수준의 돌봄에 참여할 수 있다.

| 건강보험 간편성과 책무법이 투석에 미치는 영향

"건강보험 간편성과 책무법(Health Insurance Portability and Accountability Act, HIPAA)"은 1996년에 제정되었다. 2003년 4월 14일부터 효력이 시작된 새로운 "사생활 보호법"은 보험사, 의사, 병원, 기타 건강관리제공자에게 제공될 수 있는 환자의 의무기록이나 건강정보를 보호하기 위한 것이다. 보건사회 복지성에 의해 개발된 새로운 사생활 보호법은 건강계획, 병원, 기타 건강관리제공자가 환자의 의무기록을 사용하는 데 제한을 두는 것이다. 서류상, 컴퓨터상, 혹은 구두 의사소통을 통한 건강정보는 새로운 법 아래서 보호된다.

CHAPTER
25

Patient Education Guidelines

환자교육 가이드라인

만성콩팥병 환자는 증상과 치료방법을 이해하고 관리하기 위해 많은 교육이 필요하다. 새로 발병한 만성콩팥병과 투석 환자는 새로운 약물, 절차, 식이요법, 치료계획 등에 대한 지식이 필요하다. 투석 준비와 환자 관리 교육은 간호사의 주요 역할이다. 간호사에 의해 제공된 일차적 지식을 강화하는 데 투석팀이 중요한 역할을 한다. 일반적으로 환자는 병을 알고 좋은 상태를 유지하기 위해 적극적으로 배우고자 한다. 비효과적이고 불완전한 교육은 환자가 치료법을 잘 이해하지 못하므로 치료 불이행과 건강과 관련하여 좋지 않은 결과, 치료비용의 증가로 이어진다. 올바른 환자교육은 환자의 치료이행과 좋은 결과를 나타나게 한다.

| 건강에 대한 이해능력

건강에 대한 이해능력(literacy)이란 환자가 건강 기초 정보를 획득하고 파악하며 이해가 가능한 것을 말한다. 건강 이해능력 정도는 환자가 건강정보에 대한 이해와 직결되며 적절한 의사결정을 할 수 있게 한다. 환자가 건강과 관련하여 적절한 선택을 할 수 있을 때 환자는 "건강에 대한 이해능력"으로 분류된다. 다음은 건강에 대한 이해능력과 관련된 사항들이다(USDHHS, 2010).
- 환자–의사 간의 의사소통
- 약 라벨링
- 의료행위 설명
- 건강 관련 정보
- 사전동의
- 의료기록과 보험기록에 반응
- 건강력

건강에 대한 이해능력은 독해력이 부족하거나 언어가 다른 외국인만의 문제는 아니다. 낮은 문해능력은 전 연령, 인종, 소득, 교육 수준에 걸쳐 나타난다. 하지만 저소득층이나 소수집단, 65세 이상의 성인, 최근 이동한 난민이나 이민자, 고등학교 졸업장이 없는 사람 등이 취약한 것으로 나타난다. 미국은 이러한 문제를 다루기 위해 "건강한 사람들 2020 계획"을 발표하였다(USDHHS, 2019).

| 환자교육의 장애물

적절한 환자교육을 방해하는 요소는 많다. 교육자에게 다음 사항이 장애가 된다.

- 환자와 함께 할 시간 부족
- 교육자재 부족
- 환자를 교육하는 훈련과 기술 부족
- 환자가 선호하는 교육방법 파악 실패
- 환자가 교육을 받을 준비에 대한 판단 실패

환자와 관련된 장애물은 다음과 같다

- 시력과 청력 등 신체적 장애
- 언어 차이 등 문화적 변수
- 이해력 또는 건강에 관한 이해능력 부족
- 불안
- 정보의 복잡성
- 근심, 우울, 혹은 두려움
- 통증

환경적 장애물은 다음과 같다.

- 기온(지나치게 덥거나/춥거나)
- 조명
- 소음
- 사생활

| 환자교육 시 성인의 학습방법

성인학습법이란 성인을 가르치는 예술이자 과학이다. 성인학습 이론에서는 성인은 그들의 삶과 직결되고 즉각적으로 적용할 수 있는 정보를 원하는 것에 초점을 맞춘다.

성인학습 이론가인 Malcolm Knowles는 성인이 학습하는 방법에 대해 다섯 가지 가정을 제시했다.

1. 성인은 독립적이며 스스로 결정한다.
2. 성인은 경험을 많이 축적해 왔으며 그것은 배움의 진척에 있어 중요한 요소이다.
3. 성인은 그들의 삶에서 실제 필요했던 것과 관련 지어 교육을 평가한다.
4. 성인은 주제 중심 접근보다 즉각적이고 문제 중심적인 접근을 선호한다.
5. 성인은 외적인 동기보다 내적인 동기에 의해 학습에 고취된다.

놀스(Knowles)는 성인학습법으로 다음 다섯 가지를 제안했다.

1. 학습자가 편안하고 자유롭게 말할 수 있는 분위기를 조성할 것
2. 교육계획을 수립할 때 학습자를 동참시킬 것
3. 학습동기를 구성할 때 학습자를 포함할 것
4. 학습목적을 세울 때 학습자가 그것을 조정할 수 있도록 할 것

표 25-1 학습유형과 교육전략

학습자 선호	교육전략
청각 소리를 통해 가장 효율적으로 학습	• 구두적 교육을 한다. • 환자에게 과정을 설명할 때 지침을 읽어 준다. • 토의를 한다. • 오디오/비디오 테이프를 활용한다. • 환자가 글로 쓰여진 지침을 읽게 한다.
시각 학습지를 읽거나 시각적 자료를 봄으로써 가장 효율적으로 학습	• 사진과 그림이 많은 자료를 활용 • 차트, 비디오 플래시카드를 활용
운동감각/촉각 행위를 하거나 신체적으로 겪으면서 가장 효율적으로 학습	• 교육자가 말하는 내용을 추적하거나, 찾아서 밑줄을 치게 한다. • 필기할 수 있는 종이를 준다. • 중요한 내용을 표시할수 있는 색깔 있는 펜을 준다. • 자료를 읽을 때 테이블 위에 올려놓지않고 손에 직접 쥐고 있도록 한다. • 환자가 다시금 증명해보도록 한다. • 가능하다면 예시로 모형을 사용하고 환자가 모형을 만져보고 사용해 볼 수 있도록 한다.

5. 학습방법을 운영함에 있어 학습자를 지지할 것
6. 학습을 평가할 때 학습자를 동참시킬 것

| 학습유형 사정

학습자는 학습을 하고 새로운 정보를 습득함에 있어 선호하는 학습법이 다르다. 예를 들어 학습자는 사진과 도표(시각 자료), 듣기(청각 자료), 단어로 이루어진 읽기 정보(독해/작문), 혹은 행위(운동감각/촉각)를 선호할 수 있다. 대다수의 학습자는 시각적 학습자로 분류된다. 학습유형 분석을 통해 학습자가 더욱 적극적으로 참가하도록 장려할 수 있다. 표 25-1에는 학습유형의 특성과 이에 따른 추천 교육전략이 있다.

| 환자의 학습준비 수준

교육 시작 전에 환자의 학습준비 정도를 파악하는 것은 매우 중요하지만 종종 놓치고 지나가는 부분이다. 환자의 건강에 대한 이해능력을 평가하는 것과는 다른 중요성을 가지며 종종 간과되는 부분이다. 학습자의 학습기술이나 지식 정도를 추상적으로 파악하는 것을 피해야 한다. 건강, 질병, 치료와 관련된 문화적 신념은 학습에 대한 환자의 반응에 있어 많은 영향을 미친다.

　최종적으로 건강과 관련된 정보를 환자에게 맞춤 제공하기 위해 학습자가 선호하는 학습방법을 파악해야 한다. 독해, 청취, 촉각 등 어떠한 방법으로 환자가 가장 효율적으로 학습하는지 파악하는 것은 꽤 명백하지만 여러 형식적인 사정도구를 사용하는 것도 도움이 된다. 플레밍(Fleming)과 밀스(Mills)는 "VARK"라고 알려진 학습방법 측정도구를 개발했는데, 감각의 첫 글자에서 따왔다(Visual, Aural, Reading/Writing, and Kinesthetic). 이 질문지는 사용자에게 그들의 학습선호도 정보를 제공한다. 학습자는 여러 가지 학습법을 선호할 수 있고 동시에 두 가지 이상의 학습법을 사용할 수도 있다. 교육이 성공적으로 진행되기 위해서는 다양한 방법을 동원하여 학습자의 선호방법을 측정하여야 한다.

환자의 학습 선호방법을 파악했다면, 명확한 목적과 목표를 가지고 교육을 계획할 수 있다. 교육목적은 교육을 완성함에 따라 기대되는 결과이고 학습목표는 그러한 결과를 얻기 위해 취해야 하는 행동들을 의미한다 (Redman, 2017).

| 환자의 교육준비도

환자가 배움에 대해 준비되었다는 신호 중 하나는 그들이 자신의 병에 대한 치료법과 과정을 질문하기 시작하는 것이다. 레드맨(Redman)(2007)은 교육에 대한 준비도를 일반 간호사정의 한 부분으로 포함할 것을 권유한다. 환자가 자신의 병에 대해 무엇을 아는지, 어떻게 받아들이는지, 또한 어떤 기술을 보유하고 있고 어느 수준까지 수행할 수 있는지 조사해야 한다. 더 많은 지식을 가지고 있는 환자가 자가간호 활동에 참여할 가능성도 높다. 이는 투석실에서 자가간호를 수행하거나 집에서 자가투석하는 환자에게 더욱 적절하다.

| 효과적인 환자와의 대화방법

교육하고자 하는 부분 중 가장 중요하다고 생각되는 부분부터 시작하여 한 번에 세 가지 혹은 네 가지 이상 개념을 교육하지 않아야 한다. 교육시간은 한 번에 15분이 넘지 않도록 한다. 처음에는 쉬운 개념에서 시작하여 점차 복잡한 개념으로 옮겨간다. 환자가 간단한 개념을 우선 습득한다면 그들은 새로운 정보를 배우는 데 더욱 자신감을 갖게 된다. 교육이 명확하고 구체적이도록 하며 "알면 좋은 정보"는 피한다. 예를 들어 복막투석 대 혈액투석을 받는 환자의 비율을 알아 두면 좋긴 하지만 반드시 알아야 하는 것은 아니다. 행동방침에 집중하고 기술적이거나 의학적인 용어 사용은 피한다. 교육이 끝나갈 때쯤 환자가 해야 하는 행동을 요약해 준다. 환자가 정보에 대해 자신의 언어로 다시 대답하게 하여 환자의 이해 정도를 측정한다. 질문을 할 때는 항상 "질문할 게 있습니까?" 대신 "어떤 질문이 있습니까?"라고 한다. 환자가 스스로 해야 할 행동을 성공적으로 하였을 땐 칭찬한다. 질문할 때는 "예, 아니오" 질문보다는 열린 질문을 하는 것이 좋다. 최종적으로, 환자가 교육목표를 성취하였는지 측정하는 것은 매우 중요하다. 환자가 교육의 목적을 완전히 습득하지 못하였다면 보충교육이 필요하다. 환자교육에 있어 결과만큼이나 과정을 기록하는 것도 중요하다. 만성질환을 가진 환자의 경우 종종 건강 유지를 위해 재교육이 필요할 것이다.

| 환자교육 자료

유인물은 구두로 수행되었던 환자의 교육을 강화하기 위한 좋은 방법이다. 교육에 사용되었던 감각기관이 많을수록 환자가 쉽게 이해할 가능성이 더욱 높다.

엉성하게 구성된 교육자료는 환자를 압도하고 혼란스럽게 하여 교육을 방해할 수 있다. 성인 문맹 국민 평가에 따르면 3,000만 명 정도의 성인이 문맹자이며 소비자 중 12%만이 충분한 건강에 대한 이해능력을 가지고 있다고 한다. 그러므로 환자교육 자료는 넓은 범위로 개인에게 맞도록 만들어져야 한다. 글로 된 자료는 5학년에서 6학년 수준을 넘지 않아야 한다. 글로 쓰인 자료의 난이도를 평가하는 방법은 여러 가지가 있다. 플레시킨케이드 가독성 테스트, 프라이 가독성 그래프 그리고 거닝 "FOG" 가독성 검사로 인쇄자료의 가독성 정도를 평가할 수 있다.

환자에게는 하지 말아야 할 것 대신 해야 할 것을 말해주는 것은 매우 중요하다. 문장은 여덟 단어에서 열 단어를 넘지 않고 문단은 세 문장에서 다섯 문장을 넘지 않는 것이 좋다. 과학 용어는 최소한으로 하고 축약이나 약어는 가능하면 피한다.

글자 형식은 교육 자료의 가독성에 영향을 끼친다. 글자 크기는 12~14포인트로 하고 제목은 본문 크기보다 최소한 2사이즈 크게 한다. 화려한 문자나 필기체는 피하고 절대 모든 문자를 대문자로 표기하지 않는다. 중요한 문장을 강조하기 위해서 밑줄을 긋거나 이탤릭체로 하는 대신 글자를 굵게 한다.

의료 연구 및 질 관리기관(USDHHS Agency for Healthcare Research and Quality, 2017)에서는 소비자가 다양한 배경을 가지고 있고 문해력 정도가 다를수록 정보에 접근할 수 있게 하기 위해서는 교육자료가 이해하기 쉬워야 한다고 주장한다. USDHHS 웹사이트에 있는 '환자 교육자료 사정도구(PEMAT, Patient Education Materials Assessment Tool)'로 교육자료의 이해 난이도를 평가해 볼 수 있다. 교육자료는 실제로 시행 가능한 것이어야만 다양한 배경, 다양한 문해력의 소비자가 제공된 정보를 바탕으로 자신에게 무엇이 필요한지를 판단할 수 있다. PEMAT는 두 버전이 있는데, 하나는 인쇄된 교육자료(책자, 유인물, PDF파일), 다른 하나는 시청각 자료(비디오, 멀티미디어 자료)를 위한 것이다.

| 건강 정보에 관한 이해력 파악

사람은 나이, 인종, 교육 정도, 사회적 지위 등 모든 사항에 복합적으로 영향을 받기 때문에 환자가 건강과 관련하여 문맹인지를 파악하는 것은 쉽지 않다. 건강 문맹자는 글을 읽을 줄 모르는 사람이나 저학력자에게만 국한되는 것은 아니다. 환자는 자신의 이해 부족을 숨기기 위해 많은 노력을 기울이기 때문이다. 환자는 가령 교육자료를 읽을 시간이 없었다든지 안경을 집에 놔두고 왔다는 핑계를 대거나, 의료기록지를 완전히 기입하거나 제대로 기입하지 않고, 혹은 내용은 보지 않고 겉모습만으로 약물정보를 파악하는 것 등의 방법을 통해 문맹을 숨길 수 있다. 레드맨(Redman, 2007)은 읽기능력이 제한된 환자에게 제공할 수 있는 몇 가지 전략을 제시한다(상자 25-1).

상자 25-1 교육 기술/전략

- 관련 없는 사항은 삭제한다.
- 간단한 것에서 복잡한 것으로 진행한다.
- 정보를 작은 부분으로 나눈다.
- 리뷰, 피드백, 질문을 기반으로 정보를 제공한다.
- 환자가 자신이 무엇을 배웠는지 보이게 한다.
- 자신의 능력에 자신이 없는 환자를 격려한다.
- 짧은 단어, 문장 등을 사용하여 구어적 방법으로 자료를 전달한다.
- 시각자료는 한 사진에 하나의 의미만 담고 있어야 하며, 그림 설명은 10단어가 넘지 않도록 한다.
- 자료는 환자가 사용할 순서대로 구성한다.
- 환자에게 친숙한 단어를 사용한다.

출처: Redman BK: The practice of patient education, ed. 10, St. Louis, 2007, Mosby.

| 동기강화상담

동기강화상담(MI, Motivational Interviewing)은 개인의 고유한 동기강화와 변화에 전념하게 함으로써 행동변화를 이끌어 내는 방법이다. 동기강화상담은 1980년대 초, 알코올 중독 환자를 치료하기 위한 방법으로 밀러(William R. Miller)에 의해 소개되었다. 동기강화상담은 "개인의 고유한 동기부여를 강화하고 변화에 전념하게끔 하는 협력적 대화방법"(Miller, 2013)으로 정의된다. 이 방법은 이후 약물 남용이나 당뇨, 심장병, 천식과 같은 다른 의학적 상태에도 유용하게끔 발전되었다. 동기강화상담은 임상 상황에서 금연, 약물 복용, 체중 감소를 지지하기 위한 방법으로도 성공적으로 사용되었다. 동기강화상담은 환자의 이해도, 동기부여, 자신감을 사정하면서 변화하고자 하는 동기를 강화시키기 위해 여러 가지 기술을 사용한다. 동기강화상담의 정신은 세 가지 요소를 포함하는데, 그 첫 번째는 건강관리제공자와 환자 사이의 협력이다. 동기강화상담은 환자를 위해서, 또한 환자와의 협력 안에서 완성되는 것으로, 환자'에게', 혹은 환자를 '향해서' 이루어지는 것이 아니다. 환자는 스스로의 건강전문가로서 바라봐져야 하고, 환자의 동기부여를 활성화시키는 목적은 건강한 행동 변화를 위한 것이다. 동기강화상담의 또 다른 두 가지 정신은 환기와 자율성이다. 환기(evocation)은 건강관리제공자가 환자의 생각에서 이끌어 내는 방법으로, 제공자의 의견에 따라 왜, 그리고 어떻게 환자가 바뀌어야 하는지 강요하는 것이 아니다. 마지막으로 자율성(autonomy)은 어떤 목표가 어떻게 성취되어야 하는지 결정할 때 환자가 주도적으로 할 수 있게끔 하는 것이다. 동기강화상담은 환자가 긍정적인 삶의 방식을 만들어 나가는데 있어서 양면성이나 지식 부족을 극복해 나가게 도와주는 대화라는 것을 기억해야 한다.

동기강화상담의 원칙

밀러(Miller)와 롤닉(Rollnick)(2013)은 동기강화상담을 시행하는 데 4가지의 원칙을 약어 RULE로 정의했다.

R: 옳게 하려는 반사작용과 싸우기(Resisttherightingreflex)

간호사 혹은 건강관리제공자로서 우리는 환자에게 무엇이 최선인지를 안다고 생각해서 충고를 하려는 경향이 있다. 우리는 환자에게 옳은 것을 제공하려는 책임감을 가지고 긍정적 건강행동에 환자를 참여시키려고 한다. 하지만 환자가 변화를 받아들일 준비가 되어 있지 않거나 자신감이 없을 때, 혹은 변화를 원하지 않을 때 이런 행동은 강압으로 해석될 수 있다. 이는 환자가 변화를 더욱 거부하게 하는 결과를 가져올 수 있다. 동기부여 인터뷰의 정신에서, 간호사나 건강관리제공자는 옳게 하려는 반사작용에 대항해야 한다. 그리고 환자가 스스로 변화에의 방해물을 인식할 수 있도록 열린 질문을 하고, 공감해 주고, 판단하지 않으면서 변화를 이끌어 내는 대화에 집중해야 한다.

U: 이해하기(Understand)

건강관리제공자는 환자가 변화하고자 하는 동기나 이유를 인식하고 이해할 책임이 있다. 이는 주의력, 능동적 듣기, 이 변화가 왜 환자에게 중요한지를 이해하고 있다는 사인을 주는 것을 포함한다.

L: 듣기(Listen)

많은 종류의 듣기가 있지만, 건강관리제공자는 능동적 듣기, 의도적인 듣기를 해야 한다. 이는 단지 단어를 듣는 것이 아니라, 환자의 걱정, 두려움, 변화에의 준비성을 이해하면서 방해물을 판별하는 것이다.

E: 자율성 부여하기(Empower)

간호사, 사례관리자, 그리고 모든 건강관리전문가는 환자에게 자율성을 부여하고 환자가 스스로 건강, 혹은 건강 관련 행동을 통제할 수 있다는 존중을 주어야 한다. 그래야만 환자는 스스로 긍정적 변화를 위해서 나아가면서 행동을 통제하기 시작할 것이다.

동기강화상담 기술

동기강화상담은 환자와 친밀감을 형성하고 정보를 제공하는 의사소통 기술로서, 약어 OARS로 정리된다(표 25-2). OARS를 사용하면 변화를 이끌어 내는 대화를 하면서 치료적 관계를 형성하는 데 도움이 된다. 변화 대화란 환자가 동기부여를 고려하거나 변화에 헌신하고자 하는 시작이다. "나도 변하고 싶어요.", "변화가 필요해요.", "변하려고 노력하고 있어요." 등의 문장이 변화 대화의 예시이다. 환자가 변화에 대해서 얘기하기 시작할 때 행동 변화에 더욱 전념할 가능성이 높아진다.

표 25-2 동기강화상담

기술	정의	예시	기능
열린 질문	"예"나 "아니오"로 대답할 수 없는 질문을 하는 것	"그동안 어떻게 지냈는지 말씀해주시겠어요?"	• 환자가 설명할 수 있도록 함 • 자아성찰을 하도록 하고 더 의미있는 정보를 수집할 수 있음 • 탐색의 가능성을 열어 줌
확언	환자가 긍정적인 무언가를 했음을 확인시켜주는 것	"이번 주에 수분 조절하려고 정말 노력 많이 하셨군요!"	• 환자에 대한 지지를 표현하게 함 • 격려를 제공함 • 친밀감을 형성함
반영	환자가 방금 공유한 핵심적인 단어나 문구를 그대로 사용하면서 반복하는 것	"그래서 지금 수분과다는 걱정이 안되신다는 말씀이시군요."	• 환자가 말한 것을 이해한다는 것을 보여 줌 • 존중을 전달함 • 공감적 관계를 강화시킴
요약	환자와 나눈 대화를 요약하고 환자에게 전달해 주는 것	"그래서 오늘 나눈 대화를 요약해보자면, 환자분은 토리여과율이 투석이 필요하다는 것을 알려 줄 때 어떻게 할 것인지 아직 결정하지 못하셨군요. 아직은 지내기 괜찮아서 결정을 내릴 필요를 못느끼시고요. 일차 전문의에게 토리여과율 검사를 다시 하자고 말씀하실 계획이시고요. 다음번 만나면 그것에 대해 이야기를 나눌 것이고… 제가 놓친 부분 있나요?"	• 상담의 내용과 결과를 요약함 • 중요한 면들을 강조함 • 새로운 주제로 전환하거나 주제를 종료할 때 유용함

변화 책정 또 다른 도구로서 중요성과 자신감을 사정함으로써 변화 대화를 촉진할 수 있게끔 도와준다. 변화 책정은 환자에게 변화를 위한 준비성과 자신감을 1부터 10까지의 척도로 점수를 주는 도구이다. 예를 들어 환자가 6이라고 대답한다면, 간호사는 "3점이나 4점 같이 더 낮은 점수를 선택하지 않은 이유는 무엇인가요?"라고 질문할 수 있다. 이는 환자가 변화 대화에 더욱 참여하게끔 하고 긍정적 행동 변화에 더욱 전념하게끔 하는 원동력이 된다.

또 다른 기술은 "이끌어 내기, 제공하기, 이끌어 내기" 전략을 통해 정보를 제공하는 것이다. 간호사는 먼저 환자의 문제에 대한 이해도, 추가 정보에 대한 필요성을 사정한다. 그 다음 환자가 동의하면 추가 정보, 또는 정확한 정보를 제공한다. 마지막으로 간호사는 환자에게 새로운 정보가 어떤 의미를 주는지 질문하면서 환자의 새 정보에 대한 이해도를 사정한다(Resnicow & McMasler, 2012).

동기강화상담을 진행하고 특정 기술을 제공할 때에는 동기강화상담이 통일된 단 하나의 순차적 과정이 아니라는 점을 이해해야 한다. 환자의 긍정적 건강행동 변화를 위해 어떤 기술을 사용하든 간에, 가장 중요한 점은 환자가 변화의 어떤 과정에 있는지 이해하기 위해 적극적으로 들으면서 환자의 이해 정도를 파악해야 하는 것이다. 공감하고, 이해해 주고, 격려하면서 우리는 환자에게 가장 최선의 변화를 이끌어 낼 수 있다.

CHAPTER
26

Management of Quality in Dialysis Care

투석의 질 관리

모든 의료서비스제공자처럼 투석 프로그램은 의료적 책임 측면에서 큰 변화를 겪고 있다. 정부, 규제기관, 비용지불자 및 환자는 의료서비스 기관에 대하여 고품질 저비용의 의료서비스 제공에 대한 책임을 주장하고 있다. 의료서비스 제공자는 그들의 결정과 치료계획에 대한 합리적 근거를 제시하도록 요구받고 있다. 극심한 경쟁과 체계적 관리 의료환경(managed care environment)에서 서비스 제공자는 질과 비용에 민감할 수밖에 없다. 지속적 질 향상(Continuous Quality Improvement, CQI)은 이러한 문제들을 해결하기 위한 하나의 수단이다. 지속적 질 향상는 총체적 질 관리 리더십 유형에 의해 지원되어야 하며 조직 내의 구성원은 치료와 결과를 개선하려는 목표를 갖고 그들의 행위를 끊임없이 평가하고 최소한의 규제 요구사항(regulatory requirements)을 넘어 최소한의 표준충족을 능가하도록 동기부여되어야 한다.

| 환자와 의료제공자를 위한 의료보험 개선법

"환자와 의료제공자를 위한 의료보험 개선법(the Medicare Improvements for Patients and Providers Act, MIPPA)"은 2008년 7월에 의회에서 승인, 통과되었다. 이 법은 신장학계에 중요한 의미를 갖는다. 이 법의 핵심은 사례별로 보정한 포괄지급률(rate case-mix-adjusted bundled payment), 성과별로 지급되는 인센티브(quality incentive), 만성콩팥병을 앓는 환자가 자신의 질병과정을 유지관리할 수 있도록 도울 수 있는 교육여건을 개발하는 것이다. 지급비율의 수정은 1983년 복합요율(composite rate)이 소개된 이래로 유일한 것이다.

새로운 복합요율은 각 투석치료별로 메디케어가 부담하는 고정요율로 전환기를 거쳐 도입되었으며 2014년 1월 1일 전면 시행되었다. 이 고정비율 또는 복합비율은 투석치료와 관련된 소모품, 장비 및 의약품을 포함하여 제공되는 모든 서비스에 적용된다. 복합비율이 정해진 이래로 많은 새로운 치료약이 표준 투석치료에 포함되었다. 조혈제, 비타민 D, 철분주사 등의 약들은 복합요율에 포함되지 않았으며 별도청구되었다. 또한 많은 새로운 연구결과에 의한 공급물품은 그 제도가 도입되었을 당시 없었으므로 개별적으로 청구되었다. 말기신장질환 서비스에 대한 의료보험 적용이 증가함에 따라 환자와 제공자를 위한 의료보험 개선법은 메디케어 & 메디케이드 서비스센터(CMS)에게 추가 투약과 연구 분야를 포함할 새로운 포괄수가제(bundled payment)를 개발하도록 하였다. 새로운 지불제도는 성과 측정에 기초해서 투석관련 비용을 지불하며 2011년 1월에서 시작해 3년의 기간에 걸쳐 단계적으로 진행되었다.

| 지속적 질 향상

지속적 질 향상(Continuous Quality Improvement, CQI)이란 질 향상의 기회를 확인하는 지속적인 프로세스이다. 여기에는 현재 상황에 대한 자료 수집, 수행방법 탐색, 더 새롭고 더 좋은 결과를 얻을 수 있는 접근방법 소개, 중재, 평가가 포함된다. 지속적 질 향상이 의도한 대로 진행되면 중요한 치료에서 개선이 필요한 부분을 알 수 있고 우선순위가 정해지며 문제 발생 전에 실행 단계가 시작될 것이다. 모든 직원은 치료의 개선점을 파악하고 주의집중하여 경계를 게을리하지 않음으로써 지속적 질 향상에 기여한다. 환자 중심의 관점과 질문하기(예: "내가 하고 있는 일 중에서 환자에게 최상의 결과를 성취하기 위해 해야 할 사항을 수행할 수 있는 내 능력을 방해하는 것은 무엇인가?")는 개선이 필요한 행동을 식별하는 효과적인 방법이다. 지속적 질 향상의 목표는 데이터를 사용하여 책임 전가나 잘못에 대한 지적 없이 객관적 결정을 내리는 것이다.

| 지속적 질 향상의 기원

질 관리 노력은 제품검사에 초점이 맞춰진 제조업에서 시작됐다. 에드워즈 데밍(W. Edwards Deming)과 같은 질 관리 전문가는 최종 상품을 단순히 평가하는 것은 충분하지 않다고 인식했다. 그들은 보다 고품질의 상품을 생산하기 위해 생산과정을 개선하고 관리하기 위해 지속적 질향상의 원칙을 소개했다.

| 질 평가와 성과 향상

질 평가와 성과 향상(Quality Assessment And Performance Improvement, QAPI)은 지속적인 개선과 결과 향상을 위해 말기신장질환을 치료하는 기관이 개발해야 할 내부 프로그램으로서 CMS가 준 명칭이다(상자 26-1). 이 프로그램은 다학제팀의 입력으로 데이터를 구동한다.

치료의 질적 문제에는 투석 적정성, 투석기(dialyzer) 재사용 프로그램, 영양상태, 빈혈 관리, 혈관 접근, 뼈질환 관리, 감염 관리, 의료적 손상과 오류, 환자교육, 환자 생존, 예방접종, 신체적·정신적 기능이 포함되며, 이에 국한되지는 않는다. 측정도구는 임상과 질적 결과에 대한 허용 가능한 표준과 값의 참고 목록이다(표 26-1)

상자 26-1 V626 QAPI 조건문

투석시설은 다학제 전문 구성원의 참여와 함께 효과적이고 자료에 근거한 질 평가와 성과 향상 프로그램을 개발, 실행, 유지, 평가해야 한다. 이 프로그램은 투석시설의 조직과 서비스(계약하에 제공되는 서비스를 포함하여)의 복잡성을 반영해야 하며 개선된 보건 결과와 예방 그리고 의료 오류의 감소와 연관된 지표에 초점을 맞춰야 한다. 투석시설은 CMS에 의한 검토과정에서 질 향상과 수행 개선 프로그램의 증거를 유지하고 보여 주어야 한다.

출처: The Centers for Medicare & Medicaid Services (CMS): Interpretive guidance. April 2008.

표 25-1 측정평가도구(Measures Assessment Tool, MAT)

Tag	조건/기준	측정	기준치	참조	출처
494.40 투석용수 및 투석액의 질					
V196	투석용수의 질	클로라민 최대값(반드시 시행)	0.1mg/L 이하 매일/교대 시 (daily/shift)	AAMI RD52	
V196	1회만 측정 시 클로라민 최대값 사용	총클로린 최대값(가능한 한 시행)	0.5mg/L 이하 매일/교대 시		기록
V178		세균수 - action level 허용치 투석용수/투석액	50CFU/mL 200 CFU/mL 이하		
V180		내독소 - Action level 허용치 용수/투석액	1EU/mL < 2EU/mL (endotoxin units)		
494.50 투석기(Dialyzer)와 혈액라인의 재사용(투석용(투석기 그리고/또는 혈액라인을 재사용하는 투석시설에만 적용)					
V336	투석기 효율성 (dialyzer effectiveness)	총 표면적(섬관형 투석기)	원래 용적 측정 재사용 후 원래 표면적의 80% 미만이면 폐기	KDOQI HD Adequacy 2006;AAMI RD47	기록 면담
494.80 환자 사정(patient assessment): 다학제팀(interdisciplinary team, IDT), 환자/대리인, RN, MSW, RD, 내과의는 각 환자에게 개별적이고 종합적이고 개별적인 요구(needs) 평가를 제공해야 한다.					
V502	- 건강상태/ 동반질환	- 병력/간호력, 신체검사 소견(physical exam findings)	기준치는 아래의 치료계획과 QAPI 섹션 참조	보험보장의 조건	차트
V503	- 투석처방	- 평가(evaluate): 혈액투석 - 매달 복막투석 - 시작 시 & 4개월마다			

(계속)

Tag	조건/기준	측정	기준치	참조	출처
V504	- 혈압 & 수분 관리	- 투석 간 혈압 & 체중 증가, 목표체중, 증상	기준치는 아래의 치료계획과 QAPI 섹션 참조	보험보장의 조건	차트
V505	- 검사 프로필(lab profile)	- 매월 & 필요시마다 검사시행 및 모니터하기			
V506	- 예방접종 & 약물 이력	- 폐렴알균, 간염, 독감; 약물 알레르기			
V507	- 빈혈(hgb, hct, iron stores, ESA 결핍)	- 용적(volume), 출혈, 감염, ESA 낮은 반응성(hyporesponse)			
V508	- 콩팥 뼈질환(renal bone disease)	- 칼슘, 인, 부갑상샘호르몬 & 약물			
V509	- 영양상태	- 여러 요소 나열됨(multiple elements listed)			
V510	- 사회심리적 요구	- 여러 요소 나열됨			
V511	- 투석 접근로 유형 & 관리	- 투석 접근로 개존성(access efficacy), 추후 선택 가능한 동정맥루(fistula candidacy)			
V512	- 능력, 관심사, 선호, 목표, 원하는 진료 참여, 선호하는 장비 및 설정, 결과에 대한 기대,	- 환자가 치료에 참여하지 않는 이유, 환자가 가정투석 후보자가 되지 않는 이유			
V513	- 이식 추천에 대한 적합성	- 환자가 이식 후보자가 되지 않는 이유			
V514	- 가족 & 다른 지원체계	- 지원의 구성, 이력, 가용성, 수준			
V515	- 현재 신체활동 수준 & 직업 & 신체재활 의뢰	- 독립적인 생활에 대한 능력 & 장벽; 신체활동, 교육 및 작업 목표 달성			

(계속)

Tag	조건/기준	측정	기준치	참조	출처
	494.90 치료계획 다학제팀(IDT)은 다음에 의해 식별된 환자의 요구를 해결하는 데 필요한 서비스를 명시하는 서면화되고 개별화된 종합관리계획을 개발 및 구현해야 한다. 여기에는 환자의 상태에 대한 종합적인 평가와 평가의 결과를 달성하기 위한 측정 가능한 예상 결과 및 예상 시간표를 포함해야 한다. 결과 목표는 현재 전문적으로 인정된 임상 진료기준에 부합되어야 한다.				
V543	(1) 매 치료 시 투석량(dose)과 수분 제거량 모니터링	수분 제거량 상태 관리	체액량: 나이/키/몸무게에 따른 정상 범위의 90%보다 낮게 유지 또는 혈압 130/80(성인) 130/80(소아)	KDOQI HD Adequacy 2006 KDOQI Hypertension 2004	환자차트
V544	(1) 매월 혈액투석의 적정성 평가	성인 혈액투석의 적정성 평가	성인 혈액투석: 주 3회 5시간 이하, 주 2회 성인 혈액투석 환자의 최소 spKt/V 잔여 콩팥기능(RKF) 2mL/분 미만 혈액투석 2회, 주 4~6회 최소 stdKt/V	1.2 이상. 잔여 콩팥기능 2mL/min 미만인 경우 치료당 최소 3시간, 주당 2회 이상	KDOQI HD Adequacy 2006	투석기관보고서(DFR)
V544	(1) 투석 정량(복막투석 적정도 - 성인) 첫 달 & 4개월마다 모니터	Kt/V urea 최소량	1.7/주 이상	KDOQI PD Adequacy 2006	환자차트
V544	(1) 투석 정량(복막투석 적정성 - 소아) 첫 달 & 6개월마다 모니터	Kt/V urea 최소량	1.8/주 이상	KDOQI PD Adequacy 2006	환자차트
V545	(2) 영양상태 - 알부민 & 몸무게 매월 모니터; V5090에 있는 다른 변수들이 영양에 미치는 영향을 필요시마다 모니터	알부민 몸무게 & V5090에 있는 다른 변수들	4.0g/dL 이상 브롬크레졸그린(BCG) 우선; 브롬크레졸퍼플(BCP)인 경우: 검사(lab) 일반 적 무게의 정상 %, 표준 무게의 %, 체질량지수, 제지방 예상 %	KDOQI Nutrition 2000 KDOQI CKD 2002	환자차트
V546	(2) 영양상태(소아) 매월 모니터	연령별 키 % 또는 표준편차, 건체중(dry weight) & 연령별 중량 % 또는 표준편차, 기별 체질량지수/연령 % 또는 표준편차, 머리둘레/연령(연령 %(≤ 3세), 정규화된 단백질 이화속도(nPCR)	nPCR 정규적으로 혈액투석을 받는 십대와 청소년 (nPCR 그리고 알부민은 어린 아동이 체중 증가/영양상태를 예상하는 데 쓰이지 않는다)	KDOQI Pediatric Nutrition 2008	환자차트

(계속)

Tag	조건/기준	측정	기준치	참조	출처
V546	(3) 미네랄 대사 & 콩팥 뼈질환 혈간 칼슘 & 인 모니터 3개월마다 intact PTH 모니터	일부만에 보정된 칼슘(BCG)인 intact PTH(독자적인 시행 않고 다른 MBD 검사들과 같이 고려)	검사 평균; 상위 레벨 10mg/dL 미만 전체: 3.5~5.5mg/dL 성인: 150~300pg/mL(검토 중);소아: 200~300pg/mL	KDOQI Bone Metabolism & Disease 2003	환자차트
V547	(4) 빈혈 - 헤모글로빈 non ESA - 매월 모니터	헤모글로빈(성인 & 소아)	10.0g/dL 초과	KDOQI Anemia 2006	투석기관보고서
V547 V548	(4) 빈혈 - 헤모글로빈 on ESA - 매월 모니터	헤모글로빈(성인 & 소아) 헤모글로빈(성인 & 소아) 헤모글로빈(성인 & 소아)	12.0g/dL[1] 10~12.0g/dL[2] 11~12.0g/dL, 13.0g/dL[3]	[1]=FDA "box" warning [2]=Medicare reimburse ment [3]=KDOQI Anemia CKD 2007	투석기관보고서
V549	(4) 빈혈 - 철분에 대한 정기적인 모니터	성인 & 소아: 트랜스페린 포화도 (transferrin saturation) 성인 & 소아: 혈청 페리틴(serum ferritin)	20% (HD, PD) 초과, 또는 CHr 29pg/cell 초과 HD: 200ng/mL 초과 PD: 100ng/mL HD/PD: 500ng/mL 혹은 지시 된 경우 측정	KDOQI Anemia 2006	투석기관보고서
V550 V551	(5) 혈관통로(vascular access)	자가동정맥루 인조혈관 중심정맥관	우선 고려[4,5] 자가동정맥루 불가 시 고려 가급적 피함, 자가 동정맥루나 인조혈관 불가 시 고려 빠른 시일 내 이식이 예정되어 있거나 소아의 경우 복막투석 권장	[4]=KDOQI Vascular Acce ss 2006 [5]=Fistula 우선	투석기관보고서 면담 CW
V552	(6) 사회심리적 상태	매년 신체적 & 정신적 기능 조사 KDQOL36 설문: 연간 또는 필요하면 더 자주 조사	달성 & 유지(casemix adjusted): 10점 이상이 감소가 없는 평균 이상 점수	보험보장의 조건 CMS CPM 4/1/08; DOPPS	환자차트 면담
V553 V554	(7) 양상	가정투석 추천 신장이식 추천	후보등록(candidacy) 혹은 비추천의 이유	보험보장의 조건	환자차트 면담

(계속)

Tag	조건/기준	측정	기준치	참조	출처
V555	(8) 재활상태(rehabilitation status)	환자가 원하는 생산적인 활동 소아: 정규 교육 요구 충족 지시에 따른 직업적 & 신체적 재활 위탁	불특정한, 적절한 수준이 달성 & 유지	보험보장의 조건	환자차트 면담
V562	(d) 환자 교육 & 훈련	투석경험, 치료 선택사항, 자가관리 (selfcare), 삶의 질(QOL), 감염예방, 재활	기록으로 교육 문서화	보험보장의 조건 CMS CPM 4/1/2008	기록 면담

투석 기관은 다학제간 전문적인 구성원이 참여하는 효과적이고, 자료에 근거한 QAPI 프로그램을 개발하고, 실행하고, 유지하고, 그리고 평가해야 한다. 그 프로그램은 조직과 서비스(준비 중인 것들을 포함하여)의 복잡성을 반영해야 하며, 개선된 건강 결과와 예방 그리고 의료 과실의 감소와 관련된 요인들에 집중해야 한다. 투석 기관은 CMS 검토에 대한 지속적인 모니터링을 포함한 자신들의 QAPI 프로그램이 종발을 유지하고 제시하여야 한다. 총 환자 결과들에 대한 대상에 대한 여러분의 ESKD 네트워크의 목표를 참조하라.

Tag	조건/기준	측정	기준치	참조	출처
V627	건강 결과: 신체적 & 정신적 기능	성인/소아 환자 조사 KDQOL-36 설문: 연간 혹은 필요하면 더 자주 조사	적절한 상태의 달성 & 유지 조사 완료 %↑	보험보장의 조건 CMS CPM 4/1/2008	기록
V627	건강 결과: 환자 입원	표준화된 입원비율(평균 1.0, 1.0 초과하면 평균보다 나쁨, 1.0 미만이면 평균보다 좋음)	입원일수 감소	보험보장의 조건	투석기관보고서
V627	건강 결과: 환자 생존	표준화된 사망률(평균 1.0, 1.0 초과하면 평균보다 나쁨, 1.0 미만이면 평균보다 좋음)	사망률 감소	보험보장의 조건 CMS CPM 4/1/08	투석기관보고서
V629	(i) 혈액투석 적절성(매월)	혈액투석: 성인 (ESRD 환자 ≥ 3개월)	3회/주 투석하면 spKt/V가 1.2 이상이거나 URR 65% 이상인 %↑; 2회 또는 4~6회/주 투석하면 stdKt/V ≥ 2.0	보험보장의 조건 CMS CPM 4/1/2008, MIPPA	투석기관보고서 기록
V629	(i) 복막투석 적절성 (평균 교환횟수, 환자별로 4개월 이내 검사	복막투석: 성인	주당 Kt/Vurea가 1.7 이상인 %↑ (투석 + RKF)	보험보장의 조건 CMS CPM 4/1/2008	투석기관보고서 기록
V630	(ii) 영양 상태	기관 설정 목표: V509에 열거된 변수들 참조	투석기관에 의해 설정된 영양부의 과 다른 영양변수에 대한 목표 범위 내 환자의 %↑	보험보장의 조건	기록

(계속)

Tag	조건/기준	측정	기준치	참조	출처
V631	(iii) 미네랄 대사/공팔 뼈 질환	칼슘, 인, 부갑상샘호르몬(PTH)	매월 전체 측정에서 목표범위 내의 %↑	보험보장의 조건 CMS CPM 4/1/2008	기록
V632	(iv) 빈혈 관리 ESA 복용 환자들 &/or ESA 복용않는 환자들	평균 헤모글로빈(말기신장질환 환자 ≥ 3개월인 환자) 평균 헤마토크릿 혈청 페리틴 & 트렌스페린 포화도 or CHr	평균 10~12g/dL인 %↑ 평균 30~36%인 %↑ 지시되면 측정	보험보장의 조건 CMS CPM 4/1/2008, MIPPA	투석기관보고서 기록
V633	(v) 혈관접근로(VA) VA 문제, 원인, 해법의 검토	90일 초과 cuffed 카테터 2개의 바늘을 사용한 투석용 AV fistula 혈전증 에피소드 접근로 사용수명당 감염 VA 개방성(patency)	10% 미만[6] 65%[6] 혹은 66%[7]으로 이상 자가동정맥루: 위험도가 연간 환자당 0.25 미만 인조혈관: 위험도가 연간 환자당 0.5 미만 3년 초과 동정맥루 1% 미만 2년 초과 인조혈관: 10% 미만	[6]=KDOQI 2006 [7]=Fistula First CMS CPM 4/1/2008	투석기관보고서 기록 CW 2/09
V634	(vi) 의료 손상(medical injuries) & 의료 오류(medical errors) 식별	의료 손상 & 의료 오류 보고	예방, 조기 확인, 그리고 근본 원인분석을 통한 빈도↓	보험보장의 조건	기록
V635	(vii) 재사용	부작용에 대한 평가와 보고를 포함한 재사용 프로그램의 평가	부작용(adverse outcomes) 감소	보험보장의 조건	투석기관보고서 기록
V636	(viii) 환자 만족도 & 불만	추세를 알기 위해 불만 보고와 분석 CAHPS In Center HD Survey 혹은 다른 환자 만족도 조사	환자 불만에 대한 즉각적인 해결 치료에 만족한 환자의 % 향상	보험보장의 조건 CMS CPM 4/1/2008	기록 면담
V637	(ix) 감염 관리(infection control)	기준과 주세에 대한 범위의 분석과 문서화	감염과 전염의 최소화	보험보장의 조건	투석기관보고서 기록

(계속)

Tag	조건/기준	측정	기준치	참조	출처
V637	예방접종(vaccination)	B형 간염, 독감, 폐렴구균 백신 기관 또는 다른 제공자에 의한 독감 예방접종	기록으로 교육 문서화 예방접종이 예정된 환자의 비율 상승 10월 1일~3월 31일 사이에 독감예방주사를 맞는 환자비율 상승	보험보장의 조건 CMS CPM 4/1/2008	기록

BCG/BCP, Bromcresol green/purple; BMI, body mass index; CAHPS, Consumer Assessment of Healthcare Providers & Systems; CFU, colony forming units; CHr, reticulocyte hemoglobin; CMS CPM, Centers for Medicare and Medicaid Services Clinical Performance Measures; DOPPS, Dialysis Outcomes & Practice Patterns Study; ESA, erythropoiesis stimulating agent; KDIGO, Kidney Disease Improving Global Outcomes; KDOQI, Kidney Disease Outcomes Quality Initiative; nPCR, normalized protein catabolic rate; NQF, National Quality Forum; RKF, residual kidney function; SD, standard deviation; spKt/V, single pool Kt/V.

From Centers for Medicare & Medicaid Services: Interim Version 1.8. Retrieved from https://www.qirn3.org/Files/Conditions-for-Coverage/2017/03-MAT-2-5-White-508.aspx.

출처: =투석기관보고서(Dialysis Facility Reports); =CROWNWeb; =환자 차트; =기관기록(Facility Records); =환자/직원 면담

상자 26-2 V626 QAPI 조건문

임상수행측정	기록 측정
혈액투석센터 서비스 제공자와 시스템에 대한 이용자의 만족도 조사 재입원율 수혈을 받은 비율 Kt/V 적정성 혈관통로 평가 고칼슘혈증 혈액투석 환자의 혈류감염에 대한 안정성	투석관련 사고 임상적 치료부진 초여과율 13mL

출처: Dialysis Facilities and the End-Stage Renal Disease Quality Incentive Program (ESRD QIP): Linking quality to payment. Retrieved from https://www. medicare.gov/dialysisfacilitycompare/#qip/quality-incentive-program.

CMS는 모든 기관에게 그들의 질 평가와 성과 향상 프로그램을 소개하는 세분화된 계획 수립을 요구한다. 기관은 질 향상 지표 또는 성과 측정을 통해 지속적 분석과 성과개선에 대한 요구를 받고 있다(한국의 경우 건강보험심사평가원에서 실시하는 혈액투석 적정성 평가기준을 참고한다).

CMS의 질 평가와 지급 연계

말기신장질환 치료의 질 인센티브 프로그램(ESRD QIP)은 CMS가 수립한 가치 기반 프로그램으로, 확립된 성과기준에 부합할 때 투석환자에게 제공되는 의료의 질을 시설에서 받는 급여와 연계한다. 제공된 질적 수준이 확립된 표준에 부합되지 않을 경우, CMS는 총지급연도 동안 시설에 제공하는 급여를 최대 2%까지 낮출 수 있다. 질적 수준은 8개의 임상 성과 측정과 4개의 보고 측정(상자 26-2)에 기초한다. 시설에 질적 수준의 결과에 대한 책임을 묻는 것은 환자진료를 개선하도록 재정적으로 장려한다. 시설에는 전반적인 성과를 나타내는 총성과지수(Total Performance Score, TPS)가 부여되며, 이 점수는 공개적으로 보고된다. ESRD QIP는 2년마다 갱신된다.

의료제공자 및 시스템에 대한 소비자평가

의료제공자 및 시스템에 대한 소비자평가(consumer assessment the health care provider systems survey, CAHPS) 조사는 기관이나 호스피스 시설에 거주하지 않으면서 90일 이상 치료를 받는 18세 이상의 환자를 대상으로 실시하는 환자경험조사이다.

의료제공자 및 시스템에 대한 소비자평가는 CMS를 통한 정부 의무조사이며, 센터 내 혈액투석환자에게 시행된다. 또한 질 인센티브 프로그램 조치이며 시설의 총점수에 기여한다. 시설에는 최소 30명의 환자가 있어야 하며, 연간 2회 합산 30명 이상의 응답을 받아야 한다. 설문조사는 조사업체가 우편물, 전화, 또는 전화로 후속조치를 취한 우편으로만 실시한다. 설문조사는 44개의 핵심질문과 인구통계학적 식별자가 포함되어 있다. 환자 진료, 직원, 커뮤니케이션 및 치료 선택사항을 포함하는 질문을 한다. 분석 후 해당 시설에 결과를 제공하여 필요에 따라 질 향상이 이루어지도록 한다(CMS, 2019).

질 관리의 기본 원리

건강관리에서 질 관리 노력은 특별히 다음 세 가지 가이드에 의해 끊임없이 영향을 받는다.
• 데밍(Deming)의 14가지 사항

• 도나베디안(Donabedian)의 구조-과정-결과 프레임워크
• 의료기관인증위원회(The Joint Commissions, TJC)의 10단계

지속적 질 향상과 TQM의 기본 원리는 직원과 환자를 포함한 넓은 의미로 고객에 초점을 둔다. 결과적으로 저비용으로 질 높은 치료가 되도록 과정을 수정하고 성과와 개선의 기회를 식별하기 위해 자료 수집, 지속적 질 향상과 TQM의 과정이며 원리이다. 질 향상을 위한 노력은 역동적이고 지속적이며 모든 조직구성원이 참여하고 책임을 져야 한다. 질 관리의 실패(failures in quality)는 이러한 활동을 하는 구성원의 문제보다는 과정의 결함 때문에 더 자주 발생한다.

| 지속적 질 향상의 중요성

의료산업은 미국에서 가장 크고 비용이 많이 드는 산업 중 하나이다. 지속적 질 향상은 미국의 국내 총생산(GDP) 중 건강관리에 소요되는 비용의 비율 증가를 늦추기 위한 노력의 일환으로 의료산업에 도입되었다. 말기신장질환 환자의 총 의료보험료는 2015년과 2016년 사이에 338억 달러에서 354억 달러로 4.6% 증가했으며, 이는 전체 의료보험 청구비용의 7.2%를 차지한다. 복막투석을 위한 총의료비 지출은 2016년에 이식 비용이 3.6% 증가했던 것에 비해 5.7% 증가하였다. 혈액투석을 위한 지출은 2016년에 280억 달러로 증가했다. 복막투석 비용은 15억 달러, 이식 비용은 34억 달러에 달했다(U.S. Renal Data System, 2018)

| 질과 비용 사이의 상관관계

보건의료인은 환자에게 양질의 치료를 제공하기 위해 최선을 다한다. 제공되는 의료서비스에 대한 관리비용을 항상 고려하는 것은 아니며, 제공자는 열악한 치료가 비싸다는 것을 인식하지 못할 수도 있다. 예를 들어, 과정 또는 시스템과 연관된 여러 문제로 인해 최적의 투석이 이루어지지 않으면, 환자는 응급치료와 추가 투석을 위해 입원해야 한다. 그 결과 의료비용 증가와 경제적 손실을 초래한다.

| 지속적 질 향상과 질 보장의 차이

질 보장(quality assurance, QA)은 건강관리에서 의료분야의 질 관리 문제 해결을 위한 초기 노력의 하나였다. 인증기관의 요건에 대응하여 시작된 질 보장은 의무기록의 후향적 고찰을 통해 문제점을 식별하였다. 이러한 감사는 문서화되고 기존의 문제를 평가할 수는 있으나 의료의 질 향상은 이루어지지 않았다. 지속적 질 향상(continuous quality improvement, CQI)은 질 향상을 성취할 과정과 시스템을 개선할 수 있는 모든 기회를 모색하는 데 중점을 둔 전향적인 방법이다. 자료수집과 분석을 동시에 하는 것은 지속적 질 향상의 중요한 한 측면이다. 지속적 질 향상의 초점은 문제점을 문서화하는 것보다는 질을 개선하려는 중재에 대한 평가이다.

| 투석시설에서 지속적 질 향상

투석은 대량의, 고위험의 문제가 발생하기 쉬운, 고비용의 건강관리 프로그램으로서 지속적 질 향상의 모델이다. 투석기관은 지속적 질 향상 기법을 다양하게 활용하여 개선이 필요한 프로세스를 식별하고, 중재 또는 시정 조치를 시행하며, 비용과 정량으로 측정 가능한 개선과정 및 성과를 평가하는 데 사용할 수 있다.

| 지속적 질 향상에 사용되는 도구

질 향상 노력에서는 근본 원인을 탐색, 발견, 개선하는 데 과학적인 방법을 사용한다. FOCUS는 특정한 과정을 관찰하고 분석하는 데 사용되는 하나의 지속적 질 향상 도구이다.

F(Find): 첫 번째 단계는 자료 분석을 통해 개선점을 찾는(find) 것이다. 통계적인 방법은 과정에서의 일반적 변화와 특별한 변화를 구별하는 데 사용된다. 수행을 추적하기 위한 자료는 통제 차트에 표시된다. 제한범위를 벗어나는 변화는 원인 변화의 의미부여와 원인규명이 요구된다. 통계적 관리와 순서도(flowcharts), 파레토 차트(Pareto charts), 피시본(fishbone) 다이어그램, 실행도(run chart)를 통해 자세한 사용 설명은 지속적 질 향상 참고서를 참고하면 도움이 된다.

O(Organize): 다음 단계는 그 상황을 개선하기 위해 함께 일할 팀을 조직하는(organize) 것이다.

C(Clarify): 개선해야 하는 결과에 한정된 자료를 모으고 분석함으로써 문제를 명백히(clarify) 하는 데 원인결과 다이어그램(cause-and-effect diagram)이 유용할 것이다.

U(Understand): 진실로 이해하기(understand) 위하여 의료제공자는 변화의 원인과 시간 흐름에 따른 자료를 조사할 것이다.

S(Select): 마지막 FOCUS의 단계는 결과를 개선할 방법을 선택하고(select) 지속적 질 향상의 계획-실행-검토-조치 순환 주기(Plan-Do-Check-Act Cycle, PDCA cycle)를 시행하는 것이다.

| PDCA Cycle

PDCA는 FOCUS 과정 동안에 선택된 절차를 개선하고 성과를 달성하기 위한 하나의 프레임워크이다.

P(Plan): 개선을 위한 변화의 첫 번째 단계인 계획(plan)은 시간의 투자를 요구한다. 성급하게 결정된 해결법은 원하는 결과를 만들어 내지 못할 수 있기 때문이다. 브레인스토밍 기법의 사용은 모든 구성원이 아이디어를 자유롭게 제공하도록 하는 문제해결 방법이다. 관련 문헌을 검토하는 것은 계획 단계의 결정적인 요소이다. 다학제팀에 의한 계획은 임상치료경로 개발이라는 성과와 함께 임상치료의 질 향상과 비용 개선법에 대한 임상실무 가이드라인(clinical practice guideline)을 선택함에 있어 중요하다.

D(Do): 일단 그 계획이 결정되면 PDCA의 두 번째 단계인 실행(do)이 적용된다. 일반적으로 do는 원하는 결과에 다다르기 위한 중재 또는 일련의 단계를 실행하는 것을 의미한다.

C(Check): 확인(check) 단계 동안 중재의 결과를 그 계획의 목표를 달성함에 있어 정량적인 개선안을 확인한다. 중재는 개선을 계속해야 할 경우 수정될 수 있다.

A(Act): PDCA cycle의 마지막 단계는 활동(act)로 구현 단계이다. 시간이 지남에 따라 지속적 개선을 보장하기 위해 지속적 모니터링이 필요하다.

| 말기신장질환 네트워크의 역할

미의회는 말기신장질환 프로그램의 관리를 통해 메디케어에 대한 지원을 제공하기 위해 1977년에 말기신장질환 네트워크(ESRD Networks)를 설립했다. 비영리단체인 말기신장질환 네트워크는 수가를 지급하는 CMS와 공급자인 투석시설 사이의 중개자 역할을 한다. 네트워크 서비스는 환자의 수와 밀집도에 따라 지리적 영역을 할당했다. CMS와의 계약에 따라 운영되며, 3년마다 리뉴얼을 시행한다. 현재 18개의 말기신장질환 네트워크는 질 향상 교육 및 관리를 통해 만성신부전 환자에게 제공되는 진료의 질을 증진하고 개선하기 위한 기능을 수행하고 있다. 이 프로그램은 환자가 적시에 적절한 치료를 받을 수 있도록 보장한다. 프로그램 일부의 책임은 다음과 같다(ESRD Network Organizations, CMS, 2013).

- 효과적이고 능률적인 관리를 보장함으로써 혜택 보장
- 말기신장질환 환자에 대한 치료의 질 향상
- 치료의 질을 측정할 자료 수집하기
- 말기신장질환 환자와 서비스 제공자에 대한 지원
- 환자의 불만을 평가하고 해결하기

현재 환자와 가족 중심의 치료와 개선된 치료를 통한 말기신장질환의 비용 절감에 더 많은 초점이 맞춰지고 있다.

| 질 향상을 위한 미국신장재단의 새로운 계획

1995년 3월에 미국신장재단(NationalKidneyFoundation, NKF)은 말기신장질환 환자의 치료를 개선하기 위한 근거중심 임상실무 가이드라인(clinical practice guideline)을 개발하기 위하여 KDOQI를 설립했다. 그 지침은 1997년에 완성되었고 전문적인 교육 프로그램에 의해 실행으로 옮겨졌다. 임상실무 가이드라인은 환자 치료 결과에 미치는 영향에 대해 평가되어 왔다.

| 환자안전과 질을 모니터링하는 다른 네트워크

전국보건안전네트워크(The National Healthcare Safety Network)는 투석시설의 감염률 감소를 위한 지속적 질 향상 교육과 도구를 홍보하고 있다. 이를 통해 혈액 안전의 오류, 직원의 예방접종 상태, 감염관리 준수 여부 등을 추적할 수 있다. 질병통제예방센터(The Centers for Disease Control and Prevention)는 교육용 웨비나(web+seminar; 앱을 통한 세미나 참여), 질 향상 도구와 간염, 폐렴, 독감 및 기타 혈류 관련 감염을 줄이거나 예방하기 위한 기타 자원을 제공한다.

CHAPTER

27

On Being a Preceptor

프리셉터 역할

최근 대부분의 투석센터에서는 신규 직원을 교육시키기 위한 모델로 프리셉터십을 선택한다. 프리셉터십은 안정적이고 일관적인 관계를 통해 임상실습 현장에서 사회화를 최적화시키며 이론과 실제 간의 거리를 좁혀 준다는 전제로 하는 모델이다(Billings & Halstead 2012). 프리셉터와 프리셉티의 관계는 일대일로 이루어지는 것이 일반적이다. 미국의 일부 주에서는 학생과 프리셉터의 비를 1:1 구성하도록 규정하고 있다. 본 장에서는 프리셉터와 학생(신규 투석간호사)이라는 표현을 상호호환적으로 사용한다.

프리셉터는 학생의 학습 수준 향상과 간호역량 개발을 돕고, 학생으로 하여금 새로운 역할에 잘 적응할 수 있도록 도와주는 지도자이자 롤모델과 같은 역할을 수행한다. 이러한 학습관계는 프리셉터와 학생 모두에게 긍정적인 영향을 미친다. 일반적으로 프리셉터는 임상적 지식과 기술, 영향력을 기준으로 선택된다. 많은 프리셉터가 수행하는 역할 중 가르치는 멘토링 역할을 통해 가장 보람을 느낀다. 프리셉터로서의 역할을 수행할 때, 평소의 업무량을 변함없이 수행해야 하기 때문에 일의 우선순위를 결정하는 능력과 멀티태스킹 능력이 필수라 할 수 있다.

프리셉터는 금전적으로 더 많은 보상을 받는 것은 물론 임상등급을 높일 수 있는 기회가 된다. 은 임상 프리셉터의 역할과 기능 중 일부를 나타낸 것이다.

상자 27-1 프리셉터의 기능

- 신규 간호사의 지식과 기술 습득 지지
- 구체적인 필요에 따른 프로그램 조정
- 소속부서 소개
- 소속부서 내의 사회화
- 소속부서 업무 소개
- 익숙하지 않은 절차 교육

- 기술 개발 보조
- 자료 제공자로서의 역할
- 롤모델로서의 역할
- 시간관리 보조
- 업무 위임
- 우선순위 확립 보조

출처: Motacki J, Burke K: , St. Louis, 2011, Mosby

| 프리셉터의 자격

프리셉터는 무엇보다 자신의 분야에 대한 풍부한 전문지식과 그 지식을 학생에게 전달할 수 있어야 한다. 프리셉터는 서면화된 정책과 절차를 준수하는 일관성은 물론 우수한 문제해결 능력도 보여줄 수 있어야 한다.

학생을 이끌어 주는 프리셉터의 역할은 진심에서 우러나와 자연스럽게 수행되어야 한다. 평가 및 피드백 제공을 위해, 음성이나 글, 모든 수단에서 높은 의사소통 기술이 필요하다. 프리셉터에게는 프리셉티뿐만 아니라 전체 진료팀에게 영감을 주는 롤모델의 역할이 기대된다. 모타키(Motacki)와 버크(Burke)(2011)는 임상교육자로서의 역할을 효과적으로 수행하기 위해서는 학생에게 개념을 효과적으로 전달할 수 있는 능력과 풍부한 지식, 임상적 능력 그리고 학생의 학습역량에 긍정적인 영향을 미칠 수 있는 대인관계 능력, 임상 동료와의 관계 구축 능력을 갖추어야 한다고 설명하였다.

| 프리셉터와 학생 간의 관계 구축에 필요한 초기단계

가장 첫 단계는 학생의 학습 유형을 평가하는 것이다. 교사는 자신에게 가장 효과적인 학습법으로 학생을 가르치는 경향이 있다. 그러나 학습법과 학생이 느끼는 방법이 다를 경우에는 충돌이 일어난다. 따라서 프리셉터는 학생을 이해하기에 앞서 자신의 교육 및 공부 철학에 대해 명확히 이해하는 것이 중요하다.

프리셉터와 프리셉티 간의 유대관계를 확립하는 두 번째 단계는 학생에게 필요한 부분이 무엇인지 그리고 학생의 학습목표가 무엇인지를 확인하는 것이다. 학생의 강점과 약점을 파악하여 강점은 더욱 부각시키고 약점은 보완할 수 있는 최선의 임상실습을 계획하는 것도 이 두 번째 단계에서 수행되어야 할 과제이다. 학생이 필요로 하는 학습적인 부분에 대해 정확히 알아야 좋은 임상적 경험을 제공할 수 있다. 교육을 통해 습득한 지식을 실제 현장에 적용시킬 수 있도록 도와주는 개별화된 학습법이 필요하다. 마지막으로, 신뢰를 쌓고 열린 소통을 장려하기 위해서는 첫 만남에서 학생과의 긍정적인 관계를 구축하는 것이 중요하다.

| 학생의 임상실습 준비

학생이 임상실습 현장이나 훈련장소의 위치 정보를 가지고 있는지 확인하여야 한다. 첫날, 위치를 잘 찾지 못할 경우를 대비하여 연락 가능한 담당 책임자가 있다면 도움이 될 것이다. 주차장, 점심 제공 등에 대한 정보를 확인한다면 학생의 근무 첫날이 보다 수월하게 지나갈 것이다. 학생은 실험실 가운이나 보안경, 수술복, 청진기, 펜, 이름표 등 준비물이 무엇인지도 미리 확인해 두어야 한다. 학생이 자신의 강점과 약점이 무엇인지, 이번 프리셉터 기간 동안의 목표와 특별히 더 많은 경험이나 훈련을 필요로 하는 부분이 무엇인지에 대해 미리 생각해 보고 답변을 준비하도록 지시하여야 한다. 학생이 모두 도착하면 소속부서를 함께 둘러보고 직원들을 소개시키는 것도 좋은 영향을 줄 것이다.

| 효과적인 학습환경의 특징

프리셉터는 교육자로서의 역할과 학생의 관계 간에 적정선을 유지할 수 있어야 한다. 학생과의 신뢰관계를 구축하고 학습환경을 제공해야 하는 역할도 동시에 수행해야 하는 만큼 적정선을 유지하는 것이 어려울 때도 있을 것이다. 역할 충돌 및 혼동이 유발되지 않도록 관계를 유지하는 데 신중을 기해야 할 것이다.

프리셉터와 학생의 성공적인 경험을 위해서는 신뢰성 있는 인간관계가 형성되어 양측 모두가 각자의 생각과 느낌을 솔직히 표현할 수 있게 해준다. 이때 프리셉터는 실습 기간 내내 지속적으로 정직한 피드백을 제공하여야 한다.

| 교수/학습 환경 평가

임상 프리셉터에게 있어서는 진료능력과 학습 결과를 평가하는 것은 모두 중요하다. 정해진 기준과 특정 훈련 프로그램의 학습 결과에 따른 학생 평가가 항상 이루어져야 한다. 이와 같은 학생의 성과 판단에는 정해진 기준에 따라 학생의 강점 및 약점을 확인해야 한다. 평가 수행의 전반적인 목적은 학습이 이루어졌는지, 목표가 달성되었는지 여부를 확인하는 데 있다.

평가는 정형화된 평가와 총괄 평가로 이루어진다. 정형화된 평가란 학습활동 시간 중이나 그 직후에 이루어지는 평가로서 프리셉터 실습기간 내내 수행된다. 정형화된 평가의 장점은 학생의 약점을 빨리 파악하여 지도자로 하여금 학생의 성공을 도울 수 있는 학습환경을 구상하는 데 도움이 될 수 있다는 것이다. 또한 학생이 정해진 프로그램과 실습목표 달성을 위해 업무 성과적인 부분에 빨리 적응할 수 있도록 도와주는 효과를 가지기도 한다. 정형화된 평가는 공식적인 느낌이 적으며 매일 이루어지는 경우가 많기 때문에 학생의 성과를 잘 보여주는 역할을 한다.

총괄적 평가는 프리셉터 기간의 마무리 단계에서 이루어진다(예: 프로그램 시간표에 따라 2주나 4주, 혹은 8주). 총괄적 평가는 전체적인 학습경험을 살펴보고 해당 과정 및 프로그램의 목표가 충족되었는지를 판단한다. 총괄적 평가는 공식적인 성격이 강하며 프로그램 및 훈련 자체의 성과에 중점을 둔다.

대부분의 프로그램이 정형화된 평가와 총괄적 평가를 결합시킨 방식으로 학습 및 프로그램 목표 성취도를 평가한다.

| 학생 평가 방법

프리셉터로서 학생을 평가하고 피드백을 제공하는 것이 가장 어려운 부분이다. 공정한 평가를 제공하기 위해서는 학생이 향후 전문가로서의 역할을 수행하는 데 적용시키고 이해해야 하는 지식과 행동, 기술이 무엇인지를 먼저 파악할 필요가 있다. 이때 학생들의 개인적인 학습목표에 대해서 평가해야 한다. 평가는 지속적으로 이루어져야 하며 학생은 자신이 주어진 목표를 어느 정도 충족시키고 있는지를 항상 인지해야 한다.

학생의 자가평가는 평가과정을 이행하는 데 유용한 도구로 사용될 수 있다. 자가평가는 학생으로 하여금 자신의 강점과 약점을 확인할 수 있도록 한다. 프리셉터는 최종 평가에 앞서 자가평가 결과를 검토해 봄으로써 이질적인 부분에 대한 피드백을 준비할 수 있다.

평가 결과를 설명할 때에는 학생의 뛰어난 성적을 나타낸 부문과 그렇지 못한 부문에 대한 구체적인 예시와 함께 제시하여야 한다. 구체적인 예시를 드는 것은 평가 결과의 타당성 입증에 있어서도 매우 중요하다. 프리셉터 실습기간 동안 일상적 기록을 작성할 경우 최근 며칠이나 몇 주간이 아닌 실습기간 전체를 반영하는 양질의 평가를 수행할 수 있다. 일상적 기록은 학생의 업무 성과에 대한 구체적인 예시를 회상하는 데 있어서도 유용하게 사용될 수 있다.

피드백을 줄 때는 위협적이지 않은 친근한 태도로 구체적으로 관찰된 내용을 연관시키도록 한다. 학생의 강점에 대해서만 언급하고 불충분한 부분에 대한 언급을 생략하는 행위는 피하도록 한다. 빌링(Billing)과 할스테드(Halstead)(2012)가 평가과정을 시작할 때 고려해야 할 것으로 제시한 몇 가지 가이드라인은 상자 27-2에서 설명하고 있다.

상자 27-2 임상적 평가 팁

- 프리셉티가 익혀야 하는 지식과 기술을 명확하게 정의한다.
- 일상적 기록과 다른 구성원이 관찰한 사항, 사례연구 검토, 학생의 자가평가와 같은 다양한 자료를 평가에 이용한다.
- 모든 프리셉티에 대해 합리적이고 일관적인 태도를 취한다.
- 간단한 형식적 평가를 통해 쉽게 고쳐질 수 있는 소소한 부분은 필요할 때마다 교정해 준다.
- 비심판적인 어조로 피드백 및 평가 결과를 제시하며 프리셉티의 행동적인 부분만을 지적한다.
- 강점을 먼저 언급한 다음 약점을 말해 주고 마지막으로 강점을 다시 말해 주는 "샌드위치" 방식으로 평가 결과를 제공한다.
- 일상적 기록을 수행하고 정보의 보안을 유지한다.
- 프리셉티의 행동을 세부적으로 살펴 구체적으로 기록한다.
- 기록된 자료를 모아 시간에 따른 프리셉티의 행동 양상의 변화를 기록한다.
- 프리셉티가 자가평가를 수행하여 그 결과를 직접 요약하도록 권장한다.
- 프리셉티가 매일 학습적으로 필요한 부분을 정리하고 피드백 내용을 바탕으로 구체적인 목표를 향해 건설적인 도전을 수행할 수 있도록 도와 준다.

출처: Billings DM, Halstead JA: , ed. 4, St. Louis, 2012, Elsevier, p. 486.

| 프리셉터의 효율적인 소통전략

피드백은 긍정적이든 부정적이든 좋은 행동을 보강하고 그렇지 못한 행동을 줄이기 위해 꼭 필요한 부분이다. 피드백은 즉각적으로 제시되는 것이 가장 효과적이다. 실시간 제공되는 피드백은 지향되는 효과를 얻고 학생에게 가장 큰 영향력을 미치는 필수요소이다. 부정적이거나 건설적인 피드백은 개별적으로 학생에게 직접 전달되어야 한다. 부정적인 피드백을 제공할 때는 학생이 아닌 문제 자체에 중점을 두는 것이 중요하다. 표 27-1은 임상실습 현장에서의 긍정적인 행동 지도에 유용한 몇 가지 의사소통 전략이다.

| 프리셉터가 직면하는 문제

학생이 같은 문제를 겪거나 자신의 임상학습 체험에 만족하지 못할 경우 문제가 발생할 수 있다. 그 밖에도 교육받은 지식을 실제 현장에 적용하지 못하는 경우, 환자나 같은 구성원 혹은 프리셉터와 잘 소통하지 못하는 경우, 향상을 이루지 못하는 경우, 혹은 간호술이 퇴화하는 경우 등의 문제가 일어날 수 있다. 이와 같은 문제는 극히 드물게 일어날 뿐만 아니라 발생한다 하더라도 빠르게 해결될 수 있다.

문제에 봉착한 학생은 원활하지 못한 상황 때문에 좌절하거나 당황스러운 상태가 될 것이다. 이때 프리

표 27-1 의사소통 전략의사소통 전략

목표 수립	• 실습기간 전체에 대한 목표와 각 실습세션별 목표를 설정한다. • 학생에 대한 지도자의 업무 성과 기대값을 정한다. • 환자 치료와 학습, 모두에 대한 목표를 정한다.
가치 전달	• 프리셉터가 환자 치료의 중요성을 명확히 설명한다. • 중요한 가치들을 어떻게 적용시키는지 보여 준다.
동기부여 수행	• 각 간호활동의 수행 정도와 수행된 간호활동이 안전한 환자간호에 어느 정도 기여하는지를 검토한다.
칭찬	• 학생의 행동이 환자 치료에 어떻게 긍정적인 영향을 미쳤는지를 관찰함으로써 성공적인 성과를 인정해 준다.
피드백 제공	• 학생의 행동과 그 행동이 환자 치료에 미치는 영향에 중점을 둔다. • 무엇이 잘못되었는지, 왜 잘못되었는지, 어떻게 바로 잡을 수 있는지 설명한다.

출처: O'Connor A: . Sudbury, Mass, 2001, Jones와 Bartlett에서 수정

셉터는 주저하지 않고 학생과의 소통을 통해 문제의 원인이나 임상실습에 부정적인 영향을 미칠 수 있는 다른 문제가 무엇인지를 밝혀내야 한다. 심각한 문제가 있을 때에는 바로 그 문제에 집중하여 교수진이나 관리자에게 상황을 알려야 한다. 프리셉터와 프리셉티가 서로 맞지 않는 경우 또한 문제점으로 간주되어야 한다. "레드 카드"를 받을 만한 수행 행동에 대해서는 세세하게 기록하는 것이 중요하다. 상자 27-3은 담당 학생이 임상실습을 통해 학습의 어려움이 있는지를 간편히 확인할 수 있는 방법을 나타낸 것이다.

상자 26-3 레드 카드

"레드 카드" 행동
• 환자 치료 절차를 수행하는 데 있어 주저하거나 염려하는 경우
• 프리셉터나 스태프 혹은 환자에 대해 방어적인 태도나 적대적인 행동을 취하는 경우
• 환자와 치료 관계를 구축하는 데 어려움을 겪는 경우
• 절차 및 과제 수행의 필요성을 설명하지 못하는 경우
• 치료에 따르는 합병증이나 환자의 문제를 인지하지 못하는 경우
• 일반적인 투석절차 단계를 확실히 익히지 못한 경우
• 임상수행 결과가 일관적이지 않은 경우

"학습" 행동
• 도움이 필요한 때를 잘 파악하고 확신을 가지고 환자 치료절차를 수행하는 경우
• 배정된 구성원이나 환자와의 상호작용에 있어 긍정적인 태도를 취하는 경우
• 치료적 소통을 활용하고 환자와의 관계를 구축하는 경우
• 완수된 업무 절차 및 업무의 필요성을 설명할 수 있는 경우
• 치료의 합병증 및 환자의 불만에 적합하게 대처하는 경우
• 서면화된 정책에 따라 치료절차를 수행하는 경우
• 자신감을 가지고 일관적으로 절차를 수행하는 경우

학생을 위한 동기부여

약간의 칭찬은 학생에게 동기를 부여하는 데 도움이 된다. 달성 가능한 작은 목표를 먼저 세워 학생의 자신감을 높여 줄 수 있을 것이다. 학생이 임상실습 기간 중 배운 기술을 실제로 사용해볼 수 있도록 허용해야 한다. 배운 것을 직접 수행할 수 있는 기회를 제공함으로써 학생에게 더 큰 동기를 부여할 수 있다. 학생에게 학습한 것을 직접 수행할 수 있는 기회를 제공함으로써 교육받은 지식과 임상실습 환경 간의 거리를 좁힐 수 있다. 교육 및 학습이 이루어지는 모든 순간에 집중하고 실제 현장에서 특수 상황이 발생할 때마다 학생을 참여시켜야 한다. 수행되는 절차 및 조치의 필요성에 대해 자주 상기시켜 줌으로써 학습과 학습 성과 유지 수준을 높일 수 있다. 학생에게 다양한 학습기회를 제공함으로써 학생의 흥미와 학습의욕을 끌어올릴 수 있다. 해당 직무에 필요한 진료기술 및 의무 수행에 대해 잘 준비된 학생일수록 모두에게 보다 훌륭한 자산이 될 것임을 명심해야 한다.

CHAPTER
28

Nursing Process for Hemodialysis patients
혈액투석 환자 간호과정

간호는 개인의 신체적·심리적·사회적·문화적·영적 영역을 포함하는 과학이자 예술이다. 간호과학은 이론에 기초하는 반면 예술은 간호사 개인의 경험과 지식, 직관에 의해 수행된다. 이러한 이유로 건강관리시스템 내에서 간호사의 중요성과 간호의 전문성을 인정받고 있다.

간호과정은 간호실무의 문제해결 접근법으로서 간호사의 전문적인 지식과 비판적 사고를 통해 도출되는 간호수행의 역동적 본질이다.

간호과정은 과학적이고 합리적이며 가장 이상적인 목표설정과 이를 효과적이고 효율적으로 이루어낼 수 있는 가이드라인이며 지침이 된다. 간호과정은 간호사의 대인관계 기술, 의사소통 능력, 지적 능력, 기술적 능력이 서로 융합되어 진행되는 일련의 과정으로, 간호행위에 판단력을 부여하는 기능을 하며 신규 간호사의 표준화된 교육자료로 활용될 수 있다. 또한 간호과정을 통해 도출된 결과에 대한 평가, 부단한 개선활동을 통해 혈액투석 분야의 간호중재 개발과 발전에 기여할 수 있다.

이 장에서는 간호과정의 단계, 혈액투석 환자를 위한 간호진단 목록, 간호과정의 사례를 국내 상황에 맞게 적용하였다.

간호과정의 단계

간호과정(nursing process)은 간호수행의 조직화된 형식을 제공하며 이러한 간호과정에는 사정, 진단, 계획, 중재, 평가의 단계가 포함된다.

간호과정 단계에 대한 설명은 그림 28-1과 같다.

| 간호사정

간호가 필요한 대상자의 자료를 수집하고 수집된 자료를 분석하여 간호문제 여부를 판단하는 단계이다. 자료수집 시 요구되는 것은 다음과 같다.

• 효과적인 의사소통
• 체계적인 관찰
• 정확한 자료의 분석

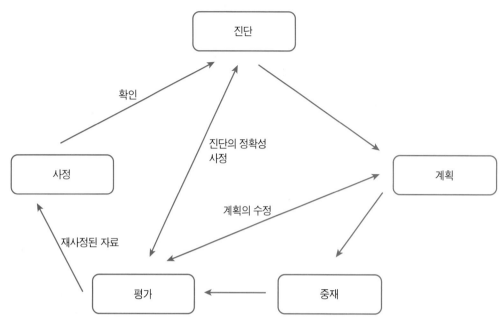

그림 28-1 **간호과정.** (출처: 간호과정론, 김매자 외, 2001, 서울대학교출판부, 12p.)

• 간호문제 판단

| 간호진단

간호진단은 실제 혹은 잠재적인 간호문제를 임상적으로 평가하는 것이다. 진단은 증상이나 징후에 근거하여 어떤 현상의 본질이나 원인에 관한 결론을 진술하는 것이다. 진단은 그 구성요소에 따라 다섯 가지 유형으로 분류된다.
• 실제적 간호진단
• 위험 혹은 고위험 간호진단
• 가능한 진단
• 건강진단
• 증후군 진단

| 간호계획

내려진 간호진단에 따라 간호중재의 목표와 결과를 설정하고 간호중재의 표준과 지시문의 서술이 계획된다. 과학적 근거를 가지고 짜여진 간호계획은 예측치 못한 상황에 대한 충격을 최소화하고 목표설정에 대한 효율적이고 효과적인 수행을 도출한다. 또한 결과에 대한 정량화된 평가계획의 수립으로 목표달성 정도에 따른 간호 재수행의 가이드라인을 제시한다.
• 우선순위 결정
• 기대되는 결과나 목표의 설정
• 간호계획의 작성
• 간호중재의 선정

| 간호중재

간호중재는 계획된 간호를 실제로 수행하는 단계로서, 간호사의 역량과 경험, 전문직 직관에 의해 질적인 간호가 제공될 수 있다.

- 위험요인의 제거
- 높은 수준의 안녕 상태 유지
- 현 상태의 모니터링
- 문제발생 예방
- 문제발생의 조기발견

| 간호평가

간호목표가 성취되었는지 확인하고 달성이 만족스럽지 못한 경우 전체 간호과정에서 어느 부분이 문제가 있었는지 수정 보완할 수 있는 근거를 마련한다.

   간호평가를 통해 수행된 간호에 대한 평가가 이루어지며 수집된 정보, 대상자의 반응, 계획 시 수립된 평가기준의 비교와 판단, 간호계획의 재수정과 보완이 이루어진다.

- 대상자의 목표와 평가기준의 재검토
- 정보수집
- 목표달성의 측정
- 목표달성의 판단이나 측정을 기록함
- 간호계획의 수정과 조절

혈액투석 환자의 간호진단 목록

간호진단은 사정단계 동안 모은 자료와 질환의 소인에 대한 이론적 지식으로부터 도출된다. 혈액투석 환자의 대표적인 간호진단은 표 28-1과 같다.

표 28-1 혈액투석 환자의 간호진단 목록

간호진단(Nursing Diagnosis)	정의와 해설
전해질 불균형의 위험 (Risk for Electrolyte Imbalance)	건강을 손상시킬 수 있는 혈청 전해질 수준에서 변화의 위험성 해설-혈액투석치료 사이 기간 동안 혈청의 나트륨, 칼륨의 상승으로 조직의 부종, 고혈압, 체액과다, 근육경련, 부정맥, 느린맥 등의 합병증이 나타날 수 있다.
체액과다 (Excess Fluid Volume)	등장성 체액 정체의 증가 해설-콩팥기능의 부전과 GFR의 감소로 소변배출량이 감소하여 과도한 수분섭취를 할 경우, 건체중이 설정이 잘못되었을 경우 체액 정체로 인한 합병증이 나타날 수 있다.
불이행 (Noncompliance)	건강의료인, 가족, 사회가 인정하는 건강증진 행하는 치료적 처방을 개인이나 간호제공자가 따르지 않는 행동, 개인이나 간호제공자가 건강증진 행위 또는 치료적 처방을 완전히 또는 일부 따르지 않기 때문에 임상적으로 비효과적이거나 부분적으로 비효과적인 결과를 초래함. 해설-혈액투석 환자의 불이행 기준 *자유량 혈액투석: 4가지 지표 중 1개 이상 해당될 경우 -혈액투석 간 체중 증가율(IWG): 4주간 평균 건체중 대비 5.7% 이상 증가 -혈장 인 수치: 7.0 mg/dL 초과 -혈액투석치료를 빠진 횟수: 처방된 혈액투석을 4주 동안 1회 이상 빠진 경우 -자의로 혈액투석시간을 15분 이상 줄인 횟수: 4주 동안 3회 이상 임상형 자유량 혈액투석 불이행 측정도구(허정, 2007) 판별점수 이행군 3점 이하, 하위이행군 평균 3~5점, 불이행군 6점 이상

판별지표 Discriminant Indicators	기준	점수	기준	점수	기준	점수
혈액투석 간 체중증가 IWGR(%)	0~4.0	1	4.1~5.7	2	5.7,	3
혈장 인 수치 S-Phosphate	3.5~4.5	1	4.6~7.0	2	7.0	3
혈액투석을 빠지는 횟수 Skipping/4 weeks (times)	0	0	0	0	1	2
혈액투석시간 자의적 감소횟수 Time Shortening without permission (times)	0	0	1~2	1	3	2

(계속)

간호진단(Nursing Diagnosis)	정의와 해설
	* 고유량투석: 4가지 지표 중 1개 이상 해당할 경우
	- 혈액투석 간 체중 증가율(IWG): 4주간 평균 건체중 대비 6.0% 이상 증가
	- 혈청 인 수치: 6.0 mg/dL 초과
	- 혈액투석치료를 빠진 횟수: 처방된 혈액투석을 4주 동안 1회 이상 빠진 경우
	- 자의로 혈액투석시간을 15분 이상 줄인 횟수: 4주 동안 3회 이상
	* 혈액여과투석
	혈액여과투석의 환자이행도 측정도구(허정, 2015)
	판별점수: 이행군 0~4점, 하위이행군 5~7점, 불이행군 8~10점
	Hemodiafiltration Treatment Compliance Measurement-Convergent Form (HDFTCM-CF)
	: focused on On-line Hemodiafiltration

Standard Score: compliance group 0~4, Subcompliance group 5~7, Noncompliance group 8~10

판별지표 Discriminant Indicators	기준	점수	기준	점수	기준	점수
혈액투석 간 체중증가 IWGR(%)	0~4.5	2	4.5-6.0	3	6.0	4
혈장 인수치 S-Phosphate	3.5~4.5	2	4.5-6.5	3	6.5	4
혈액투석시간 차이의 증감비율[1] SCR-HDFTT(%)	0~1.0	0	1.0-8.3	1	8.3	2

(계속)

간호진단(Nursing Diagnosis)	정의와 해설
비효율적 대처 (Ineffective Coping)	스트레스원에 대한 정확한 평가의 무능력 및 이에 대한 반응이 부적절성, 유용한 자원 활용의 무능력 해설-혈액투석 관련 스트레스 도구(허정, 2005), 높은 순위별로 나열 1. 투석을 계속 받아야 하는 것 2. 음식을 마음대로 먹을 수 없는 것 3. 미래의 삶에 대한 확신이 없는 것 4. 물 음료수 섭취를 제한하는 것 5. 투석 시마다 주사바늘을 찌르는 것 6. 가족에 대한 책임을 다하지 못하는 것 7. 외모가 변하는 것 8. 여가활동을 마음대로 하지 못하는 것 9. 사회활동을 잘할 수 없는 것 10. 신체활동을 마음대로 못하는 것 11. 피로감 12. 입원을 하게 되는 것 13. 치료비에 대한 경제적 부담 14. 직장 생활에 제약을 받는 것 15. 피부가 가려운 것 16. 투석실까지 오고 가는 것 17. 의사, 간호사에게 의존해야 하는 것 18. 장기능이 좋지 않은 것 19. 관절이 뻣뻣해지는 것 20. 잠을 잘 못자는 것 21. 혼자 남게 되는 것이 두려운 것 22. 사지에 쥐가 나는 것 23. 성적 욕구가 감소하는 것 24. 입고 싶은 옷을 입지 못하는 것 25. 타인에게 의존하게 되는 것 26. 숨이 미식거리거나 토하는 것 27. 나와 자녀와의 역할이 바뀐 것

(계속)

간호진단(Nursing Diagnosis)	정의와 해설
불안(Anxiety)	간혹 불특정하고 불확실한 원인으로 발생; 자율신경계의 반응에 의해 나타나는 공포감이나 막연한 염려; 예상되는 위험에 의해 유발되는 염려 해설-혈액투석 환자의 경우 치료기간의 경과함에 따라 합병증이 나타나기 시작하고 임원이나 응급상황을 겪게 된다. 또한 동료 환자가 갑자기 사망하거나 합병증이 발병하여 상태가 나빠지는 것을 목격하게 된다. 이로 인해 예측되는 합병증에 대한 염려로 인해 불안한 심리정서 상태와 함께 자율신경계 활성 반응, 즉 오심, 구토, 소화불량, 심혈관계 반응, 호흡곤란, 변비, 설사 등이 신체반응이 동반된다.
낙상의 위험(Risk for Falls)	낙상 용이성의 증가로 신체적 손상을 초래할 수 있는 상태 해설-혈액투석치료 후 단시간 내에 신체 내의 수분을 제거한 상태이므로 조직 내의 간질액이 순환계로 복귀하지 못한 상태로서 기립성 저혈압이 발생할 수 있다. 대부분의 투석실에서 투석을 마치고 제중을 확인하고 귀가하던 환자가 저혈압으로 쓰러지는 사례가 많은 것이 이런 이유에서이다. 또한 혈압약을 복용하기 때문에 혈압약의 약효과 나타나는 시간에 낙상의 위험성이 증가한다. 이 외에도 빈혈, 저료나 불균형 등으로 인해 낙상이 발생할 수 있다.
비효과적 자기건강관리 (Ineffective Self Health- Management)	질병과 휴유증 치료를 위한 치료적 섬생을 일상생활 속으로 조절하고 통합하는 양상이 특정 건강목표를 충족하기에 만족스럽지 못함. 해설-투석 환자의 경우, 수분섭취 제한, 저염식이, 저칼륨식이, 권장량이 단백질 섭취를 위한 식이요법, 투약, 운동, 동정맥루 관리 등 일상생활 속의 자기관리가 건강관리와 치료목표 달성에 가장 중요하다.
출혈 위험 (Risk for Bleeding)	건강에 해를 끼칠 수 있는 혈액량의 감소 위험 해설-혈액투석 시 삽입한 바늘자국을 통해 지혈이 된 경우에도 다시 재출혈이 발생할 수 있다. 또한 혈소판이 감소, 헤파린의 사용으로 잇몸출혈, 장출혈, 피하출혈이 정상인에 비해 높다. 간호사는 환자에게 일상생활에서 출혈을 예방할 수 있는 기구나 안전행동에 대해 교육해야 한다.
성기능장애 (Sexual Dysfunction)	불만족하고 비보상적이며 부적절하다고 인식되는 성기능 변화 해설-투석 환자가 복용하는 혈압약의 경우 발기부전, 성욕구의 감소 등의 부작용이 나타날 수 있다. 그러나 근본적으로 동정맥루에 의해변화와 느낌(thrill), 바늘자국, 요독성 구취 등으로 환자 자신은 성적인 표현이나 욕구를 자제하고 피하게 되나, 배우자의 경우 성행위로 인해 환자의 상태가 나빠질 것을 우려하여 피하게 되는 경우가 대부분이다. 간호사는 환자와 배우자가 솔직하게 성에 대해 표현하고 서로의 견해차이와 오해가 있는 부분을 풀어갈 수 있도록 치료적 의사소통을 해야 한다.

| 혈액투석 간호과정 사례

시나리오

최투석(F/66) 씨는 경상북도 엔젤시에 남편과 살고 있는 가정주부이다. 엔젤시는 종합병원이 없는 도시로 응급실과 혈액투석실을 운영하는 준종합병원, 공공의료원이 있다. 최투석 씨는 최근 3년 전부터 인근 상가건물을 청소하는 일을 시작하였다. 이유는 남편의 질병(뇌졸증)으로 경제적 어려움과 함께 집에서는 남편의 간병으로 인해 극심한 스트레스와 우울증을 겪었기 때문이다.

최투석 씨는 자녀가 모두 출가한 후 약 5년 동안 하루 반 갑씩 흡연을 했으며 음주 3회(주당)를 하고있다.

20년 전에 엔젤시 보건소에서 검진을 받던 중 소변에 당이 검출되어 DM진단을 받았고 가끔 보건소의 가정방문간호사가 측정해 주는 혈당 결과가 높은 편으로(200~300mg/dL) 인슐린 투약을 권유받았으나 먹은 혈당강하제를 통해 조절해 오고 있었다.

2개월 전부터 오심구토 증상이 있었고 최근 일주일동안 조금만 걸어도 숨이 차는 증세가 있었다.

묽은 가래가 섞인 기침과 숨찬 증상으로 밤에 쉽게 잠에 들지 못하였으며, 일주일 전부터 체중이 증가하면서 전신부종이 심해졌고, 소변량이 감소하면서 색깔이 진해진 것을 발견하였다.

응급실 내원 3일 전부터 숨이 차고 손발이 저리면서 죽을 것 같이 힘든 증상이 있어 상황의 심각성을 느껴 아들과 함께 금일 8시에 응급실로 내원하였다.

응급실 내원 시 호흡곤란과 전신부종, 호흡이 불규칙적이고 청진 시 수포음이 들렸다. 호흡 보조근을 사용하여 힘겹게 호흡을 하고 입술을 오므리는 표정이 관찰되었고 기좌호흡을 하고 있었다. 내원 시 혈당은 150mg/dL로 측정되었다. 활력징후 측정 결과 혈압: 160/105mmHg, 체온: 37.1℃, 맥박: 44회/분, 호흡: 30회/분로 측정되었다. 산소 2L/min를 nasal cannula로 주입하고 심전도상에 느린맥과 tall T wave가 관찰되었다.

응급 혈액검사 결과: BUN/Cr 55/7.4, Na/K 144/6.8, Hb/Hct/Plt 9.4/29.5%/65,000

응급의학과에서는 응급 혈액투석을 하기로 결정하였고 9 pm Rt Jugular vein Cath (double)을 삽입하였다. 혈액투석(low flux) 2시간, 혈류속도 180~200mL/min, 초여과량 800mL, 헤파린 1000u push를 처방하였다.

환자와 보호자에게 응급 혈액투석에 대한 설명, 투석 중 부작용에 대해 설명하였다.

11시에 환자는 혈액투석실로 이동하였다.

| 간호사정

(1) 개인력

- 이름: 최투석   성별: F   연령: 66세
- 학력: 중졸   결혼상태: 기혼(자녀: 1남 2녀)
- 직업: 건물청소부   종교: 유
- 입원일: 2***년 3월 21일
- 입원경로: 외래 _____ 응급실 __✓__ 기타 _____
- 입원방법: 보행 _____ 휠체어 _____ 들것 __✓__ 기타 _____

진단명: Chronic renal failure

- 주증상: URI Sx & coughing & chest discomfort 지속
- Meds: Hypertension med
- 흡연: 무 _____   유 _✓_   정도 하루 반 갑
- 음주: 무 _____   유 _✓_   정도 일주일에 1번
- 취미: 무 _____   유 _✓_   스트레스 관리: 등산
- 정보제공자: 본인, 아들

(2)건강력

* 현 병력

① 주호소(chief complaints): "숨이 차요."

② 이 증상의 발현과 질병의 진행과정: 간간이 기침을 하며 기좌호흡과 함께 보조근을 활용하여 호흡하고 있다. 청진 시 수포음이 관찰된다.

* 과거력

① 당뇨

② 입원 경험(시기, 목적): 없음

③ 외상 경험(시기, 부위): 없음

④ 수술 경험(시기, 수술명): 없음

⑤ 복용한 경험(시기, 약명): 혈당강화제(보건소 방문간호사가 제공)

⑥ 수혈받은 경험: 없음

* 가족력

① 가계도 (□남   ○여   ●■사망표시)

* 신체검진

• 체중: 62kg, 신장: 150cm

• 활력징후; BP: 160/105, T: 37.1℃, P: 44회, R: 30회

• 통증: 없음

• 식욕: 나쁨

• 체중 변화: 증가

• 대변: 비정상(변비)

• 소변: 빈뇨(횟수가 잦음)

• 활동상태: 부자연스러움

• 피부상태: 정상(양호)

• 소화기 장애: 없음

• 순환기 장애: 있음(부종)

• 호흡기 장애: 호흡곤란, 기침

• 신경근육: 이상 없음

• 의식상태: 명료(지남력 있음)

• 정서상태: 불안

• 보조기구: 없음

* 진단을 위한 검사 소견

a. 임상병리검사

　① 일반혈액검사

검사명	항목	정상수치	검사수치			임상적 의의
			응급실	투석 전	투석 후	
CBC	RBC	4~5.5/mm³				↑ 심한 설사, 탈수, 다혈구혈증, 급성약중독, 폐섬유증, 심폐질환 ↓ 각종 빈혈(용혈성 빈혈 등), 출혈, 골수기능부전, 류마티스열
	Hb	9.5~14g/dL	9.4			↑ 만성폐쇄성폐질환, 탈수, 울혈성 심부전, 다혈구혈증(적혈구 증가증) ↓ 갑상선항진증, 빈혈, 백혈병, 간경화, 심한 출혈, 혈액과잉(혈액희석)
	Hct	30~40%	29.5%			혈액량 속 적혈구의 백분율을 의미함. ↑ 구토, 설사, 탈수(체액손실), 선천성 심질환, 고산병, 폐기종 ↓ 각종 빈혈, 특히 철결핍성 빈혈, 백혈병, 류마티스성 관절염, 소화성 궤양
	MCV	83.7~96.5fL				적혈구 하나의 평균 용적 ↑ 대혈구성 빈혈 ↓ 소혈구성 빈혈
	MCH	28.9~33.3pg				적혈구 하나에 들어 있는 평균 Hgb 수치 ↑ 비타민 B_{12} 결핍성 빈혈(악성빈혈), 화학요법 ↓ 철결핍성 빈혈, 지중해성 빈혈
CBC	MCHC	3 3.3~35.3g/dL				적혈구 100cc에 들어있는 평균 Hb의 농도 ↑ 비타민 B_{12} 결핍성 빈혈(악성빈혈), 화학요법 ↓ 철결핍성 빈혈, 지중해성 빈혈
	RDW	11.5~14.5				적혈구 크기 분포를 의미함.
	WBC	5000~10,000/mm³	11,000			↑ 급성감염, 급·만성 백혈병 ↓ 재생불량성 빈혈, 악성빈혈, 비장기능항진
DIff count	seg.neutrophil	43~69%				↑ 세균감염, 염증 ↓ 독소적 항원, 호르몬병, 혈액질병
	Lymphocyte	1000~4000/mm³				↑ 호르몬질환, 세균성 상기도 감염, 결핵, 림프성 백혈병 ↓ AIDS, 면역억제제 사용
	Monocyte	100~700/mm³				↑ 감염(결핵, 말라리아), 단핵구성 백혈병, 혈액질환 ↓ 약물요법
	Eosinophil	0~4%				↑ 과면역 알레르기, 피부질환, 기생충 감염, 악성빈혈 ↓ 쿠싱증후군, Adrenal 증가, 스트레스

(계속)

검사명	항목	정상수치	검사수치			임상적 의의
			응급실	투석 전	투석 후	
DIff count	Basophil	50~500/mm^3				↑ 용혈성 빈혈, 골수전이 ↓ 부신겉질호르몬제, 알레르기 반응, 급성 감염
	LVC	0~4%				↑ 급성감염, 홍역, 외상, 악성종양 ↓ 골수기능 저하
	PLT	130~45010^{4}3/L	65,000			↑ 암, 외상, 만성백혈병, 다혈구혈증, 심장병 ↓ 간염, 폐렴, 대형수술 후
	MPV	6.5~12fL				↑ 거대혈소판 증가
	PDW	25~65%				↑ 크기의 부동성
	PCT	0.15~0.42%				↑ 세균감염 ↓ 바이러스 감염, 기타 염증 질환

② 일반화학검사

검사명	항목	정상수치	응급실	투석 전	투석 후	임상적 의의
	ALT	4~44IU/L	50			↑ 급성간염, 뼈대근육계 질환, 간질환, 심근경색
	AST	8~38IU/L	40			↑ 초기에는 AST가 더 많이 증가하다가 24~48시간 뒤에는 ALT 반감기가 높음(단, 알코올성 간염은 AST ↑)
	LDH	106~211 IU/L				CDK와 함께 심근평가에 이용됨.
	Alkaline phosphatase	53~128 IU/L	150			↑ 간염성 간염, 담관폐쇄, 구루병
	Amylase	43~116 IU/L				↑ 췌장질환 의심
	CDK	56~224 IU/L				LDH와 함께 심근평가에 이용됨.
	T.protein	6.7~8.3/dL	6			↑ 탈수, 용혈, 스트레스, 간질환 ↓ 영양실조, 출혈, 단백뇨
	Albumin	3.8~5.3 g/dL	3.5			↑ 간에서 합성이 적을 때 누출, 흡수불량, 영양불량, 복수, 간질환, 콩팥병
	A/G ratio (알부민과 글로불린의 비율)	1.1~2.3				↑ 탈수로 인한 혈액의 농축일 때 ↓ 간에서 합성이 적을 때 누출, 흡수불량, 영양불량, 복수, 간질환, 콩팥병 ↓ 탈수로 인한 혈액의 농축일 때
	CRP 정량	0~0.5 mg/dL				↑ 수술 후 회복, 심근경색, 스트레스, 염증, 상처 감염

(계속)

검사명	항목	정상수치	응급실	투석 전	투석 후	임상적 의의
	T.blilrubin	0.2~1.2 mg/dL				↓ 간염, 간경화, 알코올성 간염
	BUN	8~20 mg/dL	55		25	↑ 폐쇄성 황달, 당뇨, 갑상샘기능항진증, 심장동맥질환 ↓ 악성빈혈, 용혈성 빈혈, 중증감염
	Creatine	0.8~1.3 mg/dL	7.4		3.4	↑ 당도협착, 임신, 깔때기염, 콩팥기능 저하, 탈수 ↓ 근육량 감소, 단백섭취부족, 간질환, 임신
Routine Electrolyte(TCO_2 포함)	Na	135~145 mmol/L	144	144	142	↑ 중증당뇨, 설사, 수분결핍, 요붕증, 쿠싱증후군 ↓ 수분과잉, 영양 부족, 신부전, 콩팥증후군, 위장관 손실
Routine Electrolyte(TCO_2 포함)	K	3.5~5 mmol/L	6.8	6.4	5.4	↑ 신부전, 발열, 탈수, 헤파린요법, 인슐린 결핍 ↓ 설사, 구토, 알카리혈증, 체온하강, 이뇨제의 장기투여
	TCO_2	22~32 mmol/L				↑ 호흡문제

③ 혈액응고검사

검사명	항목	수치	응급실	투석 전	투석 후	임상적 의의
혈액응고검사	BT	1~9분	5분	8분	6분	시간 지연: 골수부전, 원발성 또는 골수로의 전이성 종양침습, 교원성 혈관성 질환, 요독증, 백혈병 등 위험경계 수치: 15분 이상
	aPTT	30~40초	35초	50초	40초	↑ 선천성 응고인자 결핍, 간경화증, 비타민 K 결핍, 헤파린 투여 등 ↓ DIC 초기단계, 광범위 암(난소, 췌장, 결장)
	PT	11~12.5초				↑ 간질환(간경화, 간염), 유전적 인자결핍, 비타민 K 결핍, 담관폐쇄, 과다수혈 등
	FDP	10mg/L				↑ 산재성 혈관 내 응고, 심장이나 혈관수술, 혈전성 색전상태
	D-Dimer	0.4mcg/mL				↑ 원발성 섬유소 용해, 혈전용해 치료 중, 심부정맥 혈전증, 폐색전증, 동맥혈전 색전증 등

④ 동맥혈가스분석검사

검사명	항목	정상수치	응급실	투석 전	투석 후	임상적 의의
ABGA	PH	7.35~7.45	7.3	7.35	7.40	↑ 대사성 염기증: 저칼륨혈증, 저염소혈증, 지속적 및 대량의 위흡인 , 만성 구토, 알도스테론증, 수은이뇨제 사용 호흡성 염기증: 저산소혈증 상태(만성심부전, 낭성 섬유증, 일산화탄소 중독 등), 불안신경증, 통증, 임신 등 ↓ 대사성 산증: 케톤산증, 유산산증, 심한 설사, 신부전 호흡성 산증: 호흡부전
	PaCO$_2$	35~45mmHg	44	42	43	↑ COPD(기관지염, 폐기종), 과다진정, 두부 외상 등 ↓ 저산소혈증, 폐색전, 불안, 임신 등
	PaO$_2$	80~100mmHg	98	101	100	↑ 다혈구혈증, 산소흡입 증가, 과다환기 ↓ 빈혈, 점액마개, 기관지경련, 무기폐, 기흉 등

⑤ 소변검사

검사명	항목	정상수치	응급실	투석 전	투석 후	임상적 의의
RUA / 24hr Urine	Occult blood					↑ 혈뇨
	Bilirubin					↑ 간질환, 콩팥병, 담도폐쇄질환 및 용혈성 질환
	Urobilirubin					↑ 간질환, 콩팥병, 담도폐쇄질환 및 용혈성 질환
	Ketone					↑ 당뇨병성 케톤산증, 과음, 심한 운동, 단식, 임신, 스트레스, 구토, 탈수
	Protein					↑ 단백뇨, 토리질환
	Nitrite					↑ 감염
	S.G					↑ 조영제 소변배출, 탈수
	WBC					↑ 신기능 이상
	PH	6.0	5.5			↑ 알칼리성뇨 → 급·만성 콩팥병, 대사성 및 호흡성 알칼리혈증, 구토, 세균에 의한 요로감염, 야채 등의 알칼리성 음식 섭취 ↓ 산성뇨 → 대사성 및 호흡성 산혈, 심한 설사, 고열, 탈수증, 육류 등의 산성 음식 섭취
	Glucose	0	10			↑ 당뇨병, 쿠싱증후군 등의 내분비질환, 간 및 췌장 질환

b. 방사선검사 및 특수검사

검사(치료명)	검사일	검사부위	목적	결과(부작용 포함)
chest X-ray	2014.12.09	폐	폐에 공기가 축적되어 있는지 확인되고 팽창되어 있는지 확인하기 위함.	투석을 위한 도관의 위치를 파악하기 위해 검사를 시행하였고 도관의 위치는 정상임. pulmonary edema가 관찰되고 cardiomegaly가 관찰됨. 좌심실 비대
CT	2014.12.09	폐, 심장	폐뿐만 아니라 심장에도 문제가 있는지 확인하기 위함.	-
심장초음파검사	2014.12.10	심장	심장에 문제가 있는지 확인하기 위함.	-
EKG	2014.12.10	심장	심장에 문제가 있는지 확인하기 위함.	느린맥 Tall t wave

c. 의학적 치료 및 경과

① 약물요법

약품명 (성분명/상품명)	대상자에게 사용된 용법 및 용량, 투여경로	투약목적	부작용
헤파린	1000u 혈액투석 시작 시 bolus 주입	혈액투석 회로의 응고방지	출혈
Lasix	20mg iv	이뇨촉진	전해질 평형실조
mannitol	혈액투석 시작 시 주입	혈액투석 첫 회 증후군 예방 뇌부종 예방	저혈압

② 의사의 처방

처방명	시행일자	처방목적	간호/준비
산소요법 2L (nasal cannular)	투석 중	산소농도를 공급하기 위함	산소포화도를 95~100%로 유지하는 것이 목표

③ 자료의 분석과 종합

〈자료〉

1. 66살, 여성
2. 기혼, 1남 2녀
3. 직업: 청소부
4. 키: 150cm, 몸무게: 62kg
5. 체온: 37.1, 맥박: 44, 호흡: 30
6. 혈압: 160/105
7. 만성신부전
8. 청진 시 수포음
9. 호흡곤란, 기침
10. 개복수술 받은 적 없음.

11. 소변량 감소-800mL/day

12. 변비가 있음, 2개월 전부터 오심구토가 있음.

13. 소변을 자주 보고, 특히 밤에 심하다고 함.

14. 부종으로 인해 체중이 늘었다고 진술함.

15. 집중력이 떨어진다고 함.

16. 피부가 건조함.

17. 머리카락이 자꾸 빠진다고 함.

18. 입원한 뒤로 자꾸 종교에 기대려 한다고 함.

19. 혼자 있을 때는 일에 대한 의욕이 떨어진 듯한 말을 한다고 함.

20. 빈뇨, 야뇨가 있음.

21. 뇌졸중에 걸린 남편 간호와 직장생활을 같이 하는 것이 스트레스와 우울이 있었다고 함.

22. 먹는 혈당강하제를 통해 혈당을 조절함.

23. 5년 전부터 하루 반 갑씩 흡연, 음주

24. DM진단

25. 혈당결과가 높은 편으로(200~300)

26. 심전도상에 느린맥과 tall T wave가 관찰

27. 손발이 저림

28. 9 pm Rt Jugular vein Cath (double)를 insertion

〈Gordon의 건강기능양상에 의한 자료정리〉

건강지각건강관리양상: 10, 18, 19, 23

영양대사양상: 4, 5, 6, 9, 11, 12, 13, 15, 16, 17, 24, 25, 26, 27

배설양상: 9, 11, 12, 13, 20

활동운동양상: 3, 5, 9, 14, 20, 28

인지지각양상: 15

수면휴식양상: 13, 20

자아인식자아 개념양상: 18, 21

역할관계양상: 1, 2, 3

성생식양상: 2

적응스트레스 대처양상: 18, 20, 22, 23

가치신념양상: 18, 19

| 간호진단

간호사의 관점	환자의 관점	간호진단 도출/ 우선순위 결정
1. 응급혈액투석 시행 2. 고칼륨혈증 3. 요독증 4. 호흡곤란 5. 도관 삽입부위 통증과 출혈위험	호흡곤란 도관 삽입부위 통증 가슴 답답함 입원과 치료경과의 정보 부족 경제적 어려움	1. 전해질 불균형의 위험 2. 체액과다 3. 불안정한 혈당수치의 위험

(계속)

간호사의 관점	환자의 관점	간호진단 도출/ 우선순위 결정

진단진술문

1. 가슴 답답함, 손발의 감각이상, 느린맥, 심전도 결과로 입증되는 고칼륨혈증과 관련된 전해질 불균형의 위험
- P: 가슴 답답함, 손발의 감각이상, 느린맥, 심전도 결과로 입증
- E: 고칼륨혈증
- S: 전해질 불균형의 위험

• 주관적 자료
- 대상자가 호흡곤란, 손발의 감각이상 느낌을 표현함
"숨쉬기가 힘들어서 죽을 것 같아요."
"앉아서만 숨을 쉴 수 있어요."
"가슴이 답답해요."
"손끝이 저리고 느낌이 이상해요."

• 객관적
- 호흡곤란, 기좌호흡, 심전도 Tall T wave, 맥박44회/min, K 6.8

2. 가래 섞인 기침, 폐청진 시 수포음, 호흡곤란, 기좌호흡으로 입증되는 소변량 감소와 관련된 체액과다
- P: 가래 섞인 기침, 폐청진 시 수포음, 호흡곤란, 기좌호흡
- E: 소변량 감소
- S: 체액과다

• 주관적 자료
- 호흡곤란과 관련된 증상을 호소함.
"가래가 너무 많이 나와요."
"숨이 차요."
"숨이 차서 누울 수가 없어요."
"요새 소변이 잘 안 나오고 몸이 부었어요."

• 객관적 자료
- 비정상적인 호흡음(천명음), 기좌호흡, 호흡 시 보조근 사용
- Pitting edema +++, 하루 소변량 800cc
- 유지체중 52kg에 비해 현재 체중 55kg으로 체중 증가
X ray 판독결과 폐부종, 좌심실 비대 소견 보임

3. 현재 금식상태, 투석 중 혈액 내 포도당 손실과 관련한 불안정한 혈당수치의 위험
- P: 혈액투석 중
- E: 현재 금식상태, 투석 중 혈액 내 포도당 손실
- S: 불안정한 혈당수치의 위험

• 주관적 자료
"혈액투석 중 혈당수치가 올라갔다 떨어졌다가 하네요."

• 객관적
응급실 내원 시 혈당 150이 측정되었고 이후 금식
혈액투석 과정 시 수용성 성분인 포도당의 손실 예상

|간호계획

간호진단 1: 전해질 불균형의 위험

* 정의: 건강을 위협할 수 있는 전해질 수준의 변화 위험
* 위험요인
· 체액불균형, 산혈증
· 콩팥기능 장애
* 기대되는 결과
· 대상자는 나트륨 수준이 136~145mEq/L를 유지하고 칼륨 수준이 3.5~5.1mEq/L를 유지한다.
* 이론적 배경

신장질환의 경우 고칼륨혈증, 고나트륨혈증이 흔하게 나타나는 전해질 불균형으로 혈액투석을 받는 환자의 경우 혈액투석 치료 이행, 식이요법 이행으로 기대되는 결과를 달성할 수 있다.

응급혈액투석을 시행하는 환자의 경우 혈액투석치료 시 수용성 성분인 칼륨의 제거가 용이하며, 산혈증의 교정을 통해 칼륨수치의 정상화가 나타난다. 그러나 투석액의 나트륨 농도의 조정으로 고칼륨혈증을 교정할 수 있으나 급격한 나트륨 수치의 변화는 뇌부종 등의 심각한 부작용을 나타내므로 점진적인 교정이 필요하다.

목표	장기목표 대상자는 나트륨 수준이 136~145mEq/L를 유지하고 칼륨 수준이 3.5~5.1mEq/L를 유지한다.
	단기목표 1. 혈액투석 직후 Na/K가 정상 수치로 확인된다. 2. 응급혈액투석 중 뇌부종, 근육경련 등 나트륨 전해질 불균형 증상이 발생하지 않는다.

표준간호계획	표준간호중재	간호지시문
	1. 활력징후 측정함.	1-1. 투석 전, 투석시작 직후 투석 중, 투석 후 15분마다 체온, 맥박, 호흡, 혈압을 모티터링하고 기록한다 1-2. 혈압 110/80 이하 측정, 두통, 의식저하 등의 증상이 나타날 경우, 체온, 맥박, 호흡, 혈압을 모티터링하고 정상 수치를 벗어날 경우 의사에게 보고한다.
	2. 전해질 수준 모니터링	2-1. 응급실에서 시행한 Na/K/체액의 산-염기와 관련된 검사결과를 확인한다. 2-2. 환자의 Na 144 수치에 맞춰 투석기계의 Na 농도를 세팅한다. 2-3. 2시간의 응급혈액투석 종료 시 산-염기와 관련된 검사와 전해질 검사물을 도관을 통해 채취한다.
	3. 심장상태 모니터링	3-1. 요골동맥을 통해 맥박을 측정하여 느린맥, 빠른맥, 부정맥이 관찰될 경우 의사에게 보고한다. 3-2. 혈액투석 중 심전도를 모니터링하고 비정상패턴이 발견될 경우 의사에게 보고하고 혈액투석 속도를 줄이거나 중단시킨다. 3-3. 활력징후를 측정 시 환자의 고칼륨혈증 증상이 호전되는지 파악한다. 3-4. 혈액투석 중 혈액투석액의 나트륨-칼륨 수준이 유지되는지 모니터링한다.

(계속)

표준간호계획	표준간호중재	간호지시문
	4. 뇌부종, 첫 사용 증후군 간호	4-1. 첫 사용 증후군에 대한증상을 환자에게 설명한다. 4-2. 두통, 의식상태, 호흡양상, 가려움증, 오심구토 등의 증상을 15분마다 모니터링한다. 4-3. 처방된 mannitol 약물을 투약한다. 4-4. 두통, 오심구토 등의 증상을 호소할 경우 혈류속도를 180 mL/min 이하로 감속하거나 심할 경우 혈액투석을 중단한다. 4-5. 증상이 심할 경우 기도유지, 응급소생술에 필요한 물품과 간호를 수행한다.
	5. 식이교육	5-1. 고칼륨 혈증의 위험성, 증상을 교육한다. 5-2. 고칼륨 음식의 종류를 설명한다. 5-3. 다음 투석 시까지 처방된 병원식이를 지키도록 설명한다. 5-4. 혈액투석 식이교육에 대한 일정을 설명한다.
간호계획서 평가점수 기준	5점: 응급혈액투석 중 전해질 불균형 증상이 발생하지 않고 혈액투석 후 Na/K가 정상 수치로 확인된다. 4점: 응급혈액투석 중 가벼운 두통, 오심구토 증상 등이 있으나 즉시 교정되었고 혈액투석 후 Na/K가 정상 수치로 확인된다. 3점: 응급혈액투석 중 두통, 오심구토 증상, 근육경련 등이 있으나 교정되었고 혈액투석후 Na/K가 정상 수치로 확인된다. 2점: 응급혈액투석 중 두통, 오심구토 증상, 근육경련 등이 있어 혈류속도 감속이나 혈액투석 중단을 했으나 혈액투석 후 Na/K가 정상 수치로 확인된다. 1점: 응급혈액투석 중 두통, 오심구토 증상, 근육경련 등이 있어 혈액투석 중단을 하였으며 혈액투석 후 Na/K가 교정되지 않았다.	

| 간호수행

표준간호중재	간호지시문	체크	서명
1. 활력징후 측정	1-1. 투석 전, 투석시작 직후 투석 중, 투석 후 15분마다 체온, 맥박, 호흡, 혈압을 모티터링하고 기록한다. 1-2. 혈압 110/80 이하 측정, 두통, 의식저하 등의 증상이 나타날 경우, 체온, 맥박, 호흡, 혈압을 모티터링하고 정상 수치를 벗어날 경우 의사에게 보고한다.	☐ ☐	
2. 전해질 수준 모니터링	2-1. 응급실에서 시행한 Na/K/체액의 산-염기와 관련된 검사결과를 확인한다. 2-2. 환자의 Na 144 수치에 맞춰 투석기계의 Na 농도를 142로 설정한다. 2-3. 2시간의 응급혈액투석 종료 시 산염기와 관련된 검사와 전해질 검사물을 도관의 동맥포트로 채취하여 검사실로 보낸다.	☐ ☐ ☐	
3. 심장상태 모니터링	3-1. 노동맥을 통해 맥박을 측정하여 느린맥, 빠른맥, 부정맥이 관찰될 경우 의사에게 보고한다. 3-2. 혈액투석 중 심전도를 모니터링하고 비정상패턴이 발견될 경우 의사에게 보고하고 혈액투석 속도를 줄이거나 중단시킨다. 3-3. 활력징후를 측정할 때 환자의 고칼륨혈증 증상이 호전되는지 파악한다. 3-4. 혈액투석 중 혈액투석액의 나트륨칼륨 수준이 유지되는지 모니터링하고 상례기록지에 기록한다.	☐ ☐ ☐ ☐	

(계속)

표준간호중재	간호지시문	체크	서명
4. 뇌부종, 첫 사용 증후군 간호	4-1. 첫 사용 증후군에 대한 증상을 환자에게 설명한다.	☐	
	4-2. 두통, 의식상태, 호흡양상, 가려움증, 오심구토 등의 증상을 15분마다 모니터링한다.	☐	
	4-3. 처방된 mannitol 약물을 투약하고 저혈압이 발생하는지 관찰한다.	☐	
	4-4. 두통, 오심구토 등의 증상을 호소할 경우 혈류속도를 180mL/min 이하로 감속하고 회로의 응급발생을 예방하기 위해 N/S 100~150mL로 회로와 투석기를 세척한다. 투여된 양을 계산하여 초여과량을 추가로 설정한다.	☐	
	4-5. 증상이 심할 경우 기도유지, 응급소생술에 필요한 물품과 간호를 수행한다.	☐	
5. 식이교육	5-1. 고칼륨혈증의 위험성, 증상을 교육한다.	☐	
	5-2. 고칼륨 음식의 종류를 설명한다.	☐	
	5-3. 다음 투석 시까지 처방된 병원식이를 지키도록 설명한다.	☐	
	5-4. 혈액투석 식이교육에 대한 일정을 설명한다.	☐	

| 간호평가

표준계획	표준간호중재	간호지시문
평가 기준에 따른 간호계획 수정	5점: 응급혈액투석 중 전해질 불균형 증상이 발생하지 않고 혈액투석 후 Na/K가 정상 수치로 확인된다.	
	→ 응급혈액투석 간호계획 수정이 필요 없으며 장기목표 달성을 위해 간호계획 수립이 필요함.	
	4점: 응급혈액투석 중 가벼운 두통, 오심구토 증상 등이 있으나 즉시 교정되었고 혈액투석 후 Na/K가 정상 수치로 확인된다.	
	→ 응급혈액투석 간호계획 수정이 필요없으며 환자의 증상완화를 위한 간호중재가 추가되어야 함. → 환자의 증상이 심해지지 않도록 예방 측면의 투석액 속도, 혈류속도, 투석시간 등의 재설정이 고려되어야 함.	
	3점: 응급혈액투석 중 두통, 오심구토 증상, 근육경련 등이 있으나 교정되었고 혈액투석 후 Na/K가 정상 수치로 확인된다.	
	→ 응급혈액투석 간호계획에서 혈액투석 처방에 대한 재설정이 필요함. 투석시간 단축, 혈류속도 감속, 투석액의 나트륨 수치의 재설정이 필요함. → 환자의 증상 완화를 위한 간호중재가 추가되어야 하며 예방 측면의 간호중재가 미리 시행되어야 함.	
	→ 응급상황을 대비하여 물품준비, 간호지침을 확인하고 숙지해야 한다. 2점: 응급혈액투석 중 두통, 오심구토 증상, 근육경련 등이 있어 혈류속도 감속이나 혈액투석 중단을 했으나 혈액투석 후 Na/K가 정상 수치로 확인된다.	
	→ 응급혈액투석 간호계획에서 혈액투석 처방에 대한 재설정이 필요함. 투석시간 단축, 혈류속도 감속, 투석액의 나트륨 수치의 재설정이 필요함. 투석 중단 및 잦은 혈류속도 감속으로 발생할 수 있는 혈액응고를 예방하고 헤파린 사용량 재설정과 출혈경향 사정에 대한 간호표준을 추가해야 한다. → 환자의 증상 완화를 위한 간호중재가 추가되어야 하며 예방 측면의 간호중재가 미리 시행되어야 함. 구토나 근육경련 등으로 삽입된 도관이 오염되지 않도록 예방해야 하며 도관이 혈액응고로 인해 기능 저하 및 폐쇄가 일어나지 않도록 헤파린 락을 준비해야한다. → 환자의 증상이 심해지지 않도록 투석액 속도, 혈류속도, 투석시간 등의 재설정이 고려되어야 함. → 투석 중 발생할 수 있는 근육경련에 대비한 간호표준과 간호지시문을 계획에 추가해야 한다. → 응급상황을 대비하여 물품준비, 간호지침을 확인하고 숙지해야 한다.	

(계속)

표준계획	표준간호중재	간호지시문

평가 기준에 따른 간호계획 수정	1점: 응급혈액투석 중 두통, 오심구토 증상, 근육경련 등이 있어 혈액투석을 중단하였으며 혈액투석 후 Na/K가 교정되지 않았다.
	
	→응급혈액투석 간호계획, 목표설정 재설정이 필요함.
	  혈액투석 중단의 원인을 추가로 사정하고 투석 카테터나 투석기의 교체를 고려해야 한다.
	  예) 카테터나 혈액투석기, 소독제에 대한 과민반응(아낙필락시스)
	  투석시간 단축, 혈류속도 감속, 투석액의 나트륨 수치의 재설정이 필요함.
	  투석중단 및 잦은 혈류속도 감속으로 발생할 수 있는 혈액응고를 예방하기 위해 투석 전 혈액투석회로 프라이밍 시 헤파린 코팅을 고려해야 하며 헤파린 사용량 재설정과 함께 출혈경향 사정에 대한 간호표준을 추가해야 한다.
	→ 환자의 증상 완화를 위한 간호중재가 추가되어야 하며 예방 측면의 간호중재가 미리 시행되어야 함. 구토나 근육경련 등으로 삽입된 카테터가 오염되지않도록 예방해야 하며 카테터가 혈액응고로 인해 기능 저하 및 폐쇄가 일어나지 않도록 헤파린 락을 준비해야 한다.
	  환자의 활력징후 및 저혈압이 발생할 경우 혈액펌프 속도에 비해 카테터를 통해 공급되는 혈액량이 감소하여 음압(A-negative pressure)이 발생할 수 있어 회로응급방지 및 공기색전증을 예방하는 간호표준을 추가해야 한다.
	  처방된 초여과량 800cc에 혈액투석 중 주입되는 생리식염수의 양을 추가설정하여 초여과량을 재설정하여 체액과다를 예방하는 간호표준을 추가해야 한다.
	→ 간호사는 2차 응급혈액투석에 대한 간호계획서를 작성하고 의료진과 함께 치료계획 수정에 참여해야 한다.
	→ 투석 중 발생할 수 있는 근육경련에 대비한 간호표준과 간호지시문을 계획에 추가해야 한다.
	→ 응급상황을 대비하여 물품준비, 간호지침을 확인하고 숙지해야 한다.

시뮬레이션을 이용한 혈액투석 간호사교육

시뮬레이션의 정의

시뮬레이션(simulation)이란 복잡한 문제나 사회현상을 해석하고 해결하기 위하여 실제와 비슷한 모형을 만들어 모의적으로 실험하고 그 특성을 파악하는 일을 말하며, 최근 간호학에서는 의학 기술의 발전으로 인해 복잡해진 의료현장에 투입된 간호사를 교육함에 있어 시뮬레이션을 이용한 현장감 있는 실습교육으로 이용되고 있다. 시뮬레이션 교육은 멀티미디어 기술, 모형, 인간 환자 시뮬레이터 등을 포함하는 통합적 교육의 한 형태로, 실제 상황을 인위적으로 재현하여 안전하고 비위협적인 환경에서 비판적 사고, 의사결정 및 기술능력을 향상시키는 것이다.

    시뮬레이션 교육의 장점으로는 임상에서 발생하는 상황을 경험할 수 있고 반복적인 경험을 제공하며 실제에 근거한 상황학습 위주로 이루어지므로 임상현장에서 느끼는 부담과 스트레스를 어느 정도 극복할 수 있고 간호 지식과 기술을 함양할 수 있다. 또한 교육환경이 안전하며 학습목표에 따라 다양한 실습경험이 제공될 뿐 아니라 학습자의 수행능력 평가를 객관적으로 실시할 수 있고, 여러 분야의 의료종사자에게 팀 훈련을 가능하게 함으로써 수행능력을 향상시킬 수 있다. 반면, 이런 장점에도 불구하고 시나리오를 개발하기 위해 투자하는 시간과 노력, 시설과 장비구축에 소요되는 비용이 상당할 뿐만 아니라 교수자가 시뮬레이터를 능숙하게 다룰 수 있어야 한다는 단점이 있다.

시뮬레이션 교육의 구성요소

| 시뮬레이터

시뮬레이션 교육은 시뮬레이터, 시나리오, 디브리핑으로 구성되며 시뮬레이션 유형은 교육의 목적에 따라 단순 마네킹(simple mannequin), 컴퓨터 시뮬레이터(computer simulator), 환자 시뮬레이터(High Fidelity Patient Simulator, HPS), 모의 환자(Standard Patients, SP) 등을 이용하여 간호실무와 가장 유사한 상황을 실습교육에 적용하고 있다. 이 중 근래에 선호되고 있는 환자시뮬레이터의 경우에는 다양한 측면에서 사람과 유사한 반응이 가능하여 간호교육에 효과적이다. 시뮬레이션은 실제 상황을 얼마나 실제에 가깝게 재현했는지에 따라 저충실도(low-fidelity), 중충실도(medium-fidelity), 고충실도(high-

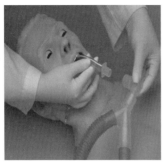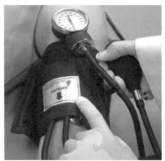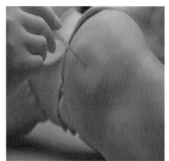

그림 29-1 **저충실도(low-fidelity) 예시**

fidelity)로 구분한다. 저충실도는 단순주사, 단순도뇨, 배변모형 등을 포함하고, 중충실도는 심음, 폐음, 청진모형, 단순분만 모형 등이 포함된다. 고충실도는 교수자의 의도에 따라 순차적으로 반응을 보일 수 있고 반응을 지정하여 프로그램화해야 하는 모형부터 일정 환경을 지정하면 그에 따른 심폐기능의 생리적 반응이 저절로 발생하는 모형을 말한다.

| 시뮬레이션 시나리오

시뮬레이션 시나리오의 개발과정은 5단계로 설명할 수 있다. 1단계는 학습자의 지식, 술기, 태도를 감안하여 학습목표를 결정하고 시뮬레이션 학습자의 수준과 학습목표를 고려한 교육을 통해 학습의 효과를 증가시킬 수 있다. 2단계는 실제 환자의 병력(이름, 나이, 성별, 알레르기 유무, 과거력, 현재 약물), 의사의 처방, 검사결과 등을 관찰하여 실제 임상과 유사한 상황을 설정한다. 3단계는 임상수행능력, 의사소통 능력, 문제해결 능력을 향상시킬 수 있도록 간호과정(사정, 진단, 계획, 중재, 평가)을 적용하여 사건목록을 설정하고 4단계는 설정된 사건목록, 즉 시나리오의 타당도 평가와 시범적용을 통해 개발된 시나리오를 수정 및 보완한다. 마지막 5단계는 교수자에게 개발된 시나리오를 교육하고 지속적으로 평가한다.

임상상황을 효과적으로 반영한 시나리오는 학습자에게 흥미를 유발하며 의욕을 증진시킬 수 있는 반면, 시나리오가 너무 복잡하고 극적이면 좌절감 등 부정적인 효과가 있을 수 있으므로 학습자 수준에 맞는 단계로 난이도를 조정하는 것이 중요하다. 또한 시뮬레이션은 한 가지의 주요 주제가 5분 내외로 임상현장에서 실제 상황을 현실감 있게 재현할 수 있는 내용의 시나리오 개발이 필수적이다. 시나리오 구현과정은 학습자가 시뮬레이션 구현 전 대상자 소개 및 환경에 대한 오리엔테이션을 받고 학습자 각각의 역할을 정하고 학습자가 주도하여 진행될 수 있도록 하게 한다.

| 디브리핑

디브리핑(debriefing)이란, 시나리오 구현이 끝나고 학습자와 교육자 사이에 시나리오 구현 시 느낀 점을 설명하고 더 나아가 실행하였던 학습내용을 체계적으로 분석하는 시간을 의미한다. 이 시간을 통하여 교수자와 학습자가 정보를 교환함으로 학습자는 일반화된 지식을 얻게 되며, 비판적 사고를 고취할 수 있다. 시나리오 구현시간과 유사하게 디브리핑 시간을 배정하며, 교육자는 학습자를 무비판적으로 받아들이고 학습자는 경쟁심 없는 편안한 마음으로 시나리오 구현 시 느낀 점을 나누고, 제공한 간호에 대하여 근거를 중심으로 분석하도록 한다. 교수자는 학습자에게 스트레스를 유발하는 정서적 반응을 확인하고, 긍정적인 피드백을 제공해야 하며 학습자에게 자신 혹은 다른 학습자의 수행과정을 되돌아보면서 필요한 지식과 기술을 확인할 수 있는 기회를 제공해야 한다.

| 시뮬레이션 교육

시뮬레이션 교육은 일반적인 지식의 전달이나 교사 중심으로 이루어지는 전통적인 교육방법과는 달리 학습자 중심의 교육으로 학습자의 학습과정을 촉진하는 역할로 작용하게 되며, 교수자는 학습자가 시뮬레이션을 원활하게 할 수 있도록 시뮬레이션 시나리오 설계, 장비점검 및 활용의 모든 부분에 대하여 알고 있어야 한다.

시뮬레이션 운영은 도입, 구현, 디브리핑 순서로 운영되며, 효율적인 운영시간으로 도입은 5~10분, 구현은 15~30분, 디브리핑은 15~25분으로 운영하도록 한다. 시뮬레이션 구현과 디브리핑 시간을 통하여 환자, 동료, 그룹 간의 의사소통을 관찰하고 평가하고 피드백을 줄 수 있는 환경이 주어짐으로써 치료적 의사소통 및 다른 의료진이나 보호자의 역할 등을 경험할 수 있다.

평가도구는 시뮬레이션을 위한 평가지침으로 다양성을 최대한 포함하는 새로운 문제상황을 제시하되 평가가 연습의 일부로 제공될 수 있도록 해야 하며 숙달의 정도를 판단할 수 있는 기준을 정하고 틀린 부분에 대해 피드백과 함께 결과를 검토할 수 있는 기회를 주도록 한다. 간호 시뮬레이션의 평가는 학습목표에 관한 지식, 시나리오 관련 체크리스트 및 임상수행능력 체크리스트 등으로 사용하며, 이는 시뮬레이션 교육과정 동안 학습자가 달성한 학습 성과의 질을 판단하는 것이다.

| 시뮬레이션 교육 개발과정 1

(1) 분석단계

분석단계에서는 혈액투석 대상자 간호에 대한 이론내용을 학습한 후에 이론 내용과 연계한 시뮬레이션 실습을 진행하기 위해 혈액투석 대상자 간호를 위한 시뮬레이션 시나리오를 작성한다. 시나리오 주제는 혈액투석 대상자 간호부분 중 임상현장에서 가장 많이 접할 수 있는 투석 중 저혈압과 고칼륨혈증 대상자로 정하고 학

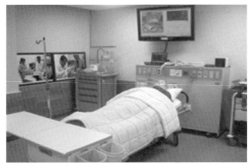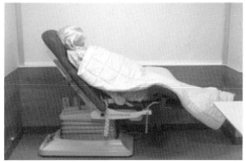

그림 29-2 **시뮬레이터 준비**

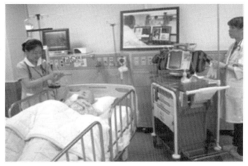

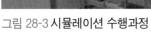
그림 28-3 **시뮬레이션 수행과정**

습과제를 분석하고 교육을 시행할 학습자 특성과 학습환경을 확인하도록 한다.

(2) 설계단계

선정된 교육주제를 바탕으로 제목, 교육목표, 교육 운영방법과 매체를 결정하고, 사용 가능한 시설과 기자재, 공간을 분석한다. 교육매체는 강의록, 동영상, 학습자용 수업보조 자료로 결정하였고, 교육운영방법은 강의와 실습, 시뮬레이션 교육으로 한다.

(3) 개발 및 수행단계

① 교육의 근거

이 시나리오는 신규 간호사를 대상으로 혈액투석 환자 간호와 연계된 시뮬레이션 실습 교육과정으로 혈액투석 대상자 간호를 위한 주호소와 관련된 주관적 정보 획득, 대상자 건강문제 중에서 우선순위가 높은 간호진단 선택, 우선순위가 높은 간호계획 선택, 우선순위가 높은 간호중재 수행, 간호계획을 잘 완수하였는지 평가 수행을 목표로 한다.

② 개발 순서

모듈의 개요 부분에는 전반적인 운영, 사례에 대한 설명, 선행 간호수기, 선행 간호지식, 학습목표와 환경준비 내용에 대해 작성한다. 시뮬레이션을 운영할 교수자와 시뮬레이터를 구동할 조작자를 정하고 교육 대상과 시간, 실습장소를 정한다. 사례 설명에 있어서는 전체 상황과 간호력을 기재하고 또한 학습자가 사전에 선행해야 할 지식과 간호수기와 모듈 운영에 대한 환경준비 사항을 작성하도록 한다. 모듈 개요 부분에서는 시나리오 개요 부분으로 환자에 대한 정보와 상황을 제시하고 필요한 물품과 선행지식을 정하고 학습목표를 설정한다. 환자는 고기능 환자 시뮬레이터로 환의를 입고 이불은 가슴까지 덮었으며 환자의 침대 옆에는 테이블, 전화, 호출벨, EKG 모니터를 설정한다. 환자는 앙와위를 취하고 있으며 침대난간을 올린 채 주증상을 호소하고 있다. 학습자에게는 환자에 대한 일반 정보를 제공하도록 설정한다. 교수자의 모듈 개요부분에는 모듈 운영에 있어 학습자 대상과 시간을 공지하고 사례개요 상황에 대해 작성하도록 한다. 다음으로 환자 정보에 대해 주증상과 진단명 특이사항을 작성하고 학습목표와 선행 학습내용과 선행 술기내용에 대하여 작성하도록 한다. 마지막으로 시설, 장비, 물품 및 인력에 대한 환경준비 내용을 작성하도록 한다. 학습자에게는 상황소개와 지침에 대한 공지를 실시하고 상황 소개에는 사례를 요약하고 환자 이름과 성별, 연령과 주증상 및 진단명을 작성하고 현재 활력징후를 알 수 있도록 공지한다. 지침 내용으로는 수행해야 할 업무와 소요시간을 공지하고 유의사항을 알려준다.

③ 알고리즘

알고리즘은 혈액투석 대상자의 간호에 대한 이론내용을 학습한 후 대상자의 문제를 학습자가 수행할 수 있도록 작성하는 것을 말한다. 개발한 상황에 맞게 정해진 순서와 시간에 따라 시뮬레이터의 반응이 변화하는 과정을 기재하고 시뮬레이터 반응에 따라 학습자가 사정해야 할 내용, 보고해야 할 내용, 수행해야 할 내용에 따라 시간대별로 작성한다. 작성된 알고리즘을 전문가에게 타당도 평가를 실시하여 수정 · 보완하여 완성하도록 한다. 시나리오는 각 시간별로 수행해야 할 간호중재 내용과 환자의 증상과 징후를 기록하고 환자의 반응상황을 설정하도록 한다. 간호중재로는 환자에게서 간호력을 수집하는 내용과 주치의에게 알릴 내용을 기록하고 환자의 증상과 징후를 파악하여 처방된 간호를 수행하는 내용으로 작성하도록 한다. 또한 학습자가 간호를 미수행했을 때 좀 더 정확하게 확인할 수 있는 예상 질문과 답(주의사항)을 작성하여 정확한 간호수행이 이루어질 수 있도록 한다.

(4) 평가단계
① 평가 체크리스트
시뮬레이션 실습 학습자의 간호수행능력을 판단하기 위한 평가 체크리스트를 개발하고 대상자의 상황에 따라 수행해야 할 내용에 대하여 총 10문항과 실습태도 3문항으로 구성하였다. 학습자가 수행해야 할 내용에 대하여 '수행 못함' 2점에서부터 '모두 수행함' 5점으로 구성하였으며 간호수행부분에는 가중치 점수를 추가하여 구성하였으며, 점수분포는 최저 20점에서 최고 68점까지이다. 전체 100% 중 80% 이상 수행한 경우는 PASS로, 80% 미만 수행한 경우는 미달성으로 반복 평가하도록 한다.

② 디브리핑
디브리핑은 시뮬레이션 실습이 끝난 후 학습자와 교수자가 교육과정에서 느낀 점을 공유하고 수행한 간호과정에 대하여 체계적으로 분석하는 과정으로 시뮬레이션 교육의 핵심과정이다. 디브리핑 스타일은 미국심장협회(American Heart Association)에서 제안한 GAS (Gather-Analysis-Summarize) 방식을 참조하여 개발된 시뮬레이션 내용에 맞추어 수정·보완하여 Description phase-Analysis phase-Application phase로 정하도록 한다. 디브리핑 시간에는 수행한 내용을 비디오를 통해 확인한다. Description phase는 환자정보를 수집하는 과정에 대한 평가를 실시하고 Analysis phase는 수행한 간호내용에 대한 분석이 이루어지며 Application phase은 시뮬레이션 교육을 통하여 실제 상황에서 수행할 수 있는 자신감과 느낀 점을 나누는 단계이다. 교수자는 실시된 시뮬레이션에 대해 잘한 점과 보완해야 할 점을 피드백하도록 한다.

운영시간은 GAS (Gather-Analysis-Summarize) 방식에서 수집 25%, 분석 40%, 요약이 35%의 비중을 추천하고 있으며, 이를 참조하여 Description phase 4, Analysis phase 9, Application phase 6문항으로 구성하도록 한다.

| 시뮬레이션 교육 개발과정 2
투석 중 저혈압 대상자 간호의 시뮬레이션 교육 개발과정은 다음과 같다.

(1) 분석단계
시나리오 주제는 혈액투석 대상자 간호부분 중 임상현장에서 가장 많이 접할 수 있는 투석 중 저혈압 대상자로 선정하였다. 학습자는 신규 간호사를 대상으로 실시할 예정이며 시뮬레이션 교육환경이 설치된 시뮬레이션 센터를 이용하도록 하였다.

(2) 설계단계
선정된 투석 중 저혈압 대상자 간호의 교육주제를 바탕으로 교육목표는 '저혈압 대상자 간호를 수행할 수 있다'로 설정하였고 사용 가능한 시설과 기자재, 공간을 분석하였다. 교육매체는 강의록, 동영상, 학습자용 수업보조자료로 결정하였고, 교육 운영방법은 강의와 실습, 시뮬레이션 교육으로 결정하였다.

(3) 개발 및 수행단계
① 교육의 근거
이 시나리오는 신규 간호사를 대상으로 투석 중 저혈압 대상자 간호와 연계된 시뮬레이션 실습교육 과정으로 대상자의 주호소와 관련된 주관적 정보 획득, 대상자 건강문제 중에서 우선순위가 높은 간호진단 선택, 우선순위가 높은 간호계획 선택, 우선순위가 높은 간호중재 수행, 간호계획을 잘 완수하였는지 평가 수행을 목표로 하였다.

② 개발순서

〈예시 1.1〉의 모듈 개요 부분에는 전반적인 운영상황으로 대상은 신규 간호사로 설정하고 진행시간은 20분, 디브리핑 시간을 30분으로 설정하였다. 사례에 대한 설명으로 혈액투석 중 식사를 하기 위해 대상자가 반좌위를 취하는 상황에서 혈압이 저하되는 상황으로 설정하였으며, 환자는 48세 남성 환자로 투석을 시작한 지 6개월 되었으며 진단명으로 고혈압과 만성콩팥병으로 선정하였다. 건체중은 61kg이며 투석 전 체중은 65kg으로 설정하였다. 선행간호 수기로 환자사정과 활력징후를 측정하고 EKG 모니터를 해석하고 산소요법을 시행하는 것으로, 선행간호 지식으로는 콩팥의 구조와 기능, 만성콩팥병의 병태생리, 투석 중 저혈압의 원인, 투석 중 저혈압 시 간호로 설정하였다. 학습목표로는 투석 중 저혈압 환자의 간호문제를 파악하고 필요한 간호를 수행하고 약의 작용과 부작용을 설명할 수 있는 것으로 설정하였다.

〈예시 1.2〉 상황 소개 및 지침에는 사례를 요약하고 환자 이름과 성별, 연령과 주증상 및 진단명을 작성하고 현재 활력징후를 알 수 있도록 설명하였다. 지침 내용으로는 수행해야 할 업무내용으로 환자사정, 간호수행, 투약설명 및 간호기록으로 제시하였으며 소요시간은 20분으로 공지하고 유의사항을 설명하였다.

③ 알고리즘

〈예시 1.3〉의 알고리즘은 투석 중 저혈압 대상자의 간호에 대한 이론내용을 학습한 후 대상자의 문제를 학습자가 수행할 수 있도록 기재하도록 하였다. 개발한 상황에 맞게 정해진 순서와 시간에 따라 시뮬레이터의 반응이 변화하는 과정을 기재하고 시뮬레이터 반응에 따라 학습자가 사정해야 할 내용, 보고해야 할 내용, 수행해야 할 내용에 따라 시간대별로 작성하였다.

첫 단계로 투석 시작 시 정상적인 활력징후를 제시한 후 환자가 투석 중 식사하기 위해 앉은 상황에서 갑자기 환자가 어지러움을 호소하는 것으로 설정하였다. 이때 학습자가 수행할 간호중재 내용으로 활력징후 측정과 간호사정을 하는 내용을 설정한 후 간호를 올바르게 수행할 시 비정상적인 활력징후를 제시하도록 설정하였다. 환자 상태를 파악한 후 전체적인 상황을 담당의사에게 보고하는 내용을 제시하였으며, 의사에게 제대로 보고할 경우 의사처방을 제시하도록 시나리오를 설정하였다. 의사처방으로는 수액보충과 50% D/W를 투여하고 일시적으로 초여과량을 감소시키며 투석 후 체중측정과 X-ray 촬영에 대한 간호수행이 이루어질 수 있도록 설정하였다. 또한 투석 후 혈압이 떨어진 이유와 수분조절과 식이교육에 대한 설명이 간호수행으로 실시되도록 시나리오를 작성하였다. 알고리즘 작성 이외에 간호를 미수행했을 때 좀 더 정확하게 확인할 수 있는 예상 질문과 답(주의사항)을 작성하여 정확한 간호수행이 이루어질 수 있도록 하였다.

(4) 평가단계

① 평가 체크리스트

〈예시 1.4〉의 평가 체크리스트는 시뮬레이션 실습 학습자의 간호수행능력을 판단하기 위하여 개발하였고 대상자의 상황에 따라 수행해야 할 내용에 대하여 총 8문항과 실습태도 3문항으로 구성하였다. 첫째 항목은 손씻기와 환자 확인, 둘째 항목은 대상자 활력징후 확인과 저혈압 시 간호수행, 셋째 항목은 활력징후와 산소유지 및 체위변경에 대한 설명으로 설정하였다. 넷째 항목은 환자 이름과 건체중, 초여과량, 환자의 활력징후를 보고하는 것, 다섯째 항목은 처방된 내용을 올바르게 간호수행하는 것으로 설정하였다. 여섯째 항목으로는 간호수행한 내용에 대하여 환자에게 설명할 내용을 평가하는 것으로 설정하였으며, 일곱 번째 항목으로는 물품정리, 마지막 항목으로는 손씻기를 평가항목으로 설정하였다. 학습자가 수행해야 할 내용에 대하여 '수행 못함' 2점에서부터 '모두 수행함' 5점으로 구성하였으며 간호수행 부분에는 가중치 점수를 추가하여 구성하였으며 점수분포는 최저 21점에서 최고 54점까지이다. 전체 100% 중 80% 이상 수행한 경우는 PASS로, 80% 미만 수행할 경우는 미달성으로 반복 평가하였다.

② 디브리핑

〈예시 1.5〉의 디브리핑에서는 수행한 내용을 동영상을 통해 확인하면서 Description phase는 환자가 어떤 상황이었는지, 대상자 간호를 위해 어떻게 대처하였는지, 성취감을 얻을 수 있었던 점, 당황스러웠던 점 등을 나눌 수 있는 내용으로 설정하였다. Analysis phase는 시행한 시뮬레이션과 비슷한 상황을 경험한 적이 있는지, 혈압이 떨어진 원인은 무엇이었는지, 저혈압 시 환자에게 수행한 간호중재는 무엇인지, 간호중재 시 투여된 약물과 투석 후 체중 측정과 X-ray 촬영에 대한 설명을 잘하였는지, 시뮬레이션을 경험한 후 어떻게 변화되었는지, 시뮬레이션 과정에서 놓친 점은 무엇인지를 나눌 수 있도록 설정하였다. Application phase은 시뮬레이션 교육을 통하여 실제 상황에서의 수행할 수 있는 자신감과 느낀 점을 나누는 단계로 설정하였다. 운영시간은 수집 25%, 분석 40%, 요약 35%의 비중을 추천하고 있으며, 이를 참조하여 Description phase 7문항, Analysis phase 11문항, Application phase 2문항으로 구성하였다.

<예시 1> 저혈압 환자간호 시뮬레이션 모듈 개발 템플릿

1. 모듈 개요(교수자용)

주제		입원환자 간호	
모듈 운영	대상	인공신장실 신규 간호사 및 경력 간호사	
	시간	*Running time: 20분 *Debriefing time: 30분	
	발생장소(setting)	인공신장실	
	개요	오전 8시에 정규 혈액투석을 위해 혈액투석실에서 투석을 받고 있다. 투석 1시간 20분 후 식사를 하기 위해 sitting position을 하려고 하는 도중 갑자기 환자가 쓰러졌다. 환자는 침대에 누워서 약간 어지러움과 다리저림을 호소하고 있으며 의식은 명료하다.	
환자 정보	이름: 김감압	특이사항: 투석 시작한 지 6개월 됨	특이사항: 10년간 HTN, 최근 6개월 전부터 HD 시작함.
	연령: 48세	성별: 남자	
	신장: 171cm	체중: 65kg (dry weight 61kg)	
	주증상: 어지러움과 다리저림	진단명: 만성신부전 & 혈액투석 & 저혈압	
학습목표	■ 만성신부전 환자의 합병증을 사정한다. ■ 사정한 결과를 의사에게 보고한다. ■ 산소포화도를 파악하고 산소를 공급한다. ■ 무균술을 적용하여 IV 및 투약간호를 수행한다. ■ 투석 중 저혈압 환자의 간호문제를 파악하여 간호중재를 수행한다. ■ 투석 중 저혈압 환자에게 투여하는 약물에 대한 작용과 부작용을 설명할 수 있다. ■ 투석 중 저혈압 환자에 대한 응급간호를 수행(position, 산소공급, IV start, IV injec-tion)한다.		
선행학습 내용 (수기, 지식, 태도)	① 수기: 　■ 환자사정 　■ V/S & weight 측정 　■ Monitoring 　　① pulse oxymeter - 산소포화도(SpO_2) 확인 　　② EKG monitor - arrhythmia, arrest, Twave 확인 　■ 산소(nasal cannula) 투여 　■ 체위 - 변형된 트렌델렌버그 체위 　■ 투약 - IV start, medication(생리식염수 dropping, 50% D/W100 ml) 　■ 검사 - 혈압 확인, 초여과량 확인 ② 지식: 　■ 신장의 구조와 기능 　■ 만성신부전의 병태생리 　■ 투석 중 저혈압의 원인 　■ 투석 중 저혈압 시 간호 ③ 태도: 혈액투석 환자를 대하는 적절한 대화문 구사와 태도		
환경 준비 (시설, 장비, 물품, 인력)	• 시설: 인공신장실 setting/bed(투석기, 투석액, dialyzer, 투석세트, kelly, N/S 1,000mL) • 장비: 캠코더, 노트북, 빔프로젝트 • 물품: V/S 기구, O_2 nasal cannula/mask, 50% D/W 100mL, 주사기 (50cc), 당직 의사, 보호자, 전화기, 기록지, 차트 & 각종 기록지(투약, 간호), 알코올솜, 손소독젤, 환의, 트레이, 이름표(팔목과 침대) • 전산 처방: 의사 처방 • 인력: 간호사 1명, 환자 1명, 보호자 1명, 의사 1명		
평가 계획	평가의 반영비율은 학습목표에 따라 유동적일 수 있다.		

2. 상황소개 및 지침(학습자용)

상황 소개	사례 요약	당신은 인공 신장실 간호사이다. 오전 8시에 정규 혈액투석을 위해 혈액투석실에서 투석을 받고 있다. 투석 1시간 20분 후 식사를 하기 위해 sitting position을 하려고 하는 도중 갑자기 환자가 쓰러졌다. 환자는 침대에 누워서 약간 어지러움과 다리저림을 호소하고 있으며 의식은 명료하다. 간호사는 환자사정을 위해 환자 곁에 서 있는 상황이다.		
	환자 이름	김감압	성별	남자
			연령	48세
	주증상	어지러움과 다리저림	진단명	진단명: 만성신부전 & 혈액투석 & 저혈압
	활력징후	BP: 190/110mmHg(왼손에 측정불가) TPR: 36.8℃, 30회, 26회 SpO$_2$: 96% EKG: 부정맥과 T파 상승, QRS파 연장		
지침	수행업무	1) 환자사정을 통해 정확한 정보를 수집한다. 2) 환자사정 내용을 정확하게 전달한다. 3) 환자치료를 위한 간호를 수행한다. 4) 수행된 간호를 환자에게 설명한다(투약 및 처치). 5) 수행한 간호를 정확하게 기록한다. 6) 투석을 시작한다.		
	소요 시간	_____ 20 _____ 분		
지침	유의사항	1) 환자는 10년간 HTN, 1년 전부터 HD 시작하였다. 2) 환자가 투석 중 식사하려고 하는 중 혈압이 떨어져 기운이 없기 때문에 적절한 대화법 적용과 정서적 지지가 특히 필요한 상태이다. 3) 경우에 따라 환자가 질문과 다른 대답을 할 수 있다.		
	기타 사항	수행 업무 후 본인이 수행했던 기록을 보면서 잘한 점과 부족한 점을 찾아내어 보완한다.		

3. 표준화 환자용 훈련대본(알고리즘)

오전 8시에 정규 혈액투석을 위해 혈액투석실에서 투석을 받고 있다. 투석 1시간 20분후 식사를 하기 위해 sitting position을 하려고 하는 도중 갑자기 환자가 쓰러졌다. 환자는 침대에 누워서 약간 어지러움과 다리가 저리다고 호소하고 있으며 환자는 기운이 없이 축 늘어져 있는 상황이며 의식은 명료하다.

시간 (분)	간호 중재	증상 및 징후 (Monitor settings)	SP Actions
1		투석 시작 후 BP: 150/80mmHg, TPR: 36.8℃, 80, 20회 투석 중 식사 10분 전 BP: 130/70mmHg, TPR: 36.7℃, 84회, 24회	
3	환자의 상태를 파악하기 위해 정보 수집 간호사가 혈압계를 들고 환자에게 가서 혈압을 측정한다. "어디가 제일 불편하세요?" "아침 혈압약을 복용하셨나요?" "다리가 저리는 것 말고 다른 증상은 없으세요?"	Initial State: 환자가 숨쉬기 힘든 표정을 하고 침대에 누워있다.	보호자: "여기요, 환자가 이상해요." 환자: "다리가 저리고 어지럽고 기운이 없어요."(말하기 힘들어함) 보호자: "예. 투석 전에 먹었어요." 환자: "어휴, 힘들어요."
5	■ 대상자 의식수준 확인 ■ V/s과 BP check ■ SpO₂ 확인 후 O₂ 2L via nasal cannula ■ 체위 - 변형된 트렌델렌버그 체위 <교육내용> ■ 변형된 트렌델렌버그 체위유지 목적 설명	환자: 축 처짐 BP: 80/50mmHg, TPR: 36.7℃, 96회, 26회	
5	담당의에게 활력징후 결과와 간호사정 내용을 notify하고 order를 받는다. <담당의가 환자를 본 후 지시사항> ■ V/S check ■ O₂ 2L via nasal cannula ■ 투석라인으로 N/S 100mL 투석라인으로 dropping: kelly 사용하여 연결된 생리식염수 투여 ■ BP 10분마다 check ■ 50% D/W 50ml 투석라인으로 투여: 투석기의 수액투여라인으로 투여		
5	■ UF: 3.5 이하로 감소 ■ 투석 후 몸무게 측정과 CHEST X-ray 촬영 <간호수행과 교육내용> ■ 생리식염수 투여목적 설명 ■ 50% D/W 50mL 투여목적 설명 ■ 일시적으로 UF: 3.5로 감소하고 혈압측정하면서 UF량을 조절함 ■ 환자에게 투석 후 몸무게 측정과 CHEST X-ray 촬영에 대한 목적 설명	<noti 내용> ■ c/c: 기운 없고 발저림 ■ BP: 80/50mmHg, TPR: 36.7℃, 96회, 26회 ■ 건체중과 늘어난 체중 ■ UF: 4.2	환자: "이 자세를 계속 하고 있어야 하나요?"

		BP: 100/60mmHg		
6	■ 투석라인으로 N/S 100mL dropping 중재 후 환자상태를 재평가하면서 UF량을 조절한다. 대상자의 불안 완화를 위한 심리적 간호를 수행한다. <교육내용> ■ 혈압이 떨어진 이유 설명 ■ 수분조절에 대한 식이교육 설명			

<미수행 시 표준화 환자-SP actions의 예시내용>

■ 정보수집에 관한 질문이 반복되는 경우
  : 보호자가 "환자가 힘든 것 안보이세요?"라며 짜증을 낸다.
■ 의사에게 사정내용을 제대로 설명하지 않을 경우
  : "혈압 얼마예요? UF 얼마예요? 건체중은요? 도대체 뭘 사정한 거예요!"라며 짜증을 낸다.
■ 환자에게 투약과 간호수행 시 교육을 제대로 하지 않을 경우
  : "이 약은 왜 주는 거예요?"
   "오늘 몸무게 다 뺄 수 있나요?
■ 검사결과에 대해 설명을 하지 않을 경우
  : "왜 가슴사진촬영을 해야 하나요?"
■ 투약 시 설명내용
  1) 변형된 트렌델렌버그 체위유지: 일시적으로 뇌쪽으로 혈류량을 증가시키기 위함
  2) 생리식염수 투여: 혈류량을 증가시켜 일시적인 혈압 상승을 위함
  3) 50% D/W 50mL 투여: 다리 저림을 감소시키기 위함
  4) 투석 후 몸무게 측정과 CHEST X-ray 촬영: 건체중을 다시 결정하기 위함

4. 평가 체크리스트

저혈압 환자간호 임상수행능력 채점 기준표

학생 성명:_____   평가자: _____   총점: _____

NO	저혈압 환자간호	2점	4점	5점	가중치	확인
1	① 손씻기 ② 환자와 인사(대상자 확인)	수행 못함	1개 수행	모두 수행		
2	① 대상자 의식수준 확인 ② V/S와 BP check ③ EKG monitoring 및 산소포화도 확인 SpO$_2$ 확인 후 O$_2$ 2L via nasal cannula ④ 체위 - 변형된 트렌델렌버그 체위	수행 못함	3개 수행	모두 수행	1	
3	① 활력징후 결과 설명 ② 산소투여 목적 설명 ③ 체위 유지에 대한 설명	수행 안함	2개 이상 수행	모두 수행	2	
4	<의사에게 보고> ① 환자 이름, 연령 ② 건체중, UF ③ 환자상태(의식수준) ④ V/S 결과 및 EKG 결과 보고	2개 이하 수행	3개 이상 수행	모두 수행	1	
5	<의사 order 수행> ① V/S check 15분마다 ② O$_2$ 2L via nasal cannula ③ EKG monitoring apply ④ 투석라인으로 N/S 100mL dripping: kelly 사용하여 연결된 생리식염수 투여 ⑤ 50% D/W 50mL 투석라인으로 투여: 투석기의 수액투여라인으로투여 ⑥ UF: 3.5 이하로 감소 ⑦ 투석 후 몸무게 측정 ⑧ CHEST X-ray 촬영	3개 이하 수행	4~6개 수행	모두 수행	2	
6	<교육내용> ① 생리식염수 투여목적 설명 ② 50% D/W 50mL 투여목적 설명 ③ 환자에게 투석 후 몸무게 측정과 CHEST X-ray 촬영에 대한 목적 설명 ④ 혈압이 떨어진 이유 설명 ⑤ 수분조절에 대한 식이교육 설명	2개 이하 수행	3~4개 수행	모두 수행	3	
7	물품정리	수행 안함		수행함		
8	손씻기					
태도	용모단정(2점)					
	적극적인 참여도(2점)					
	시간엄수(1점)					

5. 평가 체크(디브리핑용)

방법	☐ 개인 ☐ 조별 ☐ 전체
자료	☐ VIDEO Record ☐ 표준화 환자용 평가 결과 ☐ 강사용 평가 결과 ☐기타( )
단계	질문
서술 단계	* 환자는 어떤 상황에 처한 대상자인가?/어떤 점이 가장 중요한 과제였는가? * 투석 환자임을 어떻게 알게 되었는가? * 이 환자를 위해 어떻게 대처하였는가?/어떤 결정을 내렸고 왜 그렇게 했는가? * 각각 상대방 학생에게 대처상황은 어떠했는가? * 가장 성취감을 얻은 점은? * 가장 당황스러웠던 점은? * 지금 경험한 내용은 어떤 상황이었는가?/어떤 점이 가장 중요한 과제였는가?
분석 단계	* 여러분이 경험한 simulation이 실제로는 어떤 경우에 해당하는가? * 비슷한 경험을 해 본 적이 있는가? * 우선적으로 요구되는 응급처치는 무엇이며 왜 그렇게 하는가? * 응급상황과 관련된 간호는 무엇인가? * 혈압이 떨어진 것을 어떻게 알았는가? * 왜 체위를 변경하였는가? * 투석 중 저혈압의 원인 및 양상을 파악했는가? * 투석 중 저혈압 환자에 대한 중요한 간호중재는 무엇인가? * 투석 중 저혈압 환자에게 간호중재 시 투여된 약물과 투석 후 몸무게 측정과 CHEST X-ray 촬영에 대한 설명을 잘하였는가? * 이번 학습을 경험한 후 생각이 어떻게 변하게 되었는가? * 이번 simulation 과정에서 놓친 점은 무엇인가?
적용 단계	* 오늘 배운 것을 통해 앞으로 실제 상황에서라면 어떻게 할 것인가? * 오늘 이 simulation을 통해 배우게 된 것 중 가장 중요한 것을 한 가지 꼽으면 무엇인가?

| 피드백

학습자가 잘한 점에 대한 피드백:

예시>
* 간호력을 수집하는 과정에서 순차적으로 환자와 치료적 의사소통을 통해 수집함
* 의사에게 notify할 내용을 잘 설명하였으며, 팀 간의 연락을 잘 처리함

학습자가 개선해야 할 점에 대한 피드백:

예시>
* 간호수행에 있어 3way 사용법과 fluid 연결하는 간호수행이 미흡함
* 환자에게 투여한 약물에 대하여 교육부분이 이루어지지 않았음

| 시뮬레이션 교육 개발과정 3

고칼륨혈증 환자간호 시뮬레이션 교육개발과정은 다음과 같다.

(1) 분석단계

시나리오 주제는 혈액투석 대상자 간호부분 중 임상현장에서 응급상황으로 많이 접할 수 있는 고칼륨혈증 대상자 간호로 선정하였다. 교육을 시행할 학습자 특성은 신규 간호사를 대상으로 실시할 예정이며 시뮬레이션 교육환경이 설치된 시뮬레이션 센터를 이용하도록 하였다.

(2) 설계단계

선정된 고칼륨혈증 대상자 간호의 교육주제를 바탕으로 교육목표는 '고칼륨혈증 대상자 간호를 수행할 수 있다'로 설정하고 사용 가능한 시설과 기자재, 공간을 분석하였다. 교육매체는 강의록, 동영상, 학습자용 수업보조 자료로 결정하였고, 교육운영방법은 강의와 실습, 시뮬레이션 교육으로 결정하였다.

(3) 개발 및 수행단계

  ① 교육의 근거

이 시나리오는 신규 간호사를 대상으로 응급 고칼륨혈증 대상자 간호와 연계된 시뮬레이션 실습교육과정으로 대상자의 주호소와 관련된 주관적 정보 획득, 대상자 건강문제에 중에서 우선순위가 높은 간호진단 선택, 우선순위가 높은 간호계획 선택, 우선순위가 높은 간호중재 수행, 간호계획을 잘 완수하였는지 평가 수행을 목표로 하였다.

  ② 개발순서

〈예시 2.1〉의 모듈 개요 부분에는 전반적인 운영상황으로 대상은 신규 간호사로 설정하고 진행시간은 20분, 디브리핑 시간을 30분으로 설정하였다. 사례에 대한 설명으로, 식이교육을 받았으나 식이조절을 아직은 잘하지 못하고 있는, 투석을 시작한 지 6개월 된 대상자로 설정하였으며, 30분 전부터 가벼운 호흡곤란(mild dyspnea)과 흉부불편감(chest discomfort) 증상으로 응급실로 내원한 것으로 설정하였다. 환자는 58세 여성 환자로 진단명으로 고혈압과 만성콩팥병으로 선정하였으며, 건체중은 55kg이며 투석 전 체중은 58.5kg으로 설정하였다. 선행 간호수기로 환자사정을 하고 활력징후를 측정하며 EKG 모니터를 해석하고 산소요법을 시행, 투약간호, 체위변경, 검사실시, 관장 등을 간호수기로 설정하였으며, 선행 간호지식으로는 콩팥의 구조와 기능, 만성콩팥병의 병태생리, 고칼륨혈증의 증상과 치료, 고칼륨혈증 대상자 간호과정으로 설정하였다. 학습목표로는 만성콩팥병의 합병증을 사정하고, 고칼륨혈증 환자의 간호문제를 파악하고 필요한 간호를 수행하고 약의 작용과 부작용을 설명할 수 있는 것으로 설정하였다.

  환경준비로 시설에는 인공신장실에 투석기와 투석액 등을 준비하고 장비로는 캠코더와 노트북, 빔프로젝트를 준비하였다. 물품으로는 V/S기구, O_2 비강캐뉼라/마스크, IV task training, 수액세트, 혈관카테터(angiocath), 접착테이프(tape), N/S 1000mL, isoket 10mg, Kalimate 6팩, 20% D/W 200mL, 50% D/W 100mL, Apidura 20IU, Calcium glugonate 2앰플, Bicabonate 4앰플, 주사기(5, 10, 50cc), IV세트, 당직의사, 보호자, 전화기, 차트 및 각종 기록지(투약, 간호), 알코올솜, 손소독젤, 환의, 트레이, 이름표(팔목과 침대) 등을 설정하였다.

  〈예시 2.2〉의 상황소개 및 지침에는 사례를 요약하고 환자 이름과 성별, 연령과 주증상 및 진단명을 작성하고 현재 활력징후를 고칼륨혈증 상황을 알려줄 수 있도록 느린맥과 QRS파 연장과 뾰족한 T파로 설정하여 공지하도록 하였다. 지침 내용으로는 수행해야 할 업무내용으로 환자사정, 간호수행, 투약설명 및 간호기록으로 제시하였으며 소요시간은 20분으로 공지하고 유의사항을 알려주었다.

③ 알고리즘

〈예시 2.3〉의 알고리즘은 고칼륨혈증 대상자의 간호에 대한 이론내용을 학습한 후 대상자의 문제를 학습자가 수행할 수 있도록 기재하도록 하였다. 개발한 상황에 맞게 정해진 순서와 시간에 따라 시뮬레이터의 반응이 변화하는 과정을 기재하고 시뮬레이터 반응에 따라 학습자가 사정해야 할 내용, 보고해야 할 내용, 수행해야 할 내용에 따라 시간대별로 작성하였다.

첫 단계로 vocal sound로 환자가 숨이 차고 힘들다고 호소하는 것으로 설정하고 이에 따른 간호수행으로 환자 간호력을 수집하는 과정을 설정하였다. 활력징후를 확인하고 EKG 모니터를 확인하는 간호수행, 현재 불편한 점, 투석 시작일, 마지막 투석일, 식이 확인, 혈압약 복용 등의 간호력을 수집하도록 설정하였다. 간호력 수집 시 간호사의 질문에 환자가 대답할 내용을 설정하였으며 vocal sound로 교수자가 제공하도록 하였다. 다음 알고리즘으로 수집된 간호력을 담당의사에게 보고할 내용을 기록하였으며, 올바르게 보고할 경우 의사처방을 제시하도록 설정하였다. 의사처방 내용으로는 활력징후를 제시한 후 환자가 투석 중 식사하기 위해 앉은 상황에서 갑자기 환자가 어지러움을 호소하는 것으로 설정하였다. 이때 학습자가 수행할 간호 중재 내용으로 활력징후 측정과 간호사정을 설정한 후 간호를 올바르게 수행할 시 비정상적인 활력징후를 제시하도록 설정하였다. 환자 상태를 파악한 후 전체적인 상황을 담당의사에게 보고하는 내용을 제시하였으며, 의사에게 제대로 보고할 경우 의사처방을 제시하도록 시나리오를 설정하였다. 의사처방으로는 Weight & V/S check, O$_2$ 2L via 비강캐뉼라(nasal cannula), EKG monitoring apply, isoket 10mg IV 주고 BP 확인, N/S 1L IV start: 정맥(18G)로 확보 후 3way에 라인을 연결함(왼손 불가), Lab (electrolyte) 실시응급, X-ray 촬영(cardio megaly 확인), 응급투석 준비 등으로 설정하였다. 다음 항목으로 처방된 간호를 수행하고 수행하는 간호를 설명하고 검사결과를 확인하는 것으로 설정하였으며, 검사결과 및 혈압 측정결과를 담당의사에게 보고하는 것으로 설정하였다.

다음 알고리즘 항목으로 검사결과에 따른 의사처방을 제시하도록 설정하였으며, 의사처방 내용으로 50% D/W 100mL에 apidra 20IU를 혼합하여 IV dropping, Bicabonate 4앰플 IV dropping, Calcium gluconate 2앰플 IV, Kalimate 5g 2pack PO, Kalimate enema (Kalimate 6팩+20% D/W 10A), BST 확인, Lab (electrolyte) 실시 등으로 설정하였다. 처방에 따른 간호를 수행하는지 수행 시 수행내용에 대한 설명과 약물에 대한 작용 및 부작용을 설명할 수 있도록 설정하였다.

마지막 알고리즘 내용으로 간호처치 후 검사결과를 보고하고 응급투석 실시에 대한 처방에 따라 투석실로 환자를 이동하는 간호수행을 하도록 설정하였다. 알고리즘 작성 이외에 간호를 미수행 했을 때 좀 더 정확하게 확인할 수 있는 예상 질문과 답(주의사항)을 작성하여 정확한 간호수행이 이루어질 수 있도록 하였다.

(4) 평가단계

① 평가 체크리스트

〈예시 2.4〉의 시뮬레이션 실습 학습자의 간호수행능력을 판단하기 위하여 개발하였고 대상자의 상황에 따라 수행해야 할 내용에 대하여 총 10문항과 실습태도 3문항으로 구성하였다. 첫째 항목은 손씻기와 환자 확인, 둘째 항목은 대상자 활력징후 확인과 응급처치 수행, 셋째 항목은 간호력 수집, 넷째 항목은 환자 이름과 현병력 및 과거력, 건체중, 환자의 활력징후를 보고하는 것으로 설정하였다. 다섯째 항목으로는 의사가 처방한 내용을 수행하고 수행하는 간호에 대한 설명이 이루어지는지를 평가하는 항목으로 설정하였으며, 여섯째 항목으로는 검사결과에 따른 의사처방을 수행하는 내용으로 약물투여 및 활력징후 재확인, 검사결과 재확인, 응급투석 의뢰 등의 간호를 수행하고 간호수행에 대한 설명, 약의 작용과 부작용 설명이 이루어졌는지를 평가하도록 설정하였다. 일곱째 항목으로는 검사결과 및 활력징후를 보고하는 내용으로 설정하였으며, 여덟째 항목으로는 검사결과 실시와 설명, 약물 투여 설명, 응급투석 설명, 관장 실시에 대한 설명 등을 평가하도록 설정하였다. 아홉째로는 물품정리, 마지막 항목으로는 손씻기를 평가항목으로 설정하였다. 학습자가 수행해야 할 내용에 대하여 '수행 못함' 2점에서부터 '모두 수행함' 5점으로 구성하였으며 간호수행 부분에는 가중치 점수를 추가하여 구성하였으며, 점수분포는 최저 25점에서 최고 68점까지이다. 전체 100% 중 80% 이상 수행한 경우는 PASS로, 80% 미만 수행할 경우는 미달성으로 반복 평가하였다.

② 디브리핑

〈예시 2.5〉의 디브리핑에는 수행한 내용을 동영상을 통해 확인하면서 Description phase는 환자가 어떤 상황이었는지 대상자 간호를 위해 어떻게 대처하였는지, 성취감을 얻을 수 있었던 점, 당황스러웠던 점 등을 나눌 수 있는 내용으로 설정하였다. Analysis phase는 시행한 시뮬레이션과 비슷한 상황을 경험한 적이 있는지, 우선적으로 요구되는 응급처치는 무엇이었는지, 고칼륨혈증 환자임을 어떻게 알았는지, 고칼륨혈증 대상자 간호를 위한 검사항목은 무엇이며 검사결과에 대한 해석은 어떤지, 고칼륨혈증의 원인과 간호중재는 무엇이며, 처방된 약물에 대한 작용과 부작용은 무엇인지, 시뮬레이션을 경험한 후 어떻게 변화되었는지, 시뮬레이션 과정에서 놓친 점은 무엇인지를 나눌 수 있도록 설정하였다. Application phase은 시뮬레이션 교육을 통하여 실제상황에서의 수행할 수 있는 자신감과 느낀 점을 나누는 단계로 설정하였다. 운영시간은 수집 25%, 분석 40%, 요약 35%의 비중을 추천하고 있으며, 이를 참조하여 Description phase 7문항, Analysis phase 13문항, Application phase 2문항으로 구성하였다.

<예시 2> 고칼륨혈증 환자간호 시뮬레이션 모듈 개발 템플릿

1. 모듈 개요(교수자용)

주 제		고칼륨혈증 환자간호	
모듈 운영	대상	인공신장실 신규 간호사 및 경력 간호사	
	시간	*Running time: 20분 *Debriefing time: 30분	
	발생장소(setting)	인공신장실	
	개요	오후 5시경 119 구급대원들에 의해 운반차로 여성 환자 한 명이 보호자와 함께 투석실로 들어온다. 30분 전부터 mild dyspnea & chest discomfort 증상으로 내원했다고 보호자가 말하고있다. 환자는 숨을 쉴 때마다 가슴의 불편감을 호소하고 있으며 의식은 명료하다.	
환자 정보	이름: 김투석	특이사항: 투석 시작한 지 6개월됨	특이사항: 10년간 HTN, 최근 6개월 전부터 HD 시작함. 고칼륨혈증으로 처음으로 응급실로 내원함
	연령: 58세	성별: 여자	
	신장: 158cm	체중: 58.5kg (dry weight 55kg)	
	주증상: 호흡곤란 및 가슴불편감	진단명: 만성신부전 & 혈액투석 & 고칼륨혈증	
학습목표	■ 만성신부전 환자의 합병증을 사정한다. ■ 사정한 결과를 의사에게 보고한다. ■ 산소포화도를 파악하고 산소를 공급한다. ■ 무균술을 적용하여 IV Start 투약을 준비한다. ■ 고칼륨혈증 환자의 간호문제를 파악하여 간호중재를 수행한다. ■ 고칼륨혈증 환자에게 투여하는 약물에 대한 작용과 부작용을 설명할 수 있다. ■ 고칼륨혈증 대상자에 대한 응급간호를 수행(position, 산소공급, IV start, IV injection)한다.		

선행학습 내용 (수기, 지식, 태도)	① 수기:
	■ 환자사정
	■ V/S & weight 측정
	■ Monitoring
	  ① pulse oxymeter - 산소포화도(SpO_2) 확인
	  ② EKG monitor - arrhythmia, arrest, Twave 확인
	■ 산소(nasal cannula) 투여
	■ 체위 - semi flower position
	■ 투약 - IV start, medication(혈압약, 인슐린, 중탄산제제, 칼슘제제 등)
	■ 검사 - Routine Lab, Electrolyte, 동맥가스검사
	■ Enema
	② 지식:
	■ 신장의 구조와 기능
	■ 만성신부전의 병태생리
	■ 고칼륨혈증의 증상과 치료
	■ 고칼륨혈증 간호과정
	③ 태도: 혈액투석 환자를 대하는 적절한 대화문 구사와 태도		

(계속)

주 제	고칼륨혈증 환자간호
환경 준비 (시설, 장비, 물품, 인력)	• 시설: 인공신장실 setting/bed(투석기, 투석액, dialyzer, 투석세트, kelly) • 장비: 캠코더, 노트북, 빔프로젝트 • 물품: V/S 기구, O$_2$ 비강 캐뉼라/마스크, IV task training, 수액 set, angio cath, tape, N/S 1,000mL, isoket 10mg, Kalimate 6팩, 20% D/W 200mL, 50% D/W 100mL, Apidura 20 IU, Calcium glugonate 2앰플, Bicabonate 4앰플, 주사기 (5, 10, 50 cc), IV 세트, 당직의사, 보호자, 전화기, 차트 & 각종 기록지(투약, 간호), 알코올솜, 손소독젤, 환의, 트레이, 이름표(팔목과 침대) ■ 관장준비: 관장 bottle, tube, N/S 1L(bottle), 윤활제, pus pan, 장갑, 방수포, 반홑이불, 홑이불, 거즈, 휴지, 트레이, 손소독제 • 전산 처방: 의사처방 • 인력: 간호사 1명, 환자 1명, 보호자 1명, 의사 1명
평가 계획	평가의 반영비율은 학습목표에 따라 유동적일 수 있다.

2. 상황 소개 및 지침(학습자용)

상황 소개	**사례 요약**	당신은 인공 신장실 간호사이다. 오후 5시경 119 구급대원에 의해 운반차로 여성 환자 한 명이 보호자와 함께 인공신장실로 들어온다. 30분 전부터 mild dyspnea & chest discomfort 증상으로 내원했다고 보호자가 말하고 있다. 환자는 숨을 쉴 때마다 가슴의 불편감을 호소하고 있으며 의식은 명료하다. 간호사는 환자사정을 위해 환자 곁에 서 있는 상황이다.		
	환자 이름	김투석	**성별**	여성
			연령	58세
	주증상	호흡곤란 및 가슴불편감	**진단명**	진단명: 만성신부전 & 혈액투석 & 고칼륨혈증
	활력징후	BP: 190/110mmHg(왼손에 측정 불가) TPR: 36.8℃, 30회, 26회 SpO2: 96% EKG: 부정맥과 T파 상승, QRS파 연장		
지침	**수행업무**	1) 환자사정을 통해 정확한 정보를 수집한다. 2) 환자사정 내용을 정확하게 전달한다. 3) 환자치료를 위한 간호를 수행한다. 4) 수행된 간호를 환자에게 설명한다(투약 및 처치). 5) 수행한 간호를 정확하게 기록한다. 6) 투석을 시작한다.		
	소요 시간	_____ 20 _____ 분		
	유의사항	1) 환자는 10년간 HTN, 최근 6개월 전부터 HD 시작하였다. 2) 환자가 고칼륨혈증으로 처음으로 응급투석을 하는 상황이라 어리둥절하고 두려움이 크므로 적절한 대화법 적용과 정서적 지지가 특히 필요한 상태이다. 3) 경우에 따라 환자가 질문과 다른 대답을 할 수 있다.		
	기타 사항	수행 업무 후 본인이 수행했던 기록을 보면서 잘한 점과 부족한 점을 찾아내어 보완한다.		

3. 표준화 환자용 훈련대본(알고리즘)

오후 5시경 119 구급대원들에 의해 운반차로 여성 환자 한 명이 보호자와 함께 응급실로 들어온다. 30분 전부터 mild dyspnea & chest discomfort 증상으로 내원했다고 보호자가 말하고 있다. 환자는 숨을 쉴 때마다 가슴의 불편감을 호소하고 있으며 의식은 명료하다.

시간 (분)	간호사 중재	증상 및 징후 (Monitor settings)	SP Actions

2	■ 대상자 확인
	■ V/s check 후
	  EKG moni toring
	■ SpO$_2$ 확인 후 O$_2$ 2L
	  via nasal cannula
	■ 체위 - semi flower 유지
	■ 동정맥루 확인(왼손)
		Initial State: 환자가 숨쉬기 힘든 표정을 하고 침대에 앉은 자세로 응급실로 들어온다.
		BP: 190/110mmHg(왼손에 측정불가)
		TPR: 36.8℃, 30회, 26회
		SpO$_2$: 96%
		EKG: 부정맥과 T파 상승, QRS파 연장
			Vocal sounds
			: "에고~ 숨차."
			  "힘들어요, 어떻게 좀 해주세요."

5	환자의 상태 파악하기 위해 사정(응급구조사의 사전조치, C/C)등을 수행 "어디가 제일 불편하세요?" "혹, 야채나 과일 많이 드셨어요?" "언제부터 힘드셨나요?" "예전에도 이런 적이 있었나요?" "투석한 지 몇 년 되셨어요?" "혈압약을 복용하셨나요?" "마지막 투석은 언제 하셨어요?" "손발 저리거나 입술 주위에 마비증상(덜한 느낌)이 있나요?"	환자: face color anemic state	환자: "숨이 차고 가슴이 답답해요." 환자: "점심 먹고 나서 갑자기 가슴이 답답하고, 조금씩 숨이 차기 시작했어요. 내일 투석하는 날이어서 병원에 가려고 했는데"(말하기 힘들어함) 보호자: "예. 오늘 보름날이라 나물하고 고기에 야채를 많이 먹었어요. 보호자: "오전에는 힘들어 하지 않았는데, 오후 되면서 힘들어 했어요. 왜 그러는지 모르겠어요." 보호자: "이런 일 전에는 없었어요." 보호자: "약 6개월 됐어요." 환자: "남편이 가지고 있는 혈압약을 먹으라고 해서 먹었는데, 혈압이 지금도 높죠?" 환자: "투석은 3일 전에 했어요." 환자: "약간 다리가 저려요."
5	<담당의가 환자를 본 후 지시사항> 담당의에게 활력징후 결과와 간호사정 내용 notify하고order를 받는다. ■ Weight & V/S check ■ O$_2$ 2L via 비강캐뉼라	<noti 내용> ■ c/c - 숨차고 발저림 ■ 투석년도 ■ 마지막 투석일 ■ 활력징후, EKG 결과	
5	■ EKG monitoring apply ■ Isoket 10mg IV 주고 BP 확인 ■ N/S 1L IV start: 정맥(18G)로 확보 후 3way에 라인을 연결함(왼손 불가) ■ Lab (electrolyte) 실시-응급 ■ Xray 촬영(cardio megaly 확인) ■ 응급투석 준비		
	Lab 결과 나옴		

(계속)

시간 (분)	간호사 중재	증상 및 징후 (Monitor settings)	SP Actions
5	■ 담당의에게 lab 결과와 체중, 혈압 결과 notify하고 order를 받는다. ■ 50% D/W 100mL apidra20 IU IV dropping ■ Bicabonate 4앰플 IV dripping ■ Calcium gluconate 2앰플 ■ Kalimate 5g 2팩 po ■ Kalimate enema (Kalimate 6팩 + 20% D/W 10A) ■ BST check ■ Lab (electrolyte) 실시-응급	<noti 내용> ■ Weight: 58.5kg (dry weight 55kg) ■ K^+: 9.0meq/dL ■ Ca^{2-}: 8.9mg/dL ■ Sugar: 85mg/dL ■ pH: 7.335 혈압: 150/90mmHg <교육내용> ■ 검사결과 설명 ■ 인슐린, Bicabonate, Calcium gluconate, Kalimate 투여 시 효과와 부작용 설명 ■ Kalimate 관장시행 이유 설명 ■ BST와 Lab check 설명	정상 Lab K^+: 3.5~5.3meq/dL Ca^{2-}: 8.8~10.8mg/dL Sugar: 80~100mg/dL pH: 7.35~7.45 PCO_2: 35~45mmHg PO_2: 80~100mmHg
		Lab 결과 나옴	
3	의학적 중재 후 환자상태를 재평가 한다. 심전도 모니터링 필요성, 주의 깊은 관찰이 필요함을 설명한다. "좀 어떠세요?"	<간호수행 평가> ■ K^+ 8.5meq/dL ■ BP: 150/90mmHg(왼손에 측정 불가) ■ TPR: 36.8℃, 40회, 22회, ■ SpO_2: 97% ■ Sugar: 90mg/dL <교육내용> ■ 환자에게 결과 설명 ■ 혈액투석 시행에 대한 설명	환자: "약간 편해졌어요. 가슴 답답하고 발 저리는 것은 여전하네요."
	대상자의 불안 완화를 위한 심리적 간호를 수행한다. "투석을 해야 숨차는 것과 저린 것이 좋아질 것입니다."	투석시작	

<미수행 시 표준화 환자 – SP actions의 예시내용>

■ 간호력에 관한 질문이 반복되는 경우
  : "아까 다 얘기했잖아요"라며 짜증을 낸다.
■ 의사에게 제대로 사정내용을 설명하지 않을 경우
  : "투석한 지 얼마됐나요? 마지막 투석은 언제 했나요? 몸무게는 얼마나 늘어났나요? 도대체 뭘 사정한 거예요!"라며 짜증을
  낸다.
■ 간호력 시간이 오래 걸리는 경우
  : "힘든데 언제까지 하실 거에요?"라며 짜증을 낸다.
■ 환자에게 투약과 간호수행 시 교육을 제대로 안 할 경우
  : "이 약은 왜 주는 거예요?"
  "관장은 꼭 해야 하나요?
  "저기(심전도 모니터)에 나타나는 것이 뭐에요?"
■ 검사결과에 대해 설명을 하지 않을 경우
  : "검사결과는 어떻게 됐어요?"
■ 주사를 아프게 삽입할 경우
  : "주사를 꼭 맞아야 하나요? 투석하면서 그쪽으로 주면 안 되나요?"
■ 투약 시 설명내용
  1) 칼륨이 6.0 이하: T파가 뾰족하고 QRS파가 짧아짐
    • 칼리메이트, 아가메트 경구투여
    • 칼리메이트 관장 시행: N/S 300cc에 kallimate 100g 섞어서 관장 시행
      결장부위에서 칼슘과 장관 내의 칼륨이 서로 교환되면서 칼륨이 체외로 배출
    • 이뇨제를 투여하여 체외로 칼륨을 배출
  2) 칼륨이 6~7이면: PR과 QRS파가 연장됨
    • 인슐린 투여: 10% DW 100cc RI 10-20u 정맥투여,
      인슐린은 일시적으로 세포외액에 있는 칼륨을 세포내액으로 이동시킴
    • 중조산나트륨 투여: Bivon 2앰플 IV slowly 투여
      대사성 산증치료(대사성 산증은 세포 내에 있는 칼륨을 세포 외로 배출하기 때문)
  3) 칼륨이 7 이상: 느린맥과 PR과 QRS파가 연장됨
    • Calcium gluconate IV: 칼슘을 투여하여 심장을 안정시킴

4. 평가 체크리스트

고칼륨혈증 환자간호 임상수행능력 채점 기준표

학생 성명: _____   평가자: _____   총점: _____

NO	고칼륨혈증 환자간호	2점	4점	5점	가중치	확인
1	① 손씻기 ② 환자와 인사(대상자 확인)	수행 못함	1개 수행	모두 수행		
2	① 활력징후 ② EKG monitoring 및 산소포화도 확인 ③ SpO$_2$ 확인 후 O$_2$ 2L via 비강캐뉼라 ④ 체위 - semi flower 유지 ⑤ 동정맥루 확인(왼손)	수행 못함	3개 수행	모두 수행	1	
3	<간호력> ① C.C ② onset ③ 과거병력 확인	수행 안 함	2개 이상 수행	모두 수행	2	
4	<의사에게 보고> ① age, sex, on set, C.C, P/I, P/Hx, R.O.S, P/E ② V/s 결과 및 EKG 결과 보고	2개 이하 수행	3개 이상 수행	모두 수행	1	
5	<의사 order 수행> ① Weight & V/S check ② O$_2$ 2L via nasal cannula ③ EKG monitoring apply ④ BP 확인 후 noti하고 isoket 10mg IV ⑤ N/S 1L IV start: 정맥(18G)로 확보 후 3way에 라인을 연결함 ⑥ Lab (electrolyte) 실시 - 응급 ⑦ X-ray 촬영(cardio megaly 확인) ⑧ 응급투석 arrange 상황 확인	2개 이하 수행	3~5개 수행	모두 수행	2	
	Lab 결과 나옴					
6	④ Kalimate 5g 2팩 po ⑤ Kalimate enema (Kalimate 6팩 20% D/W 10A) ⑥ 혈압 재측정 ⑦ BST recheck ⑧ 응급투석 arrange 상황 확인 <Lab 결과 후 의사order 수행> ① 50% D/W 100mL apidra20 IU IV dropping ② Bicabonate (Bivon) 4앰플 IV dripping ③ Calcium gluconate 2앰플 IV	4개 이하 수행	6~7개 수행	모두 수행	3	

(계속)

NO	고칼륨혈증 환자간호	2점	4점	5점	가중치	확인
7	<의사에게 보고> Lab 결과(K^+) BP와 TPR 측정결과 SpO_2 수치 BST 결과, EKG 결과	수행 안 함		모두 수행	1	
8	<환자와 보호자에게 설명> ① Lab과 X-ray 촬영에 대한 이유 설명 ② 투여약물(isoket, apidra, Bicabonate, Calcium gluconate, Kalimate) 이유 설명 ② 관장 실시 이유 설명 ③ 투석 필요성(평가결과 확인) 설명	수행 안 함		수행함	3	
9	물품정리	수행 안 함		수행함		
10	손씻기					
태도	용모단정(2점)					
	적극적인 참여도(2점)					
	시간엄수(1점)					

5. 평가 체크(디브리핑용)

방법	□ 개인 □ 조별 □ 전체
자료	□ VIDEO Record □ 표준화 환자용 평가 결과 □ 강사용 평가 결과 □ 기타( )
단계	질문
서술 단계	* 환자는 어떤 상황에 처한 대상자인가?/어떤 점이 가장 중요한 과제였는가? * 투석 환자임을 어떻게 알게 되었는가? * 이 환자를 위해 어떻게 대처하였는가?/어떤 결정을 내렸고 왜 그렇게 했는가? * 각각 상대방 학생에게 대처 상황은 어떠했는가? * 가장 성취감을 얻은 점은? * 가장 당황스러웠던 점은? * 지금 경험한 내용은 어떤 상황이었는가?/어떤 점이 가장 중요한 과제였는가?
분석 단계	* 여러분이 경험한 simulation이 실제로는 어떤 경우에 해당하는가? * 비슷한 경험을 해 본 적이 있는가? * 우선적으로 요구되는 응급처치는 무엇이며 왜 그렇게 하는가? * 응급상황과 관련된 간호는 무엇인가? * 고칼륨혈증 환자임을 어떻게 알았는가? * 고칼륨혈증을 대처하기 위해 Lab 검사와 X-ray 검사를 왜 했는가? * 고칼륨혈증을 대처하기 위한 정상 Lab 수치와 EKG의 결과를 해석할 수 있는가? * 왜 체위를 변경하였는가? * 고칼륨혈증의 원인 및 양상을 파악했는가? * 고칼륨혈증에 대한 중요한 간호중재는 무엇인가? * 고칼륨혈증에 대한 중요한 간호중재 시 투여약물(isoket, apidra, Bicabonate, Calcium gluconate, Kalimate), 관장 실시, 투석 필요성(평가결과 확인)에 대한 설명을 잘하였는가? * 이번 학습을 경험한 후 생각이 어떻게 변하게 되었는가? * 이번 simulation 과정에서 놓친 점은 무엇인가?
적용 단계	* 오늘 배운 것을 통해 앞으로 실제상황에서라면 어떻게 할 것인가? * 오늘 이 simulation을 통해 배우게 된 것 중 가장 중요한 것을 한 가지 꼽으라면 무엇인가?

| 피드백

학습자가 잘한 점에 대한 피드백:

_____

_____

학습자가 개선해야 할 점에 대한 피드백:

_____

_____

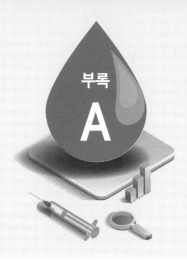

부록

A

Basic Math Calculations

기본계산법

미터법 The Metric System

상자 A – 1 간호에서 사용되는 일반적인 단위변환

1 oz = 30mL

1L = 1000mL

1g = 1000mg

1 mg = 1000mcg

1 kg = 2.2 lb or 1000mL

상자 A – 2 간호에서 사용되는 일반적인 단위의 약어

kg = kilogram

g = gram

mg = milligram

mcg = microgram

mL = milliliter

cc = cubic centimeter

* mL and cc are used interchangeably; "cc" is always written in lowercase, and the "L" in mL must be capitalized.

| 미터법에서 단위변환은 어떻게 이루어지나?

• 기본단위의 왼쪽으로 갈수록 단위가 커지고, 오른쪽으로 갈수록 작아진다.

- 접두사는 단위의 크기에 상관없이 기본단위와 함께 쓰인다.
- 접두사는 10의 배수로 단위의 크기를 나타낸다.
- 기본단위의 크기는 10을 곱하거나 나누면서 달라진다.
- 큰 단위를 작은 단위로 변환할 때는 10을 곱하거나 소수점을 한 칸 이동시킨다.
- 작은 단위를 큰 단위로 변환할 때는 10을 나누거나 소수점을 왼쪽으로 이동시킨다.
- 미터법에서 접두사는 10에 근거하여 붙여진다.
- 1미터는 10dm, 100cm, 1000mm이다. 예를 들어 센티미터는 밀리미터보다 10배 더 크다. 그러므로 1cm 은 10mm와 같다.

예시 1〉 리터(L)에서 센티리터(cL)로 가기 위해서는 다음의 변환방법을 따르면 된다.

$$2L = 20dL \ (2 \times 10 = 20) = 200cL(20 \times 10 = 200)$$

예시 2〉 기본단위 그램(g)에서 밀리그램(mg)으로 변환하기 위한 과정은 다음과 같다.

$$4g = 40dg \ (4 \times 10 = 40) = 400cg(40 \times 10 = 400) = 4000mg \ (400 \times 10 = 4000)$$

예시 3〉 4리터(L)를 밀리리터(mL)로 변환하기
4L에 1000을 곱한다.

$$4L \times 1000 = 4000mL$$

혹은 소수점을 세 칸 오른쪽으로 이동시키면 4000mL가 된다.

예시 4〉 4000밀리리터(mL)를 리터(L)로 변환하기
4000mL를 1000으로 나눈다.

$$4000mL \div 1000 = 4L$$

예시 5〉 5m를 dm로 변환하면

$$5.0m \times 10 \ 5 \ 50dm$$

혹은 소수점을 한 칸 오른쪽으로 옮기면: 5.0 = 50

답: 5m = 50dm

예시 6〉 5m를 cm로 변환하면

$$5.0m \times 100 = 500cm$$

혹은 소수점을 두 칸 오른쪽으로 옮기면: 5.0 = 500

답: 5m = 500cm

예시 7〉 5m를 mm로 변환하면

$$5.0m \times 1000 = 5000mm$$

혹은 소수점을 세 칸 오른쪽으로 옮기면: 5.0 = 5000

답: 5m = 5000mm

| 미터법 단위 연습해 보기

1. 135lb = _____ kg
2. 340cc = _____ mL
3. 658kg = _____ g
4. 4L = _____ mL
5. 51mL = _____ L
6. 1000g = _____ kg
7. 2.1m = _____ cm
8. 32g = _____ kg
9. 1mg = _____ mcg
10. 1mm = _____ cm
11. 1g = _____ mg
12. 6400mL = _____ L
13. 4.97g = _____ mg
14. 6.7cm = _____ mm
15. 600m = _____ km
16. 64kg = _____ lb

체중계산 Weight Calculations

투석에서 환자들의 몸무게는 보통 킬로그램으로 측정된다.

$$1 \text{ kilogram (kg)} = 2.2 \text{ pounds (lb)}$$
$$1 \text{ ounce (oz)} = 30 \text{ milliliters (mL)}$$

| 투석 환자의 체중계산과 수분 제거에 관한 주요 개념의 정의

투석 전 체중(pre-weight): 치료를 위해 투석실에 도착했을 때의 체중
증가량(gain): 마지막 투석을 받은 직후 환자의 체중과 현재 투석을 받기 전 환자 체중의 차이
추정 건체중(Estimated Dry Weight, EDW): 이상증상이나 저혈압 없이 환자가 견딜 수 있는 가장 낮은 체중
Available Weight (AW): 환자에게서 제거할 수 있는 수분의 양. 투석 전 체중과 추정 건체중의 차이
목표(goal): 치료 동안의 수분 제거 목표. 보통 이 값은 AW에 투석 중 처방된 생리식염수나 약물과 같은 모든 수분을 포함함.
손실량(lost): 투석치료 중에 제거된 수분량. 환자의 투석 전 체중과 투석 후 체중(post-weight)의 차이로 얻어짐.

예시 1〉 Jones 부인은 금요일 투석치료를 위해 병원에 왔고 당시 투석 전 체중은 52kg이었다. 지난번 투석 후 그녀의 몸무게는 49kg이었다. 체중 증가량 계산은 다음과 같다.

투석 전 체중 − 투석 후 체중 = 증가량

$$52kg - 49kg = 3kg \text{ 증가}$$

Jones 부인의 추정 건체중은 49.5kg이다. AW 계산은 다음과 같다.

$$\text{투석 전 체중 - 추정 건체중(EDW) = AW}$$

$$52kg - 49.5kg = 2.5kg \text{ AW}$$

Jones 부인은 오늘 항생제를 생리식염수 150mL에 희석하여 투여받았다. 목표치 계산은 다음과 같다.

$$\text{AW 1 투석 중 투여된 수액 = 목표치}$$

$$2.5kg + 150mL = \text{목표치}$$

$$2.5kg을 mL로 변환: 2.5 \times 1000 = 2500mL$$

$$2500mL + 150mL = 2650mL$$

예시 2〉 환자의 증가량, Available Weight (AW), 목표치 계산

Anthony Smith는 투석을 위해 오늘 병원을 방문했고 현재 몸무게는 74.5kg이다. 처방된 그의 추정 건체중 (EDW)은 72kg이다. 지난번 투석 후 그의 몸무게는 72.1kg이었다. 그는 치료 중에 먹기 위해 8oz짜리 단백 질 음료를 가지고 왔다. 오늘 Anthony는 150mL의 생리식염수에 희석하여 반코마이신을 투여받을 예정이다. 치료 종료 시 사용되는 rinseback은 350mL이다.

1. 증가량 계산

$$\text{투석 전 체중 - 투석 후 체중 = 증가량}$$

$$74.5kg - 72.1kg = 2.4kg \text{ 증가}$$

2. AW 계산

$$\text{투석 전 체중 - 추정 건체중(EDW) = AW}$$

$$74.5kg - 72kg = 2.5kg \text{ AW}$$

3. 목표치 계산

$$\text{AW 1 투석 중 추가된 수분 = 목표치}$$

$$8oz를 mL로 변환: 830 = 240mL$$

$$2.5kg을 mL로 변환: 2.51000 = 2500mL$$

2500mL 1 240mL(단백질 음료) 1 150mL(약물) 1 350mL(rinseback) 5 3240mL 목표치

| 체중계산 연습해 보기

다음에 제시된 환자의 체중을 계산해 본다.

　Renner 부인은 월요일에 투석을 위해 병원을 찾았고 당시 투석 전 체중은 67.8kg이었다. 지난번 투석은 금 요일이었으며 투석 후 체중은 65.4kg이었다. Renner 부인의 추정 건체중(EDW)은 65.0kg이다. 오늘은 투석 중에 혈액 한 단위(250mL)가 처방되어 있다. Rinseback은 350mL이다.

• Renner 부인의 투석 간 체중 증가량은 얼마인가?
• 그녀의 AW는 얼마인가?
• 이 투석의 목표치는 얼마인가?

Whitmire 씨는 투석 전 체중 81.2kg으로 투석실에 왔다. 그의 EDW는 77.0kg이다. Rinseback 은 350mL
이다.
이 투석의 목표치는 얼마인가?

수분 제거량 계산 Calculating Fluid Removal

과다한 수분은 투석 동안 초여과(ultrafiltration, UF)라는 과정에 의해 환자로부터 제거된다. 오늘날 사용되
는 대부분의 투석기는 아주 적절한 정도의 체액량 조절을 가능하게 한다. 또한 투석기는 환자의 치료 목표치
와 환자의 투석시간에 따라 초여과율(ultrafiltration rate, UFR)을 계산하도록 프로그래밍되어 있다. 초여과
율은 mL/h 혹은 L/h로 계산된다. 초여과 속도를 계산하기위해서는 목표치와 투석시간을 알아야 한다.

$$목표치 \div 투석시간 = 초여과율$$

예시 1〉
투석시간: 4시간
투석 전 체중: 87.7kg
추정 건체중: 84.2kg

$$AW: 87.7 - 84.2 = 3.5kg$$
$$rinseback: 300mL$$
$$목표치: 3.5 \times 1000 = 3500 + 300 = 3800mL$$
$$초여과율: 3800mL \div 4h = 950mL/h \ 또는 \ 0.95L/h$$

비율과 비례 Ratios and Proportions

비율과 비례는 투석 시에 사용되는 약물의 계산에 사용된다. 약물이 용해된 용액에서 약물의 양을 표현하는
데 비율과 비례가 쓰인다. 약물의 용량계산을 위해 비율과 비례를 사용할 때 이는 결국 x에 대한 식을 푸는
것과 같다. 헤파린은 비율을 통해 농도를 측정할 수 있는 투석 시 사용약물이다. 헤파린은 보통 투석 단위당
1:1000 혹은 1:5000의 농도로 사용된다. 1:1000의 의미는 밀리리터당 1000단위(U)의 헤파린이 포함되어
있다는 것이다.

예시 1〉 환자는 헤파린 부하용량(loading dose) 8000단위를 처방받았다. 현재 준비된 헤파린
은 1000단위/mL이다. 얼마만큼의 헤파린을 투여해야 하는가?

$$준비된 헤파린: 1000U/mL$$

$$처방 용량: 8000U$$

$$1. \ 1000 \times x = 8000 \times 1$$

$$2.\ 1000x = 8000$$

$$3.\ 8000 \div 1000 = 8\text{mL}$$

해답: 1:1000 헤파린의 8000U = 8mL

예시 2〉 환자는 15,000단위의 헤파린을 투여받을 계획이다. 준비된 헤파린은 한 바이알에 밀리리터당 5000단위의 헤파린이 있는 것이다. 몇 cc의 약물을 투여해야 하는가?

$$1.\ 5000 \times x = 15,0001 \times 1$$

$$2.\ 5000x = 15,000$$

$$3.\ 15,000 \div 5000 = 3\text{cc}$$

| 헤파린 용량 계산해 보기

1000U/mL 바이알에 담긴 헤파린을 기준으로 다음의 용량계산을 해보자.

1. 6500U = _6.5_ mL
2. 10,000U = _10_ mL
3. 1500U = _1.5_ mL
4. 14,000U = _14_ mL
5. 3000U = _3_ mL

5000U/mL 바이알에 담긴 헤파린을 기준으로 다음의 용량계산을 해보자.

1. 6500U = _1.3_ mL
2. 10,000U = _2_ mL
3. 1500U = _0.3_ mL
4. 14,000U = _2.8_ mL
5. 3000U = _0.6_ mL

해답 Solutions

| 미터법 단위 연습해 보기

1. 135lb = 61.36kg (135lb ÷ 2.2 = 61.36kg)
2. 340cc = 340mL (cc와 mL는 상호교환 가능함)
3. 658kg = 658,000g (658kg × 1000 = 658,000g)
4. 4L = 4000mL (4L × 1000 = 4000mL)
5. 51mL = 0.051L (51mL ÷ 1000 = 0.051L)
6. 1000g = 1kg (1000g ÷ 1000 = 1kg)
7. 2.1m = 210cm (2.1m × 100 = 210cm)
8. 32g = 0.032kg (32g 4 1000 5 0.032kg)
9. 1mg = 1000mcg (1g 3 1000 5 1000mcg)

10. 1mm = 0.1cm (1mm ÷ 10 = 0.1cm)

11. 1g = 1000mg (1g × 1000 = 1000mg)

12. 6400mL = 6.4L (6400mL ÷ 1000 = 6.4L)

13. 4.97g = 4970mg (4.97g × 1000 = 4970mg)

14. 6.7cm = 67mm (6.7cm ÷ 10 = 67mm)

15. 600m = 0.6km (600m × 1000 = 0.6km)

16. 64kg = 140.8lb (64kg ÷ 2.2 = 140.8lb)

| 체중계산 연습해 보기

Renner부인의 투석 간 체중 증가량은 얼마인가?

투석 전 체중 – 투석 후 체중 = 체중 증가량

67.8 – 65.4 = 2.4kg 증가

그녀의 AW는 얼마인가?

투석 전 체중 – 추정 건체중(EDW) = AW

67.8 – 65.0 = 2.8kg AW

이 치료의 목표치는 얼마인가?

AW + 투석 중 추가된 수분 = 목표치

2.8kg + 250mL + 350mL = 목표치

2.8kg을 mL로 변환: 2.8 × 1000 = 2800mL

2800mL + 250mL + 350mL = 3400mL 목표치

Whitmire 씨의 치료 목표치는 얼마인가?

투석 전 체중 – 추정 건체중(EDW) = AW

81.2 2–77.0 = 4.2kg AW

AW + 투석 중 추가된 수분 = 목표치

4.2kg + 350mL = 목표치

4.2kg을 mL로 변환: 4.2 × 1000 = 4200mL

4200mL + 350mL = 4550mL

| 헤파린 용량 계산해 보기

1000U/mL 바이알 사용 :

1. 6500U = 6.5mL (6500U ÷ 1000 = 6.5mL)

2. 10,000U = 10mL (10,000U ÷ 1000 = 10mL)

3. 1500U = 1.5mL (1500U ÷ 1000 = 1.5mL)

4. 14,000U = 14mL (14,000U ÷ 1000 = 14mL)

5. 3000U = 3.0mL (3000U ÷ 1000 = 3.0mL)

5000U/mL 바이알 사용 :

1. 6500U = 1.3mL (6500U ÷ 5000 = 1.3mL)

2. 10,000U = 2.0mL (10,000U ÷ 5000 = 2.0mL)

3. 1500U = 0.3mL (1500U ÷ 5000 = 0.3mL)

4. 14,000U 5 2.8mL (14,000U ÷ 5000 = 2.8mL)

5. 3000U = 0.6mL (3000U ÷ 5000 = 0.6mL)

Test-Taking Guidelines

수험생 가이드

모든 자격증 시험 준비는 불안감을 일으키기 마련이다. 자격증 시험은 현재의 위치에서 더 성공하기 위해 투자한 시간과 노력이 모두 반영된다. 당신은 성과를 이루기 위해 그 위치에 도달하기 위한 준비 및 자격증 시험의 검토과정 등, 전문 교육 프로그램을 이수하였다. 성공을 위한 확실한 방법은 준비, 공부에 투자한 시간, 그리고 지식과 기술을 높이기 위해 세운 계획이다. 다음 단계는 성공적으로 시험을 통과하기 위한 준비과정을 계획하는 것이다.

| 계획 수립

우선, 시험을 성공적으로 치르기 위해서는 과거의 경험을 검토해야 한다. 당신은 특정 시험공부를 위해 세운 계획에서 어떤 부분의 학습계획이 가장 성공적인가? 당신은 공부를 혼자 했는가, 아니면 그룹으로 했는가? 당신은 공부하는 시간에 대해 구체적으로 설정했는가? 당신은 일하는 시간과 가정에 할애된 시간의 균형을 유지했는가? 당신의 편안한 학습장소가 집인가? 아니면 다른 조용한 장소인가? 이전의 학업계획서를 검토하고, 자격증 시험을 성공적으로 끝내기 위한 계획을 세워야 한다. 작업 일정, 가족 내 의무, 공부시간 그리고 자격증 시험 날짜를 계획할 때 달력을 사용하여 일정을 정리해야 한다. 달력에는 최소한 시험 보기 2주 전에 매일 2~3시간씩 시험공부 계획이 짜여 있어야만 한다. 당신은 학업 파트너를 찾거나 학업그룹을 만들 수도 있다. 학업그룹은 4~6명 정도의 소규모가 좋다. 이 구성은 학업 준비와 지식공유를 위한 기본규칙 설립에 있어 가장 좋은 방법이다.

| 질적인 공부시간

질적인 공부시간이란 중간에 멈추지 않고 매일 조용한 시간을 자격증 시험 공부를 하며 보내는 시간을 의미한다. 집 또는 조용하고 편안한 장소를 찾는 것도 이에 포함된다. 공부시간을 방해하는 것은 제거해야 한다. 휴대전화, 기타 전자기기를 끄는 것도 도움이 된다. 주위 사람에게 자격증 시험을 성공적으로 끝내기 위해 당신의 학습 필요성과 학습계획서의 중요성을 알려야 한다. 매일 당신의 학습계획을 검토하고, 수정해야 한다면 실천해야 한다.

이것은 수료증 획득을 위한 시험을 치르는 데 도움이 될 것이다. 예를 들어, 당신이 온라인 시험을 본다면, 온라인 테스트 시스템을 이용하여 연습문제를 풀어야 한다. 복습 교재는 대부분 연습문제가 포함되어 있다.

| 선다형 문제를 푸는 데 가장 좋은 방법

문제를 풀 때는 신중하게 테스트 지문을 읽어 봐야 한다. 만약 컴퓨터로 테스트를 볼 경우, 당신은 어떻게 답을 표시해야 하는지, 어떻게 답을 바꿔야 하는지, 또 어떻게 답안을 제출해야 하는지에 대해 알아야 한다. 모든 다지선다형 문제는 환자의 기본정보와 상황을 포함한 시나리오로 구성되며 정보와 기술과 함께 여러 가지 선택이나 답을 요구한다. 하나의 가장 좋은 답을 고르거나 적용되는 모든 답을 선택하라고 할 수도 있다.

| 최선의 답

다지선다형 문제의 최선의 답을 선택하기 위해, 문제의 정보에만 집중해야 한다. 질문을 깊이 읽는 것을 피하고 "…이라면 어찌되는가?"라며 되묻지 말자. 그 문제는 알맞은 정답을 선택하는 데 필요한 모든 정보를 제공한다. 즉각적인, 초기의, 우선 및 부작용 등의 전략적 단어들을 문제 안에서 찾아봐야 한다. 이러한 단어들은 아래 상자 B-1에 정보가 있다.

항상 질문은 두 번씩 읽고 답을 머릿속으로 생각한다. 그리고 나서, 답을 쓰기 전에 모든 선택 문항들을 읽는다. 답을 빨리 선택하는 실수는 하지 않아야 한다. 문항을 하나씩 제거하는 방식을 사용하며 최종 답변을 선택하기 전에 문제를 다시 읽어야 한다. 절대로 답을 계속 변경하지 말아야 한다. 질문을 잘못 읽지 않는 한, 첫 번째 답이 보통 맞는 답이다. 두 번째 답이 맞을 거라는 추측은 하지 말아야 함을 기억한다.

상자 B-1 연습문제: 전략적 단어

환자는 독감이 예상되는 증상을 호소하며 혈액투석 치료를 위해 찾아왔고 그녀는 평상시에 구토를 해왔다고 말했다.
다음 중 즉시 의사에게 보고해야 할 임상적으로 중요한 혈액수치는 어느 것인가?

1. 나트륨(sodium), 148mEq/L
2. 염화물(chloride), 102mEq/L
3. 칼륨(potassium), 3.2mEq/L
4. 탄산수소염(bicarbonate), 27mEq/L

정답: 3
팁: 전략적 용어 즉각(즉시)은 다음 선택 중 하나에 비상적인 혈액 수치가 포함됐다는 것을 나타낸다. 그것을 바로 의사에게 보고해야 한다. 보통 칼륨의 범위는 3.5~5.0mEq/L이다. 3.2mEq/L의 가치는 정상 수치 이하이고 이것은 즉시 보고해야 한다.

| 오답 확인

오답을 나타내는 키워드를 잘 알고 있어야 한다. 결코, 항상, 오직, 모든, 그리고 어떤과 같은 절대적 의미를 가진 단어는 흔히 옳지 않은 것을 가리키는 말이다. 만약 문제를 빨리 풀지 못하거나 옳지 않은 것을 찾아내지 못할 경우, 다음 문제로 넘어가고 이전 문제에 대해서는 잊어버려야 한다. 대부분의 자격증 시험은 시간제한이 있다. 어려운 문제를 풀거나 논리적으로 풀 수 없는 것들을 풀려고 귀중한 시간을 낭비하지 말아야 한다 (상자 B-2).

상자 B - 2 연습문제: 절대적 단어들

환자는 다낭신장병 진단을 받았다. 그녀는 그녀의 질병에 대한 병태생리학적 정보를 요청했다. 다음 중 다낭성 신장질환에 대해 알맞은 지문은?

1. 콩팥이 뚜렷하게 커질 수 있다.
2. 콩팥기능 악화는 항상 빠르다.
3. 이것은 면역병과 관련 있다.
4. 오직 침습성 방사선학 검사가 이 질병을 진단할 수 있다.

정답: 1
팁: 성인에 있어서 다낭신장병인 경우, wall이 팽창되어 있어 콩팥이 커 보인다. 2번과 4번은 절대적 단어를 포함하고 있고 잘못된 답이다.

| 진위형(참/거짓) 문제

만약 시험에 진위형 문제가 출제되면, 각 문장을 주의하며 읽고 수식어구와 키워드에 집중한다. 보통의, 가끔, 일반적인과 같은 수식어구는 문장 안에서 주어진 정보에 따라 진실이거나 거짓일 수 있다. 이러한 수식어구는 일반적으로 정답인 경우가 많다. 만약 문장의 어떤 부분이 거짓일 경우, 그 문장의 전체가 거짓이다(상자 B-3).

상자 B - 3 연습문제: 진위형 문제

소디움 폴리스티렌 설포네이트(케이엑살레이트)는 보통 고칼륨혈증 치료에 사용되며, 심각한 고칼륨혈증에 대한 치료에도 효과가 있다.

1. 진실
2. 거짓

정답: 2
팁: 케이엑살레이트는 보통 고칼륨혈증 치료에 사용되는 바, 첫 번째 지문은 사실이다. 그러나 심한 고칼륨혈증을 치료하기 위한 효과적인 방법은 아니다. 두 번째 지문은 거짓이다. 따라서 지문 전체가 거짓이다.

| 만약 우선순위를 묻는 질문이 있는 경우에는 어떻게 해야 하는가?

질문의 시나리오와 문항을 읽을 때, 우선순위를 나타내는 전략적 단어를 찾아봐야 한다. 최고의, 필수적인, 첫 번째로, 즉각적인, 초기의, 대단히 중요한, 가장 중요한 그리고 가장 적절한 등이 포함된 용어는 우선순위를 나타내는 단어이다. 우선순위에 대해 물어볼 때, 모든 항목은 아마도 다 맞는 내용일 것이다. 그러나 당신이 어떤 행동을 취해야 하는지를 먼저 결정해야 할 필요가 있음을 기억한다(상자 B-4).

상자 B - 4 연습문제: 우선순위를 묻는 항목

환자는 새로운 항생물질에 과민증반응을 보이는 경험을 했다. 다음 중 즉각 어떤 행동을 행하여야 하나?

1. Air way를 유지한다.
2. 코르티코스테로이드를 투여한다.
3. 에피네프린을 투여한다(아드레날린).
4. 환자에게 의료정보 팔찌 착용의 중요성을 알려 준다.

정답: 1

팁: 위의 모든 선택문항이 다 시행되어야 하지만, 응급상황에서는 ABC(기도, 호흡, 순환) 순으로 시행해야 한다. 이 문항에서는 air
   way를 유지하는 것이 우선이며, 즉각적인 조치가 필요한 상황이다.

| 시험에 대한 불안감

시험계획을 다시 검토하고 시험준비에 대한 충분한 시간이 주어졌는지 검토해야 한다. 만약 그
렇지 않다면, 계획을 수정해야 한다.

시험 2~3일 전에는 시간을 가지고 휴식을 취한다. 시험장소에 미리 가보는 것도 도움이 된다. 장소를 확인
함으로써 이동시간을 예상할 수 있고, 자신감을 가질 수 있다. 또한 시험 당일에 늦는 것에 대한 불안감이 없
어질 것이다.

시험 하루 전에는, 충분한 수면을 취해야 한다. 평상시처럼 아침에 일어나고, 시험 전에는 영양가 있는 음
식을 먹어야 한다. 만약 시험 중에 허기가 진다면 집중하기 매우 힘들 것이다. 마지막으로, 시험보기 전에 미
리 화장실에 다녀오도록 한다. 시험 도중에 불편함을 느끼면 집중력이 떨어지기 때문이다.

시험 중에는 시험 지문을 신중히 읽어야 한다. 항상 마음을 비우고 편안하게 하며, 긍정적인 자기대화를 한
다. 만약 긴장이 된다면 숨을 깊게 내쉬고, 웃으려고 노력한다(마음을 느긋하게 해준다), 그리고 다시 시험에
집중한다. 중요한 공식이나 뜻, 의미는 시험지에 적어 놓는다. 계산기, 핸드폰, 노트는 시험장소에 가져 가
면 안 된다. 다른 사람들이 얼마나 시험을 빨리 보는가에 대해서는 걱정하지 않아도 된다; 오로지 시험에만
집중한다. 자기 자신에게 긍정적인 피드백을 주고, 성공 계획을 기억한다

High-Potassium Foods to Limit or Avoid[a]

제한하거나 피해야 할 고칼륨식품

과일	저칼륨군(선택)	사과, 단감, 연시, 레몬, 자두, 파인애플, 금귤, 딸기, 포도, 블루베리, 통조림 과일
	중간 칼륨군(조심)	귤, 배, 딸기, 복숭아(황도, 백도), 살구, 수박, 자몽, 포도(거봉), 오렌지, 망고, 아보카도
	고칼륨군(제한)	곶감, 멜론, 바나나, 앵두, 참외, 천도복숭아, 방울토마토, 토마토, 키위
채소	저칼륨군(선택)	김, 풋고추, 더덕, 오이, 배추, 달래, 당근, 양상추, 대파, 치커리, 마늘쫑, 무, 피망, 팽이버섯, 표고버섯(생), 양파, 양배추, 냉이, 무청, 가지, 숙주, 고사리(삶은 것), 콩나물, 깻잎, 아스파라거스, 죽순(통조림)
	중간 칼륨군(조심)	도라지, 두릅, 상추, 샐러리, 케일, 연근, 우엉, 풋마늘, 열무, 고구마줄기, 느타리버섯, 애호박
	고칼륨군(제한)	아욱, 근대, 머위, 미나리, 부추, 쑥, 시금치, 죽순, 취, 미역(생), 단호박, 늙은호박, 쑥갓, 고춧잎

aAvoid salt substitutes containing potassium chloride. Limit packaged foods that contain potassium chloride. Drain liquid from canned fruits and vegetables before eating. Season food with herbs and spices.

가성동맥류(pseudoaneurysm) 정맥벽의 주머니.

가수분해물(hydrolysate) 물 분자가 첨가되면서 분해되는 화학반응을 거친 생성물.

가압증기멸균기(autoclave) 고압하에 증기를 사용하여 물품을 멸균하는 장치.

간염(hepatitis) 간의 감염. 주로 바이러스에 의해 감염되나 독성물질이나 약물에 의해서도 발생 가능함.

간헐적 복막투석(Intermittent Peritoneal Dialysis, IPD)

감마선 조사(gamma irradiation) 감마선은 방사성의 원자핵으로부터 나온 고주파, 고에너지의 방사선임. 감마선이 짧은 거리에 있는 모든 세균, 포자, 박테리아를 관통하여 제거.

개방(patent) 동의어 open.

건강보험 간편성과 책무법(Health Insurance Portability And Accountability Act, HIPAA) 보험사, 의사, 병원, 기타 건강관리제공자에게 제공될 수 있는 환자의 의무기록이나 건강정보를 보호하기 위한 것.

건락화, 건락괴사(caseation) 세포가 치즈와 같은 형태로 건조화된 괴사상태. 결핵에서 전형적으로 보이는 형태.

건체중(dry weight) 투석 환자의 체내에서 과다 수분이 모두 제거되고 정상 혈압을 유지하는 상태의 체중.

게실(diverticulum) 관이나 혈관의 측면에 주머니가 생성된 것.

격동(turbulent) 불안하고 불균형적으로 섞이는 활동.

경색(infarction) 부분적인 순환의 차단으로 인해 세포의 손상이 진행된 부분. 보통 색전이나 혈전에 의함.

경피적(percutaneous) 피부를 통하여.

경화증(sclerosis) 비정상적으로 굳는 것.

고급실무간호사(Advanced Practice Nurse, APN) 일부 고급실무간호사는 임상가, 교육자, 상담자, 행정가, 연구자의 역할을 함.

고유량 혈액투석(high-flux dialysis) 삼투성의 인공막을 사용하여 분자량이 많고(12,000Da 이상) 적은 용질을 대류시키는 투석기를 통한 비전통적인 투석.

고혈당증(hyperglycemia) 정상 혈당치보다 높은 상태.

고혈압(hypertension) 정상 혈압보다 높은 상태.

고효율 혈액투석(high-efficiency dialysis) 고효율 투석막을 사용하여 분자량이 중간 정도(5,000Da 이상)인 용질을 대류시키는 투석기를 통한 비전통적인 투석.

골다공증(osteoporosis) 새로운 뼈 형성이 부적절하여 유발되는 뼈의 손실, 혹은 약화.

골연화증(osteomalacia) 칼슘 축적의 부족으로 유발되는 뼈의 연질화.

골이영양증(osteodystrophy) 골연화증이나 골다공증과 같은 뼈 형성의 부족을 나타내는 용어.

공기 색전(air embolus) 혈류에 의해 옮겨지며 좁은 혈관을 막을 위험이 있는 공기방울.

광전셀(photocell) 빛에 민감한 전기장치. 빛에 대한 반응으로 열리고 닫히는 회로를 가짐.

괴사(necrosis) 세포의 사망.

교정하다(calibrate) 표준과 비교하여 기기의 표시나 눈금을 수정하는 것.

교질삼투의(oncotic) 혈장 단백과 같이 전하를 띠지 않는 물질들로 인해 발생하는 삼투압.

교차시험(cross-matching) 공여자와 수혜자 간의 혈액과 조직적합성을 알아보기 위한 검사. 교차시험결과의 양성(1)은 수혜자와 공여자 간에 적합성이 없다는 것을 의미함.

교체반응항체(Panel Reactive Antibody, PRA) 공여자로부터 온 교체물로 인해 수혜자의 혈장반응을 일으킬 잠재성이 있는 세포의 비율을 보는 검사. PRA가 높은 것은 항체가 만들어진다는 뜻.

교환(exchange) 복막투석에서 투석액을 사용하여 변화하는 과정.

국제단위(SI units) 임상검사에서 사용되는 측정의 단위. 물질에 대한 양을 나타낼 때는 g/L나 mg/dL로 나타내기보다 moles/L로 나타냄.

균혈증(bacteremia) 혈류에 세균이 존재하는 것.

근위의(proximal) 중심부에서 가까운.

글로불린(globulin) 알부민보다 분자크기가 크며 혈장과 세포 내에서 발견되는 단백질. 특정 혈장 글로불린은 신체의 면역 반응에 관여하며 면역글로불린(IgA, IgG, IgM 등)으로 불림.

급성(acute) 어떤 것의 짧은 기간 혹은 갑작스러운 발현과 심각성이 높은 상태.

급성신부전(Acute Renal Failure, ARF) 갑작스러운 신장기능의 상실. 보통 일시적임.

급성요세관괴사(Acute Tubular Necrosis, ATN) 세뇨관 세포의 손상으로 인해 급성 신부전을 유발시키는 신장질환.

기공(pore) 매우 작은 구멍.

기흉(pneumothorax) 흉벽과 폐 사이의 공간에 공기가 존재하는 것. 공기누출이 심하면 폐의 움직임을 방해하여 호흡부전을 유발할 수 있음.

꼬리 쪽으로(caudad) 꼬리 혹은 꼬리뼈 쪽으로.

나트륨 modeling/variation (sodium modeling/variation) 투석 시 수분 제거로 인한 저혈압을 최소화하기 위해 투석액의 나트륨 농도를 증가시키는 기술.

낭종섬유성골염(osteitis fibrosa cystica) 부갑상선의 과활성으로 인해 유발되는 뼈의 섬유성 퇴화와 뼈의 손실.

낮은(hypo-) 표준보다 낮은.

내강(lumen) 튜브나 용기의 열린 공간.

내독소(endotoxin) 세균세포에 내재되어 있다가 그들이 파괴될 때 방출되는 독성물질.

내막, 속막(intima, tunica intima) 혈관의 안쪽 부분.

내인성의(endogenous) 체내에서 기원한.

네프론(nephron) 신기능의 기본단위.

녹농균(pseudomonas) 토양, 물, 하수, 공기에서 발견되는 세균군. 이 세균은 많은 항생제에 내성을 가지며 병원성이 높음.

뇌병증, 뇌증(encephalopathy) 해부학적 손상, 대사불균형, 독성물질로 인한 일시적 혹은 영구적인 뇌기능의 손실.

누관, 누공(fistula) 비자연적인 개방. 투석에서 동맥과 정맥 사이를 수술적으로 개방하여 정맥을 동맥혈로 채우는 접근.

다뇨병성 신질환(diabetic nephropathy) 당뇨로 인한 신장질환.

단락(shunt) 투석 시에 사용되는 동맥과 정맥의 연결과 같이 짧은 회로 또는 우회로.

단백뇨(proteinuria) 다량의 단백질이 소변에 포함되어 나오는 상태.

단백질(protein) 아미노산의 복합체로 생체 세포의 필수요소.

단백질성(proteinaceous) 단백질 같은. 단백질로부터 나온 물질.

단백질이화속도율(Protein Catabolic Rate, PCR) 킬로그램당 단백질의 그램 수로 나타내는 환자의 단백질 대사율.

달톤(dalton, Da) 원자의 질량단위. 원자의 개념을 정립한 John Dalton의 이름을 따서 지어짐.

당뇨(diabetes) 체내의 충분한 인슐린 생성의 장애로 혈중의 혈당 농도가 점진적으로 증가되는 대사성 만성 질환.

대류(convection) 용액의 흐름에 의해 유발되는 용질의 움직임.

대변의(fecal) 장운동과 관련된, 장으로부터 분비되는.

대사성 산증(metabolic acidosis) 산의 축적으로 인해 중탄산염 수치와 pH가 감소된 상태.

덱스트란(dextran) 포도당 중합체.

델타(delta) 그리스 문자 Δ (DELTA)는 수학적으로 차이 혹은 두 지점의 변화를 나타내는 데 사용됨.

동맥(artery) 심장에서 나와 온몸의 각 부분으로 혈액을 보내는 혈관.

동맥류(aneurysm) 늘어난 동맥벽에 의해 형성된 혈액 주머니.

동맥의(arterial) 동맥과 관련된.

동반질환(comorbid) 서로 관련이 없는 두 질환이 함께 존재하는 것. 이러한 상태는 치료의 과정을 복잡하게 만들거나 치료의 결과에 부정적인 영향을 미칠 수 있음.

동정맥의(arteriovenous) 동맥 및 정맥과 관련된.

동종이식(allograft) 다른 사람에게서 이식을 받는 것. 기증자는 혈액이 같거나 다를 수 있음.

두드러기(urticaria) 피부의 알레르기 반응.

둔하게 하다(obtund) 무딘, 반응하지 않는.

뒤의(posterior) 뒤쪽으로 향하는.

드웰타임(dwell time) 복막투석에서 투석액이 복강 내에 체류하는 시간의 길이.

등장의(isotonic) 같은 농도 혹은 같은 삼투압을 가진 것.

디브리핑(debriefing) 시나리오 구현이 끝나고 학습자와 교육자 사이에 시나리오 구현 시 느낀 점을 설명하고 더 나아가 실행하였던 학습내용을 체계적으로 분석하는 시간.

레닌(renin) 신장에서 생성되는 호르몬. 나트륨과 칼륨의 조정과 혈압의 조절에 중요한 역할을 함.

만성신부전(Chronic Renal Failure, CRF) 점진적인 콩팥기능의 손실로 보통 비가역적임.

만성콩팥병(Chronic Kidney Disease, CKD) 점진적으로 콩팥기능이 상실되는 질환으로 보통 비가역적임.

말기신장질환(End-Stage Renal Disease, ESRD) 생존을 위해 지속적인 투석이나 신장이식이 필요한 만성콩팥병의 마지막 단계.

망(omentum) 위와 결장에 부착하여 전측 복벽을 덮고 있는 복막.

망상적혈구(reticulocyte) 미성숙 적혈구.

매개변수(parameter)　기존에 주어진 임의의 값. 결과에 직접적인 영향을 미치는 수학적 변수와는 구별됨. 투석에서의 매개변수는 혈압, 유속, 전도율, 온도를 포함함.

메트헤모글로빈(methemoglobin)　헤모글로빈의 철이 정상 헤모글로빈에 함유된 철과 다른 형태로 자리하고 있어 산소와 결합하지 못하는 헤모글로빈.

면역억제제(immunosuppressant)　몸의 자연적인 면역체계를 억제하는 약물. 이식환자에서 이식거부반응을 예방함.

멸균의(sterile)　어떤 미생물도 존재하지 않는 상태.

모니터(monitor)　어떤 것을 감독하고 확인하는 것.

모델링(modeling)　기존의 데이터를 사용하여 앞으로의 결과에 대해 예측하고 분석하는 수학적인 시뮬레이션. 보통 컴퓨터를 사용하여 시행함.

모듈(module)　큰 개체 안에서 작게 분할된 한 단위.

무균의(aseptic)　세균이 감염원이 없는 상태. 멸균(sterile).

무뇨(anuria)　소변흐름(urine flow)의 완전한 중단.

무력(atony)　정상적인 긴장(tone)과 힘의 부족.

미국신장간호사회(American Nephrology Nurses' Association, ANNA)　미국의 신장 분야 간호사들

미국신장재단(National Kidney Foundation, NKF)

미세알부민뇨(microalbuminuria)　일반적인 "소변검사용 스틱"으로는 200 mg/dL 이상이 아니면 감지되지 않는 알부민 혹은 기타 단백뇨 선별검사. "마이크로(micro)" 단위로 감지할 수 있는 검사 및 분석방법을 사용해야 함.

바이러스(virus)　세균보다 훨씬 작은 병원성 미생물. 그들이 감염시키는 개체의 세포에 완전히 의존적이며 항생제에 민감하지 않음.

박동성의(pulsatile)　리드미컬한 박동이 있는 상태.

반감기(half-life)　약물의 양이 체내에서 반으로 줄어드는 데 걸리는 시간.

반상출혈(ecchymosis)　멍과 함께 피부에 혈액의 관외유출이 발생한 것.

반투성막(Semipermeable Membrane, SPM)　물질을 선택적으로 투과시키는 막.

발열(febrile)　열이 나는 느낌. 체온이 올라가는 것.

발열인자(pyrogen)　열을 발생시키는 물질 혹은 인자.

배출물(effluent)　어떤 것으로부터 흘러나온 것(주로 액체).

백혈구(leukocyte)　동의어 white blood cell.

백혈구(white blood cells)

변환기(transducer)　어떤 형태의 에너지를 다른 형태의 에너지로 전환하는 기기.

병소(lesion)　상해나 상처로 인해 변성된 부분.

병원의(pathogenic)　질병이나 비정상 과정을 유발하는.

병전의(premorbid)　질병 이전의.

복강(peritoneal cavity)　복부근육 아래에서 복부 내 장기를 둘러싸고 있는 공간.

복막(peritoneum)　복강을 둘러싸고 있으며 장, 간, 기타 장기들을 덮고 있는 부드러운 장막.

복막출구(exit site)　복막투석 카테터가 피부 안으로 삽입되는 부분.

복막평형검사(peritoneal equilibration test)　복강에 존재하는 막의 투과기능을 측정하는 검사.

복수(ascitic fluid, ascites)　복강 내 비정상적으로 축적된 액체로 다양한 정도의 단백질을 포함함.

부갑상선(parathyroid gland)　갑상선 표면의 뒤쪽에 위치한 네 개의 작은 샘(gland). 부갑상선호르몬은 체액의 칼슘 농도를 조절함.

부정맥(arrhythmia)　심박동의 정상 리듬으로부터의 변화.

부종(edema)　체세포에 수분이 축적된 것.

분석, 검증(assay)　물질의 유무와 양을 결정하기 위한 분석.

불리다(macerate)　물에 담가서 부드럽게 하는 것.

불안정한(labile)　변하기 쉬운.

비틀린(tortuous)　구불구불한. 완전히 꼬인.

빈맥(tachycardia)　극도로 빠른 심박동.

사구체여과율(Glomerular Filtration Rate, GFR)　일정 시간 동안 사구체를 통과하는 혼합물의 비율.

사이클로스포린 A (cyclosporine A)　면역억제제. 이식거부반응에 매우 효과적이나 신장기능에 영향을 미침.

사전 지시(advance directive)　환자가 결정할 수 없는 상태를 대비해서 개인적으로 원하거나 원하지 않는 치료법에 대한 결정을 사전에 작성한 문서.

사혈, 정맥절개술(phlebotomy)　정맥으로부터 피를 빼내는 것.

산화에틸렌(ethylene oxide)　열에 의해 손상되는 물품의 멸균을 위해 사용되는 가스. 산화에틸렌으로 멸균된 물품은 건조한 상태여야 하고 멸균 후에 반드시 "환기"시켜야 함.

살균제(disinfectant)　미생물을 파괴하는 화학제.

삼투(osmosis)　반투과성 막을 통해 저농도용액에서 고농도용액 쪽으로 용매분자가 확산되는 현상.

삼투몰 농도, 오스몰 농도(osmolality)　어떤 용액의 삼투압을 표현하는 데 사용되는, 이상비전해질용액의 몰농도.

삼투압계(osmometer)　용액의 삼투압을 측정하는 기계. 어는점 강하도에 의해 삼투압을 측정함.

생리학(physiology)　생물체의 생명활동과 기능에 대한 학문.

생물학적 내독소 시험(Limulus Amebocyte Lysate test, LAL test)　투구게의 혈액추출물로 세균의 내독소가 있는지를 알아보는 시험.

생물학적 이용도(bioavailability)　투여된 약물이 표적기관까지 도달하기 위해 혈류에 흡수된 양.

생물학적 적합성의(biocompatible)　생물의 세포에 변화나 반응을 일으키지 않는 것. 생물학적 적합성이 있는 막은 혈구를 손상시키거나 응고시키지 않음.

생체 내(in vivo)　실험동물이나 환자에게 실험을 한 것.

생체 외(in vitro)　생체 내가 아닌 인공적인 환경에서 실험이 진행된 것.

서맥(bradycardia)　느린 심박 혹은 맥박.

섬관형 인공 신장기(Hollow Fiber Artificial Kidney, HFAK)

세균(bacteria)　단일 세포로 이루어진 작은 개체. 많은 종류가 인체에 무해하거나 이롭지만, 몇몇 종류는 감염 가능하거나 위험함.

세포독성바이러스(Cytomegalovirus, CMV)　인간과 다른 동물에게 감염되는 종-특이적인 포진바이러스. 감염은 종종 무증상이나 면역이 억제된 개체에게는 더 악화될 수 있음. 세포의 비대를 유발하여 다양한 장기를 침범함.

센티포아즈(centipoise)　액체 내 다른 액체 층을 움직이게 할 수 있는 힘의 크기. 점도의 한 단위는 1/100 poise와 같음.

셀룰로오스(cellulose)　$(C_6H_{10}O_5)N$ 형태의 탄수화물 중합체. 식물의 섬유소 조직에 해당함.

소독제(antiseptic) 박테리아나 세균을 파괴하지는 못하나, 그것의 성장 및 생식을 멈추게 하는 화학물질.

소양증(pruritus) 가려움증.

손목터널증후군(Carpal Tunnel Syndrome, CTS) 저림(tingling), 무감각(numbness), 허약감(weakness) 등이 나타나는 손과 팔의 상태.

수지(resin) 화학적·물리적으로 다른 물질과 결합하는 물질.

수축기(systole) 심장의 수축. 심장을 비우는 기간.

순응도(compliance) 치료에 대한 수용도. 식이나 수분제한과 같은 치료계획을 얼마나 잘 이행하는지를 말함.

시뮬레이션 교육(simulation education) 멀티미디어 기술, 모형, 인간 환자 시뮬레이터 등을 포함하는 통합적 교육의 한 형태로 실제 상황을 인위적으로 재현하여 안전하고 비위협적인 환경에서 비판적 사고, 의사결정 및 기술능력을 향상시키는 것.

시신기증자(cadaver donor) 사망한 사람 혹은 그 가족이 그의 장기를 기증하는 데 동의한 기증자.

신경병증(neuropathy) 신경의 손상 혹은 질환.

신장의(renal) 신장과 관련된.

신장절제술(nephrectomy) 신장의 수술적 제거.

신장질환, 신증(nephropathy) 비정상적인 신기능. 외상, 감염, 독성물질 혹은 대사이상으로 인해 유발될 수 있음.

신장학자(nephrologist) 신장의 질환 및 치료에 대한 전문의.

신진대사(metabolism) 에너지를 생성하고 기존의 상태를 유지하기 위해 생명체 내에서 일어나는 화학적이며 물리적인 과정.

실혈(exsanguination) 출혈에 의한 다량의 혈액 소실.

심계항진(palpitation) 심장의 비정상적인 고동 혹은 떨림.

심근병증(cardiomyopathy) 심장근육의 허약 혹은 기능부전. 일반적으로 심장의 확장이나 비대가 나타남.

심낭염(pericarditis) 심낭의 염증.

심내막염(endocarditis) 심장내막의 염증. 치명적일 수 있는 심각한 질환.

심장압전(tamponade) 압박이 가해진 상태. 심낭에 축적된 수분으로 인해 심낭압전이 발생할 수 있음.

심혈관질환(Cardiovascular Disease, CVD) 심장이나 혈관과 관련된 질환.

아나필락시스(anaphylaxis) 이종단백이나 이물질에 대해 신체가 보이는 특이적이고 전신적인 반응. 이전에 감작된 경험이 있는 물질에 대한 반응으로 치명적임.

아날로그(analog) 다른 기관 혹은 기원이 다른 구조와 기능이 유사한 구조.

아네로이드(aneroid) 수분을 포함하지 않은 압박거즈(음압 혹은 양압).

아미노산(amino acids) 단백질 생성을 위한 기초단위. 아미노산은 NH_2 라디칼로 대체된 수소(H) 이온, 탄소(C), 산소(O), 황(S)을 포함함.

아밀로이드(amyloid) 특정 질환에서 체세포에 축적되는 비정상적인 단백질. 만성콩팥병 환자에서 아밀로이드는 β_2-microglobulin의 축적을 유발함.

악액질(cachexia) 전신적인 질환상태이며 영양불량상태. 소모성.

알부민(albumin) 우리 몸 여러 조직에서 발견되는 단백질. 물에서 콜로이드 상태로 존재하며 혈장의 주요 구성성분. 분자량은 약 6,800Da.

알부민뇨(albuminuria) 소변에 알부민이 섞여 나오는 상태. 보통 신장 질환의 증상 중 하나.

압력계(manometer) 압력을 측정하는 장치.

앞의(anterior) 앞, 혹은 앞을 향함.

야간 간헐적 복막투석(Nocturnal Intermittent Peritoneal Dialysis, NIPD) 환자가 밤 사이에 복막투석을 받고 낮에는 투석액 없이 생활하는 투석의 한 방법.

양이온(cation) 반대의 음이온에게 이끌리는 성질을 가진 양전하를 띠는 이온.

에리트로포이에틴, 적혈구생성소(erythropoietin) 뼈속질에서 적혈구가 생성되도록 하는 콩팥의 호르몬. 합성 호르몬인 재조합 인간 에리트로포이에틴(recombinant human erythropoietin)은 빈혈의 치료에 쓰임.

에포젠(Epoetin Alfa, EPO) 빈혈 치료약물.

역류(countercurrent) 투석기에서 투석액의 흐름과 혈액의 흐름이 서로 반대인 것.

역삼투(reverse osmosis) 삼투압보다 높은 압력을 가할 때, 용액으로부터 순수한 용매가 반투막을 통해 빠져나오는 현상.

역여과(reverse filtration) 고유량 투석에서 정상적으로 혈액−투석액 방향으로 흐르던 물질이 이동이 반대로 일어나는 상태. 이러한 역 방향으로의 흐름은 혈액으로 세균이나 발열원의 이동을 유발함.

역학모델(kinetic modeling) 요소역학모델(urea kinetic modeling)이라고도 함. 단백질 섭취와 투석치료를 모니터하기 위한 수학적 도구.

역행성의(retrograde) 정상적인 방향의 반대방향으로 접근하는 것.

연속변이, 기울기(gradient) 두 변수 사이의 증감에 대한 비율.

열가변저항기(thermistor) 체온변화에 의해 전기적 성질이 변하는 작은 금속성 기구.

열전지(thermocouple) 두 가지 다른 온도차를 이용하여 온도를 측정하는 기기.

오염(contamination) 더러워짐. 깨끗하지 않음. 멸균이 아닌 상태.

옵튜레이터(obturator) 투관침의 안에서 스타일렛 역할을 하는 금속. 투관침이 삽입된 후에 obturator는 빼냄.

외상(trauma) 상해 혹은 상처.

외인성(exogenous) 개체의 바깥으로부터 기원한 것. 외부의 원인에 의한 것.

요골의(radial) 전완의 요골쪽 측면. 요골은 엄지에서 가까운 쪽 손목에서부터 팔꿈치까지의 뼈를 말함.

요독증(uremia) 신부전의 결과로 체내에 물과 노폐물이 쌓여서 나타나는 증상.

요산(uric acid) 뉴클레오티드로 알려진 단백질의 분해산물. 혈중 요산의 정상치 초과는 통풍(gout)을 유발할 수 있음.

요소(urea) 단백질 대사의 산물로 대표적인 질소 노폐물.

요소 제거율(Urea Reduction Ratio, URR) 투석의 적절성에 대한 측정. 요소 제거비율 = $100 \times (1 - Ct/Co)$.

용매(solvent) 물질을 녹일 수 있는 액체.

용질(solute) 용매에 녹는 물질.

용해하다(lyse) 세포를 파괴하거나 분해하는 것.

용혈(hemolysis) 적혈구의 파괴로 인해 헤모글로빈이 주변 체액으로 방출되는 상태. 물리적·화학적 혹은 삼투성 손상으로 유발됨.

용혈요독증후군(hemolytic uremic syndrome) 독성 세균성 설사를 유발하며, 주로 아동에게서 발생하는 급성질환. 급성신부전, 미세혈관병증 용혈빈혈, 혈소판 감소증을 특징으로 함.

운동의(kinetic) 운동 및 움직임과 관련된.

울혈성심부전(Congestive Heart Failure, CHF) 체액의 초과로 심장이 효과적으로 박동하지 못하는 상태.

원위의(distal) 몸의 중심부 혹은 접근의 중심부로부터 멀어지는 것.

위마비(gastroparesis) 위가 내용물을 비워내는 데 너무 많은 시간이 소요되는 질환. 위배출지연(delayed gastric emptying)이라고도 하며 당뇨병 환자에게 자주 나타남.

유량(flux)　흐름의 속도. 표면을 통한 교환의 속도.

유량계(flowmeter)　지정된 지점에서 액체흐름의 속도를 측정하는 장치.

음이온(anion)　음전하(-)를 띠는 이온. 서로 반대의 전하를 띤 이온끼리는 서로 끌어당기는 힘이 있음.

응고(coagulation)　혈전을 형성하는 것.

응고장애(coagulopathy)　혈액이 응고기능에 이상이 생긴 상태 혹은 그러한 질환.

의원성 질환(iatrogenic)　요법이나 의학적 치료로 인해 유발된 질환.

이뇨(diuresis)　소변 배설량의 증가.

이온(ion)　전하를 띠는 원자.

이완기(diastole)　심장이 이완하는 시기. 혈액이 채워지는 시기.

이종이식(xenograft)　다른 동물 종으로부터 얻은 세포 혹은 장기의 이식.

이화작용(catabolism)　세포의 합성작용보다 분해작용이 빠른 상태.

인공의(synthetic)　사람이 만든. 인공적인. 자연적으로 발생하지 않은.

인체 백혈구 항원(Human Leukocyte Antigen, HLA)　체세포에서 발견되며 각 개인의 특이성을 나타내는 분자. 기증자의 장기를 수혜자가 받을 수 있는지를 결정함.

자가생산(autogenous)　한 개체 안에서 생성되는 것.

잡음(bruit)　청진기를 통해 들리는 혈관의 비정상적인 소리나 잡음, 혈액투석을 받는 대상자의 동정맥루나 인조혈관에서 들릴 수 있는 정상 소견.

재조합(recombinant)　어떤 개체가 가지는 유전자 중에서, 임의의 유전자 배열순서가 바뀌어 이전과는 다른 새로운 유전자 조합이 생기는 것.

저나트륨혈증(hyponatremia)　정상 혈장 나트륨 농도보다 낮은 상태(정상은 135~145 mEq/L).

저압의(hypobaric)　대기압보다 낮은 상태.

저칼륨혈증(hypokalemia)　정상 혈장 칼륨 농도보다 낮은 상태(정상은 3~5 mEq/L).

저칼슘혈증(hypocalcemia)　정상 혈장 칼슘 농도보다 낮은 상태(정상은 9~11 mg/dL).

저혈량(hypovolemia)　혈관계 내에 정상보다 적은 혈량.

저혈압(hypotension)　비정상적으로 낮은 혈압.

적혈구(erythrocyte)　동의어 red blood cell.

적혈구(Red Blood Cell, RBC)

적혈구 생성(erythropoiesis)　뼈속질로부터 적혈구가 생성되는 과정.

전도도(conductivity)　전기적 성질을 가진 것들이 어떤 물질을 통해서 전도되는 정도. 투석액의 전도도는 전해질의 양에 비례함.

전신적인(systemic)　전신에 걸쳐 영향을 미치는.

전이된(metastatic)　기존의 침범부위와는 관계없는 장기나 조직(tissue)에 질환이 옮겨진 경우.

전정의(vestibular)　우리 몸의 균형감각에 관여하는 내이(inner ear)의 전정기관과 관련된.

전해질(electrolyte)　물에 녹아 전하를 띠는 물질.

점상출혈(petechia)　혈액에 피부로 새어나와서 발생하는 작은 점 혹은 주근깨 같은 출혈.

정량의(quantitative)　존재하는 양에 따라 물질을 식별한 것.

정맥(veins)　몸의 각 부분에서 심장으로 들어오는 혈관. 정맥은 동맥에 비해 혈관벽이 얇고 혈압이 낮음.

정맥경련(venospasm)　정맥이 좁아지고 수축이 일어나는 것.

정맥 내의(intravenous)   정맥의 안쪽.

정맥염(phlebitis)   정맥벽의 감염.

정상혈당(euglycemia)   정상 혈당 수치.

정상혈량(euvolemia)   정상 혈액량.

정상혈압의(normotensive)   정상적인 혈압을 가지고 있는.

정성의(qualitative)   물질을 종류에 따라 식별하는 것.

정제(deionize)   용액에 녹아 있는 이온을 제거하는 것. 보통 물에 있는 전해질을 제거하여 정제수를 만들 때를 말함.

조골세포(osteoblast)   새로운 뼈구조를 만들어내는 세포.

조직적합검사(tissue typing)   공여자와 기증자 간 혈액세포를 맞춰보는 것.

조혈자극제(Erythropoiesis-Stimulating Agent, ESA)   체내에서 에리트로포이에틴의 생산을 자극하는 약물을 칭하는 넓은 개념의 용어.

주기성 복막투석(Tidal Peritoneal Dialysis, TPD)   다음 주기까지 복막투석에 사용된 투석액을 완전히 빼내지 않고 두는 형태의 복막투석 방법.

주입하다(infuse)   액체를 어딘가에 넣는 것.

죽상경화증(atherosclerosis)   동맥경화의 한 종류. 동맥벽의 퇴화 및 지방변화로 인해 발생.

중앙의(medial)   중심부를 향하는.

중합체(polymer)   단량체(monomer)의 직선상 결합에 의하여 형성된 다분자량의 반복 분자화합물.

증후군(syndrome)   함께 나타나는 증상의 복합체.

지속성 외래복막투석(Continuous Ambulatory Peritoneal Dialysis, CAPD)   노폐물 제거를 위한 필터로 복막을 사용하는 투석치료의 한 형태. 하루 전반에 걸쳐 이루어짐.

지속적 동정맥 혈액여과(Continuous Arteriovenous Hemofiltration, CAVH)   혈액역동학적으로 불안정한 급성신부전 대상자에게 적용하는 치료법. 혈액펌프를 사용하지 않고 환자의 평균 동맥압을 이용하여 혈액을 체외서킷(circuit)으로 순환시킴.

지속적 동정맥 혈액투석(Continuous Arteriovenous Hemodialysis, CAVHD)   심각한 증상이 있는 급성신부전 대상자에게 적용하는 치료법. 혈액펌프를 사용하지 않고 환자의 평균 동맥압을 이용하여 혈액을 체외서킷(circuit)으로 순환시킴.

지속적 정정맥 혈액여과(Continuous Venovenous Hemofiltration, CVVH)   정맥적 접근을 통해 수분과 전해질을 천천히 제거하는 과정.

지속적 정정맥 혈액투석(Continuous Venovenous Hemodialysis, CVVHD)   정맥적 접근을 통해 수분과 전해질을 긴 시간 동안 제거하는 과정.

지속적 주기적 복막투석(Continuous Cycling Peritoneal Dialysis, CCPD)   환자가 밤 사이에 투석기를 사용하여 복막투석을 자동으로 받게 되는 투석의 한 종류. 깨어 있는 동안에 환자는 투석기계 없이 생활함.

지속적 질 향상(Continuous Quality Improvement, CQI)   제품, 프로그램, 서비스의 질 향상에 초점을 맞춘 관리 철학.

지질(lipid)   지방과 에스테르를 포함하는 성분들.

진균의(mycotic)   세균보다는 진균에 의해 유발되는 질환 혹은 질병.

질보장과 업무개선(Quality Assurance and Performance Improvement, QAPI)   질에 대한 이중적 접근방법.

질소혈증(azotemia)   혈액과 체액에 질소대사의 노폐물(요소, 크레아티닌)이 정체된 상태.

집수정(sump)　낮은 지점의 액체가 고이는 곳.

찌꺼기, 파편(debris)　잡다한 물질들의 조각이 모인 것.

척골의(ulnar)　척골 쪽으로. 전완의 해부학적 내측면을 말함.

청소율(clearance)　용액에서 일정 물질이 제거된 정도를 표시한 것. 보통 1분 동안 용액에서 제거한 물질을 밀리리터로 표시함. 예를 들어 신장으로 들어온 혈액에서 요소를 제거한 비율.

체외의(extracorporeal)　몸 바깥의.

초과한(hyper-)　표준을 넘어서는. 초과한.

초여과(ultrafiltration)　구멍이 있는 막의 양측에 있는 물질의 압력 차이에 의한 여과.

초여과계수(kUF)　막에 따라 다르나 보통 0.5~80 mL/h/mmHg.

최소 헤파린양 사용(tight heparinization)　활성 응고시간을 90~120초로 유지하는지를 모니터링함. 혈액투석 동안 발생할 수 있는 출혈을 위험을 관리하기 위함.

측면의(lateral)　한쪽 측면.

치매(dementia)　정상노화에서 기대되는 것보다 인지기능이 점진적으로 감퇴되는 질환 혹은 뇌손상.

친수성의(hydrophilic)　물을 좋아하는. 물에 잘 섞이거나 물과 잘 결합하는 물질.

카테터(catheter)　몸의 구멍이나 공간으로부터 액체를 뽑아내거나 주입하기 위해 사용되는 속이 빈 튜브.

칼륨(potassium, K)

칼슘-인 생성물(calcium-phosphorus product)　인 복합체가 된 칼슘(mg/dL로 표시)으로 정상적인 경우 70보다 적음.

캐뉼라(cannula)　체내에 삽입하는 관.

케이도키(Kidney Disease Outcomes Quality Initiative, KDOQI)

콜로이드(colloid)　충분히 분해된 상태의 물질. 분자보다는 크고 액체에서 작은 조각의 형태로 넓게 퍼져 존재함. 콜로이드는 액체에 녹거나 반투막을 통과하지는 못함. 콜로이드의 포화도 차이로 삼투압이 유발되며 대표적인 콜로이드로 알부민이 있음.

크레아티닌(creatinine)　정상 근육대사의 결과로 발생되는 질소 노폐물. 체내에 일정 비율로 생성됨.

크레아티닌 청소율(creatinine clearance)　콩팥이 혈액에서 얼마나 효과적으로 크레아티닌을 제거하는지를 측정하는 검사.

클로라민(chloramine)　염소(Cl)와 질소(N)가 합성된 형태의 NCl 계열의 화학 복합체.

킬로그램(Kilogram, Kg)　1000g. 1킬로그램은 2.2파운드와 같음.

탄수화물(carbohydrate)　세 가지 주 영양소 중 하나. 탄소, 수소, 산소로 이루어져 있으며, 우리 몸의 에너지원으로 사용됨. 전분 및 설탕이 이에 해당.

탈기(degassing)　정상적인 상태에서 물에 녹아있는 가스를 제거하는 것.

토리여과율(Glomerular Filtration Rate, GFR)　일정 시간 동안 토리를 통과하는 혼합물의 비율.

투관침(trocar)　상처천자에 사용되는 날카로운 관.

투석기 재사용(dialyzer reuse)　이전에 사용된 투석기를 같은 환자에게 재사용하기 위하여 세척과 소독하는 과정.

투석률(dialysance)　주어진 용액을 투석할 수 있는 투석기의 수용도를 표시한 값.

투석물(diffusate)　이미 사용되고 난 후의 투석액. 기존에는 없던 용질을 포함.

투석불균형증후군(disequilibrium syndrome)　두통, 안절부절한 상태, 혼란으로 인한 집중력 장애, 근육 경련, 뒤틀림, 대발작 등의 다양한 증상을 포함하는 복잡한 증상과 증후. 투석 시작 직후나 투석 중에 발생.

투석액(dialysate) 혈액 속의 액체와 노폐물을 빼내고 전해질과 기타 화학물질을 공급하기 위해 투석에 쓰이는 화학 액체.

투석액 속도(dialysate flow rate) 투석기를 통과하는 투석액의 속도.

투석 적응 단계(stage of adjustment to dialysis)

투석적절도(Kt/V) 역할모델에서 나온 측정값으로 혈액투석치료의 적절성을 평가하는 데 사용됨.

투석 중 비경구 영양(Intradialytic Parenteral Nutrition, IDPN) 혈액투석 실시 중에 주입펌프를 사용하여 탄수화물, 지방, 단백질을 비경구적으로 투여하는 영양요법.

트렌델렌버그 체위(trendelenburg position) 다리를 올린 채로 머리쪽을 45°로 내린 체위.

파골세포(osteoclast) 뼈구조를 녹이거나 제거하는 세포.

패혈증(septicemia) 혈액 내에 세균이 성장하고 펴져 있는 상태. 생명을 위협하는 위험한 상황.

팽창(dilate) 확장하거나 넓게 만드는 것.

펩티드(peptide) 둘 이상 아미노산의 카르복시기와 아미노기가 결합된 형태의 화합물. 폴리펩티드(polypeptide)는 사슬형태의 펩티드를 말함.

평형(eqailibrium) 균형을 이루는 상태.

폐색하다(occlude) 닫음.

포도당(dextrose) 체세포의 신진대사에 사용될 수 있는 형태의 단당류.

포도당(glucose) dextrose와 동일.

포도알균(staphylococcus) 세균의 한 종류로 피부나 다른 체 표면의 정상 상재균. 몇몇 종류는 병원성을 가지며 심각한 감염을 유발함.

포르말린(formalin) 물에 40% 포름알데히드 가스를 용해시킨 살균제.

폴리메타크릴산메틸(Polymethyl Methacrylate, PMMA) 폴리메타크릴산메틸 막으로 이루어진 투석기.

폴리아크릴로니트릴(Polyacrylonitrile, PAN) 폴리아크릴로니트릴 막으로 만들어진 투석기.

프로타민(protamine) 헤파린에 결합하여 항응고작용을 중화시키는 물질.

피브린(fibrin) 단백물질. 혈액의 응고 시에 실과 같은 가닥을 형성함.

피브린 용해효소(fibrinolysin) 피브린을 용해하거나 분해하는 물질.

피하의(subcutaneous) 피부 아래의.

핍뇨(oliguria) 하루 소변량이 400mL보다 적은 경우. 400mL는 대사산물과 노폐물을 제거하는 데 필요한 최소한의 소변량.

하나(mono-) 하나(1)를 가리키는 말.

항원(antigen) 특정 항체에 결합하는 분자로 면역반응 혹은 특이적인 반응을 유발함.

항응고제(anticoagulant) 응고를 막기 위한 약물 혹은 화학물질.

항체(antibody) 외부 물질에 대한 반응으로 신체의 면역계가 만들어 내는 단백질.

행동부전(dyspraxia) 조화운동의 수행능력에 부분적인 손상이 있는 상태.

허혈(ischemia) 일시적인 혈액공급의 부족.

헤마토크릿(Hematocrit, Hct) 원심분리기로 혈액을 액체층과 세포층으로 분리했을 때 세포층의 비율을 백분율로 표시한 값.

헤모글로빈(Hemoglobin, Hb) 산소와 결합하는 능력을 가진 적혈구 안의 붉은 단백질 부분.

헤파린(heparin) 혈액응고시간을 지연시키는 화학물질.

혈관의(vascular) 혈관과 관련된.

혈관 조영도(angiogram) 혈관에 조영제를 주입한 후 얻은 혈관의 X-ray 필름.

혈구(blood cells) 혈액의 세포성분. 적혈구는 폐로부터 조직세포로 산소를 이동시키는 데 필수적이며 백혈구는 감염에 대항하고 세균을 파괴함.

혈뇨(hematuria) 소변에 적혈구나 피가 섞여 나오는 것.

혈소판(platelet) 적혈구의 1/4 정도의 크기로 혈액계 내에서 비정상적인 표면과 만나면 혈전형성을 일으키는 것.

혈압계(sphygmomanometer) 사지에 고무 커프를 감아 혈압을 측정하는 장비.

혈액관류(hemoperfusion) 혈액을 숯과 같은 높은 결합능을 가진 관으로 통과시켜 유해한 물질들을 혈액으로부터 제거하는 것. 투석이나 혈액여과와는 관련 없음.

혈액여과(hemofiltration) 초여과(ultrafiltration)를 통해 혈액에서 수분을 제거하는 과정. 수분이 대류과정을 통해 제거됨. 부차적인 증상을 유발시키는 체액의 구획 간 삼투농도 차이가 발생하지 않음.

혈장(plasma) 응고가 일어나기 전 혈액의 액체성분.

혈장반출술, 혈장교환술(plasmapheresis) 혈장으로부터 항체나 면역글로불린을 제거하기 위해 섬유소와 같은 특별한 필터를 사용하는 것.

혈전(embolus) 원위혈관에서부터 옮겨져 작은 혈관을 막을 위험이 있는 혈괴 혹은 혈전의 조각.

혈전(thrombus) 혈관에서 생성된 혈괴.

혈전증(thrombosis) 혈전의 형성.

혈종(hematoma) 혈관으로부터 혈액이 누출되어 세포 주위로 축적된 것.

혈중요소질소(Blood Urea Nitrogen, BUN) 혈중에 존재하는 요소로부터 나온 질소의 양에 대한 측정값. 실제 요소는 혈중요소질소 수치의 2.2배에 해당함. 정상 혈중요소질소의 범위는 9~15mg/dL (3~6.5 mmol/L).

혈청(serum) 혈액이 응고되고 난 후 혈액의 액체성분.

혈흉(hemothorax) 흉벽과 폐 사이 공간(흉강)에 혈액이 축적된 것.

호흡곤란(dyspnea) 호흡곤란.

화합물(compound) 체중에서의 비율로 정의되는 둘 혹은 그 이상 성분의 화학적 복합체.

확산(diffusion) 다른 입자들 사이에 흩어지거나 퍼지는 것.

활성 부분 트롬보플라스틴 시간(Activated Partial Thromboplastin Time, aPTT, PTT) 헤파린의 효과 및 혈액이 응고되는 데 필요한 시간을 알기 위한 임상검사.

활성 응고시간(Activated Clotting Time, ACT) 혈액의 응고시간을 측정하기 위한 검사.

황달(icterus) 동의어 jaundice.

황달(jaundice) 노란색을 띠는 담즙색소가 피부에 착색된 것. 간의 장애나 질환으로 인함.

회전이상(malrotate) 부적절하거나 비정상적으로 회전하는 것.

횡문근융해증(rhabdomyolysis) 혈액계로 미오글로빈이 방출되면서 근육세포가 망가지는 상태. 미오글로빈은 신장계에 독성 영향을 미쳐 급성 신부전을 유발함.

흡수제(sorbent) 흡수효과를 가진 약제.

흡인(aspirate) 흡입이나 음압을 이용해 어떤 것을 제거하는 것.

흡착(adsorb) 입자나 분자를 액체형태의 물질에 붙도록 하는 것.

희석(dilute) 솎아내거나 약화시키는 것. 용매를 추가하여 용액을 희석(포화도를 감소시킴)함.

1형 당뇨(dilute) 소아당뇨 또는 인슐린의존형 당뇨라고 불리며, 췌장의 베타세포 파괴가 원인이다.

2형 당뇨(dilute)   인슐린 생성이 있거나 감소하고, 인슐린 저항성이라 불리는 체내 인슐린 이용능력이 불충분해지는 상태.

ABO 혈액형 검사(ABO typing)   적혈구 유형을 결정하기 위한 혈액검사.

β_2M, β_2-microglobulin   다량의 세포표면에서 발견되는 단백질.

BUN-creatinine 비율(BUN-creatinine ratio)   정상 비율은 10:1.

cephalad   머리 쪽으로

concurrent   투석기를 적용할 때 투석액과 혈액의 흐름을 같은 방향으로 보내는 것.

Crit-Line monitor   동맥 내 삽입되는 의료장비로 지속적으로 실시간 헤마토크릿(Ht), 혈액량의 변화, 산소포화도를 측정함. 헤마토크릿을 기준으로 혈액의 양을 측정하는데, 이는 헤마토크릿과 혈액량이 역의 상관관계를 가지기 때문. 혈액량의 비율이 장비의 모니터상에 격자그래프로 나타남. 이 장비를 통해 초여과를 안전하게 최대화할 수 있고 저혈압, 근육경련 및 혈량감소와 관련된 기타 투석 합병증을 예방할 수 있음.

Hg   수은의 원소기호.

idiogenic   장기나 세포에서 유래한 분리되고 독립적인 것.

MΩ megaohm의 약어. 메가 옴은 100옴과 같음.

References and Recommended Readings

참고문헌

| Chapter 1

Board of Nephrology Examiners Nursing and Technology (BONENT): *Candidate examination handbook* [Brochure], Washington, D.C., 2010, BONENT.

Headley CM, Wall B: Advanced practice nurses: roles in the hemodialysis unit, *Nephrology Nursing Journal* 37(2):177 – 184, 2000.

Parker J, Gallagher N: The certified dialysis nurse examination, *Dialysis and Transplantation* 31(5):313 – 315, 2002.

Williams HF, Counts CS: Certification 101: the pathway to excellence, *Nephrology Nursing Journal* 40(3):197 – 208, 2013.

병원투석 간호사회(2013). 투석간호 25년의 발자취.

| Chapter 2

Blagg CR: The early history of dialysis for chronic renal failure in the United States: a view from Seattle, *American Journal of Kidney Diseases* 49(3):482 – 496, 2007.

Cameron JS: A *history of the treatment of renal failure by dialysis*, Oxford, 2002, Oxford University Press.

Eckardt KU, Berns JS, Rocco MV, Kasiske BL: Definition and classification of CKD: the debate should be about patient prognosis—a position statement from KDOQI and KDIGO, *American Journal of Kidney Diseases* 53(6):915 – 920, 2009.

Friedman EA: Willem Johan "Pim" Kolff: bionics for humans in any season, *Dialysis and Transplan-tation* 38(5):180 – 182, 2009.

Hoffart N: The development of kidney transplant nursing, *Nephrology Nursing Journal* 36(2): 127 – 134, 2009.

Nobelprize.org: *The Nobel prize in physiology or medicine 1990*, 2010. Retrieved from http://nobelp rize.org/nobel_prizes/medicine/laureates/1990/.

Quinn DJ: A brief history in nephrology pharmacotherapy, *Nephrology Nursing Journal* 36(2): 223 – 227, 2009.

Szromba C: Anemia treatment through the years, *Nephrology Nursing Journal* 36(2):229 – 231, 2009.

김민선 외(2015). 내원유형별 혈액투석 간호업무 표준개발, 임상간호 연구. 21:3, 293-308.

| Chapter 3

Morris DG: *Calculate with confidence*, ed 5, St. Louis, 2010, Mosby.

| Chapter 4

Black JM, Hawks JH: *Medical-surgical nursing: clinical management for positive outcomes*, ed 8, St. Louis, 2009, Saunders.

Brundage DJ: Cancer and the kidney, In *Renal disorders*. St. Louis, 1992, Mosby.

Burrows L, Muller R: Chronic kidney disease and cardiovascular disease: pathophysiologic links, *Nephrology Nursing Journal* 34(1):55 – 63, 2007.

Centers for Disease Control and Prevention: *National chronic kidney disease fact sheet: general in-formation and national estimates on chronic kidney disease in the United States*, 2010, Atlanta, 2010, U.S. Department of Health and Human Services.

Centers for Disease Control and Prevention: *Chronic kidney disease initiative: protecting kidney health, 2012*, Atlanta, 2012, U.S. Department of Health and Human Services.

Clarkson MR, Brenner BM, Magee C: Chapter 10. In *Pocket companion to Brenner & Rector's the kidney*. Philadelphia, 2010, Saunders.

Danesh F, Ho LT: Dialysis-related amyloidosis: history and clinical manifestations, *Seminars in Dialysis* 14(2):80 – 85, 2001.

Levey AS, de Jong PE, Coresh J, et al.: The definition, classification and prognosis of chronic kidney disease: a KDIGO controversies conference report, *Kidney International* 80:17 – 28, 2010.

Levy MN, Koeppen BM, Stanton BA: *Berne and Levy principles of physiology*, ed 4, Philadelphia, 2006, Elsevier.

National Kidney Foundation (NKF). *Frequently asked questions about GFR estimates*, n.d. *Kidney.org*. Retrieved from http://www.kidney.org/professionals/kls/pdf/12-10-4004_KBB_ FAQs_AboutGFR-1.pdf.

National Kidney Foundation (NKF): KDOQI clinical practice guidelines for chronic kidney dis-ease: Definition and classification of stages of chronic kidney disease, *American Journal of Kid-ney Diseases* 39(2 Suppl 1):S46 – S75, 2002.

Nissenson AR, Fine RN: *Handbook of dialysis therapy*, Philadelphia, 2008, Saunders.

Palevsky PM, Liu KD, Brophy PD, et al.: KDOQI US commentary on the 2012 KDIGO clinical practice guidelines for acute kidney injury, *American Journal of Kidney Disease* 61(5):649 – 672, 2013.

Rahman M, Fariha S, Smith MC: Acute kidney injury: a guide to diagnosis and management, *American Family Physician* 86(7):631 – 639, 2012.

Schatz SR: Diabetes and dialysis: nutrition care challenges, *Dialysis and Transplantation* 39(4): 144 – 147, 2010.

United States Renal Data System: *USRDS annual data report*, Bethesda, Md, 2008, National Insti-tutes of Health, National Institute of Diabetes and Digestive and Kidney Diseases, Division of Kidney, Urologic, and Hematologic Diseases.

| Chapter 5

American Heart Association: *Understanding blood pressure readings*, 2010. Retrieved from http:// www.heart.org.

Bhambri A, Del Rosso JQ: Calciphylaxis: a review, *The Journal of Clinical Aesthetic Dermatology* 1(2):38 – 41, 2008.

Bliss D: Calciphylaxis: what nurses need to know, Nephrology *Nursing Journal* 29(5):433 – 444, 2002.

British Thoracic Society Standards of Care Committee and Joint Tuberculosis Committee, Milburn H, Ashman N, Davies P, Doffman S, et al.: Guidelines for the prevention and management of *Mycobacterium tuberculosis* infection and disease in adult patients with chronic kidney disease, *Thorax* 65:557 – 570, 2010.

Bro S: How abnormal calcium, phosphate, and parathyroid hormone relate to cardiovascular disease, *Nephrology Nursing Journal* 30(3):275 – 278, 2003.

Centers for Disease Control and Prevention: Recommendations for preventing transmission of infections among chronic hemodialysis patients, *Morbidity and Mortality Weekly Report* 50(RR05):1 – 43, 2001.

Centers for Disease Control and Prevention: Decrease in reported tuberculosis cases—United States, 2009, *Morbidity and Mortality Weekly Report* 50(10):289 – 294, 2010.

Daugirdas JT, Blake PG, Ing TS: *Handbook of dialysis*, Philadelphia, 2007, Lippincott Williams & Wilkins.

Hopkins K: Facilitating sleep for patients with end stage renal disease, *Nephrology Nursing Journal* 32(2):189 – 195, 2005.

Joint National Committee on Prevention, Detection, Evaluation, and Treatment of High Blood Pressure: *JNC 7 express: the seventh report of the Joint National Committee on Prevention, Detection, Evaluation, and Treatment of High Blood Pressure*, Bethesda, Md, 2003, U.S. Department of Health and Human Services.

Kaushik A, Reddy SS, Umesh L, et al.: Oral and salivary changes among renal patients undergoing hemodialysis: a cross-sectional study, *Indian Journal of Nephrology* 23(2):125 – 129, 2013.

Khan SS, Iraniha MR: Diagnosis of renal osteodystrophy among chronic kidney disease patients, *Dialysis and Transplantation* 38(2):45 – 57, 2009.

Linton A: *Introduction to medical-surgical nursing*, ed 5, St. Louis, 2012, Saunders.

National Diabetes Information Clearinghouse: *National diabetes statistics*, Bethesda, Md, 2007, National Institutes of Health, U.S. Department of Health and Human Services.

Patton K, Thibodeau G: *Anatomy and physiology*, ed 8, St. Louis, 2013, Mosby.

Snively CS, Guitierres C: Chronic kidney disease: prevention and treatment of common complications, *American Family Physician* 70(10):1921 – 1928, 2004.

Sole ML, Klein DG, Moseley MJ: *Introduction to critical care nursing*, ed 6, St. Louis, 2013, Elsevier.

Steigerwalt S: Management of hypertension in diabetic patients with chronic kidney disease, *Diabetes Spectrum* 21:30 – 36, 2008.

United States Renal Data System: *USRDS 2010 annual data report: atlas of chronic kidney disease and end-stage renal disease in the United States*, Bethesda, Md, 2010, National Institutes of Health, National Institute of Diabetes and Digestive and Kidney Diseases.

Wright J, Hutchison A: Cardiovascular disease in patients with chronic kidney disease, *Vascular Health and Risk Management* 5:713 – 722, 2009.

| Chapter 6

AAMI Standards and Recommended Practices: *Dialysis*, edition, RD5 – Hemodialysis systems. Arlington, Va, 2008, Association for the Advancement of Medical Instrumentation.

Ikizler TA, Pupim LB, Brouilelette JR, et al.: Hemodialysis stimulates muscle and whole body protein loss and alters substrate oxidation, *American Journal of Physiology, Endocrinology, and Metabolism* 282(1):E107 – E116, 2002.

Lacson E, Lazarus JM: Dialyzer best practice: single use or reuse? *Seminars in Dialysis* 19(2): 120 – 128, 2006.

Schiffl H, Fischer R, Lang SM, Mangel E: Clinical manifestations of AB-amyloidosis: effects of bio-compatibility and flux, *Nephrology Dialysis and Transplantation* 15(6):840 – 845, 2000.

| Chapter 7

Centers for Medicare & Medicaid Services, United States Department of Health and Human Services: Medicare and Medicaid programs; conditions for coverage for end-stage renal disease facilities, Final rule, *Federal Register* 73(73):20369 – 20484, 2008.

Centers for Medicare & Medicaid Services: *ESRD conditions for coverage: frequently asked questions* (1-54), Baltimore, 2009, U.S. Department of Health and Human Services.

Cosar AA, Cinar S: Effect of dialysate sodium profiling and gradient ultrafiltration on hypotension, *Dialysis and Transplantation* 38(5):175 – 179, 2009.

Lacson E, Lazarus JM: Dialyzer best practice: single use or reuse? Seminars in Dialysis 19(2): 120 – 128, 2006.

Yung J: Optimal ultrafiltration profiling in hemodialysis, Nephrology *Nursing Journal* 35(3): 287 – 289, 2008.

| Chapter 8

Forum of ESRD Networks: *Medical director toolkit*, 2012. Retrieved from http://www.fmqai.com/ library/attachment-library/Medical%20Director%20Toolkit%20062112%5B1%5D.pdf.

The National Forum of ESRD Networks. *Welcome to the ESRD Network forum website*, n.d. Retrieved from http://esrdnetworks.org.

United States Environmental Protection Agency. *Drinking water contaminants*, n.d. Retrieved from http://water.epa.gov/drink/contaminants/index.cfm.

| Chapter 9

Centers for Medicare & Medicaid Services, United States Department of Health and Human Services: Medicare and Medicaid programs; conditions for coverage for end-stage renal disease facilities, Final rule, *Federal Register* 73(73):20369 – 20484, 2008.

Lacson E, Lazarus JM: Dialyzer best practice: single use or reuse? *Seminars in Dialysis* 19(2): 120 – 128, 2006.

United States Department of Labor, Occupational Safety and Health Administration: *Formaldehyde: OSHA fact sheet*, 2011. Retrieved from https://www.osha.gov/OshDoc/data_General_Facts/ formaldehyde-factsheet.pdf.

Upadhyay A, Sosa MA, Jaber BL: Single-use versus reusable dialyzers: the known unknowns, *Clinical Journal of American Society of Nephrology* 2:1079 – 1086, 2007.

| Chapter 10

Breiterman-White R: C-reactive protein and anemia: implications for patients on dialysis [Ab-stract], *Nephrology Nursing Journal* 33(5):555 – 558, 2006.

Centers for Disease Control and Prevention: Recommendations for preventing transmission of infections among chronic hemodialysis patients, *Morbidity and Mortality Weekly Report* 50(RR05):1 – 43, 2001a.

Centers for Disease Control and Prevention: Updated U.S. public health service guidelines for the management of occupational exposures to HBV, HCV, and HIV and recommendations for postexposure prophylaxis, *Morbidity and Mortality Weekly Report* 50(RR11):1 – 42, 2001b.

Centers for Disease Control and Prevention: Guidelines for the prevention of intravascular catheter-related infections, *Morbidity and Mortality Weekly Report* 51(RR10):1 – 26, 2002.

Centers for Disease Control and Prevention: Infection control requirements for dialysis facilities and clarification regarding guidance on parenteral medication vials, *Morbidity and Mortality Weekly Report* 57(RR32):875 – 876, 2008.

Centers for Disease Control and Prevention: *Hepatitis B FAQs for the public*, 2009. Retrieved from http://www.cdc.gov/ hepatitis/B/bFAQ.htm#statistics.

Centers for Disease Control and Prevention: Updated guidelines for using interferon gamma release assays to detect *Mycobacterium tuberculosis* infection, United States, *Morbidity and Mor-tality Weekly Report* 59(RR05):1 – 25, 2010.

Centers for Disease Control and Prevention: *Viral hepatitis surveillance, United States, 2011*, 2011. Retrieved from http:// www.cdc.gov/hepatitis/Statistics/2011Surveillance/PDFs/2011HepSur veillanceRpt.pdf.

Centers for Disease Control and Prevention: *CRE toolkit: guidance for control of carbapenemresistant Enterobacteriaceae (CRE)*, 2012a. Retrieved from http://www.cdc.gov/hai/organism s/cre/cre-toolkit/index.html.

Centers for Disease Control and Prevention: *Guidelines for vaccinating kidney dialysis patients and patients with chronic kidney disease*, Recommendations of the Advisory Committee on Immunization Practices, 2012b. Retrieved from http://www.cdc.gov/vaccines/pubs/downloads/ dialysis-guide-2012.pdf.

Centers for Disease Control and Prevention: *Reported tuberculosis in the United States, 2011*, Atlanta, 2012c, U.S. Department of Health and Human Services.

Centers for Disease Control and Prevention: *Carbapenem-resistant enterobacteriaceae (CRE) infection: clinician FAQs*, 2013. Retrieved from http://www.cdc.gov/hai/organisms/cre/ cre-clinicianFAQ.html.

Centers for Medicare & Medicaid Services, United States Department of Health and Human Services: Medicare and Medicaid programs; conditions for coverage for end-stage renal disease facilities, Final rule, *Federal Register* 73(73):20369 – 20484, 2008.

National Kidney Foundation (NKF): K/DOQI clinical practice guidelines for bone metabolism and disease in chronic kidney disease, *American Journal of Kidney Diseases* 42(Suppl 3):S1 – S202, 2003.

| Chapter 11

United States Department of Health and Human Services, Food and Drug Administration: *Hepa-rin: change in reference standard*, 2010. Retrieved from http://www.fda.gov/Safety/MedWatch/ SafetyInformation/SafetyAlertsforHumanMedical Products/ucm184687.htm.

| Chapter 12

Association for Professionals in Infection Control and Epidemiology: *Guide to the elimination of infections in hemodialysis*, Washington, DC, 2010, Association for Professionals in Infection Control and Epidemiology, Inc.

Ball LK: The buttonhole technique for arteriovenous fistula cannulation, *Nephrology Nursing Journal* 33(3):299 – 305, 2006.

Brouwer DJ: Cannulation camp: basic needle cannulation training for dialysis staff, *Dialysis and Transplantation* 24(11):606 – 612, 1995.

Centers for Disease Control and Prevention: *Hemodialysis central venous catheter Scrub-the-hub protocol. Institute for Healthcare Improvement, Scrub the hub: example posters*, 2011. Retrieved from http://www.ihi.org/IHI/Topics/ CriticalCare/IntensiveCare/Tools/Scrub theHubPosters.htm.

Fistula First Breakthrough Initiative: *Assessment and monitoring of the newly placed AV fistula for maturation*, Midlothian, 2010, FFBI Coalition, Clinical Practice Workgroup.

Hayes DD: Caring for your patient with a permanent hemodialysis access, *Nursing* 30(3):41 – 46, 2000.

Jennings W, Ball L, Duval L: *What you "know" about the "flow" is really important with reverse flow AVF's such as proximal radial artery fistulas*, n.d. Retrieved from http://www.network13.org/ff_ tools.asp.

McCann RL: Basilic vein transposition increases the rate of autogenous fistula creation. In ML Henry, editor: *Vascular access for hemodialysis*, Vol. 7, Chicago, 2001, W. L. Gore & Associates, Inc. and Precept Press.

Mid-Atlantic Renal Coalition: *Fistula first breakthrough initiative strategic plan, 2009, August 31*. Retrieved from http://www. esrdnet5.org/Files.WebEx/Handouts---Notes/WebEx-10042011.aspx.

National Kidney Foundation (NKF): Clinical practice guidelines for vascular access, *American Journal of Kidney Diseases* 48(Suppl 1):S176 – S247, 2006.

| Chapter 13

Nissenson AR, Fine RN: *Handbook of dialysis therapy, Philadelphia*, 2008, Saunders. Potter PA, Perry AG: *Fundamentals of nursing*, ed 8, St. Louis, 2013, Mosby. Wilson SE: Dialysis disequilibrium syndrome, *Nephrology Nursing Journal* 28(3):348 – 349, 2001.

| Chapter 14

Allen D, Bell J: Herbal medicine and the transplant patient, *Nephrology Nursing Journal* 29(3): 269 – 274, 2002.

Barone GW, Gurley J, Ketel BL: Herbal supplements: a potential for drug interactions in transplant recipients, *Transplantation* 71:239 – 241, 2001.

Bickford A: Herbal therapies for kidney patients, *Renalife* 15(5), 2000. Retrieved from http:// www.aakp.org/aakp-library/ herbal-therapies/.

Dahl NV: Herbs and supplements in dialysis patients: panacea or poison? *Seminars in Dialysis* 14(3):186 – 192, 2001. de Mutsert R, Grootendorst DC, Axelsson J, et al.: Excess mortality due to interaction between protein-energy wasting, inflammation and cardiovascular disease in chronic dialysis patients, *Nephrology Dialysis Transplantation* 23:2957 – 2964, 2008.

Fouque D, Kalantar-Zadeh K, Kopple J, et al.: A proposed nomenclature and diagnostic criteria for protein-energy wasting in acute and chronic kidney disease, *Kidney International* 73(4):391 – 398, 2008.

León JB, Sullivan CM, Sehgal AR: The prevalence of phosphorus-containing food additives in topselling foods in grocery stores, *Journal of Renal Nutrition* 23(4):265 – 270, 2013.e2.

Myhre MJ: Herbal remedies, nephropathies, and renal disease, *Nephrology Nursing Journal* 27(5):473 – 478, 2000.

National Kidney Foundation (NKF): Clinical practice guidelines for nutrition in chronic renal failure, *American Journal of*

Kidney Diseases 35(6 Suppl 2):S1 – S140, 2000. Retrieved from http:// www.ncbi.nlm.nih.gov/pubmed/10895784.

National Kidney Foundation (NKF): K/DOQI clinical practice guidelines for bone metabolism and disease in chronic kidney disease, *American Journal of Kidney Diseases* 45(Suppl 3):S1 – S202, 2003.

National Kidney Foundation (NKF): Clinical practice guidelines for peritoneal dialysis adequacy, *American Journal of Kidney Diseases* 48(Suppl 1):S99 – S175, 2006.

National Kidney Foundation (NKF): KDOQI Clinical practice guidelines for nutrition in children with CKD: 2008 update, *American Journal of Kidney Disease* 53(3 Suppl 2):S1 – S108, 2008.

Nolph K: Effects of dialysate volume and flow on solute and water removal with different peritoneal dialysis schedules, *Nephrology Dialysis Transplantation* 13(Suppl 6):S100 – S102, 1998.

Renal Business Today: *Right diet many help prevent kidney disease, new study finds, 2013.* Retrieved from https://www.kidney.org/news/newsroom/nr/Right-Diet-May-Help-Prevent-KD.

Wells C: Optimizing nutrition in patients with chronic kidney disease, *Nephrology Nursing Journal* 30(6):637 – 646, 2003.

Yap H, Chen YC, Fang JT, Huang CC: Star fruit: a neglected but serious fruit intoxicant in chronic renal failure, *Nephrology Dialysis Transplantation* 31(8):564 – 567, 2002.

| Chapter 15

Ahmad S: *Manual of clinical dialysis*, London, 1999, Science Press, Ltd.

Centers for Medicare and Medicaid Services (CMS): *Dialysis lab tests at a glance. (Version 1.4)*, 2014. Retrieved from http://www.cms.gov/Medicare/Provider-Enrollment-and-Certification/G uidanceforLawsAndRegulations/Dialysis.html.

Gotch FA, Stennett AK, Ofsthun NJ: Method of calculating a phosphorus-protein ratio. Patent application. Publication date: 2012-07-19. Patent application number: 20120184036. 2012.

Mahan LM, Escott-Stump S, Raymond JL: *Krause's food & the nutrition care process*, ed 13, St. Louis, 2012, Saunders.

National Kidney Foundation (NKF): K/DOQI clinical practice guidelines for anemia of chronic kidney disease: update 2000, *American Journal of Kidney Disease* 37(Suppl 1):S182 – S238, 2001.

National Kidney Foundation (NKF): K/DOQI clinical practice guidelines for bone metabolism and disease in chronic kidney disease, *American Journal of Kidney Diseases* 42(Suppl 3):S1 – S202, 2003.

National Kidney Foundation (NKF): K/DOQI clinical practice guidelines for cardiovascular disease in chronic kidney disease, *American Journal of Kidney Diseases* 45(Suppl 3):S1 – S153, 2005.

National Kidney Foundation (NKF): Clinical practice guidelines for hemodialysis adequacy, update 2006, *American Journal of Kidney Disease* 48(Suppl 1):S2 – S90, 2006.

National Kidney Foundation (NKF): *Cystatin C: what is the role in estimating GFR?* Kidney learning systems, 2009. Retrieved from www.kidney.org/professionals/tools/pdf/CystatinC.pdf.

Noori N, Kalantar-Zadeh K, Kovesdy CP, et al.: Association of dietary phosphorus intake and phosphorus to protein ratio with mortality in hemodialysis patients, *Clinical Journal of the American Society Nephrology* 5:683 – 692, 2010.

Pagana KD, Pagana TJ: Mosby's *manual of diagnostic and laboratory tests*, St. Louis, 2013, Mosby.

Spectra Renal Management: *C-reactive protein: a test for assessing infection and inflammation*, Rockleigh, NJ, 2009, Spectra Renal Management.

| Chapter 16

American Diabetes Association (ADA): Standards of medical care in diabetes—2010, *Diabetes Care* 33(Suppl 1):S11 – S61, 2010.

Fain JA: Understanding diabetes mellitus and kidney disease, *Nephrology Nursing Journal* 36(5):465 – 469, 2009.

National Diabetes Information Clearinghouse: *National diabetes statistics*, 2007, 2007. Retrieved from http://diabetes.niddk.nih.gov/dm/pubs/statistics/.

United States Renal Data System: *USRDS 2007 annual data report*, Bethesda, Md, 2007, National Institute of Diabetes and Digestive and Kidney Diseases, National Institutes of Health, U.S. Department of Health and Human Services.

United States Renal Data System: *USRDS 2009 annual data report*, Bethesda, Md, 2009, National Institute of Diabetes and Digestive and Kidney Diseases, National Institutes of Health, U.S. De-partment of Health and Human Services.

United States Renal Data System: *USRDS 2010 annual data report: atlas of chronic kidney disease and end-stage renal disease in the United States*, Bethesda, Md, 2010, National Institutes of Health, National Institute of Diabetes and Digestive and Kidney Diseases.

| Chapter 17

American Heart Association. Understanding blood pressure readings, 2013. Retrieved from http:// www.heart.org/ HEARTORG/Conditions/HighBloodPressure/AboutHighBloodPressure/Unde rstanding-Blood-Pressure-Readings_ UCM_301764_Article.jsp.

Amgen, Inc.: Epogen [package insert]. Thousand Oaks, Calif, 2014. Retrieved from http://druginse rts.com/lib/rx/meds/ epogen-1/.

Andrews L, Gibbs MA: Antihypertensive medications and renal disease, *Nephrology Nursing Jour-nal* 29(4):379‒382, 2002.

Aronoff GR, Erbeck KM: Prescribing drugs for dialysis patients. In WL Henrich, editor: *Principles and practice of dialysis*, Baltimore, 1994, Williams & Wilkins, pp 149‒196.

Aronoff GR, Golper TA, Morrison G: *Drug prescribing in renal failure: dosing guidelines for adults*, Philadelphia, 1999, American College of Physicians.

Aweeka FT: Dosing of drugs in renal failure. In LY Young, MA Koda-Kimble, editors: *Applied therapeutics: the clinical use of drugs*, ed 6, Vancouver, Wash, 1995, Applied Therapeutics, Inc.

Bailie GR: Acute renal failure. In LY Young, MA Koda-Kimble, editors: *Applied therapeutics: the clinical use of drugs*, ed 6, Vancouver, Wash, 1995, Applied Therapeutics, Inc.

Brater DC: Dosing regimens in renal disease. In HR Jacobsen, GE Striker, S Klahr, editors: *The principles and practice of nephrology*, ed 2, St Louis, 1995, Mosby.

Cutler RE, Forland SC, Hammond PGS: Pharmacokinetics of drugs and the effect of renal failure. In SG Massry, RJ Glasscock, editors: *Textbook of nephrology*, ed 3, vol 2. Baltimore, 1995, Williams & Wilkins.

Davidman M, Olson P, Kohen J: Iatrogenic renal disease, *Archives of Internal Medicine* 151(9): 1809‒1812, 1991.

Goral S: Levocarnitine's role in the treatment of patients with end-stage renal disease: a review, *Dialysis & Transplantation* 30(8):530‒538, 2001.

Jick H: Adverse drug effects in relation to renal function, *American Journal of Medicine* 62(4): 514‒517, 1977.

Liponi DF, Winter ME, Tozen TN: Renal function and therapeutic concentrations of phenytoin, *Neurology* 34(3):395‒397, 1984.

Matzke GR, Frye RF: Drug therapy individualization for patients with renal insufficiency. In JT Dipiro, editor: *Pharmacotherapy: a pathophysiological approach*, ed 3, Stamford, Conn, 1997, Appleton & Lange.

National Heart Lung and Blood Institute. *Diseases and conditions index: high blood pressure*, n.d. Retrieved from http:// www.nhlbi.nih.gov/hbp.

National Kidney Foundation (NKF): K/DOQI clinical practice guidelines for bone metabolism and disease in chronic kidney disease, *American Journal of Kidney Diseases* 42(Suppl 3):S1‒ S201, 2003.

National Kidney Foundation (NKF): Clinical practice guidelines and clinical practice recommendations for anemia in chronic kidney disease update, *American Journal of Kidney Diseases* 47(Suppl 3):S1‒S145, 2006.

Skidmore-Roth L: *Mosby's drug guide for nurses 2004*, ed 5, St Louis, 2004, Mosby.

Sommadossi JP, Bevan R, Ling T, et al.: Clinical pharmacokinetics of ganciclovir in patients with normal and impaired renal function, *Review of Infectious Diseases* 10(Suppl 3):S507‒S514, 1998.

St Peter WL: Chronic renal failure and end stage renal disease. In JT Dipiro, editor: *Pharmacotherapy: a pathophysiological approach*, ed 3, Stamford, Conn, 1977, Appleton & Lange.

Swan SK, Bennett WM: Use of drugs in patients with renal failure. In RW Schrier, CW Gottschalk, editors: *Diseases of the kidney*, ed 6, vol 3. Boston, 1997, Little, Brown, and Co.

U.S. Department of Health and Human Services: *FDA modifies dosing recommendations for erythropoiesis-stimulating agents,*

U.S. Food and Drug Administration, 2011. FDA News Release June 24, 2011.

Winchester JF, Kriger FL: Hemodialysis and hemoperfusion in the management of poisoning. In SG Massry, RJ Glasscock, editors: *Textbook of nephrology*, ed 3, vol 2. Baltimore, 1995, Wil-liams & Wilkins.

Zarama M, Abraham PA: Drug-induced renal disease. In JT Dipiro, editor: *Pharmacotherapy: a pathophysiologic approach*, ed 3, Stamford, Conn, 1997, Appleton & Lange.

| Chapter 18

Ashley C, Morlidge C: *Introduction to renal therapeutics*, London, 2008, Pharmaceutical Press.

Carlson KK: *Advanced critical care nursing*, St Louis, 2009, Saunders.

Golper TA, Schwab SJ, Sheridan AM: *Continuous replacement therapy in acute kidney injury (acute renal failure)*, 2012. Retrieved from www.Uptodate.com.

Hoste EA, Clermont G, Kersten A, et al.: RIFLE criteria for acute kidney injury are associated with hospital mortality in critically ill patients: a cohort analysis, *Critical Care* 10(3):R73, 2006.

Ramos P, Marshall MR, Golper TA: *Acute hemodialysis prescription*, 2013. Retrieved from www.uptodate.com.

Schrier RW: *Diseases of the kidney and urinary tract*, ed 8, vol 11. Philadelphia, 2008, Lippincott Williams & Wilkins.

Sinha AD, Light RD, Agarwall R: Relative plasma volume monitoring during hemodialysis aids the assessment of dry weights, *Hypertension* 55:301 – 305, 2013.

Szczepiorkowski ZM, Bandarenko N, Kim HC, et al.: The new approach to assignment of ASFA categories – introduction to the fourth special issue: clinical applications of therapeutic apheresis, *Journal of Clinical Apheresis* 22:96 – 105, 2007.

Szczepiorkowski ZM, Winters JL, Bandarenko N, et al.: Guidelines on the use of therapeutic apheresis in clinical practice-evidence-based approach from the Apheresis Applications Committee of the American Society for Apheresis, *Journal of Clinical Apheresis* 25(3):83 – 177, 2010.

Taal MW, Chertow GM, Marsden PA, et al.: *Brenner & Rector's the kidney*, ed 9, vol 1. Philadelphia, PA, 2012, Elsevier Saunders.

Urden LD, Stacy KM, Lough ME: *Critical care nursing diagnosis and Management*, ed 6, St. Louis, 2010, Mosby.

| Chapter 19

Clarkson MR, Brenner BM, Magee C: *Pocket companion to Brenner & Rector's the kidney*, Philadelphia, 2010, Saunders.

Crabtree JH: Selected best demonstrated practices in peritoneal dialysis access, *Kidney International* 70:S27 – S37, 2006.

Curtis J: Daily short and nightly nocturnal home hemodialysis: state of the art, *Dialysis and Trans-plantation* 33(2):64 – 71, 2004.

Golper TA, Saxena AB, Piraino B, et al.: Systematic barriers to the effective delivery of home dialysis in the United States: a report from the Public Policy/Advocacy Committee of the North American Chapter of the International Society for Peritoneal Dialysis, *American Journal of Kid-ney Disease* 58(6):879 – 885, 2011.

Hoy CD: Remote monitoring of daily nocturnal hemodialysis, *Hemodialysis International* 5:8 – 12, 2001.

Li PK, Szeto CC, Piraino B, Bernardini J, et al.: ISPD guidelines/recommendations: peritoneal dialysis-related infections recommendations: 2010 update, *Peritoneal Dialysis International* 30(4):393 – 423, 2010.

Medical Education Institute, Inc: *Methods to assess treatment choices for home dialysis*, 2007. Retrieved from http://www.homedialysis.org/documents/pros/MATCH-D-v4.pdf.

National Kidney Foundation (NKF). *KDOQI update 2000*, n.d. Retrieved from http://www.kidney. org/professionals/kdoqi/guidelines_updates/doqi_uptoc.html.

National Kidney Foundation (NKF): Clinical practice guidelines and clinical practice recommendations: Peritoneal dialysis adequacy, *American Journal of Kidney Diseases* 48:S91 – S175, 2006.

United States Renal Data System: *USRDS 2003 annual data report*, Bethesda, Md, 2003, National Institute of Diabetes and Digestive and Kidney Diseases, National Institutes of Health, U.S. Department of Health and Human Services.

United States Renal Data System: *USRDS 2007 annual data report*, Bethesda, Md, 2007, National Institute of Diabetes and

Digestive and Kidney Diseases, National Institutes of Health, U.S. Department of Health and Human Services.

United States Renal Data System: *USRDS 2011 annual data report*, Bethesda, Md, 2011, National Institute of Diabetes and Digestive and Kidney Diseases, National Institutes of Health, U.S. Department of Health and Human Services.

United States Renal Data System: *USRDS 2010 annual data report: atlas of chronic kidney disease and end-stage renal disease in the United States*, Bethesda, Md, 2010, National Institutes of Health, National Institute of Diabetes and Digestive and Kidney Diseases.

Urden LD: *Critical care nursing: diagnosis and management (with media)*, ed 6, St. Louis, 2010, Mosby.

| Chapter 20

Amatya A, Florman S, Paramesh A, et al.: HLA-matched kidney transplantation in the era of modern immunosuppressive therapy, *Dialysis and Transplantation* 39(5):193 – 198, 2010.

Carlson L: Clinical management of the HIV-positive kidney transplant recipient, *Nephrology Nursing Journal* 35(6):559 – 567, 2008.

Chilcot J, Wellsted D, Farrington K: Depression in end-stage renal disease: current advances and research, *Seminars in Dialysis* 23(1):74 – 82, 2010.

Drugs Approved by the FDA: *Rapamune (sirolimus)*, Boston, 2000, CenterWatch, Inc.

Floege J, Eitner F: Combined immunosuppression in high-risk patients with IgA nephropathy? *Journal of the American Society of Nephrology* 21(10):1604 – 1606, 2010.

Murphey CL, Forsthuber TG: Trends in HLA antibody screening and identification and their role in transplantation, *Expert Reviews in Clinical Immunology* 4(3):391 – 399, 2008.

National Kidney Foundation (NKF): *25 facts about organ donation and transplantation*, 2010. Retrieved from http://www.kidney.org/news/newsroom/fs_new/25factsorgdon& trans.cfm.

National Kidney Foundation (NKF): *Immunosuppressive drug coverage*, Washington, DC, 2011, NKF Government Relations Office.

National Kidney Foundation (NKF). *Immunosuppressive drug coverage*, 2013. Retrieved from https://www.kidney.org/content/immunosuppressive-drug-coverage.

Neyhart CD: Patient questions about transplantation: a resource guide, *Nephrology Nursing Journal* 36(3):279 – 285, 2009.

Organ Procurement and Transplantation Network (OPTN): *Transplants by donor type: kidney pancreas.*

U.S. Department of Health and Human Services. Retrieved from http://optn.transplant. hrsa.gov. Page TF, Woodward RS: Cost of lifetime immunosuppression coverage for kidney transplant recipients, *Health Care Financing Review* 30(2):95 – 104, 2008. United Network for Organ Sharing. (n.d.). *Donation & transplantation: data.* Retrieved from http: //www.unos.org/donation/index.php?topic=data.

United States Renal Data System: *USRDS 2007 annual data report*, Bethesda, Md, 2007, National Institute of Diabetes and Digestive and Kidney Diseases, National Institutes of Health, U.S. Department of Health and Human Services.

United States Renal Data System: *USRDS 2008 annual data report*, Bethesda, Md, 2008, National Institute of Diabetes and Digestive and Kidney Diseases, National Institutes of Health, U.S. Department of Health and Human Services.

United States Renal Data System: USRDS *2010 annual data report: atlas of chronic kidney disease and end-stage renal disease in the United States*, Bethesda, Md, 2010, National Institutes of Health, National Institute of Diabetes and Digestive and Kidney Diseases.

Woodside KJ, Augustine JJ: Kidney transplant is no longer contraindicated for patients with well-controlled HIV, *MD News Clinical Notes*, 2012.

| Chapter 21

Aldridge MD: How do families adjust to having a child with chronic kidney failure? A systematic review, *Nephrology Nursing Journal* 35(2):157 – 162, 2008.

National Kidney Foundation (NKF): KDOQI clinical practice guidelines for nutrition in children with CKD: 2008 update,

American Journal of Kidney Disease 53(3 Suppl 2):S1 – S108, 2008.

Pollart SM, Warniment C, Mori T: Latex allergy, *American Family Physician* 80(12):1413 – 1418, 2009.

United States Renal Data System: *USRDS 2007 annual data report*, Bethesda, Md, 2007, National Institutes of Health, National Institute of Diabetes and Digestive and Kidney Diseases, Division of Kidney, Urologic, and Hematologic Diseases.

| Chapter 22

United States Renal Data System: *USRDS 2009 annual data report*, Bethesda, Md, 2009, National Institute of Diabetes and Digestive and Kidney Diseases, National Institutes of Health, U.S. Department of Health and Human Services.

Wright S, Danziger J: Peritoneal dialysis in elderly patients, *American Society of Nephrology*, 2009. Retrieved from http://www.asn-online.org/education/distancelearning/curricula/geriatrics/ Chapter22.pdf.

| Chapter 23

Benko L: HIPAA: how dialysis providers will be affected, *Nephrology Nursing Journal* 30(2): 253 – 256, 2003.

Chilcot J, Wellstead D, Farrington K: Depression in end-stage renal disease: current advances and research, *Seminars in Dialysis* 23(1):74 – 82, 2010.

Crampton K: Professional boundaries in the dialysis setting, *Dialysis and Transplantation* 30(9):592 – 596, 2001.

National Council of State Boards of Nursing: *Professional boundaries*, Chicago, 1996, National Council of State Boards of Nursing, Inc.

Robinson K: Does pre-ESRD education make a difference? The patients' perspective, *Dialysis and Transplantation* 30(9):564 – 567, 2001.

| Chapter 24

Centers for Disease Control and Prevention: *Simply put: a guide for creating easy-to-understand materials*, ed 3, 2009. Retrieved from http://www.cdc.gov/healthliteracy/pdf/Simply_Put.pdf.

Redman BK: *The practice of patient education: a case study approach*, St. Louis, 2007, Elsevier.

U.S. Department of Health and Human Services: *Healthy people 2010*, Washington, DC, 2000, U.S. Government Printing Office. Originally developed for Ratzan SC, Parker RM.

Wingard R: Patient education and the nursing process: meeting the patient's needs, *Nephrology Nursing Journal* 32(2):211 – 215, 2005.

| Chapter 25

Centers for Medicare and Medicaid Services: *ESRD network organizations*, 2013. Retrieved from http://www.cms.gov/Medicare/End-Stage-Renal-Disease/ESRDNetworkOrganizations.

Kliger AS: Can we improve the quality of life for dialysis patients? *American Journal of Kidney Disease* 54(6):993 – 995, 2009.

Pulliam J: *Bundled payments for dialysis. Renal & Urology News*, 2009. Retrieved from http://www. renalandurologynews. com/bundled-payments-for-dialysis/article/139957/.

United States Renal Data System: *USRDS 2009 annual data report*, Bethesda, Md, 2009, National Institute of Diabetes and Digestive and Kidney Diseases, National Institutes of Health, U.S. Department of Health and Human Services.

| Chapter 26

Billings DM, Halstead JA: *Teaching in nursing: A guide for faculty*, ed 4, St. Louis, 2012, Elsevier.

Burns C, Beauchesne M, Ryan-Krause P, Sawin K: Mastering the preceptor role: challenges of clinical teaching, *Journal of Pediatric Health Care* 20(3):172–183, 2006.

Motacki K, Burke B: *Nursing delegation and management of patient care*, St. Louis, 2011, Mosby.

O'Connor AB: *Clinical instruction and evaluation: a teaching resource*, Sudbury, Mass, 2001, Jones and Bartlett Publishers.

| Chapter 27

김매자 외(2001). 간호과정론, 서울대학교출판부.

김천대학교 간호학과(2015). 간호과정지침서.

서울대학교병원간호부(2007). 표준간호진술문을 적용한 임상간호과정.

허정(2005). 혈액투석 치료불이행 환자의 스트레스와 대처유형에 관한 연구, 이화여자대학교 간호학석사논문.

허정(2007). 저효율 혈액투석 불이행 측정도구 개발, 간호행정학회지, 13(4).

허정(2011). 고효율 혈액투석 불이행 분류기준 개발, 한국융합학회지, 1(1).

허정(2015). 혈액여과투석 환자의 치료이행 지표와 분류기준 개발, 융합형 혈액여과투석 치료이행 측정도구 개발: 온라인 혈액여과투석을 중심으로, 디지털융복합연구, 13(7).

허정(2016). 간호과정 지침서, 김천대학교 간호학과.

| Chapter 28

박수경(2015). 표준화 환자를 활용한 위내시경검사 전 시뮬레이션 기반 간호프로그램 개발과 효과, 중앙대학교 건강간호대학원 석사학위논문.

박영신(2015). 급성심근경색증 환자의 시뮬레이션 기반 교육의 효과, 우석대학교 대학원 석사학위논문.

변영순, 강윤희, 정덕유(2011). 간호교육자를 위한 시뮬레이션 시나리오, 서울 현문사

송인혜(2015). 저혈당 환자에 대한 응급간호시뮬레이션 교육 프로그램의 개발 및 효과, 삼육대학교 대학원 석사학위논문.

전열어 외(2015). 시뮬레이션 지침서(지도자용), 김천대학교 간호학과.

한영인, 오혜경(2011). 핵심간호 시뮬레이션 교육, 서울 수문사

| 부록 A

Raines V: *Davis's basic math review for nurses with step-by-step solutions*, Philadelphia, 2010, F. A. Davis.

Stassi ME, Tiemann MA: *Math for nurses*, New York, 2009, Kaplan Publishing.

| 부록 B

Billings DM: Student extra: seven steps for test-taking success, *American Journal of Nursing* 107(4), 72AAA–72CCC, 2007.

Lancaster LE: Systemic manifestations of renal failure. In *ANNA core curriculum for nephrology nursing*, ed 4, Pittman, NJ, 2001, Anthony J. Jannetti, Inc.

Silvestri LA: Test-taking strategies. In *Saunders comprehensive review for the NCLEX-RN examination*, ed 4, Philadelphia, 2007, Saunders.

Test taking tips will help improve your test taking skills & study skills, n.d. Retrieved from http://www. testtakingtips.com/resources/index.htm.